白き瓶（かめ）

小説 長塚節（たかし）

藤沢周平

文藝春秋

目次

編集部より

本書に収録した作品のなかには、差別的表現あるいは差別的表現ととられかねない箇所が含まれています。が、著者は既に故人であり、作品が時代的な背景を踏まえていること、作品自体は差別を助長するようなものではないことなどに鑑み、原文のままとしました。

尚、本文中で、厳密には訂正も検討できる部分については、基本的に原文を尊重し、最低限の訂正にとどめました。明らかな誤植等につきましては、著作権者の了解のもと、改稿いたしました。

白き瓶（かめ）

小説 長塚節（たかし）

根岸庵

一

櫟(くぬぎ)や楢(なら)に囲まれた農道のそばの空地で、節(たかし)は体操をしている。もろ肌ぬぎにぬいだ着物の袖は腰にはさみこみ、上半身裸だった。節ははげしく手を振り、身体を曲げる一連の徒手体操を終ると、今度はそばの地面においてあった鉄亜鈴をつかんだ。

かなり大きくて重い鉄亜鈴を、右手で十回、左手で十回さし上げると、顔からも胸からも汗が噴き出た。亜鈴を投げ出し、軽く足をひらくと深呼吸に移る。

まわりの雑木林は、白い柔毛が光る新葉をつけはじめていた。櫟の梢には、まだ悴(かじか)んだ枯葉がこびりつき、冬の間の埃っぽく乾いた空気がまったく消えたわけではないが、空地には新葉がはなつかすかな芳香がただよっている。その香は、深く息を吸いこむと、鼻から肺の中まで入りこんで来た。

深呼吸の終りの方で、節はいっぱいに吸いこんだ息を途中でとめる。すると、ふくらんだ胸郭の内側に、汚れのない朝の空気、雑木の間からさしこんで来る光が満ちあふれる。息をとめたまま、節は片手で胸を叩く。胸は十分に厚く、いい音がした。

「はあーッ」

声と一緒に、ためていた息を出す。二、三度その動作を繰り返して、深呼吸が終った。はげしい体操ではずんだ息も、胸の動悸ももうおさまっている。

節は草の上に置いてあった手拭いを取って、丹念に身体の汗を拭いた。途中で手をやすめて、腕を曲げてみる。力瘤が盛り上がった。かなりたくましい腕だった。そのことにも節は満足した。

節は生まれつき身体が弱かった。そのため明治二十二年三月に国生尋常小学校を卒業して下妻町にある真壁第二高等小学校に入学することになったとき、両親は下妻まで二里の道を通学するのは無理と判断して、節を下妻にある母の実家渡辺家に預けたぐらいである。

しかし家から離れていた四年間の下妻の生活が、かえって節を丈夫にした。母の実家は砂沼のそばにある。そこで泳いでおぼれかけたりしているうちに、節の体力はほぼ普通の少年と変りないところまで増した。高等小学校を終えて県立水戸中学校にすすんだころの節は、痩せてはいたが水泳がうまく、巧みに器械体操をこなす機敏な少年になっていたのである。

しかし生まれつきの虚弱な体質が、ふたたび顔を出してきたのもこの時期だった。中学三年のときに、節は大きく体調を崩した。節はそのころ友人たちと御飯の喰べくらべをし、茶碗で八杯も喰べた。それが身体をこわすもとになったと家の者にも話し、いまもそう信じているのだが、一度崩れた体調は容易に元にはもどらず、四年に進級すると、体力の衰えは脳神経衰弱という厄介な病気まではこんで来た。節は、神経衰弱から来る強度の不眠症に悩まされ、ついに水戸中学校を中途退学する羽目になったのである。

　退学後の節は、たびたび上京して医者にかかり、また塩原や草津に滞在して入湯加療につとめたりしたが、体調は好転せず、やがて本格的に上京して築地の山田病院に入院した。しかしそこでも節の衰弱は増すばかりで、たまたま見舞いに来た節の父の友人で国会議員の飯田新右衛門のすすめで、神田錦町の橋田病院に転院する。

　節の病状が回復にむかうのはその転院以後で、節はその年の徴兵検査にようやく間に合い、帰郷することが出来た。しかし、むろん検査は不合格だった。

　節は下妻高等小学校（節在学中に真壁第二高等小学校から改称）を卒業するとき、二十八名の同窓の中で首席を占めた。また、県立水戸中学校（当時は茨城県尋常中学校と称した）にも首席で入学した明敏な頭脳の持主だったが、中途退学と言い、徴兵検査の不合格と言い、弱い身体のために屈辱を嘗(な)めた。病身それも神経衰弱持ちで医者通いをしたり、家の中でぶらぶらしていることは、村の中の聞こえもよくなかったのである。

　しかし、ここ一、二年、節はようやく病気と縁が切れて、体力が充実して来たのを感じている。青白く痩せていた身体に、肉がついた。今年は二月末のまだ寒い時期に筑波山にのぼり、三月の上旬には成田の新勝寺と香取神宮に参詣がてら観梅、さらに足を下(しも)

総神崎の親友寺田憲の家までのばして帰郷した。ひとやすみして三月末には、今度は水戸の北方多珂郡諏訪村の梅林を見に行き、ついでに水木浜に出て遊んだりした。節はそういう旅を好んでした。

節は、東京根岸に住んで短歌革新ののろしを挙げた正岡子規の弟子である。取りあえずは旧派の歌人たちや、新興の短歌結社ではあっても子規の指導する根岸短歌会とは方向を異にする与謝野鉄幹のひきいる新詩社などを当面の敵として、新しい短歌を創造して行く立場にいた。春先の旅行は、そのための歌材を得るための旅だったが、ほとんどが徒歩で、しかも諏訪村の梅林を見に行った日は、春にはめずらしい風雪に会ったりしたのに、身体の方は何の異状もなかった。

——何ごとも、努力だ。

節は、二十四にしてようやく若者らしい骨格と筋肉にめぐまれて来た身体を、やや陶然と見回す。

身体が回復しても、節は決して油断しなかった。喰べものには気をつかい、暴飲暴食は当然避ける。一方でよく歩き回り、体操で身体をほぐし、鉄亜鈴で筋肉を鍛える。その成果が身体にあらわれていた。節にはそれが、貴重な収穫に思われる。

もう一度腕を曲げて力瘤をつくったとき、ひとの声がして、誰かが農道をこちらにやって来る気配がした。節は大いそぎで袖を通し、襟を直して肌を隠した。

空地の入口に姿を現わしたのは嘉七という男である。節の家の小作人だった。嘉七のうしろから、まだ小さい弟の手をひいた嘉七の娘が現われたが、娘は軽く頭をさげただけで通りすぎた。

鍬を肩にかけ、うつむいたまま通りすぎる娘の姿には、子供から娘になろうとする時期の女が示す、ひとに怖じるような気配が現われていた。だが嘉七は立ちどまった。

「また体操でがすか、小旦那さん」

嘉七は、目ざとく地面の鉄亜鈴に眼をとめて言った。嘉七はただの小作人ではなく、節が子供のころに、節の家で作男をしていた。村の者は、節と道で行き合ってもむこうから声をかけて来ることは稀だが、嘉七はかならず話しかけて来る。

いまも何かと節の家を頼りにして出入りしているので、家の事情にも通じていた。嘉七は、鍬を地面におろした。

「はあ、近ごろは丈夫そうになって、いい塩梅でござんすね」

「畑かい？」

と節は言った。雑木林の奥に、嘉七が開墾した畑がある。このあたり一帯の山林は山久と呼ばれる節の家の所有だが、嘉七は開墾を請負って長い間に少しずつ山林を畑に変え、その一部は自分が借りて畑作物をつくっていた。

嘉七の娘がむかって行くのは、その方角である。大人の笠をかぶり、大人の野良着にきっちりと装っているが、身体はまだ子供のように小さいその娘が遠ざかる姿を、節は見送った。

「へえ、そろそろ田んぼにかかるべと思っても、その前に畑を始末しねえと、仕事の決まりがつかねえもんでがすから」

嘉七は日焼けした小づくりな顔に、情けないような笑いをうかべた。

「嬶がおっ死んでからは、どうやっても仕事が遅れ遅れになるのせ。ええことはひとつもねえでがすよ」

嘉七が鍬を肩にもどして去ると、節も鉄亜鈴をさげて道に出た。振りむくと、先に行った娘たちを追って、つんのめるように道をいそいで行く嘉七のうしろ姿が見えた。

嘉七は一昨年の冬に、女房を失った。堕胎の失敗がひき起こした破傷風が死因だったということを、節も耳にしている。

嘉七は婿で、米松という頑丈な身体つきの舅がいるのだが、婿とそりが合わない米松は野田の醬油工場に雇われて行っていた。嘉七は、まだ鍬の使い方も十分に知らない娘を相手に、田畑の始末をつけ、少しのひまがあれば日雇いできりきりと働く。

嘉七は働くのを塵ほども厭わない男だった。嘉七が仕事を怠けている姿を見たことがない。軽い盗癖があって、節の家に米搗きに雇われて来ると、股引きに二、三升の米を入れて持ち出したり、また田んぼから夜にまぎれて他人の掛け稲を盗むとかの噂をされる男だったが、節はその種の噂に興味は惹かれるものの、指さしてその盗癖を咎める気にはなれなかった。嘉七は怠け者ではなかった。盗んで楽をしようという料簡でないからには、その盗みは貧しさから来るのだろう。

そうは言っても、貧しい者がみな盗むわけではなかろうから、嘉七の盗癖はあきらかな犯罪なのだが、嘉七の盗みは、働いても働いても、いつも喰えるか喰えないかの瀬戸ぎわで決断を迫られるような貧しい日日の中で、あるときかたりと心の歯止めがはずれるようなものではないのか、と節は想像する。

そんなふうに解釈が好意的になるのは、節がこれまで、たびたび嘉七の開墾仕事を見ているせいかも知れなかった。

嘉七は、山久の山林を開墾する報酬として、手間賃のほかに米と麦の現物を受け取ることになっていた。小作人の暮らしでは、収穫が済んで地主に年貢を払ってしまうと、後に残るものはがっかりするほどに少ない。とうていそのあとの一年を喰いつなぐには足りなかった。不作の年には、当然ながら暮らしは一層きびしくなる。

その不足を補うために、彼らは百姓仕事の合間を縫って機敏に日雇い働きに出、そこから稼ぎ出した金で不足の米や麦を買うのである。嘉七が節の家の山林の開墾で結んだ契約は、骨身を惜しまずに働けば、賃金のほかに喰い物の不足分もある程度保証される点で、嘉七に気持のゆとりをあたえるものだったろう。そして開墾がある間は、百姓仕事がひまな春先いっぱいまで、ほかの土地に出て行かなくとも仕事があたえられるのである。

そういう条件のよさもあってか、嘉七はその仕事に精出していた。そして嘉七は、開墾の仕事が上手でもあったのである。

嘉七は小柄で、見た目には貧弱なほどの身体つきをしているが、その身体がなみなみでない筋力を隠していることは、木株を掘り起こしているところを見ればわかった。重い唐鍬をふりかぶり、ふりおろす。ぷつりと切り取った土を、嘉七は唐鍬の刃先が裁断した白い地中根もろともに、そっと背後に投げる。またふりかぶって、さくりと切りこむ。土を背後に投げる。嘉七のその動きには、一定した気持のいいリズムがあった。力にまかせて、唐鍬を軽軽とあやつるのではなく、嘉七は唐鍬の重味に乗り、その重味と刃の切れ味とひとつに溶け合って動くように見える。早春の日射しがやや暑すぎる日は、嘉七は上半身裸で仕事をする。そういうときそばで仕事を見ていると、嘉七の痩せぎすではあるがひきしまった腕の筋肉、腹筋、背筋の動きがよくわかった。

嘉七の力は瞬発しては、つぎの瞬間に消える。その動きが作業のリズムを生み出すのだった。嘉七は無駄な力を発散したりしない。そういう嘉七の手にかかると、頑強に土にしがみつく切株も、四方から巧みに攻めたてられて、ついにはそっくり土から引きはがされるのである。

開墾地には、ほかの百姓も二、三人入っているので、節は散歩がてら山久の小旦那として作業のすすみぐあいを見回ることがある。だが、嘉七ほど土を掘り起こすことが巧みな者はいなかった。節は、嘉七が竹林を開墾したとき、びっしりと地中に根を張りめぐらしている土を、一坪の広さのままそっくり掘り起こしたのを見たことさえある。

作業に熱中しているときの嘉七はまったく無口で、日ごろのひとの善さと小狡さが同居しているようなあいまいな表情は影をひそめ、顔つきまできびしくなる。目の前の切株を攻めるのにどう力を使ったら有効か、刻刻のその判断に気持を奪われて、そばで節が見ていてもほとんど気にならないというふうに見えた。

節には嘉七の盗癖を弁護する気持はない。ただ、そういう悪癖をうわさされる男が、かくも熟練の腕を持つ農夫であることを、やはり認めてやりたいという気持になるのである。しかし、ただ漠然とそう思うだけで、嘉七の貧しさも盗みも、節にはどうしようもないものだった。

盗癖を持ちながら、百姓仕事には熟練の腕を持つ男は、律儀でもあった。いまも立ちどまって節と立ち話をかわして行ったのが、その証拠である。

節がもう一度振りむいたとき、嘉七親子の姿は農道から消えて、やや勢いを増した朝の光が、まだ枯色の濃い道と白っぽい新葉の色がまじりはじめた雑木林を照らしているだけだった。

——それにしても……。

嘉七は、もう少し娘の身なりに気を配ってやったらよさそうなものなのに、と節は思った。

通りすぎるところを一瞥(いちべつ)しただけだが、嘉七の娘は、相変らず死んだ母親のおさがりと思われる洗いざらした袷(あわせ)を着ていたようである。あるとき嘉七が開墾仕事にはげんでいるすぐそばの林で、娘が枯枝をあつめて粗朶(そだ)の束をくくっているのを見たことがあるが、節の記憶に間違いがなければ、娘はそのときも同じ袷を着ていたのだ。洗いざらして、縞目(しまめ)もはっきりしなくなった、色あせた紺の袷。洗いざらしの同じ物を着てわるいことは何もないが、節は村の娘たちには娘たちなりの飾りがあることを知っている。

娘たちは、春になると冬の間に仕立てた縞物の仕事着に身をつつみ、赤い帯をしめて野に現われる。襷(たすき)も赤である。襷で袖をしぼり上げた腕には、匂うような紺の手刺(てさし)をつけ、手拭いでつつんだ顔には白い菅笠をかぶった。その菅笠の裏布団にも、娘たちは赤い布を使ったり、三色の布を縫い合わせたりして、ひそかに娘らしさを誇示するのである。

そういう娘たちと道で会うと、若い男たちはすれ違いざまに奇声をあげたりする。それに応えて、勝気な娘なら大胆に笑いを返したり、軽い応酬の言葉を投げかけたりするのを、節は目撃していた。

嘉七の娘は、まだ十六、七だろう。齢ごろを誇示する娘たちのように、成熟した女というわけではないが、それにしても赤い帯ぐらいは買ってやればいいのに、と節は身体に合わない、くすんだような仕事着に身を包んだ嘉七の娘を思い出している。小さい身体で、一人前に顔を手拭いで包み、その手拭いからのぞいている顔が白かったのが傷ましいように思われて来る。

大きな農道に出ると、道のつきあたりに、高い長屋門を構えた節の家が見えて来た。

日はその家の屋根の肩に顔を出し、高い屋根も長屋門も逆光に暗く見えた。その家を正面から見るときいつもやって来る、かすかな圧迫感が節の胸をつつんで来た。近づくと門の前に人力車が置いてあって、地面にうずくまった車夫が煙草を吸っているのが見えて来た。朝早くから客が来たらしかった。

二

何気なく広い土間に入ると、家の中からいきなり聞き馴れない男の怒声が聞こえて来た。だがつづいてすぐに、節の父の押さえつけるような太く落ちついた声がした。声は奥座敷から聞こえて来る。

節は凝然と立ち竦んだまま、奥から洩れて来る声に耳を傾けた。奉公人たちはみな外に働きに出て、母も奥座敷に行っているらしく、家の中はしんと静まり返っている。庭から入って来る反射光が土間の天井を染め、上がり口の茶の間から、かすかに木が燻る匂いが洩れて来るだけだった。

節はしばらく奥から聞こえて来る話し声に耳を傾けたが、やがて土間の隅にかけてある仕事着を取って身につけると、外に出て納屋から鍬を出して肩にかけ、家を出た。

節の父源次郎は、明治二十年に弱冠三十歳で茨城県議会議員に当選してから、四期にわたって議員を勤めて来た地方政治家だが、二十八年の選挙では、選挙費用が調達できずに立候補を断念した。しかしその浪人中の去年十月、知人の財産整理に関係して不正があったという嫌疑を受けて、一時は水戸監獄の未決監に収容される不祥事を惹き起こしたのである。

その後半年ほど経過して、疑いは晴れつつあったが、その事件をめぐる裁判はまだ継続中だった。

ひとが落ち目に転じると、その周囲には予期しなかったような禍禍しいものがうかび上がって来る。政治家に借金はつきものだが、源次郎もあちこちに借金をつくっていた。県議会議員として羽振りをきかせていれば、さほど問題にもならないようなその借金の返済を、きびしく督促する者が現われた。

そして源次郎は依然として政治家で、いまは雌伏しているがいずれは県会に返り咲こうと野心を燃やしているのだが、その政治の話で寄って来る者も以前よりはたちが悪くなった。ほかにも、源次郎の元議員の名を利用してひと儲け企もうとする人間などが現われる。

少しずつあきらかになって来る借金の実態と、係争中の裁判は節と母の心痛の種だった。節はこれまで何度も、東京の控訴院に移されている裁判のために上京し、また母が、無罪を祈って願掛けしている成田に参詣に行ったりしている。また借金の方も、返せるものは返し、すぐには返せないものは返済延期の交渉をして整理中だった。

父の源次郎は、ひと口に言えば豪傑である。五尺七寸ほどはある体軀と、ひげをたくわえた立派な風貌を持ち、些事にこだわらない豪放な性格だった。借金についても、おまえたちが心配することはない、いまにけりがつくという調子で、裁判についてもごく楽観的な見通しを語って聞かせたりする。

だがそういう本人の金銭感覚はきわめて粗雑で、返済計画などというものはひとつも頭にないのだった。裁判にしても、好転しつつあるものの、まだ予断を許さないことを節は承知している。

奥座敷から聞こえて来た品のない怒声に、節はまた新しい借金が出て来たのではないかとひやりとしたが、話の中身は県政のことだった。そちらの仲間が来ているのかもしれないが、政治のことなら、節が嘴(くちばし)をはさむべきことではなかった。

節は家の横を通り抜けて、裏の畑に出た。節は今年から佐佐木信綱が主宰する短歌文芸誌「心の花」に短歌、長歌の連載をはじめていた。「うみ苧(お)集」と題したその連載は、掲載がはじまったばかりである。

ほかにも、一昨年からはじめている日本附録「週報」の課題詠、陸羯南(くがかつなん)の主宰する新聞「日本」の文芸欄に寄稿する短歌作品の創作を抱えていた。体力にいささか自信を深めて気分のいいところで、一気に取りかかるつもりだったが、父の来客で気勢をそがれていた。かわりに、何か荒荒しいものが節の胸を占めている。

畑では、使用人頭の源三郎が、やはり節の家の使用人である若い娘二人を相手に、土を耕していた。明るい光の下に、ひと冬を過ごした白く乾いた土と、耕されて整然とした畝(うね)に変えられた黒い土が、くっきりとわかれている。

畑の入口にむしろが一枚敷いてあって、源三郎の煙草入れと煎り豆をいれた紙の袋が置いてある。三人が鍬をやすめてひと休みするときの用意だろう。むしろの端に、厚い渋紙の袋にいれた野菜の種子も置いてあったが、節には黒光りするその小さな種子が、大根なのか蕪なのかよくわからなかった。

節が袋の中をのぞいていると、器用に畝間をわたって、源三郎がそばに寄って来た。源三郎は五十を過ぎて、瘦せてひょろりとした身体をしているが、骨太で手のひらは節の手の倍ほどもある。

「小旦那、手伝えでがすかね？」

「手伝いというほどでもないが……」

節は源三郎の皺深い顔にうかんだ微笑を、少しまぶしい感じで見返した。源三郎は、ふだんは部屋に閉じこもっている節が鍬をかついで現われたのを危惧しているのである。

節は閉じこもっているわりには仕事着を着るのが好きで、時にはその姿で村を歩いたりするけれども、自分で鍬を使うことはほとんどなかった。二、三度は使用人を真似て土を起こしてみたことがあるが、信じられないほどに疲れて、すぐにやめた。節はそれを、目の前の源三郎やさっき雑木林で会った嘉七とは、身体の鍛えが違うせいだと思うのだが、いくらかは自分の身体が、並みの人間より虚弱なせいかも知れないという気もするのだった。今度はうまくいくかも知れない。

「あまりいい天気だからね」

と節は言った。

「この種子は?」

「蕪でがすよ」

節の家では三町歩ほどの畑を自家耕作していて、茶、桑、自家用の野菜などを使用人を使って栽培していた。耕作の中身は、節の母が源三郎を相手に決めるので、節にはわからない。

「ここは一等地でがすから、ええ蕪が出来っぺな」

源三郎は言って、笑顔を絶やさずにつづけた。

「手伝ってもらうのは、はあ、ありがてえが、無理しねえでくだせえよ」

「わかった」

源三郎はそれが言いたくて寄って来たらしく、節が耕す範囲を聞いたのに答えると、すぐに背をむけた。そして、さっきからちらちらと二人に顔をむけている娘たちに、手を叩いて、ほうらもっと身をいれた、と大きな声で気合いをいれた。娘たちは気を悪くしたふうもなく、くすくす笑った。

節は、使用人たちの邪魔にならないように、反対側の隅から鍬を入れた。源三郎の手入れがいいので、鍬の刃先はさくりと土を切る。毎年耕されている野菜畑の土はやわらかく、引き起こすと新鮮な匂いを発散した。耕しすすんで行く前に、節のまわりに次第に濃密な土の香が立ちこめる。

だが、すぐに疲れがやって来て、鍬が重くなった。顔から汗がしたたり落ちるのを袖でぬぐいながら、節は歯を喰いしばる気持で前にすすんだ。

——おれは、長塚家の跡取りだ。
長塚の家をついで行く者は、このおれしかいない。鍬をふるいながら、節はそう思っている。するとさっきから胸の中に動いている荒荒しい気分が、はっきりした憤懣の形をとって一気に胸から溢れ出るような気がした。憤懣にうながされて、節は鍬を振り上げ、力まかせに土に打ちこむ。

節には二人の弟、二人の妹がいる。すぐ下の弟順次郎は水戸中学から一高に入学して在学中だったし、下の弟整四郎は軍人になる道をえらんで、陸軍士官学校にすすんでいた。二人の妹は、それぞれに他家に嫁にやらなければならず、繫がれて家に残るのは節ひとりだった。

自由に家を出て行く弟妹たちを、うらやましいと思わないではないが、節の憤懣は弟妹たちに向けられたものではなかった。家に残り、家をつぐのは長男の宿命と、節は自分の立場についてははやくから割り切った諦めの気持を持っていた。

節のひそかな憤りは、父の源次郎に向けられている。自分が長塚の家をついで行かねばと思うのは、近ごろになってようやく、父の源次郎が、放置しておけば所有する財産では岡田村の頂点に立つ長塚の家を潰しかねないひとではないかという、強い疑念が生まれて来たからである。

田畑の合計二十七町歩余、山林面積三十九町六反歩余という長塚家の富のほとんどは、節の祖父である先代の久右衛門が築き上げたものだった。

もともとは岡田村国生で、一町二反歩ほどの田畑を所有する本百姓の一人にすぎなかった久右衛門が、一代でそれだけの富をあつめた秘密は、高瀬舟五艘を持ち、その舟を動かして江戸に米を運び、帰り荷として江戸から〆粕（しめかす）、油、醬油、呉服、古手物、諸雑貨を仕入れて販売した営業手腕にあったことは確かだが、基礎となったのは質屋営業だった。

たとえば長塚久右衛門は、明治十一年に隣村鎌庭村の旧名主人見彦右衛門に、年一割五分の利子で三百二十円の金を貸し、質草つまり抵当物件として山林二十三町歩余を取った。返済期限の十六年に、約定書は一たん書き換えられて一年の期限延長がはかられたが、その猶予期間中にも人見家は借金返済を果たせず、明治十七年に抵当として入れた山林二十三町歩は長塚家の所有となった。

このような富の蓄積が、また久右衛門の肥料、衣類、雑貨などの販売をなめらかに回転させる油となって、新しい富をはこんで来たのである。質屋営業は、長塚家の富の柱だった。

だから、久右衛門が死歿して源次郎の代になったとき、節の祖母まちは「源次郎よ、ほかの商売はやめてもええから質だけはやめてくれるなよ」と言ったのだが、それに対する源次郎の返事は、「何が何でも、質だけはやめる」というものだった。

源次郎は、筑波山麓菅間村の豪農青木家から、婿養子として長塚に入ったひとだった。質屋営業と商品販売をテコに、新興地主として擡頭して来た長塚久右衛門が、一時苦境に立たされたことがある。明治八年以来ずっと争われて来た村持ち林野の競売の有無をめぐる問題が、ついに村民との間に裁判沙汰となったときだった。

下妻裁判所に久右衛門を訴えて出たのは、村民四十一人。その中には長塚家の小作人が十一人も含まれ、背後には村の名門として、久右衛門と村の勢力を二分し、事ごとに争って来た戸長横関家の大きな力が働いていた。青木源次郎は、この困難な訴訟に勝つことが出来る人物として、見込まれて長塚家に婿養子に入ったのである。

久右衛門は、ことに質屋営業の初期のころはこまかい質草もよく面倒をみて、人情質屋と呼ばれたほどだったが、質屋営業は、扱うものが大きくなれば高利貸の本体をあきらかにして来る。鎌庭村人見家の場合はその典型だった。

源次郎は長塚家から婿養子の打診があったとき、土地争いのことを聞かされると、おれに訴訟をまかせるなら行ってもよいと言って承諾した人間である。訴訟を片づけるために乗りこんで来た婿という意味で、村の中では訴訟婿と陰口をきかれた。

久右衛門に見こまれた源次郎のその覇気と才覚は、しかし内にむかって働くものではなかった。もっぱら外にむかって働いた。源次郎が長塚家に婿入りしたのは明治十一年二十一歳のときであるが、源次郎は二年後には県西民権運動に加わり、十七年に明治政府の顚覆をはかって富松正安、館野芳之助らが武装蜂起した加波山事件が起きると、官憲に事件との関係を疑われるのを避けて身を隠すような危険も冒している。

しかし政治好きの血はそれでおさまるどころか、舅の久右衛門が死歿する明治十八年前後から一気に奔出して、そのころ最高の得票で村会議員に当選、明治二十年には茨城県会議員選挙に出馬して対立候補である村の名門横関与左衛門を圧倒し、三十歳の最年少議員として、茨城県議会入りを果たしたのであった。長塚派の壮士が抜き身の刀を畳に突き刺して、どちらに入れるかと村の家家を回って歩いたという荒っぽい選挙ではあったが、それは戸長の横関、組頭の長塚として幕末から村の勢力を二分して来た両者の争いに、一応の決着をつけた快挙だった。

そういう源次郎にとって、本体は高利貸にすぎない質屋営業、うじうじと他人から取り上げた金を数える家業は我慢ならないものであったかも知れない。源次郎は舅が死んで自分の代になると、姑（しゅうとめ）のまちに宣言したようにきっぱりと質屋営業を廃止した。それだけでなく、肥料売りも衣類、雑貨扱いもやめた。商い関係で残ったのは、家伝の婦人病の売薬だけだった。

しかし節の村、結城郡岡田村がある鬼怒川西岸一帯の地域は、関東ローム層に覆われる台地で、水利の便にめぐまれた低地平野部にくらべると、生産力の低い土地だった。主力は麦、大豆などの畑作物で、米はわずかに台地の周辺、あるいは岡と岡にはさまれた水利が行きとどく狭間状の土地で生産されるにすぎない。田畑二十七町歩、平地山林四十町歩弱という所有土地面積は、形こそ豪農あるいは大地主と呼ばれるにふさわしいようなものの、そこから上がる収入の実態は、その呼称に値するものではなかった。

商いをやめてしまえば、長塚家には、平野部にはいくらでもいるありきたりの地主程度の収入しかなかったのである。それを知ってか知らずか源次郎が一切の商いを廃止したときから、節の家の収入は激減した。そして一方の支出の方は、金銭感覚にとぼしい政治家源次郎の手によって、無制限にふえて行った。

それでも長塚家には、しばらくは源次郎の政治活動をささえるに足りるほどの現金の貯えがあったのだが、その貯えもついに底をつき、かわりに借金が現われて来たのは、ごく当然の結果だった。あきらかに家産が傾きはじめたのである。

祖母のまちが、源次郎にむかって質屋をやめるなと言ったとき、まちは本能的に今日の状況を予感していたのかも知れなかった。そのまちは、久右衛門が死歿した翌翌年、源次郎が改進党の県議会議員となった明治二十年に、長塚家から離籍して筑波郡鬼ヶ窪村の実家に帰ってしまう。

当時九歳だった節には、ぼんやりした記憶しかなく、また実情もわからなかったが、六十近いとはいえ実質的にはまだ長塚家の主婦だった祖母の離籍は、尋常のこととは言えなかった。

そのころはまだ、曾祖父の庄三郎、曾祖母ののいが生きていて、必ずしも源次郎の意志だけとは言えないだろうが、祖母と父の間に家の経営をめぐってはげしい確執があったろうことは、いまの節には想像出来る。そして節の母たかも、まちの実子ではなかった。たかは長塚家から真壁郡騰波ノ江村中新田の渡辺家に嫁入ったひとの娘、つまり長塚家の外孫で、三歳のときに子供のない久右衛門、まち夫婦の養女として長塚家に入籍している。祖母の離籍には、そういう事情もからんでいるかも知れなかった。

節には、父が政治家の道を選んだことを非難するつもりはない。父は父なりに立派だと思う気持はあった。父源次郎は地元、近郷の尊敬を一身にあつめる政治家であり、また家の財産を湯水のようにつかうかわりに、県会で金のために節操を曲げないのは長塚一人と言われていることも、節は知っていた。だが、祖母の離籍といった異常な事件まで巻きこんで、父が貫いて来た政治家の道が、結果として長塚家を破産にみちびこうとしていること、そして当の本人である父が、その事実にほとんど無関心で、まだ県会復帰を夢み、浪人中のいまもごろつきのような怒声を張り上げる政治仲間とつき合っていることに、時には耐えがたい気がするのだった。

政治と手を切ってもらいたい、と節は祈るような気持で思うことがある。政治家をやめても、父が鍬をにぎって百姓をしたり、母のように農事を指図したり出来る人間ではないことはわかっている。だが、ただせめて家の中にじっとしていて欲しいと思うのだ。だが、父の源次郎にそれが出来ないこともあきらかだった。威厳のあるひげ、県会の議場で鍛えた朗朗とひびく声、重重しい物の言い方。源次郎は骨の髄まで政治に染まった人間だった。父から政治を引けば何も残らない、父はまだ金を持ち出すだろうし、節には理由のわからない、しかし政治の世界では理由のある借金をつくるだろう。そう思うと、節の胸は絶望に真黒に塗りつぶされ、鍬をふるわずにいられない。鍬をふるわなくとも、せめて仕事着に装わずにはいられないのである。

節には、父と自分をわけるくっきりとした一線が見えている。長塚家の存続ということについて、父は無関心で、自分は無関心であり得ないということだった。源次郎が無関心だから、家の存続は跡つぎの節の使命となったのである。父には長塚の血は流れていないが、おれには流れていると、そこまで思いつめることもあった。

節は鍬を置いた。振りむくと、一本の黒黒とした土がうしろにつづいている。

——今日はよくやった。

節は満足した。源三郎や娘たちからみれば、たわいもない量の仕事かも知れなかったが、さほどゆがみもなく掘り起こされた一本の土の帯は、節が百姓である証だった。手をこまねいて家を潰しはしないという意志の表明だった。

だが、それが限界だった。身体の芯の方から熱い疲労が噴き出て、節は酒に酔ったように上気している。荒い息を静め、汗を拭きながら、源三郎たちを見たが、三人は仕事に身が入っているらしく、やすみなく鍬を動かしていて、節の方を振りむく者はいなかった。

鍬をそこに置き放しにして、節は畑の縁につづいている雑木林に入った。日がさえぎられて、ひやりとした空気が熱を持った膚をつつんで来た。林はすぐに尽きて、生垣のそばに出た。節は生垣を押しわけて道に出たが、身体に残っている疲労のために、道に降り立ったとき、少しよろめいた。

昼にはまだ間がある時刻の村の道はひっそりして、歩いているひとの姿も見えなかった。昨日まで三日ほど雨がつづいたあとの上天気に、手のある者はみな田畑に出ているのだろう。子供たちも、さっき見た嘉七の子供のように親について行ったのか、姿も見えなかった。

途中で、一軒の門口から赤いとさかを垂れた鶏が出て来た。鶏は道の真中で片足をあげて立ちどまると節を見たが、節が近づくと、急にあわてふためいて羽根をひと搏(う)ちし、向いの家の生垣の間にもぐりこんで姿を消した。

節は村を抜けて街道に出た。また暑い日が頭上から照りつけて来た。道の南の畑には人がいて、中のひとりが手をやすめて、手ぶらで街道を行く節をじっと見送っているのがわかったが、節は振りむかなかった。

節は、自分が村人から少し変り者と見られているのを知っていた。また節をふくめた長塚家の人間に対して、表面はともあれ、内心快く思っていない者が村人の中に少なからずいることも承知していた。

村の共有林野の所属をめぐって、四十一人の村民と長塚家が争った裁判から二十年経っているが、二十年という歳月は、その時の痼(しこり)を消すにはまだ少し不足だった。それに金を借りたありがた味はすぐに忘れるが、その金を返済出来ずに質草を取られた怨みは、いつまでも残って消えないのである。ほかにも、長い勢力争いの果に、ついに村から逐われる形になった幕藩の時代からの名門横関家につながる人びとがいる。その人びとの視線は、いまもつめたく節を刺すのだが、節がそのことに気づいて思い悩んだのは、むかしのことである。いまは平静だった。いくらかひややかな気持で、裁判は裁判だと思い、横関は横関で、長塚は長塚だと思う。自分も質屋をやりたいとはさらさら思わず、営業をきっぱりと廃止した父には感謝していたが、過去は過去だと思い、ことさら恥じる気持はなかった。いまの方が大事だと思っていた。

人びとのつめたい眼は、節をひるませることはなかった。そういう眼に出合うとき、節はむしろ、自分の心の中にひややかに動じないものが眼をひらくのを感じる。何としても、いまの家を守り切ってみせるぞ、という気持になる。その冷静な闘争心とでも言うような心の在り方に、節は長塚の家の血を感じることがある。

街道から野道を右に折れて、節は鬼怒川の土手にむかった。道はゆるやかなのぼりになり、しばらく行くとまた少しずつ下りになる。岡の上の畑にも、振りむいた街道の奥の峡田にも鍬や万能をふるう人びとの姿が見えた。田起こしがはじまっているのだった。仕事が遅れ遅れになるのせ、とグチった嘉七の言葉が思い出された。嘉七は焦って、まだ仕事の手がおぼつかない娘を叱りながら、鍬をふるっているだろう。

目の前に迫って来た土手のうしろを、思いがけない近さで高瀬舟の白い帆が通るところだった。節はいったん窪地の道に降りてから、枯れた篠の間につづいている小道を、ゆっくりと土手にのぼった。

土手を覆う篠原は、川の中ほどまでなだれ落ちていて、目の前の水は折れ曲った篠の間にわずかに見え隠れしているだけだった。鬼怒川の水は左手の上流に青く澄んだ姿を見せ、いくらか曲って流れる下流の方は、日にきらめいてかがやくばかりで、水の色もはっきりしなかった。さっき通りすぎた高瀬舟が、少し汚れた帆を一杯に張って、そちらにむかって行くところだった。

舟が行く方角に、ゆるく突き出している砂洲の端に、鳥とも人とも見わけがたい黒いものが、じっと動かずに立っている。節は気になって、小手をかざして黒いものを見つめたが、それはまだ動かなかった。水と一緒に、日の光に揺れうごく砂洲の上に、ぽつんと立っていた。

根負けした節が、顔をもどそうとしたとき、そのものが動いた。やはり人だった。黒い人影は大股に砂洲を横切ると、防風の松林が連なる対岸の土手の下に姿を消した。

——あたりまえだ。あんな大きな鳥がいるわけがない。

さっきの一瞬の錯覚を、節は滑稽に思い、胸の中に笑いが動いた。だが、ぴくりとも動かない黒い姿は、鳥にも見えたのだ。

節は枯篠の切れ目まで歩くと、土手の斜面に腰をおろした。斜面はまだ枯草に覆われていたが、その中にはもう今年の青草がまじっていた。蓬(よもぎ)が葉をひろげ、その間に犬ふぐりの紫の花が、小さな群落をつくっている。

節は手をのばして、犬ふぐりの花を摘んだ。土手にはゆるやかな川風が流れていたが、もう冬の間のつめたさは消えている。枯篠の間にも、もう今年の角芽が白く育っているだろう。節の胸からは、さっき裏の畑で鍬をふるったときの憤懣と焦りは消えていた。家にもどって歌をつくらねばと思った。

節は、家を守るためには岡田村国生の土から足を離してはならないと思っていたが、同時に新進の歌人でもあった。正岡子規を慕って集まる根岸派の歌人の中では、伊藤左千夫とならんでもっとも注目されている存在である。だが、帰って歌をつくらねばと思いながら、節はすぐには立たなかった。

節は肱をついて、斜面の草に長長と足をのばしながら、早春の日射しとやわらかく流れる風が、ささやかな労働の疲れをほぐすのにじっと身をまかせている。空は地面と接するあたりがいくらか濁りを帯びて、筑波山も麓のあたりは見えなかった。青黒い山の頂きだけが、ただよう島のように中空にうかんでいる。

家にもどると、父は客と一緒に出かけたらしく、もういなかった。母の姿も見えず、台所をのぞくとさっき畑にいた娘の一人が昼の支度にもどっていたが、節は声をかけずに自分の部屋に入った。

三

五月になって、とかく鬱屈しがちだった節の気分が一ぺんに喜びに変るような事件が起きた。と言っても、それはまわりのひとにはさほど関係がなく、節自身の気持の中のことでしかなかったが、さきに寄稿しておいた短歌が、五月十八日の「日本」紙上に全首掲載されて、子規にほめられたのである。

「ゆく春」と題し、「四月の末に京に上らむと思ひ設けしことのかなはずなりたれば心もだえてよめる歌」と前書きした歌は、つぎの九首である。

青傘を八つさしひらく棕櫚の木の花咲く春になりにたらずや
たらの芽のほどろに春のたけ行けばいまさら〳〵にみやこし思ほゆ
荒小田をかへでの枝に赤芽吹き春たけぬれど一人こもり居
みやこべをこひておもへば白樫の落葉掃きつつありがてなくに
おもふこと更にも成らず枇杷の樹の落葉の春に逢はくさびしも
春畑の桑に霜降りさ芽立ちのまだきは立たずためらふ吾は
草枕旅にも行かず木犀の芽立つ春日は空しけまくも
にこ毛立つさし穂の麦の招くがね心に思へど行きがてぬかも
おもふこと楤の左枝の垂花のかゆれかくゆれ心は止まず

桜芽の雅号で提出した九首を、子規は「日本」紙上に掲載して歌の横にびっしりと傍点を打ってほめ、ことに第一首の「青傘を」、第六首の「春畑の」、第九首の「おもふこと」には秀逸を示す丸印をつけていた。

この「ゆく春」九首は、さらに七月発刊の「心の花」の中で、子規の病牀歌話、左千夫の楽々漫草の中に、あらためて取り上げられて賞揚された。

子規は「ゆく春」について、この歌をほめる人でもいろいろとほめ方が違って、序の句が面白いという人もあれば、万葉調が面白いという人もある、と根岸派の歌人たちの評判を記した上で、序の句も面白いが結の句が十分に働いているところが見所だと、自分の見解を述べ、「万葉の言葉を自由自在に駆使して一首の結びをつけた処は、他に一頭地を抜きん出て居ると思ふ」と激賞した。

他人の作品に点の辛い左千夫も、この作品を取り上げた楽々漫草では、「奇想縦横声調温雅、何等の妙趣何等の風韻。而して又吾人の理想にかなへるの連作、従来同人の製作中絶えて其の比を見ざるの逸品なり」と、手放しでほめていた。

感激家の左千夫は、さらにつづけて「ゆく春」は明治三十五年の優作であるだけでなく、実に明治聖代の金玉かも知れない、このような佳作を得たのは、ひとり長塚節の名誉であるばかりでなく根岸短歌会の名誉だなどと馬鹿ほめしたあげく、あまりほめすぎたと思ったのか、しかしながら今月号の「一本柳」の歌は駄作だ、とても同一作家の歌とは思えないと、節の新しい作品の方はさんざんにけなしていた。

左千夫がけなしたのは、同じ号に載っているうみ苧集㈢の中の下妻町砂沼周辺の風景をよんだ短歌のことだったが、節には左千夫のけなしはほとんど気にならなかった。ほめてある個所だけを、繰り返して読んだ。

同じうみ苧集㈢の中に、節は「かぎろひの夕さりくれば」ではじまる白帆と題する長歌につづいて、「いま〳〵しさのたへがたきことありて」と前書きしたつぎのような長歌も発表している。
丈夫の腋挟み持つ。桑の弓梓の弓。弓こそはさはにあれども。吾持つや手握細。細小竹のへろ〳〵矢。天とぶ雁にさやらず。槻が枝の鷦鷯とらむと。鷦鷯はや木ぬれはうつす。いたづらに吾とる弓の。へろ〳〵矢あはれ。

鬱屈した気分が、ふと生み落とした滑稽歌だった。父のこと、家のこと、短歌創作の苦しみ。そういうものが、時にひとつに絡み合って、節の胸の中に暗く蟠ることがある。「ゆく春」に対する子規と左千夫の激賞は、そういう節の気分を明るく解き放つものだった。

「ゆく春」は、九月になってふたたび下総神崎の寺田憲をたずねたときにもさっそくに話題になった。

節は、母が願掛けしていた成田山詣りが、八月末に満願になるので、母の代参として八月三十一日成田に発った。成田山、宗五郎神社に参詣し、寺田の家に着いたのが九月二日だった。

寺田は、節の父の政治仲間である筑波郡真瀬村出身の国会議員飯田新右衛門の長男で、節とは長男同士で気が合い、はやくから創作した短歌を見せ合ったりして、肉親のようなつき合い方をして来た友人である。いまは神崎の酒造業寺田菊之助の養子となっているが、節との交際は変らずにつづいていた。

「しかし、圧倒的な評判だったね」

「ゆく春」のことでは、「心の花」に子規と左千夫の批評が載った直後に、二人の間に手紙がやりとりされ、節はあれは君に送ってもらった言別集「稜威(みいつ)の言別」が役立ったのだと、寺田に花を持たせている。

だが、顔が合えばやはりその話が出た。寺田は微笑しながらつづけた。

「あれは、根岸の先生がおっしゃるように、万葉調がいいわけかな？」

寺田は与謝野鉄幹の「明星」に傾倒していて、子規とも根岸短歌会とも関係がないのだが、子規などと呼び捨てにすると節が敏感に顔いろを曇らせるので、いつも根岸の先生とか正岡先生とか呼ぶ。寺田は節より三つ齢下で、そういうことでは節を立てるように気を配っていた。

「君の境地が、そこまで行ったということなんだね？」

「いや、そんなことはとても言えやしないさ」

節はあわてて否定した。

「ただ君も知ってるように、根岸の短歌の柱のひとつは万葉なわけだ。もうひとつの柱が写生だよ。僕のあの歌には、たまたまそのふたつが調和して出たというだけのことだろうな。万葉は広いよ、君。万葉というと君はぞっとしないと言うかも知れないけれども、僕は去年あたりからかなり突っこんでみて、そう思うようになった。深く入れば入るほどわからなくなるね」

「そういうものかな」

節は突然夢みるような顔になって外を見た。寺田家の奥座敷の外には、斜めにさしこむ西日をうけた庭がひろがっている。

庭の苔に落ちる光には、まだ晩夏の荒荒しい生気が溢れていたが、深い木陰のあたりにはひやりとした空気が澱んでいるようだった。裏山の神社の木立で、さっきからつくつくぼうしが一匹鳴いている。節はその声にも耳を傾けるような顔をしながら言った。

「一度旅行したいな。筑波嶺に雪かも降らる否(いな)をかもかなしき児ろが布乾(にのほ)さるかも」

節は万葉集巻十四の歌の一首を口ずさんだ。節は筑波山が古代歌謡の聖地であったことを誇りに思っていて、東歌(あずまうた)をあつめた巻十四を熱心に研究していた。

「東歌もいいけどね。万葉を知らんと欲すれば、やっぱり万葉のふる里を見ないとね。憲君、僕は今年はどうにもならんが、来年は旅をして来るよ。奈良、飛鳥。あのあたりに行けばまだ万葉の顔が残ってると思うんだ」

「うらやましいな」

寺田は羨望に耐えないという顔をして、節を見た。

「君は自由でいい。僕には家業があるから」

「まだわからんよ」

節はいくらか気がさした顔で言った。

「行けたらいいと思ってるけど」

「京都、難波、奈良か……」

「行って、万葉をきわめて来いよ」

「きわめるなんて、とんでもない」

節は、寺田の軽軽しい言い方をたしなめるように、きびしい顔をした。念を押す口調で言った。

「万葉の世界は奥深いからね。ちょっと勉強したぐらいじゃつかみきれるものじゃないよ。奈良に行ってみたいというのも、行けば何か得るところがあるんじゃないかと思うだけでね。ま、こつこつと出来るだけ勉強してみるつもりなんだ。ただね……」

節は寺田の顔を見た。まだ誰にも言っていないことだが、近ごろ時どき心にうかんで来る考えを口にしてみたくなっている。気泡のようにうかんでは消える不確かなもの。そういうものについて話せるのは、目の前の寺田しかいない。

節はしばらく口をつぐんでから、静かに言った。

「万葉に首を突っこんでいるうちに、気がついて来たことなんだけどね。形にとらわれちゃいけないと思うんだね。はじめはそうじゃなかった。君に笑われても仕方ないほど、盲目的に万葉に忠実だったんだ」

「……」

「いまだってそういう気味がないとは言わないよ。暗中模索で、しきりに手さぐりしている段階だからね。何でもかでも、ともかく万葉にむすびつけようとする気分がある。だけど先生のおっしゃるのはそれじゃないんだね。万葉の精神だよ。だから先生はまず、

『金槐集』をほめられたんだ。実朝の自在な詠みぶりをね。時によりすぐれば民のなげきなり八大竜王雨やめたまへ」

寺田もすぐに和した。

「もののふの矢並つくろふ籠手の上に霰たばしる那須の篠原、か」

「そう、そう。破格な歌だよ。決して万葉そのままじゃない。だから先生は、古今はけなしたけれども、新古今は認められた。形じゃないんだ」

「なるほどね。いや、そのへんのところは僕にもわかるんだ」

「そうかね？」

節は疑わしそうに寺田の顔を見た。寺田は節の万葉に対する執着ぶりを必ずしも買っていない。かなり前のことになるが、手紙に万葉は古いんじゃないかという意味のことを書いて来たことがある。

「むろん、そうは言っても……」

と節はつづけた。

「万葉の何物であるかを知るためには、とりあえず形から入って行くしかないんだけど、そして僕はまさに、まだその段階にいるけど、そこにとどまってちゃいけないんだということを近ごろ考えることがあるね」

「………」

「足踏みしてちゃまずいんだよ、多分。それをやっているかぎり、いくら万葉調でよく出来たといっても、つまるところは模倣にすぎない、亜流でしかないということになる。いまの僕がそんなことを言うのは気はずかしいんで、そういう考えが出て来たからよけいに万葉を勉強しなきゃいけないんだけど、いずれは万葉を突き抜けて自分の歌をうたうべきなんだ、実朝のように」

「君は……」

寺田はちょっと緊張した顔で言った。

「新しい自分の歌をつかんだのか？」

「いや、そこまでは行っていない」

節は、言葉にすると逃げてしまいそうなものを語るというふうな、慎重な口ぶりで言った。

「ただ、そんなものがちらちらと見えるような気がすることがあるんだ。つかまえようとすると消えてしまうけどね」

「何なんだろな？」

寺田は興味をそそられたように首をかしげた。

「見当はついているんだ。言葉だよ、そして写生だよ」

節はもどかしそうに言った。しかし自分にもよくつかめていないものが、寺田に説明出来るわけはなかった。

「写生が新しい言葉を欲しがっているのか、万葉とはちがう言葉が新しい写生の世界をひらくのか、よくわからないけどね。なにしろそのへんのぐあいなんだよ」

「写生か」

「ご期待にそむいて悪いけど、僕は明星には行かないよ。鍵が写生にあることはわかっているんだ。ただ言葉が見つからないだけでね」

不意に節はにやにや笑った。

「君は相変らず、明星に熱をいれてるわけ？」

「まあね」

寺田は苦笑した。伊藤左千夫の「根岸短歌会と新派」というやや勇み足的な文章がきっかけになって、根岸短歌会と新詩社の間に論争が起き、行きがかり上子規が「子規鉄幹不可併称説」を発表してからは、両結社の間が険悪になっていた。もちろん心酔する子規に倣って、節は寺田の明星に対する傾倒を、はげしい言葉で攻撃していた。

節は寺田が送ってよこした短歌を、鉄幹の作品に似ているとけなし、「余ハ固ク信ズ。鉄幹ハ迷ヘリ、子規ハサメタリ。迷者ノ言ハ危ク、醒メタルモノ、言ハ聞クベシト。明星ヲ無二ノ友トシ、鉄幹ノ歌ヲ歌ナリトスルモノハ、遂ニ歌ヲヨミ得ベキニアラザルナリ」とはげしく攻撃した。ついには歌をよまんとすれば万葉を読め、万葉をよまん者は「日本」を読め、子規の歌を読めと絶叫する始末だったが、そういう節自身が、明星をじっくりと読んで自分の結論を出したわけではなかった。

多くは子規の口真似だった。明星など、読むのもけがらわしいと思っていたのである。

同じ手紙の中に節は、「鉄幹一人ノ論ヲ聞キテコレヲヨシトスルモノハ誤リナリ。心酔者ナリ」と書いたが、何のことはない節自身も子規の心酔者だったのである。

それに対して寺田も、明治の詩をよむためには万葉や「日本」の古歌や擬古的な歌に甘んずべきでなく、もっと広く芸術一般の世界に眼をむけるべきだと反駁した。二人の論争は、そのあと寺田が明星に金を出していたのが節に知れて、節がさらに痛烈な手紙を書くということにも発展したのだが、二人はべつにそれで仲違いしたわけではなかった。お互いに軽く相手を揶揄する気分が残っただけである。

「近ごろは仕事がいそがしいから」

寺田は苦笑した顔のままつづけた。

「歌はまるで出来ないんだ。ただ、読むだけは読んでいるよ」

「僕も読まないで批評しちゃいけないと思うからね。東京から鳳晶子の『みだれ髪』と鉄幹の『紫』を送ってもらったよ」

「ご感想は?」

寺田がからかうような口調で聞いたが、節はその口調には乗らなかった。露骨に顔をしかめた。

「感心しなかったね。鉄幹の、われ男の子意気の子名の子っていうのは評判作らしいけど、あれ、ただの語呂あわせじゃないの? 詩の子恋の子あゝもだえの子か。もだえの子なんて、僕にはとても堪えられないよ」

「そうかね。僕は面白いと思ったけど」

寺田はべつに主張する口ぶりではなく、のんびりと言った。寺田は齢下だが、醸造という家業に直接たずさわっているせいか、節よりも大人びた一面を持っている。

「鳳の『みだれ髪』にしても、下敷きになっているのは鉄幹との不倫の恋だろ? 鳳に罪はないと思うけど、あんな若い女性に、くろ髪の千すぢの髪のみだれ髪と歌わせる鉄幹は許せないね」

「君は道徳家だからな」

寺田は苦笑して、ところでお父上は近ごろどう? と言った。明星の話になると、節の舌鋒は際限なく鋭くなるので、このへんで話題を変えた方がいい、と思ったらしかった。

「お元気ですか?」

「元気は元気だけど……」

節は話の腰を折られてきょとんとした顔になったが、すぐに深刻な表情になった。

「憲君、僕はそのことも話したくてここに寄ったんだ。君は七月号の『心の花』に載せた僕の長歌を読んでくれたかね」

と節が言ったとき、廊下に足音がして寺田の義母が現われた。寺田の母は、おや、もう暗くなったのにあかりもつけないで、と言いながら、閾の内側にきちんと坐った。

「節さん、今夜はうなぎにしようかと思いますけど、うなぎはお嫌いじゃなかったですね？」

「はあ、大好物です。お世話になります」

節は固くなって答えた。いつの間にか、日が暮れて、庭には青白い靄のようなものが入りこんでいた。部屋の中もうす暗くなっている。義母が出て行くと、寺田が言った。

「利根川から上げて来たんだ。うちの雇人で、うなぎ獲りのうまいのが一人いるんだよ。風呂にでも入ってうなぎを喰って、それから君の話を聞こうじゃないか」

四

節が寺田憲の家から山武郡睦岡村の蕨真一郎の家に回り、うみ苧集の歌材にする杉林を見学して帰宅してから半月も経たない九月十九日に、正岡子規の訃報がとどいた。節はその日、少少離れた山林の中で栗拾いをしていて、家にもどると死の知らせを聞いたのである。

節は心の中で、何かがしきりに崩れつづけるようなうつろな気持を抱きながら、翌日すぐに上京した。悲しみよりも悔恨の気持が強かった。ああすればよかった、こうすればよかったという悔恨の気持は、通夜の席でも、二十一日滝野川村田端の大竜寺で行なわれた葬儀の席でも、節を苦しめつづけた。

節はひと月前に、子規から手紙をもらっていた。それは節が送った大和芋に対する礼状だったが、子規はその手紙の中で「此芋が君の村で今初めて植ゑたといふ程なら君の村は実に開けて居らぬ野蛮村に違ひない」と書き、君には大責任がある、一村の経営ぐらいに任じなくてはならないと節をはげましていた。

　子規は言葉をつづけて、「君は東京へ出て来ることを道楽か何かのやうに思つてゐるか知らぬがそれは大間違ひだ。時々東京へ来て益を得て帰るやうに努めなくてはならぬ」ともいましめた。暗に節が、ただ歌よみになるために上京するのをいましめたとも読める文章だった。

　節はその手紙を読んで、これからは子規をたずねるのを少しひかえめにしようと思っていたのである。子規に死なれてみると、そう思ったことまで悔まれた。

「俳句は虚子と碧梧桐（へきごとう）にまかせておけばいいんだ」

不意に節のそばで声がした。見てたしかめるまでもなく、隣に坐っている伊藤左千夫の声である。

「しかし歌は長塚君、君と僕だ。二人でやって行かなきゃならん」

　会葬者は、百五十人ほどだった。近親者、子規の郷里松山の関係の人びと。陸羯南など新聞「日本」の人たち。「ホトトギス」、根岸短歌会の俳人、歌人たち。

　会葬者のすべてが、首を垂れて僧侶の読経を聞いている中での声だった。左千夫の声はささやきではなく、そばにいる数人にはっきりとどく小声だった。

　節は頭を上げて近親者の席にいる子規の家族の方を見た。母の八重は背をまるめ、凝り固まったようにじっと首を垂れていたが、妹の律はまっすぐに背筋をのばして坐っていた。その青白い横顔は鋭くて、左千夫の声が耳にとどいているかと思うほどだった。

節は手をのばすと、盛り上がった左千夫の膝のあたりを無言でひねり上げた。左千夫は思ったことを胸にしまっておけないたちである。おそらく読経の間に胸の中にふくらんで来た考えを、口に出さずにいられなくなったのだろうが、それにしても左千夫の無作法は我慢ならないものだった。

だが、左千夫はいっこうに無頓着に、ひねられたところをさっとひと撫でして、言葉をつづけた。

「短歌会といっても先生あってのものだからな。ほうっておけば、このまま雲散霧消しかねないよ、君。それをどうまとめて発展させて行くか、難問だ。しかしわれわれは、先生の屍を越えて新しい歌を打ちたてなきゃならんのだ、うん」

節の反対側から、低く鋭い声がしっ、黙れと言った。短歌会の森田義郎だった。左千夫の声は森田にもとどいて、森田は左千夫の無作法もさることながら、言っていることの中身も癪にさわったらしかった。左千夫をひとまわり小さくしたような小太りの森田は、険しい顔を左千夫にむけている。左千夫は、今度は森田に顔をむけた。

「黙れとは何だ。僕は先生の供養のつもりで言ってるんだぞ」

だが、さすがに左千夫もそこで口をつぐんだ。読経が終りに近づいていた。

節が正岡子規を急に身近に感じたのは、「日本」に載った子規の「歌よみに与ふる書」を読んだときだった。

節はそれより前、塩原温泉に療養がてらの湯治に行ったとき、相宿の客に「日本」紙上に載った子規の「俳句問答」を見せられている。しかし節は、水戸中学時代に文章会の回覧雑誌に、短歌や文章を発表してからずっと、短歌の方に頭がむいていたので、「俳句問答」からさほどの感銘は受けずに、子規の名も忘れたぐらいだった。

だが塩原から帰ってから見た「世界の日本」の「我が俳句」という論文は記憶に残った。そして「我が俳句」を書いている獺祭書屋主人という人物が、塩原で読んだ「俳句問答」の子規と、同一人であることをひとに教えられてからは、「日本」紙上に載る子規の俳句を、注目して読むようになった。

「日本」は、節の家でも購読していたのだが、節は文学関係で権威ある新聞は、国民か読売にかぎると思いこんでいて、それまでは「日本」には見むきもしなかったのである。

その「日本」に、子規の「歌よみに与ふる書」が載ったのは、明治三十一年二月十二日から三月四日までのことである。子規はこの間十回にわたって、古今の名歌とされる作品を俎上にのせて、よいものはほめ、悪いものは一刀両断に裁断しながら、歌に対する自分の考えをあきらかにしていた。

子規の歌論は、まっすぐに節の頭に入って来た。節は水戸中学時代にすでに短歌をつくっていたが、その作品は「かやぶきの軒の雫のひまをなみ開けぬとぼそに日も暮るるかな」、「月かげをおぼろながらに砕きつつ小波ぞ立つせばの湖」といった、いわゆる桂園調の歌だった。節はそのころ、古今集を熟読し、雑誌「国光」などで、旧派歌人たちの作品を読んで手本にしていたのである。

だが子規は、「再び歌よみに与ふる書」の冒頭で、貫之は下手な歌よみにて古今集はくだらぬ集に有之候、と真向から否定していた。歌は理屈を述べるものではないと言い、また嘘をよむべきではなく、「嘘を詠むなら全く無い事、とてつもなき嘘を詠むべし、然らざれば、有の儘に正直に詠むが宜しく候」とも述べていた。

子規の歌論は歯切れがよく、またみずから三日三夜たりともつづけざまに議論致すべく候とか、数年来鬱積沈滞せる者、このごろ漸く出口を得たことなので、前後錯綜序次倫なく、大言疾呼自分でも狂せるかと思うほどだと記しているように、迫力に満ちたものだった。

節はこの歌論を読みながら、自分では得意になっていた古今調の自作「白ゆきの降れば高根の枯木さへ春にえ知らぬ花を咲きけり」などを恥ずかしく思ったりした。そして子規が最後の「十たび歌よみに与ふる書」の中で、「歌の上に老少も貴賤も無之候。歌よまんとする少年あらば老人抔にかまはず勝手に歌を詠むが善かるべし」と書いているのを見て、胸が顫えるような興奮に襲われもした。

子規の「歌よみに与ふる書」は、節に頭を殴りつけられたような衝撃を残した。だがその衝撃が去ったあとには、これからすすむべき作歌の方向が明快に示されていた。単純に言えば、理屈を言わず嘘を詠まず、自分がうつくしいと感じたものを素直に歌にするということだった。あいまいなところ、反発すべきところはひとつもなく、あきらかな一本の道がひらけているのを節は感じた。

以後、節は子規の歌論の忠実な使徒となった。「歌よみに与ふる書」は、丁寧に切り抜いてノートに貼りつけ、自分ひとりで感激しているのに物足りなくてひとにも見せ、読めと強要した。「歌よみに与ふる書」で展開した歌論を、実作で証明するべく、子規が「日本」に「百中十首」を載せはじめると、それを手本にして節も作歌にはげんだ。

だが節は子規に近づく手づるを持たなかった。そのため、依然として旧派の歌も詠み、「新小説」や「新潮」の文芸欄に投稿したりしていた。その文芸欄で、節はしばしば入選し、一等に入選したこともあった。選者は落合直文、増田于信、小杉榲邨、佐佐木信綱らだった。

しかし節は、どうしても一度子規に会いたかった。「歌よみに与ふる書」が発表された翌年の三十二年に、節は三月ごろ根岸庵で子規を中心にする短歌会がひらかれたことを「日本」紙上で知り、いっそう会いたい気持がつのった。

その年、神経衰弱の治療のために上京していた節は、橋田病院に転院して漸く快方にむかうのだが、そのころひそかに根岸に行って子規の家をたずね歩いたりもしている。実際に節は根岸庵の所在がわからず、「鶯横丁曲らむとすれば時雨けり」という子規の俳句から場所の見当をつけようとしたり、また「ホトトギス」を購読していたので、その中でようやく子規の住所が上根岸であることをつきとめたりしたのである。

「日本」に問いあわせればすぐにわかったのだが、その知恵がまわらずにさがし回って、りした。

「萩こえし垣をまがりて右にをれて根岸すぐればむしぞなくなる」という歌をつくった。

住所もわかって、節が根岸庵をたずねたのは、三十三年の三月二十八日だった。節は半紙を適当に切って名前を書いた名刺と、短冊二十枚を持って根岸庵の玄関に立った。住所がわかってから、節は何べんかその門の前を通りすぎたり、門の前に立ちどまったりしたが、気おくれして門をくぐることが出来なかった。前日の二十七日にも、どうしてもたずねるつもりで門まで来たのだが、立派な人力車が一台停っていて、のぞいた玄関には客の下駄もならんでいる様子なので、門前を二、三べん行ったり来たりしたあとで、ついにあきらめて帰ったのである。

だが、それほど緊張した根岸庵訪問も、玄関に出て来た子規の母に名刺を渡すと、あっけなく実現して、節は子規が寝ている六畳の病間に通された。節はそのとき二十二歳だったが、小柄なうえにすっきりした細おもての顔をしているのでもっと若く見えたかも知れない。

子規は大きな名刺を持って入って来た、田舎の中学生のような節をみておどろいた顔をしたが、布団の上に置いた名刺にもう一度眼を落としてから顔を上げると、左肱で上体をささえた寝姿のままで、俳句の方でお目にかかったことがあったですか、それとも歌の方でお目にかかったことがあったですかと言った。

子規は鋭い眼で節を見ていたが、言葉は丁寧だった。節は緊張して答えた。

「お目にかかったことはありませんが、歌について教えを受けたいのです」

子規は黙って、また手もとの名刺に眼を落としたが、しばらくしてぽつりと言った。

「いくらでも作るがいいのです」

またしばらく経ってから子規が言った。

「作っているうちに歌が悪い方にむかっていると、いつかいやになって来るのです。悪いことであれば、きっと厭になってしまうのです」

節は緊張していたが、子規の言うことがやはりまっすぐに頭に入って来るのを感じた。節は対座しているうちにいくらか気が楽になって、昨日もたずねて来たのだが、来客のようだったので帰ったと茨城弁で打明けた。すると子規は微笑して言った。

「それは惜しいことをした。昨日は歌会のひとが二、三人来ていたのだ。昨日見えればよかった」

その言葉で、節は入門を許されたような気がした。節が風呂敷から二十枚の短冊を出すと、子規はやはりおどろいたような顔をしたが、黙って短冊をしたためた。そうしているうちに、客が来たので、節はその日は引き揚げた。

しかし、翌翌日の三十日に、節は今度は家から持って来た丹波栗二升を手みやげに、もう一度根岸庵をたずねて行った。その日は、子規は妹を呼んで線香に火をつけさせ、その線香が燃えつきるまで、ここで見える実景を詠めと言った。そのときに詠んだ「歌人の竹の里人おとなへばやまひの床に絵をかきてあり」以下の歌は、その後三、四日経って「日本」紙上に掲載され、節を感激させたのである。

節はその後、四月一日にひらかれた根岸短歌会にも出席して、赤木格堂、伊藤左千夫、岡麓、香取秀真、柘植潮音らの在京同人に紹介され、正式に子規門につらなることになったのだった。その中で、子規は特に左千夫と節の歌才を愛したが、ことに節には理屈抜きの愛情をかたむけ、のちに左千夫に理想的愛子と言わせたほどに目をかけた。一時は、節を子規の養子にしたいという話が持ち上がったほどである。だが固く結ばれた師弟関係も、わずか二年余で子規の死で終りを告げたのだった。

二十五日の初七日を済ませると、節はすぐ国生にもどるつもりでいたのだが、所用で手間どっている間に二十八日には関東地方を暴風雨が襲い、出発は二十九日になった。

節は汽車で土浦まで行き、そこから菅間村の父の実家青木家に回って二泊した。そのあたり一帯も暴風雨に見舞われ、収穫期の田畑を荒らされた人びとは後始末に懸命だったが、節はそれどころではなかった。いそがしい従兄弟の轍児をつかまえて長長と子規の話をすると、今度はさっさとあたえられた座敷に閉じこもって、子規の死を悼む歌をつくりにかかった。まだ興奮がさめていなかった。

子規を失った興奮が、ややさめて来たのは、鬼怒川を渡って西岸の村にもどって来たときだった。村に近づくにつれて、丘陵の村一帯を通りすぎた暴風雨の痕が見えてきた。

節は道に立ちどまった。峡田の稲も、畑の芋の蔓も、道ばたの露草も、打ち倒され捩じ曲っていた。そこから、節の家の屋敷の大木が折れているのもあきらかに見えた。丘の斜面を這う葛の葉が白く裏返しになり、そのはじめて見るような荒れた風景の上に、雲の間から洩れるひと筋の光がじっと射しかけていた。

節の胸に、突然堪えがたいほどのかなしみが溢れて来た。去年の秋に、子規が節のおとずれを喜んで作った歌「下ふさのたかし来れりこれの子は蜂屋大柿吾にくれし子」を思い出したのである。その子規は、もう二度と会うことが出来ないひとだった。一村を経営しろと子規がさとした貧しい村は、節に背をむけていて、寺田に語ったような、新しい言葉はまだ見えていなかった。心ぼそさに堪えながら、節は射しかけて来る淡い光の中に立ちつづけた。

初秋の歌

一

節は左千夫の手紙から顔を上げた。いつの間にか夜が更けたらしく、背のあたりがしんしんと寒くなっている。だが隣の部屋には、まだ妹たちが起きているらしく、低い話し声が洩れて来る。時どき押し殺した笑い声もまじるのを聞きながら、節は火鉢の炭火を掻き起こし、手をかざして押し揉んだ。

左千夫の手紙は、節が左千夫あてに出した「週報」の短歌批評の返事である。病状が悪化して選歌の作業に堪え得なくなった子規は、二年前の三十四年に「日本」紙上の短歌募集をやめた。かわりに附録の「週報」で課題詠を募ることにしたので、根岸短歌会の歌人たちは、「週報」を歌作鍛練の場として、競って課題詠に挑戦することになったのである。

しかしその課題詠も、中心である子規を失うと、はじめのころの熱気は醒め、最近は次第に形骸化しつつあった。原因は課題短歌という仕組みと選者にあった。

もともと、短い期間に数多くの課題詠をそろえて応募するという仕組み自体が、歌人たちにかなりの負担を強いるもので、左千夫などは、子規生前にすでに節あての手紙に、「もうもう題詠にはあきあき致候」とこぼしていたのである。

加えて子規が歿して、今年から選者が短歌会同人の回り持ちという形になると、たちまちそれに対する不平不満が起こった。みんなが自分こそ同人中第一等の歌人と自負しているので、選者の課題詠の取捨に文句を言い、掲載作の選評にまた文句を言うというふうで、口に出さなくとも内心の不満を隠さなかったのである。

左千夫の手紙も、まず課題「雪」、「海苔」の選をした香取秀真、森田義郎に対する罵倒からはじまっていた。義郎君の選歌、自詠ともに歌になっていないと言い、秀真君が催馬楽(さいばら)調の雪の歌を碧梧桐にほめられたと得意になっているのは近ごろ滑稽の至りと記し、門外漢の評を喜ぶような見識にては困り申し候と書いていた。

それでいて左千夫は、自分の雪の歌は赤木格堂にほめられたと得得と書き、「日本」に掲載した節の戯歌「鋳物師秀真に寄す」八首は、すこぶる面白かったとほめたあとで、つぎに雑誌発行のことを切り出していた。

子規から受けついだ根岸派の短歌会は、毎月十九日を例会日にしていた。二月十九日の例会は、本郷金助町の岡麓の家で行なったが、めずらしく会員七人が集まったので、雑誌発行の相談をしたのである。その結果、と左千夫は記していた。雑誌は四十ページ内外のものになり、一冊の原価を五銭から七、八銭ぐらいとみて、五百部ほど刷りたいということになった。五百部刷って一冊も売れなくとも、二十五円ほどの出費なら三、四人で負担しきれないこともあるまい。岡、蕨真、それに自分などが金を出すつもりだが、君にも応分の出金を頼みたい。

左千夫のその手紙を、節はさっきから何度も読み返している。

新雑誌の発行に異存はなかった。根岸派と言い、子規の衣鉢をつぐ短歌会と言っても、節が悪口を言った「明星」などにくらべれば、子規の旧門人の集まりは、歌壇全体から見れば微微たる存在でしかなかった。発表の舞台といえば「日本」、日本附録の「週報」、それに森田義郎が編集委員をしている関係で、「心の花」に短歌会の記事を載せているだけで、拠るべき雑誌もない短歌結社など、だれも注目してはくれないのである。「心の花」や「日本」紙上で、左千夫が歌壇のあちこちに嚙みついても、それは犬の遠吠えに似た印象しか与えなかった。

加えて子規のいなくなった「日本」と附録「週報」は衰微して、短歌会の作品発表の舞台としての重味と働きを次第に失いつつあった。そして「心の花」は大日本歌学会の発行である。軒を借りて作品を発表しているものの、元来は根岸派とは傾向の異なる佐佐木信綱主宰の竹柏会が源流を成していた。

左千夫は、このまま推移すると根岸派は「心の花」に吸収されかねないという危機感を抱いているようでもあった。左千夫のその考えの裏には、義郎とのひそかな確執がひそんでいることも、節にはわかっている。左千夫は去年九月号の「心の花」に載せた楽々漫草㈦で、森田義郎の短歌観を徹底的に批判した。

だが現実には、「心の花」を編集する義郎の好意で、短歌会の記事を「心の花」に掲載するしかないのである。左千夫は、短歌会の主導権を義郎から取りもどしたいと思っているのかもしれなかった。いずれにしても、新雑誌の発行は時機を迎えているのである。

だが費用を負担せよという左千夫の要求には、はたと困惑する。調子に乗って迂闊な返事は出せない、と節は思っていた。

一応整理をつけたといっても、父の源次郎がつくった借財は、到底一度に返済し切れるようなものではなく、大口の借金、正体不明なまでに入り組んだ中身の借金は、そのままに残っていた。節と母のたかは、いまも月月の借金の利息払いに追われているのである。

そして三月には上の妹のとしが嫁入ることになっていた。嫁ぎ先は真壁郡河間村の医師奥田稟之助で、その婚礼まであとひと月しか残っていなかった。家の中が借金だらけだなどということは、世間の知らないことである。としの婚儀は、国生の豪農長塚家の格式にしたがって運ばなければならないのである。

ほかにも金の出ることは限りなくあった。そして節自身は、去年寺田憲に言ったように、今年こそ万葉の歌枕をたずねる近畿旅行に出発したいと考えているのである。それにも金がかかるだろう。

気がつくと、隣の部屋の話し声がやんでいた。だが襖の隙間にはランプの光がちらちらする。節は立って襖をあけて見た。

下の妹のはなはもう寝ていたが、としはまだ起きていて、着物を縫っていた。婚礼までに仕立てて持って行く着物だろう。晴着だろうか。畳に流れる朱い模様のある絹地らしい布が、節の眼にまぶしく映った。

——としも……。

間もなく他家の人間になるのか、と節は思った。長兄として、弟妹を片づけることは義務でもあり、喜びでもあるのだが、一抹のさみしさは拭えなかった。

兄の顔を見上げている、としのおどろいたような白い顔に、節は笑顔をむけた。

「まだ、起きているのか？」

「うん、もう少し……」

「風邪をひくといけないぞ。そろそろ寝なさい」

節は襖を閉めると、部屋を出て茶の間に行った。

茶の間では、いろりのそばに小机を出した母が、そろばんを手に帳面を見ていた。見るといろりの中はすっかり火が消えて、白い灰が残っているだけである。広い茶の間には寒気が立ちこめていて、節は身顫いした。

「火が消えてるじゃないか、お母さん」

「おや、道理で寒いと思った」

たかは顔を上げて節を見ると、やっとそろばんから手を放したが、眼はまだ細かい数字をならべた帳面の上をさまよっている。

節は台所の隅に置いてある薪入れから、粗朶をはこんで来ると、細かく折って火を起こした。

「どう？　今月は何とかなりそうですか？」

「今月は大丈夫だけど、来月は祝言のかかりがあるから、よっぽど用心しないとね」

たかは言って、ようやく机をはなれると火に手をかざした。

「お茶をいれようか？」

「いや、いらない。飲むと眠れなくなる」

節は火に粗朶をくべ足した。

「お父さんは、今夜は帰らなかったんですか？」

「帰らなかったね」

たかは言うと立ち上がって、じゃ、わたしだけお茶をいただこうとつぶやいた。台所に行く母のうしろ姿に、以前は感じたことがない老いの気配を見つけて節はどきりとした。

たかは四十五である。まだ老いる齢ではなかった。だが、ここ二、三年の間の、裁判沙汰まで惹き起こした夫の借金問題は、たかに老け込んでも不思議はないほどの重圧をあたえて来たはずである。たかは、昼の間はその心労を隠している。だが夜になると、その疲れは倍加してたかの上に現われて来るようでもあった。

「また、いいひとのところにでも、泊っているのじゃないのかね」

もどって来ると、たかはずっとそのことを考えていた口ぶりでそう言い、うす笑いを洩らした。県会議員をしていたころ、源次郎には半ば公認の妾がいた。水戸に滞在することが多かった源次郎には、身の回りの面倒をみる女手が必要だったのである。

だが、立候補を断念して家に引っこんだときに、その女とは切れたはずだった。母が水戸まで出かけ、金を渡して始末をつけたと節は聞いている。父母からではなく、雇人から聞いたのである。

「まさか」

節はつぶやいて、乱暴に炉の中の火をつついた。父の女のことを聞くのが恥ずかしかった。その話題は、節を羞恥でいたたまれなくし、またひどく気持を不安にする。父の女について、どんな想像もしたくなかった。いったん想像を許してしまえば、父も母もそして自分も、その想像の女にとめどもなく汚されてしまうような不安がある。

それにしても、母のたかはたとえ比喩的にでも、夫の女のことを息子に語ったりしたことはないのに、今夜のように平気で口に出したりするのは、やはり老いたのだろうかと節は訝しんだ。それとも、ただの疲労が言わせた言葉だろうか。

「お父さんは……」

節は話題を変えた。

「水戸で、いったい何をしているんですか。家にももどらずに」

「また、選挙のお話でしょうよ」

「選挙？」

節は母の顔を見た。たかは平静な顔をうつむけてお茶をすすっている。

「僕は聞いてないな、その話。お母さんにそう言ったんですか？」

「聞かなくとも、わかりますよ」

「選挙なんか、やめればいいんだ」

節は吐き捨てるように言った。鋭く母の顔に眼をむけた。

「わかってますか？　また借金がふえますよ」

「わかってますよ」

たかは茶碗を下に置くと、ちらりと節を見た。だが、すぐにまたうつむいて、火箸を取るといろりの灰を均(なら)した。

「でも、お父さんはほかには何にも出来ないひとだから」

「病気ですよ、政治病」

節は乱暴に言った。気持が苛立っていた。父がむかしの女に会っていると聞いたせいかも知れなかった。

「お父さんには、言っても無駄だから言わない。だけど、僕が反対していることを、お母さんにはおぼえておいてもらいたいな」

「…………」

たかは何も言わなかった。空の茶碗をそっと持つと、膝の上で撫で回した。うつむいたその顔に、日ごろの毅然とした表情とは違う、物さびしげないろがうかんでいるのを見て、節は言葉をやわらげた。母を責めても仕方がない、と思った。

「僕はお父さんをけなすわけじゃないんだ。政治家としては立派だと思ってますよ。ただ借金がこわいんだ。また、わけのわからない連帯保証の借金が出て来るんじゃないかと思うと、ぞっとするよ」

「ほんとに」

とたかも言った。源次郎の借金は、他人の借金の保証に関係したものが多かった。経済観念のまったくない政治家が、ひとに頼まれてやたらに保証の判を捺したのである。それがいま、節の家に重圧となってのしかかって来ていた。

「借金がすっかり片づいたと言うんなら、県会議員もいいだろうけど、いまの有様じゃはたして利息を払い通して行けるかどうかもわからないものな」

「…………」

「利息払いに追われるよりも、はっきりしている借金は、山林を整理してでも払ってしまったらどうだろうね」

「それは、だめよ」

不意に顔を上げた母が、きっぱりと言った。

「一度手放した財産は、もう二度と買いもどせませんよ」

「それはわかっているけど……」

節は不満だったが、そういう母の気持もうっすらとわかる気がした。

父の源次郎は婿養子で、たか自身も養子だが、たかには長塚家の血が流れている。夫の借財で家産が傾きかけていることを知れば知るほど、母の胸の中には家を守らねばと思う気持が強くなっているのだ、と節は思った。

そういう母の気持の中には、夫と合わなかった養母を、夫に逆らいかねて実家にもどしてしまった負い目もひそんでいるだろう。山林田畑に手をつけたら、周囲はもとより養母をふくめた親戚筋に何を言われるかわからないのだ。財産には手をつけずに、何とかしていまの債務を乗り切りたいと、母は考えているに違いなかった。

――しかし、それだと……。

この先は、家の体面を保つだけの、薄氷を踏むような日日の連続になるのだ、と節は思った。

「しかし、としの縁談がまとまってよかった」

と節は言った。それは実感だった。いまなら、まだ長塚家の苦境を知る者は少ない。

「はなも、来年は二十だし、そろそろ考えた方がいいね。家はこの先、どうなるかわかりはしないんだから」

「はなにも、もう縁談はあるんだよ」

とたかが言った。たかはそう言ってから、ふとまぶしげに節の顔を見た。

「それに、おまえの嫁だって考えないとね」

「僕はまだいいですよ」

節は切り返すようにそっけなく言った。家の状態を考えると、嫁どころかと思えて来る。節は、母ののんきな口ぶりを少し憎んだ。

「整四郎はまだいいとして、順次郎はもう身を固める時期に来ているんだし、そっちの方が先です」

節は火箸を取ると、いろりの火をつついた。かぼそくなった火が、わずかに燃え立った。

「そろそろ寝る方がいいですよ。今夜は冷える」

節は立ち上がった。茶の間の出口で母を振りむくと、たかは背をまるめてまだいろりの火を見ていた。ランプに照らされた小柄な背に、節はまた母の老いを見たように思った。

自分の居間にもどると、節は紙を出し、硯箱をあけて墨をすりはじめた。としはもう寝たらしく、襖の隙間に灯のいろは見えなかった。

——ある程度家の事情を話して……。

金のことは、過大にあてにしてもらっては困ると書くしかないと、節は左千夫にやる手紙の文句を案じた。火鉢の炭も残り少なくなって、寒さがまたひしと身体を包んで来た。何の物音もしないが、雪でも降りそうな夜だった。節は少し険しい顔をしながら、黙黙と墨をすりつづけた。

二

「馬酔木（あしび）」は、三十六年の六月に入って間もなく発行された。総ページ数三十二ページで、同人の中にはこれじゃひとの物笑いだとか、世間に出すには恥ずかしいなどと言う者もいて、左千夫が憤慨したりしたが、とにかく新雑誌発行の母体として正式に根岸短歌会の名称も決まり、子規系の歌人たちは、はじめて拠るべき自分たちの雑誌を持ったのである。

同人は森田義郎、蕨真、結城素明、安江廉（秋水）、平子鐸嶺（ひらこたくれい）、香取秀真、長塚節、岡麓、伊藤左千夫の九名で、発行所は東京市本所区茅場町三丁目十八番地の根岸短歌会、つまり左千夫の自宅で、発行責任者は森田義郎だった。

義郎を発行責任者として、編集をゆだねたことに節は危惧を感じたが、左千夫自身に編集は出来ず、逆に義郎は「心の花」の編集主任をしていたので、編集の仕事をまかせるには、同人中義郎が最適任者だったのである。三十二ページのうすっぺらな雑誌は、麗麗しく文学・美術月刊雑誌と銘打たれていた。

節は、創刊号に「万葉集巻十四」の研究と「『馬酔木』に題する」と前書きした長、短歌などを送って、一応は同人の責めを果したものの、三月の妹としの婚礼につづいて農事がいそがしくなったので、「馬酔木」創刊の前後にはほとんど東京に出る機会がなかった。雑誌の出来について、同人が文句を言ったなどということも、ひんぱんに来る左千夫の手紙で知ったのである。

左千夫の手紙によると、世間の物笑いだとか、第一号がこんなことでは心細いなどと言ったのは、平子鐸嶺と香取秀真である。

左千夫はいかなる動機にやと二人にむかって憤慨し、「静岡民友」、「北海新聞」、「国益新聞」は三十行以上の批評をのせた、「日本」、地方の新聞もいずれも本誌に同情を寄せていると記し、最後に平子には世の中の歌と歌人を見るに一人として恐るべき人を見ない、今の世に対して謙遜すべき理由はないという長文の手紙をやったと、意気軒昂と書いていた。左千夫ははじめて自分たちの雑誌を持ったことに興奮し、雑誌の体裁の貧しさなどは少しも気にならない様子だった。

だが、「馬酔木」は出版費用が当初の予想を大幅に上回り、結局三十二ページの雑誌を出すのに、九十五円もかかることがわかって左千夫を狼狽させたり、また左千夫と義郎の対立が、「馬酔木」の編集、校正をめぐってはやくも表面化したりして、創刊早早から不安をはらんで船出したのである。

そのころの節は、いよいよ近畿旅行に出発する気持を固めていた。「馬酔木」に提出する短歌の材料をもとめる、という気持はむろんあって、それは左千夫や家族に対する言訳にもなったが、旅に出たい気持は、節のもうひとつ奥深い場所から出て来る衝動でもあった。

家にいれば、家のことを考えないわけにはいかなかった。家は、巨大な難破船のように半ば傾いて、いつも節の頭上にうかんだまま絶え間ない圧迫を加えて来る。節は日ごろ、そういう奇怪な幻想に悩まされていた。逃げても、奇怪な船はどこまでもついて来て暗い影を投げかけ、節が日の下で呼吸するのを妨げるようでもあった。

「馬酔木」の原稿を書いていても、節はいつの間にか手を休めてぼんやりと家のことを考えている。その圧迫感を払いのけて、強いて短歌や論文に気持を集めようとすると脂汗が出た。そういうときに節は、家からも村からも離れた遠い土地の野に照る日の光、吹き過ぎる風を夢想せずにはいられなかった。しばらくでも家のことを忘れられたら、どんなに気持が晴れるだろうかと、飢え渇くように旅を思うのである。

節はその旅行に、左千夫が行くなら一緒に行ってもいいと思っていたので、手紙を出してみた。しかし左千夫には、その誘いは唐突に思えたようである。あわてたように、いまは大阪に行くわけにはいかないとことわって来た。ただし、どこにも出ないと歌も出来ないから、案内してくれるなら筑波山に登って、それから君のところに行ってみたいとつけ加えていた。

そんなやりとりのあとで、左千夫と画家の平福百穂（ひらふくひゃくすい）が筑波山をたずねて来たのが、六月二十六日だった。土浦から筑波鉄道で来た二人を、節は山麓の筑波駅で出迎えた。百穂は川端玉章門下の画家で、「馬酔木」同人である結城素明と同じ東京美術学校日本画科を出ていた。素明の手引きで、去年あたりから左千夫の家に出入りしていて、最近は短歌も作りはじめていたので、左千夫に誘われて同行して来たのである。

打ち合わせの手紙で、左千夫は雨のときは延期したいと言っていたのに、二人が駅についたときは暗い梅雨空から雨が落ちて来た。

「降って来たな」

左千夫は駅の軒下から、憂鬱そうに雨空を見上げた。そういう顔をすると、太って分厚い近眼鏡をかけている左千夫は、ひどく小心そうな表情になる。

「大した雨じゃないから登りましょう。せっかくここまで来たんだし」

節ははじめから晴雨にかかわらず山に登るつもりでいたので、用意して来た笠と莫蓙(ござ)をさし出した。節は今年の二月に、従兄弟の青木轍児を誘ってわざわざ雪の筑波山に登っている。雨なら雨で、また風情の変った山を見られるだろうと思っていた。

節より二つ年上で、若い百穂は無言で手ばやく笠と莫蓙を身につけたが、左千夫は思い切り悪く、ぶつぶつと不平を言った。

だが、雨は節の言ったとおりで、さほど強くは降らず、時どき小やみになった。頭上の雲がうすれて、うすい日のいろが滲んだり、また急に暗くなって雨を落としたりする空の下を、一列になって登って行く三人のまわりに、鳥の声がしきりにひびいた。左千夫はいつの間にか不平を言うのをやめて、途中の樹木を品定めしたり、いま鳴いた鳥の名前を、熱心に節に問いただしたりした。

しかし左千夫が時どき立ちどまるのは、太っていて山登りが苦しいせいもあるようだった。若い節と百穂のあとから、左千夫は喘ぎ喘ぎ登って来る。そして立ちどまっては、いまの鳥は何だ？　と叫ぶ。子規庵に入門したとき、左千夫は子規より三つ年上の三十五歳だった。いまは三十八歳である。

だが、左千夫は山登りが苦しいとは言わなかった。あくまで樹や鳥の声にかこつけてひと息いれる。節は内心、左千夫の強情我慢がおかしくてならなかったが、時どき立ちどまって左千夫を待った。

「しかし……、君の口ぞえで寺田君が金を出してくれると大きに助かるのだがね」

追いついた左千夫が言った。節から、つねづね寺田憲のことを聞いている左千夫は、寺田が「馬酔木」に少し寄附をくれないだろうかと、しきりに節に橋渡しを頼んで来ていたが、節は寺田にその話を持って行くのをまだためらっていた。

「蕨君だけに頼るわけにもいかんのだ」

「それはそうだよ」

と節は言った。蕨真は、上総山武郡睦岡村に住む富裕な山林地主で、「馬酔木」の発行ははじめから蕨の財力をあてにして取りかかったようなものだったが、一人の出資に過大に頼ることはまずいと左千夫は考え、節もそう思っていた。蕨も同人である。出して来た作品には忌憚のない批評を加えねばならぬ。金主であるがゆえに、蕨に対しては自由に物が言えないという形になるのは避けたかった。そうかといって、叩かれた蕨が、のである。

面白くなくて「馬酔木」を抜けるなどということになれば、それはそれで大問題になる

節は、左千夫には家の事情を打明け、金銭的にあまりあてにしてもらっては困ると釘をさしておいたが、基本的には出資の大半を蕨と岡麓に仰ぐものの、足りないところを左千夫と自分が補うという形に賛成していた。創刊号の出費も、結局は蕨三十五円、岡三十五円、左千夫二十円、節五円ということに落ちついている。

「しかし、岡君がよく出してくれているじゃないか」

「岡君なんて、君……」

左千夫は喘ぎながら、道ばたに唾を吐き捨てた。

「まるで、金を出して損したと言わんばかりだ。あまりあてにはならんよ」

「そうかな」

と言ったが、節は左千夫がそう言うからには、何か事情があるのかも知れないと思った。左千夫の人物批評は、辛辣に過ぎて時には毒を帯びるが、不思議に間違わなかった。左千夫の性格の中には、万人がわかっているようなことを理解していない遅鈍なところと、誰もわかっていないものを鋭く看破している機敏なところが同居している。

左千夫の言葉で、節は「馬酔木」創刊の前後に、麓からもらった手紙のことを思い出していた。それは節の出資を催促して来た手紙だったが、その手紙を、節はなんとなく左千夫の差金（さしがね）のように思っていたのである。家の事情はよくわかった、無理は言わぬか

ら応分でいいと返事しながら、片方で麓をけしかけて出資を催促させるぐらいのことを左千夫は平気でやる男だし、またそれぐらいの強引さがなくては、ひとつの雑誌を主宰しては行けまいとも思っていたのである。

しかし、いまの左千夫の言葉が真実を言っているのなら、あのときの催促は、麓自身の本音だったのかも知れない、と節は思った。「馬酔木」の財政基盤は、意外に脆弱(ぜいじゃく)なようである。

「しかしそれなら、寺田君に頼むしかないかね」

「そうしてもらうとありがたいんだ」

「寺田は『明星』にも『心の花』にも金を出しているんだから、遠慮せずにあたってみるか。大体『明星』なんかに寄附するのは捨て金のようなものだ」

「捨て金だ」

喘ぎながら、左千夫は言った。

「それはともかく……」

節は、うつむいて一歩一歩登って来る左千夫を眺めながら言った。百穂は、二人の話に遠慮したように、数歩先を行っている。

「義郎君とは、もうちょっと何とかならないのかね」

「何が？」

「編集のやり方なんかで、いちいち争うことはないじゃないか」

節はずけずけと言った。

森田義郎は節よりひとつ年上の二十六歳でしかないが、巧者な編集者だった。自分は編集のやり方も知らないくせに、義郎の編集に文句を言っているという左千夫に、節はいくらか腹が立つ。主宰者みずからが、同人の結束をみだしているとも思うのだ。

「われわれは編集は素人なんだし、義郎君にまかせておけばいいんじゃないの？」

「義郎は、だめだ」

左千夫は不意に大きな声で言った。

「いまにわかる。長塚君、『馬酔木』は結局は君と僕だよ。ほかは、恃むに足らん」

左千夫はひと息に言うと、立ちどまって悲鳴をあげた。

「ちょっと休ましてくれ。これはかなわん、へたばった。胸が苦しい」

左千夫は喘ぎながら言うと、身をかがめて胸を撫でた。節はあわてて左千夫の莫蓙の下に手をさしこむと、背中を撫でてやった。

左千夫の声におどろいたらしく、百穂ももどって来た。無口な百穂が、心配そうにのぞきこんでいるのを、ちらりと見た左千夫は、折っていた腰をのばして、や、ありがとう、楽になったと言った。

「長塚君、僕らはいいときに登ったよ。あれを見たまえ」

不意に左千夫が言った。左千夫の顔には、子供のような喜びのいろがうかんでいる。節は左千夫の指さす方を見た。

三人は筑波山の中腹に立っていた。雨はやんで、左千夫が指さす方に、筑波の支峰が湧き立つ雨霧に見え隠れしている。山は霧に隠れるかと思うと、たちまち青青と切り立つ尾根を露わにする。霧はそのあたりから麓になだれ落ちて、野と点在する村落を呑みこもうとしていた。その霧の中に、鳥の声がこだましてひびき合うのが聞こえる。

「これは山水画だよ。そうだね。平福君？」

返事がないので、節と左千夫が振りむくと、百穂が画帖をひろげて、すばやくスケッチの筆を走らせているところだった。

三

七月下旬に出発した節の近畿旅行は、およそひと月におよぶ大旅行になった。

節がたずねたのは、万葉の歌枕である。途中尾張の熱田神宮に下車しただけで、あとはまっすぐに大阪を目ざし、難波高津宮跡をたずねたのが七月二十五日だった。そこから摂津阿倍野、和泉を経て月末には京都に着いた。比叡山や嵐山に登ったあと、八月二日には奈良に足をのばした。だが本格的な旅はそのあとからはじまったのである。

奈良で三輪神社、法隆寺などを見たあと、橿原神宮、逝回(ゆきき)の丘、橘寺などを見て、八日には大阪から木津川を経由して伊勢に行き、内宮、外宮を参拝してから、翌日は海路熊野にむかった。船中で一泊して十日の夜は那智山に泊ったが、その夜節は、宿の庭から谷をへだてて、月の光にうかぶ滝を見た。まぼろしのような夜景に興奮して、節は夜おそくまで歌作にふけった。そのころには、節は旅に憑かれたような気持になり、さらに熊野の山深く踏みこむことを考えていたのである。

翌十一日には、那智山を出発して大雲取峠、小雲取峠を踏破し、本宮まで行った。熊野本宮大社をたずねるためである。十二日は瀞峡（どろきょう）をたずね、瀞八丁を見物して、翌日は船で熊野川を新宮までくだった。さらに新宮から花の窟に回り、ようやく十五日熊野を船で出発して豊橋に出たのだが、後半の旅は、船を利用するほかはほとんど草鞋がけの徒歩旅行だったにもかかわらず、節はさほどに旅の疲れを感じなかった。身体に自信を深めた節は、帰途も箱根の旧道を歩いたりして、十九日にようやく東京に帰りついたのである。

帰宅したとき、国生の村は晩夏の光の中に草も木も埃にまみれていて、豪華な絵巻物を見つづけたような旅から帰ると、いかにもわびしく、貧しい風景に思われたが、節には、それはそれでひさしぶりに気持が落ちつくようにも感じられたのだった。

夜気が涼しくなり、虫の声が高くなった。節は帰るとすぐに「馬酔木」に出す原稿に取りかかり、その間に夜おそくまで旅行詠の整理をしたり、精力的に創作に取り組んだ。旅の興奮が、まだ心の底につづいていて、推敲するために手帳を出すと、すぐに眼の前に那智の滝や瀞の風景がうかんで来た。創作に疲れると、節は家を出て夜昼かまわずに村の中を歩き回り、帰って来るとまた創作にはげんだ。

八月の「馬酔木」は、旅行があったので万葉研究「東歌余談」でお茶をにごしたが、節は九月発行の「馬酔木」には、「まつがさ集(一)」と題して、左千夫と百穂を国生に迎えたときの長歌四首、「七月短歌会」の歌を発表、十月には「馬酔木」に短歌「まつがさ集(二)」、万葉研究「東歌余談」、写生文「栗毛虫」を発表、また「週報」に課題詠「露」、岐阜の根岸系歌誌「鵜川」に長歌「青壺集」を発表するなど、いそがしいが充実した秋を過ごした。近畿旅行の収穫は、十月中には推敲を終って、十一月発行の「馬酔木」に「まつがさ集(三)」として発表したが、歌数は五十五首におよんだ。

その間に、「馬酔木」にひとつの事件が起きた。同人の森田義郎が編集委員をやめ、「馬酔木」から去って行ったのである。

事件の発端はたわいもないものだった。根岸短歌会は、子規の忌日に因んで毎月十九日を例会と定めていたが、十月十九日の例会に欠席した義郎を、同人があれこれ批判したあげく、左千夫が義郎を除名すべきだと言ったという風説が流れたのである。

節はその例会に出ていなかったので、くわしい事情はわからなかったが、その風説を流したのは香取秀真らしいとも言われた。

ともかく、その風説を聞きつけた義郎が、六日後の二十五日に、平子鐸嶺宅でひらかれていた「馬酔木」編集会の席に、突然絶縁状を送りつけて来たのである。「近来各所より種々なる風聞を耳に致し申候。小子は到底異教徒にして、同人諸兄の末班(まつぱん)を汚し得るものにあらず云々」といった文面の絶縁状だった。

これに対して左千夫は、義郎がそう言うなら受け入れようじゃないか、という態度を示したので同人たちはおどろきあわて、岡麓が懸命に二人の間を調整したが実らなかった。節も事情を聞いておどろき、上京したときにそれぞれ二人に会って和解斡旋を試みたが、義郎はもともと節に好意を持たず、左千夫は左千夫で節の気持を疑うようなことを言い出す始末で、不愉快な思いをしただけだった。

義郎の絶縁状を受けて、左千夫は義郎に長文の手紙を送り、ついで「馬酔木」第七号に義郎分離の宣言を発表した。手紙は「貴書中野生憤慨云々の語有之候様なれども、野生は貴兄と趣味一致せざるを確信せるに外ならず、為に分離を見るに至りたりとすれば、其他に何物の遺留すべき筈無之候」と述べ、「貴兄と野生の趣味の背馳を見るに至れるは貴兄も御承知の如く、短歌会記事余言と題せるものを書かれし頃より始まり、今回雅俗論に了りしものにて申すまでもなくこは意見の相違には無之趣味の相違、即文学的原素の相違に有之……、貴兄は野生を狭隘なりとし、野生は貴兄を雑駁なりと存じ居候。雅俗の感懐、趣味の感得懸隔を来たすは自然の理と存じ候、今更何の呶々すべきものも無之候」といったものだった。

短歌会記事余言というのは、森田義郎が「心の花」第五巻第七号で、香取秀真の短歌「水清き山里いほの朝あけにねさめて居れば鮎を売る声」を非難したことを指している。

左千夫は、この短歌会記事余言と、その前前号「心の花」第五巻第五号で、やはり義郎が小出粲の短歌「はねつるべ枝にかけたる井の上の老木の柳わかみどりせり」を称揚したことを取り上げ、「心の花」に載せた楽々漫草㊦で痛烈に批判したのである。

この文章で左千夫は、冒頭から「森田義郎君が本誌の第五巻第五号でやつた、小出老人の歌集くちなしの花後編の批評を見て、予は森田君の趣味標準に少なからぬ疑を抱いた。其評中で森田君の称揚せられた歌どもは、予は一も取ることが出来ぬ、歌としての価値を疑ふべきものどもを頻に森田君が誉めてゐる、同志中の森田君と予との考が是程相違して居るとは、少しく意外に感ぜられたのである。それで又前々号五の七所載森田君の短歌会記事余言と云ふのを見て、益疑ひを深くした」とはげしく切り出し、義郎とは逆に粲の歌を月並みと難じ秀真の鮎売りの歌をほめたあとで「森田君が前者即小出老人の歌を大に賛して後の香取君の歌を大に難じたに就いて予と根本的に反対して居る」と断定し、「其他多くの場合で、森田君と一致せぬのであるが一一云ふに堪ないので此位にして置く」とも書いている。

左千夫が楽々漫草(下)を書いたのは前年の九月で、義郎との争いは根が深いのである。義郎は、左千夫の手紙を「心の花」十二月号にそのまま採り、あわせて自分の心境をのべた「辱知諸卿に告ぐ」の一文も載せて、完全に「馬酔木」と袂別したのであった。

十一月二十八日に、左千夫から節に手紙が来た。左千夫は、節の後を追うように蕨真と近畿を旅行して来たばかりで、手紙はその報告と「馬酔木」の今後に触れて「折角根岸短歌会の機関と名乗つて打つて出た以上はどんなことがあるとも一年やそこらでよす訳にはゆかぬ先生の三年忌もこぬ内に先生の名を汚す様な事は命にかけても君出来ないぢやないか君しつかりして居てくれ給へ」と、かなり興奮した文字をつらねていたが、最後に左千夫は「森田の俗物が居なくなつたのは泥を洗ひおとした様な心持だ奮発するに張合が出た呵々」と書いていた。

義郎との一件について、左千夫は節にしきりに弁解するような手紙をよこしたが、今度の手紙が本音だった。節は仕方ないことだと思った。

左千夫は岐阜の歌誌「鶉川」の十月号に、義郎の「万葉私刪（しさく）」を紹介しながら、「然れども其評語の余りに野鄙にして校書の口説白首の痴話めきたるは甚だ惜しむべし」と書いた。女郎の痴話ばなしに似ている、という言い方は、少なくとも同人の著書に対する批評ではない。

義郎にしてみれば、そこまで侮辱されれば沢山だという気持だったろうが、左千夫は同じ「万葉私刪」について、節への手紙にはつぎのように書いて来ていたのである。

「森田君の万葉私刪も出来致し候一見致し候所歯の浮く様なものに候あんなものを作られてはいくらか根岸会の名誉に関し候末松博士の序文などをつけたなど実にいやに候全く根岸趣味以外の人の序文をつけるなど不見識は無之候嘆息の次第に候秀真義郎君などは正岡先生はかつぐのみにて其趣味の如何を考ふるなどの事は一切無之見え候。馬酔木は到底君、蕨、岡、僕此四人にてやらねばならぬものと覚悟有之度候云々」

森田義郎に対する左千夫の不満は、せんじつめれば義郎は子規短歌の方向を理解していないということだった。義郎が子規庵に出入りするようになったのは、子規の病気が悪化して短歌会を取りやめる二カ月ほど前のことである。「馬酔木」の同人のなかでは新参者で齢も若いのに、元からの子規の子飼いといった大きな態度をみせるのは、少少僭越ではないかとかねてから左千夫は思い、ことさらに子規門をひけらかすのは自分に箔をつけたいためではないかと、そこにも猜疑の眼を光らせるのである。左千夫は太っ腹のように見えて非常に小心なところがあり、小心かと思えばのんきで粗雑な一面もある複雑な性格だった。

その気持が底にあるので、義郎が、子規の短歌とははるかに相へだたる場所にいる小出粲をほめたりすれば、左千夫の感情はたやすく爆発し、また、その義郎が子規の正統をつぐ雑誌である「馬酔木」を、わがもの顔に切り回すのをみると、何かと難くせをつけずにいられないのである。義郎との別離はやむを得なかった。

——しかし……。

と節は、泥を洗い落としたようだと書いてある左千夫の手紙をじっと見つめる。義郎にもやり過ぎがあったが、左千夫にも多分にお山の大将的なところがあるのだ。

嫌いなやつは嫌いだと言ってしまえば簡単だが、同人と言っても必ずしも性格、意見を同じくするわけではない。個性も短歌観も違う者がひとつの雑誌に拠るところに、結社の面白味もあり成長もあるのに、左千夫のように、強引に同人の方向を統一しようという考えは、行き過ぎではないのかと節は思った。左千夫がこだわる子規庵の先輩、後輩ということにしても、子規庵をはじめてたずねるのは左千夫が三十三年の一月、節が三月末、義郎が八月五日とわずか数カ月の差に過ぎない。それに義郎の歌は、決して悪くないのである。

「馬酔木」によって、強力に根岸派の主張を探し出そうとする左千夫の情熱は疑うべくもないものだったが、節は雑誌の将来に、ぼんやりした不安を感じないではいられなかった。左千夫のやり方では、この先まだ同人の脱落があり得るかも知れないという気がした。

その年の最後の「馬酔木」十二月号に、節は近畿旅行詠の残り、雑詠十六首、仏の山を過ぎてよめる歌と題した長、短歌などをふくむ「まつがさ集㈣」と、子規の生前の思い出を記した「竹の里人㈠」、写生文「月見の夕」を発表した。

四

節は雑木林を抜けて、開墾地の端に出た。まだ丈の低い麦が一面にひろがり、その先に花をつけはじめた菜の花畑が見えた。花の出そろわない一列の菜の花畑は、高低も不揃いで貧しげに見えたが、それでも四方を灰色の雑木林に囲まれた開墾地の色どりになっている。

菜の花畑のさらに奥に、土を耕している女の姿が見えた。女は一人だった。紺の仕事着に目がさめるほどに紅い襷をかけ、髪を白い手拭いで覆っている姿と、きびきびした身ごなしから、若い女かと思われたが、顔はよく見えなかった。鍬を振り上げ振りおろすたびに、しなやかに屈伸する身体の動きはよく見えて、勢いよく鍬を打ちこむとき、一瞬露わに丸味を帯びる女の臀がなまめかしかった。

雑木林の影が、開墾地を半ばまで覆っていたが、女は日の光を全身に浴びていた。朝の日射しの中で、鍬の先が光り、働く女も光るように思われた。

鍬を振って、開墾地の端まで行きついた女が、不意に身体をのばしてこちらを見た。遠い節の視線に気づいて、相手を確かめようとしたようである。女は手をかざして節を見た。節は踵（きびす）を返して雑木林の中にもどった。節の心の中には、女性に対する強くあこがれる気持と同じ程度に強い恐怖感が同居している。手をかざしてこちらを見た女に、心の中を覗かれたような羞恥心に襲われていた。

林の中には、交錯する雑木の枝が落とす黒い影が這っていたが、日の光は枝の隙間から節を照らし、櫟の粗い樹皮を照らしていた。節は逃げる獣のように、いそぎ足に林の中を歩いた。

節が立ちどまった場所も、まだ林の中だった。奥深い林の中には、ほかには人影がなかった。黒ずんだ櫟の幹、小楢やえごの灰色の幹が、重なり合ってどこまでもつづいているだけである。雑木の枝は、少しずつ新葉だけが持つ柔毛を光らせはじめていたが、櫟はまだ執拗に去年の枯葉をぶらさげ、幹は冬のころのままに乾いていた。

そばの櫟の幹を両手でつかんで、節は荒い呼吸を静めた。呼吸が静まると、黒く罅（ひび）われた樹皮に額をつけて、眼をつむった。痛みを感じるほど、ぎりぎりと幹に額を押しつけた。そうしないでいられないものが、気持の中にあった。

いま見て来た女のことではない。歌が出来なかった。今年になってから、節はこれぞと思う歌をつくっていなかった。

原因はわかっている。迷いが出て来ているのだった。その迷いの出どころもわかっていた。自信を持って発表した近畿旅行詠五十五首が、ほとんど反響を呼ばなかったせいである。暮れの「馬酔木」は、森田義郎の同人離脱という事件があって、大揺れに揺れた。同人から反響がないのはそれで納得出来たが、外部からの反響も皆無だった。黙殺されたと節は感じ、自信はみるみる崩れた。

追い打ちをかけるような小さな事件があった。節は今年二月の「馬酔木」八号に、「松がさ集」を発表し、子供を歌った戯歌二首、香取秀真に寄せる戯歌八首、尾張熱田神宮宝物之内七種と題する短歌八首、大阪四天王寺什物之内四種と題する短歌四首、さらに子規時代の短歌会の先輩歌人で、新しく「馬酔木」にも協力することになった赤木格堂に送る短歌五首、計二十七首を発表した。

このうち、熱田神宮と大阪四天王寺の歌は、近畿旅行詠の増補作品である。これに対する左千夫の批評は、「宝物の符貼歌ハ君いけないよ」の一言だった。同じ手紙で、左千夫は沼波瓊音の伊吹の歌はじつにうまい、傑作だと手放しでほめていた。

同じころ「鵜川」の奥島欣人は、熱田神宮宝物の歌はおもしろかった、故先生（子規）の作を読む気持がした、「この種の作は今日に於ては同人諸兄中にいても貴兄の独壇かと存じ候」と書いて来ていたので、節は左千夫の批評が癪にさわり、宝物の歌のどこが悪いかと言ってやった。

するとと左千夫は「絶対に悪るいといふのでハない吾々の今日では今少し考のあるものを思ふまでだ先生の吾家の長物といふ文章中に似た歌はあるがあれはこいふ物を誰々から送られたといふ主観があるからよいのだ」と答えて来た。

左千夫はそれだけでは悪いと思ったか、格堂に送った歌は非常に面白い、秀真にやった歌は少しひねくり過ぎている、とほかの作品にも批評の筆を費やしていたが、節は再反論の筆は執らなかった。左千夫が言う主観には承服出来ないものを感じたが、その手紙をもらったときには、宝物の歌、ひいては近畿旅行詠の欠陥が見えていたからである。

真熊野の熊野の山におふる樹のイマメの胴のうづの鼉太鼓(だだいこ)

天飛ぶや鵄(とび)の尾といひ世の人のさばの尾ともいふ朱(あけ)塗りの琴

これが熱田神宮宝物の歌である。事物をただ短歌ふうに三十一文字に言いなしただけである。何の面白味もなかった。節が旅行中もっとも感動し、眠りを惜しんでつくった那智滝の夜景の歌はつぎの五首である。

真熊野の熊野の浦ゆてる月のひかり満ち渡る那智の滝山

みれど飽かぬ那智の滝山ゆきめぐり月夜にみたり惜しけくもあらず

真熊野や那智の垂水の白木綿(しらゆう)のいや白木綿と月照り渡る

ひとみなの見まくの欲れる那智山の滝見るがへに月にあへるかも

このみゆる那智の山辺にいほるとも月の照る夜はつねにあらめやも

やはり感動がひとり合点で、技巧にもさほどみるべきもののない作品だった。もっともいけないのは、これが「馬酔木」の長塚節の短歌だというものがどこにも出ていない点だと節は思った。「馬酔木」をひらいて読み直してみると、近畿旅行詠は、要するにこの種の、誰にでも詠めるような、矚目の風景を短歌にまとめただけの作品の羅列に過ぎなかったのである。

宝物の歌をほめた奥島欣人も、三月になってよこした手紙では、「馬酔木」の歌だんだん面白からずとは当地一般の説に候と書いていた。節はそれにも気が滅入った。あたかもそれが自分の不振のせいのように思われて来るのである。

それにしても、左千夫の宝物の符貼歌はいけないよというひと言は胸にこたえた。左千夫をこわいと思った。左千夫をこわいと思ったのは、今年になって二度目である。

明治三十七年二月十日に、日本はロシアに宣戦を布告し、日露戦争がはじまった。日本は大国ロシア相手の戦争に沸き立ち、「鵜川」の奥島欣人なども、節への手紙に「鵜川」では次号から征露の歌を募集しようかと考えていると書き、「現つ神わが大王の天が下みそなはすべき時は来にけり」、「大ひるめ神のみ統の天皇のひかり満ち足らふ千万の国に」の二首をそえて来たほどである。

欣人に煽られたわけではなかったが、節も十一日の「日本」紙上に、「時は来れり」と題して、「ひた待ちし時今来たり真鉄なす腕振ふべき時今来たり」、「大君の民にしあれば常絶えず小鍬とる身も軍しに行く」など、時局詠十三首を発表した。その歌をつくったとき、節ははじめて体験する外国との戦争に、あきらかに興奮していたのである。だが、昨日とどいた「馬酔木」第十号に、左千夫が載せている「消息」を読んだ節は、水を浴びたようなショックを感じたのだった。

「消息」は、「馬酔木」の動きや同人の消息に触れた、いわば編集後記といった短文の記事や書簡の類だが、左千夫は第十号に長文の「消息」を載せていた。その文章は、時局柄戦争と文学についての感想から書き起こし、ついで左千夫の家をたずねた節と戦争について話したことを記していた。

節は、日本人は戦争に出るのを嫌い、また家の者も肉親を戦争に出すのを嫌う。それは戦に出れば必ず生きて還れぬものと覚悟するからで、戦争に行くのを嫌うのは死を嫌うのである。しかしそれは反面、日本の兵はみな決死の兵だということで、それが日本の強さになっていると語ったと左千夫は書き、節のその話に感銘したと記していた。

左千夫とそういう話をしたことは事実である。だが、節にショックをあたえたのは、つぎにつづく左千夫の長い文章だった。左千夫はつぎのように書いていた。「小生は常に新聞などで、児を捨てて召集に応じた、妻を離別して奮起したなどといふ、報道を見る度に、甚だ不快に感ずるので、そんなことは皆虚説であると思ひ居り候、真に死を覚悟しての首途に、親と別れ妻子と別れこれを最後の見別れと感念した時に、悲しくないと云ふは虚言に候、実際悲しまない人があつたらば、それは自分勝手な功名だから、人間の至情を滅した挙動と存じ候、親を思はず妻子を愛せず、それで愛国心に富むとは大虚言の皮に候。(中略)乍併君国の大義を荷ひ軍に征役に従ふものが死を覚悟して出る位、忠義な感念は無之候、已に死を覚悟す而して親と別れ妻子と別る、世の中に是程悲いことは無之候、悲むが当然に候泣くが当然に候、悲んで悲みつくし泣いて泣きつくすが当然に候」

さらにつづけて左千夫は自分などは、人の話を聞いても涙が出て来る。これを書きながらも眼が濡れて来る。「新聞などでは、出す人にも出る人にも、泣きも悲みもせぬのを良い事のように書き立て候得共、あれは大間違に候」と記していた。

左千夫は反戦などというイデオロギーから物を言っているのではなかった。文章も相変らず当て字や間違いが多く、粗雑な文章だった。だがそこでも、左千夫は自分の地声で物を言っていた。周囲が戦争の声に浮き足立ち、ひとつの方向に押し流されがちな風潮の中に、左千夫はどっしりとあぐらをかき、そこからふだんの声で物を言っていた。

節は左千夫に畏怖を感じた。「時は来れり」十三首をつくったとき、節は自分が感じるままに詠んだと思ったが、左千夫の文章を読んでいると、それはやはり半分は借り物の声だったと思わずにいられなかった。たやすく世の風潮のお先棒をかついだ自分が、恥ずかしかった。

納得の行く歌が作れないのも、つまるところはそこにつながっている、とも思われて来る。万葉の声を借り、近畿旅行詠の中のいくつかの作品に至っては、はるかむかしに袂別したはずの桂園調の古い声音まで借りている、と思うのである。反響がないのは当然だったのだ。

——地声で歌うべきだ。

櫟の幹に額を押しつけていると、日に照らされた盆のくぼが熱くなって来た。節は樹からはなれて、また林の中を歩き出した。

新葉の香がただよう林を抜けて、家の前の道に出たが、節は家には入らず門前を素通りして北側の道に回った。その道をまっすぐ東に歩いて行くと、道はゆるやかな傾斜になり、やがて丘の下の田圃が見えて来た。

節は田圃までは降りずに、丘の傾斜を横に踏みこんで、畑の端に出た。そこにうずくまった。眼の下に、台地にはさまれて浅い谷間のような形に南北にのびる田圃が見えた。田を打つひとの姿は見えず、榛の木の下に田の泥を掘っている数人の子供がいるだけだった。

節は、遠くの方は乳色にかすんでいる田と丘の畑を眺め、甲高い子供の声を耳にしながらぼんやりと時を過ごした。

地声の歌の方向は、わかっていた。写生である。子規がそう教えたのだ。だがつかみ取る言葉が見つからなかった。万葉はもう頼るべき言葉ではなく、むしろ新しい言葉を見つける妨げになっていることを、節は感じ取っていたが、それにかわるべき自分の言葉は、依然として見えて来なかった。

しかし、実を言えば節はそのとき新しい言葉をつかみかけていたのである。十二月の

「馬酔木」に節は「雑詠十六首」を提出した。その中につぎの一首がある。

秋の田のわせ刈るあとの稲茎にわびしく残るおもだかの花

それは節が目ざす写生の歌の萌芽だったのだが、節は気づいていなかった。日の照りわたる丘の傾斜に凝然とうずくまったまま、深い迷いに沈んでいた。

五

伊藤左千夫が、節の短歌の特色である客観写生の方法を、公然とまたはげしい口調で非難したのは、明治三十八年一月発行の「馬酔木」第十五号の中でだった。

左千夫は、この号に載せた節の「十月短歌会」六首のうちの一首、「麦まくと畑打つ人の曳きこじてたばにつかねし茄子古幹」を挙げて、「かういふ詠口は節氏が近来の傾向のやうである。茄子畑を返して麦を蒔くといふ人事を叙しながら、其人事をば主とせず殊更に茄子古幹を中心とするのである。いくら客観がすきだからとて茄子古幹にどれほどの面白味があるか」と切り出し、人事と配合してこそ茄子古幹も面白く見られるだろうが、人事的なものを一切抜きにして、つかねた茄子古幹を一首の中心にするのは、どう考えても不自然だ、節と自分が主観、客観ということで時時衝突するのは、こういう場合なのだと意見の相違のあり場所をあきらかにした。

「馬酔木」第十五号に、節は「十月短歌会」六首のほかに、「秋冬雑詠」三十首、「変調三首」、写生歌に触れた歌論「写生の歌に就いて」を発表している。左千夫が、「十月短歌会」に附言を書きつけたときは、当然節の「写生の歌に就いて」の原稿を読んでいたであろうから、左千夫の非難は、節自身が引き出したものとも言える。しかし、節が歌論「写生の歌に就いて」を書き、「これまでのは客観とはいつても主観を表はすための方便が大分であつた。僕は暫く之を棄てゝ主観といふのも客観が主となるものを作りたいといふのである」と自分の立場をあきらかにしたのにも理由があった。

節は去年の春ごろ、深い作歌上の迷いを経験した。万葉は頼るべき言葉ではなかった。そうかと言って、新しい言葉が見えているわけでもなかった。その混迷の中で、節は新体詩「海底問答」を作り、また題材の新奇をもとめて、「満洲」、「馬賊」、「旅順」、「韓国」、「樺太」などと題する長歌を作ったりしたが、結局帰りついたところは子規であり、写生だった。一から出直してみようと、腹が決まったのである。

その成果が三十七年中に発表された「榛の木をよめる歌」九首、「春季雑咏」五首につづく、「雑咏十六首」、「夏季雑咏」其一、其二などの短歌だった。

だが、左千夫には節の変化が、いちはやく読みとれたらしい。しかもその方向が、自分とは主張を異にする客観写生の作品なのを懸念して、しきりに小言を言って来た。「雑咏十六首」は、「足曳のやつ田のくろの揚げ土にほろほろ落る榿の木の花」、「春の田を耕し人のゆきかひに泥にまみれし鼠麹草(ははこぐさ)の花」のように、結句にやたらに花の名前を据えた歌で、試行の苦悶をそのままに表現したような作品だったのだが、左千夫にはそういうところは見えなかったようである。大事な結びに何何の花、何何の花と八首も九首も並べて、君自身いやにならないのが不思議だと手紙に書いて来た。

左千夫の見方から言うと、「雑咏十六首」はただの説明、符貼の歌に過ぎず、「君の主張の細微な興味も、細微な材料細微な事実ではまだ足らない。細微の感じ（即ち主観的に）を顕わさなくてはいかぬ」ものなのである。

この批評に対して節は、次号の「馬酔木」に同じ傾向の「夏季雑咏」を載せ、さらに「竹の里人選歌につき＝左千夫に宛てた消息」を載せて、それとなく応酬した。

「左千夫に宛てた消息」は、自分の最近作「菜の花は咲きのうらべになりしかば莢（さや）の膨れを鶸（ひわ）が来て喰ひ」ほか一首を挙げて歌論をのべたもので、その中で節は、ひとの顧みなかった清楚な興味を捉えてやるというのが、自分の近ごろ意をそそいでいるところだと、自己の作歌の立場をのべ、有の儘にあらわすのが第一で、しかも詠まれるのはすべて実景でなければならないと、はじめて自分の主張を押し出したのであった。

それは子規の写生の主張そのままで、新しい歌境をその一点に賭けるという節の宣言だったのだが、左千夫は不満を隠せなかったようである。

その後も、「君写生歌をどし〳〵やつてハ如何やり過しの失敗ハ寧（むしろ）愉快ぢやないか」と厭味を言って来たかと思うと、一転して「十七文字とか三十一文字とか究屈な形式から成立つ俳句や歌に写生が出来る筈がない写実と云ふが当前であらう、……君の写生歌をほんとうに批評して見よう」と、露骨な苛立ちを示したりしていたのである。

左千夫からその手紙が来たのが前年の十二月七日で、その後左千夫は、節の「十月短歌会」の歌を読み、「写生の歌に就いて」を読むにおよんで、ついに日ごろの不満を爆発させたということのようだった。

森田義郎を除名して、左千夫は快哉を叫んだが、「馬酔木」にはその後遺症が残った。香取秀真、岡麓の足が遠くなったのである。二人は「馬酔木」の編集も手伝わず、最近は歌もほとんど作っていなかった。ほかに結城素明は、竹橋の近衛二聯隊に入営し、平子鐸嶺は喀血して倒れ、節と蕨真は遠方にいて役には立たず、左千夫はただ一人、不馴れな手で「馬酔木」を編集するしかなかったのである。

加えて左千夫は、節への手紙に蕨が最近天狗になったと、怒って書いていた。節の写生歌に対する痛烈な批判も、そういうもろもろの苛立ちを背景にして、一挙に言葉が噴き出たという感じのものだった。蕨も信用出来ず、節は節で、頑固に自説を曲げないと思ったかも知れない。左千夫は信州の歌誌「比牟呂」の島木赤彦あての手紙に、「小生の興味あまり狭隘にや往々同人と背馳致し困り申候」と反省の弁をのべながら、あちこちに嚙みついていた。外部の「鵜川」にまで嚙みついて、物議を醸したりした。

左千夫は元来が戦闘的な歌論を身上として来た歌人だが、そのころの気分の荒れは自分自身もてあますほどで、先輩歌人である赤木格堂あての手紙には「近頃の自分ながら少々狂気じみ候様思はれ、世間の事何もかも癪にさはり申候故、自然空気(からき)燄(えん)を吐きちらし、僅に消熱致し候始末御憐笑願上候」と書いた。左千夫は当時、「馬酔木」をめぐるもろもろの問題、自身の作歌上の悩み、本職である搾乳業のやりくりなど、ひとつとして手を抜けないしがらみに、がんじがらめに縛りつけられたまま荒れ狂っていたのである。

節には左千夫の苛立ちがわかっていたので、「十月短歌会」に対する批判にも、直接には反駁しなかった。すると左千夫は、今度は節の沈黙に苛立つらしかった。しきりに手紙をよこせと催促し、僕は「馬酔木」の編集から歌の直し、雑誌の発送までやっている。牛飼いだから牛に金櫛(かなぐし)、毛櫛もかけなければならぬ。それにくらべれば手紙の一、二本は書けそうなものじゃないかと厭味を言って来た。

それでいて、同じ手紙に「僕は露骨に君に忠告する、人を欺く勿れと、写生らしき歌でなく真の写生の歌を作れ」などと書いて来るのである。

節は四月の「馬酔木」第二巻第二号に、歌論「枯桑漫筆㈠」を書き、その中で再び客観写生についての自分の考えを明らかにした。間接的に左千夫の批判に答えたのである。すると左千夫は、間髪を入れず次号の「馬酔木」に「歌譚抄」を書き、節の写生論を批判した。左千夫はその原稿を節に送り、反論を書くようにもとめたので、節も「歌譚抄を読みて」を書き、その結果五月の「馬酔木」第二巻第三号には、客観写生をめぐる両者の対立する歌論が併載されることになったのである。

左千夫の「歌譚抄」の要旨は、短歌における写生の否定だった。左千夫は写生というのは元来が絵について言う言葉で、短歌のように形に拘束があり、そのうえ調子を持っているものに使用出来る言葉ではないと言い、「調子を得やうとすれば直ぐ写生でなくなる、写生らしくやらうとすれば調子はなくなり、到底両立しないものである」と論じていた。

絵における写生の要諦といえば対象物の感じをあらわす、または形象の要点をつかまえるということだが、歌の上で写生をするなどということは滑稽なことで、ただ事物の印象を明瞭にあらわすということなら、それは写生ではなく写実と言うべきである。写実なら、われわれの今日の立脚地がそこにあることは、「馬酔木」創刊号の万葉論で論じておいた。

節の短歌は要するにこの写実で、しかも写生をとなえながら往往にしてこの写実すら欠いている。写実には、事物を他方面から描写する連作が有効だから、連作をやったらよかろう。いくら写生写生とさわいでも、連作の必要を自覚しないうちは、節の写生論に耳をかすわけにはいかない。

左千夫の歌論はそう言い、最後をかつて節に言った「君の歌は決して写生で面白いのではない、君の詞つきに一種の調子があってそれが面白いのぢやから考違せぬ様にしてくれ」、という言葉でしめくくっていた。

節には窮地に立つと、かえって冷静になる性格がひとつ隠されている。ひややかな闘争心とでもいうべきその気持の在りようを、節は長塚の家の血だと思うことがあるのだが、激越な左千夫の「歌譚抄」を読んだときも、その性格がむくりと顔を持ち上げるのを感じた。ひややかに左千夫の言い分を点検した。

いまの節には、去年の春に体験したような創作の迷いはなかった。将来の見通しはまだないが、この道を行って間違いないのだという、自信のようなものが腹の中に居据わっている。その自信をささえているのは、子規が言った「見たものをお詠み」という言葉だった。

それは五年前の三月三十日、節が二度目に根岸の子規庵を訪れたときのことである。子規は妹の律を呼んで、線香に火をともさせると、線香が燃えつきるまでに、ここで見える実景を詠めと言った。「見たものをお詠み。想像はいかんぜよ」。少しきびしい顔になってそう言うと、子規は自分も筆を取って、歌を案じはじめた。

病いに窶れて、修行僧のように髪もひげもぼうぼうとのびた子規と二人だけで、言葉もかわさず歌作に耽ったその沈黙の一刻は、いまも時時節の胸にうかんで来る光景だが、近ごろ節は、そのとき子規は自分に歌作の秘儀を伝えたのだ、と思う気持が強くなって来ていた。見たものを詠む。それが秘儀で、その先に何があるかをきわめるのが自分の仕事だと思われて来る。

左千夫は大わらわに写生と写実をわけて論じているが、それはどちらでもいいことだと節は思った。見たものを詠む、その方法を子規は写生だと言ったから、節も写生と称しているだけである。節のその気持をささえているのは、子規に信頼されたという自信だった。

――左千夫君なんかは……。

と節は少し意地悪く、子規庵時代のことを思い返すことがある。

子規が選をしたころの「日本」の附録「週報」は、水準が高くてそこに入選することは至難のわざだった。そのかわりに入選すれば大きな名誉になるので、子規の門人たちは競ってその難関に挑戦した。

そのころ、左千夫がつづけて四回も入選した。左千夫は得意になって鼻をうごめかしたが、やがて節が六回連続入選を果した。二人が子規庵をたずねて、そのことが話題になったとき、左千夫は連続五回かと聞いた。節がいや六回だと言うと、左千夫はむっと黙りこんでしまった。

それから間もなく、節が子規庵をたずねて、子規と二人で話しているとき、子規はふと先日の左千夫のことを思い出したらしく、「君、ああいうことを言うのだからな」とだけ言った。節は黙ってうなずいたが、師である子規とそれだけで気持が通じているのを感じていた。

赤木格堂の日光山観楓（かんぷう）の歌数十首が、「日本」紙上を飾ったことがある。すると左千夫は自分もさっそく日光の中禅寺湖に行き、長篇の長歌をつくって、結城素明の挿絵入りで「日本」に掲載してもらった。そして格堂に、僕の長歌一篇は、君の短歌百首に匹敵すると自慢の手紙を書き送ったのである。

しかし後年、節が子規に欲しいものがあったら持って行けと言われて、反古を整理していると、左千夫の手紙が出て来て、それは中禅寺湖の長歌をぜひとも「日本」に掲載してくれと哀訴した手紙だったのである。載らなければ、格堂にあわせる顔がない、悪いところがあれば指示してもらいたい、幾十百回の改竄も決して苦しいとは思わないと、左千夫は見苦しいほどの歎願の文字をつらねていたのである。

――左千夫君に……。

先生の写生の意味がわかるものかと、節はふてぶてしく思ってみる。歌の調子などというものは、七、八年も前に、左千夫がまだ春園という雅号で、根岸の子規庵にも顔を出していないころにとなえた、歌は心と調だという主張の残滓ではないか。

節は「歌譚抄を読みて」のなかで、まだ根岸に行かなかったころには、日常眼に触れるものだけを詠んだ。後に万葉をみて忽ち万葉調に変化した。それが去年の春までつづいて、歌に飽きが来た。しかしふと、直ちに天然に接触して、写生をするというのが現在の急務であると考えた。そう思って試みると、すべての天然物がみな面白い。しばらくはこのまじめな写生に立脚地を定めようと思うと、歌作に対する考え方の変化をのべたてたあとに、左千夫に対してつぎのように回答した。

「左千夫氏の論は要するに写生は歌に不可能であるといふことである。非難の点も多くは予の制作に向つて試られて居るやうであるが、予の制作の不完全であることは予も亦認めて居る。（中略）然しながら『感じを表はす』といふ写生の目的が歌に不可能であるといふことは服し難い。我々の歌には未来がある。左千夫氏は或は予を以て没分暁漢とするかも知れないが予は闇中に何物かを認めるやうな感じがする。理屈の問題ではない。窮極までは進んで見るのもいゝではないか」

そう書いたとき、節はたしかに暗中に何物かがあるのを、ちらと覗き見たような気がしたのである。節は自信を持って、左千夫との応酬論文を「いくら写生々々と騒いでも、連作の必要を自覚せぬ間は、耳はかされぬといつて居る。それもいゝ。まあじつとして見て居て貰ひたい。夏の短夜でも明けるまでには時間がある。飽きるまではやるのである」と、結んだ。

左千夫の「歌譚抄」は論旨も用語の選択も粗雑で、たとえば節の写生歌を批判するために使いわけた写生、写実という言葉なども、言おうとする内容を表現するには不十分なものだった。しかし左千夫は、彼独特の鋭い感覚で、その不十分な写生、写実という言葉の使いわけで、写生歌の真相に迫っていたのである。

ただし、左千夫が歌には写実はあるが写生はありえないとしたのは誤りだった。その点は「感じを表はす」という写生の目的が、歌に不可能だというのは承服しがたい、とした節の反論の方が正しかったのである。

左千夫には、写生歌は見えていなかった。節にも見えてはいなかったが、しかし節は「感じを表はす」写生歌の存在を予感していた。節はやがて、実作の上でそれを証明することになる。

六

写生歌をめぐってはげしい論争をかわしたものの、節と左千夫との間は、森田義郎やほかの同人たちとのように、日常の交際まで冷えるには至らなかった。

節は、前年の秋から自宅の庭に炭窯を築き、使用人を相手に改良炭焼きの研究をはじめていた。目的は質のよい木炭と醋酸（さくさん）石灰を得ることである。

節の念頭には、少しも減らない家の借財のことが居据わっている。それはつねに重苦しく節に圧迫感を加えて、時には、歌など作っている場合ではないとまで思いつめさせたりする。

新方式の炭焼きは、成功すれば借金返済にある程度の成算をもたらし、家計を建て直す大きな柱となるかも知れないものだった。節の家には四十町歩弱の平地林がある。製炭の材料となるべき楢（なら）、櫟（くぬぎ）、そね、えごなどの原木は無尽蔵にあった。そのうえ改良炭焼きの成功は、千葉の佐倉炭の古い技術しか持たない村の炭焼きに新風を吹きこむことになるだろう。

節のその考えは、子規に言われた一村の経営ぐらいには任じなくてはならないという、はげましの言葉に結びついている。作歌と借財を抱える家にはさまれて苦悩しながら、節は子規に言われたその言葉も忘れてはいなかった。

だから、改良炭焼きを思いついたときは、一石二鳥の名案だと思った。榎本峯次という熟練の窯築きを呼んで、庭に大小二つの新窯を築いたとき、節は喜びを押さえ切れずに、左千夫に長長と改良炭焼きによせる抱負を書き送った。

だが左千夫は、千葉の田舎から出奔して東京に出ると牛乳店に勤め、五年後に牛乳搾取業者として自立すると、一日十八時間も働いた人物である。節の炭焼きも、節本人ほどには楽観視しなかった。節への手紙にも、炭焼きの話は余り甘過ぎるから少し不安心だ、成功の報告を見てから賛辞を呈することにしようと、冷静な返事をよこした。生活人としては、節よりはるかに苦労している左千夫は、節が言うように、炭焼きから利益を得るのはそうたやすいことではないと見通していたのである。

左千夫の冷淡な反応も、しかし節にはあまり気にならなかった。炭焼きは、寺田憲への手紙に「小生は自ら金銭を得べき方法を知らず」と歎いた節が、はじめて発見した収入の道だった。節は炭焼きに熱中した。左千夫との論戦があったあとの五月下旬に、節が千葉の清澄山に行ったのもそこにある東京帝大農科大学の演習林でやっている炭焼きを見学するためである。

節は新知識の導入に熱心で、国生の家にも県の林業巡回技師を招いて、製炭と醋酸石灰の製法指導を受けていた。節の家の炭焼き設備と技術は、したがって当時としてはかなり斬新なもので、愛媛県、鳥取県などの遠方から見学者が来たり、また節自身も頼まれて炭窯をつくる技術指導に出かけたりしている。節は、ひとにやる手紙に、僕は炭焼きになったと書くほど、その仕事にのめりこんでいた。節はそのころ、十五、六石の木醋を煮つめる作業を一人でやったり、窯に出入りして鼻から喉まで真黒になるまで働いていた。

もっとも、節の熱意と仕事の成果は別物で、素人の節の炭焼きは、理屈は立派でも、実地では左千夫が懸念したように、失敗の連続だった。理屈どおりにはいかず、販売に耐えるほどの、良質の醋酸石灰は容易に出来なかった。そこで、巡回技師のすすめに従って、清澄山に出かけたのである。

節は八瀬尾の谷に近い山口屋という宿屋に一週間滞在し、熱心に演習林の炭窯を見学した。主として見学したのは木醋の製造方法である。木醋は、製炭の過程で出来るいわば副産物だが、石灰で中和すると醋酸石灰となり、これが手っとり早い現金収入をもたらすのである。このときの見学は役に立って、帰村した六月の炭焼きでは、節は良質の木炭と、商品になるほどの醋酸石灰を得ることが出来た。そのときの醋酸石灰は、五十円の収入となった。

節は五月三十日に清澄山を降り、そのあと房総半島を小湊、七浦、野島ヶ崎、館山、大房の岬と回って、六月九日に帰宅したのだが、その帰途に左千夫を神崎の寺田憲の家に伴った。寺田の家に所蔵されている画幅を、左千夫が見たいと言っていたからである。寺田はそのころ「馬酔木」に金を寄附していて、左千夫とも交際がはじまっていた。

だが、万事きちんとはこぶのが好きな節にとって、左千夫を伴った神崎訪問は、うんざりすることの連続だった。

左千夫の本所の家は、駅のすぐそばである。少し早いが昼飯を喰って行こうと、そこまでの準備はよかったのだが、いよいよ汽車の時間が迫って出かけようとすると、台所に入った左千夫がなかなか出て来ない。ひと汽車おくれると、乗換えの成田で数時間待たなければならないのである。

節が気を揉んでじりじりしていると、やっと左千夫が出て来たが、羽織の紐の鐶がはまらないと言って、まだあたふたしている。はたして駅に駆けつけたときには、汽車はごうごうと動き出してしまったところだった。

二人は亀戸まで歩いてつぎの汽車に乗ったが、予想どおり、成田駅で数時間も待ち合わせをする羽目になった。ただ待っていても仕方ないからと、二人は不動尊を参詣したりして歩き回ったが、駅にもどってしばらくすると、左千夫が今度はさがし物をはじめた。あわただしく手を両袂にさしこんでは、しきりに首をひねっている。

節が何をさがしているのかと聞くと、左千夫は眼鏡だと言った。

「家に眼鏡を忘れて来た。これは困った」

左千夫はぐっと首を垂れて、すっかり困惑した表情になり、なおもあわただしく、袂をさぐり、懐をさぐる。左千夫は強度の近視眼で、細かい絵などは眼鏡が二つないと見えないのである。寺田の家に行っても絵を見ることが出来ないのだ。

節は左千夫の用意の悪さに思わず舌打ちしたが、ふと気づくと、左千夫をそこに置き去りにしたまま、物も言わずに駅をとび出して不動尊まで駆けもどった。眼鏡は無事に不動尊の庭先に残っていた。節は、さっき左千夫がそこで眼鏡を取り出したのを思い出していたのである。

結局寺田の家に着いたのは、その日の薄暮近い時刻になってからだった。左千夫の訪問について、節は先月のはじめごろから寺田に細かく通知していて、むろん到着時刻が数時間も遅れるなどということは、節にとっては論外の無作法に思われたのである。節は後年このときのことを文章に書き、このように家人を狼狽させることは、自分の蛇蝎（だかつ）の如く嫌うところだ、左千夫とは「だからもう、一緒に道行は難かしいと考へた」と記した。

しかし左千夫の方は、いっこうに無頓着だった。画幅を鑑賞し、寺田家のもてなしに満ち足りて、「神崎の裏辺の淀に獲たるてふ三尺の鯉を輪に切りて煮し」などという歌を詠み、また寺田への手紙には、「次ニ長塚結婚之義単に懇願致候正岡先生御存生の頃より長塚には結婚を勧め居候其訳は長塚は結婚せは必す健康にならんとの意に有之候衛生と結婚不思議な関係あるものゝ由に候」などと書いていた。

しかし節はそのころ、少しあとに寺田憲にあてた手紙に「小生一家の現状は、到底小生をして安んじて他人を交ふる能はず、（中略）かやうのこと申居候ては何時か年齢も過ぎ去り可申、好配偶はその時え難からむと申候人も候へども、小生は生涯の独身をも多くの非難なしに遂げうべしと信ずるものに候へば、左様の場合には、只運命と諦め可申候」と記したように、結婚に対してはきわめて悲観的な考えを抱いていたのである。

すっぱい木醋の匂いを肌にしみこませ、鼻の穴が黒くなるまで窯に出入りして、節は懸命に家計の建直しに取組んでいたが、前途に確かな光明を見ているわけではなかった。漠然とした不安は、依然として執拗に節と家を包んでいて、節は結婚どころではなかったのである。

その手紙を書いたとき、節は東京にいた。信州から関西にかけて、長い旅行をする予定で、八月十八日に家を出ると東京に出た。東京で寺田の実父飯田新右衛門の家に泊ったり、左千夫の家に泊って「馬酔木」の編集を手伝ったりしているうちに、たまたま左千夫から以前縁談があった寺田の妹の話が出たことから、その手紙を書いたのである。

寺田憲に手紙を出したあと、節は飄然と一人の旅に出た。三日ほど房州鷹の島で遊んだあと甲州に入り、御嶽、祖母石、台ヶ原を経て信州に入り、九月五日には諏訪で島木赤彦、胡桃澤勘内ら「比牟呂」の同人と歌会をひらいた。翌六日には赤彦、勘内と一緒に霧ヶ峰に登り、七日布半で第二回の歌会をひらいた。

信州の歌人たちと別れ、塩尻峠、鳥居峠を越え、妻籠、馬籠を経て美濃に入ったのは十日である。そこで塩谷華園、柘植潮音、依田秋圃など、美濃の歌人たちに会って養老山や揖斐(いび)川に遊んだあと、節は京都にむかった。石山寺、粟津、逢坂山、山科村を経て京都についたのが九月十九日だった。

京都では法念院、詩仙堂、芭蕉庵、下鴨神社などを観、二十二日にははじめて見る丹波路に出た。舞鶴から海路宮津に渡り、二十三日には天の橋立を見る。さらに丹波路から摂津須磨寺に出、明石に行く。二十七日ふたたび京都にもどってあちこちと見物し、歌の材料をあつめながら、二日には大津、彦根に出て、十月三日には伊勢に入った。そこでも桃沢茂春、奥島欣人ら、旧「鶏川」の歌人たちと会い、四日市から海路横浜に着き、帰京したのが十月十三日だった。家を出たのが八月十八日であるから、ほぼ二カ月におよぶ旅行だったわけである。

節の旅行は、大方は歩行の旅だった。白地の単衣の裾をからげ、脚は紺の脚絆に草鞋がけで、背に茣蓙を背負い、大きな菅笠をかぶって杖をつくのが節の旅姿だった。笠は雨にも日除けにも役立ち、背中の茣蓙は雨をしのぐだけでなく、日盛りの日中は、それを道端の木陰に敷いてひと眠りし、いっとき暑さと旅の疲れをしのぐ用意である。

その姿で、節は草鞋銭を惜しみ、宿は必ず宿賃を値切って泊った。そのころ節は、神崎の寺田の家から帰るとき、湖北で汽車を降りると小堀(おおほり)の渡しを経て取手まで歩き、取手から水海道までは馬車に乗ったが、水海道からまた歩いて夜になって家に帰りついたことがある。湖北から取手まで汽車に乗れば十二銭、水海道から石下までの馬車賃は十二銭なので、あわせて二十四銭を倹約出来たのは愉快だったと、寺田に手紙を書いた。

節はそのころ、「馬酔木」に月月十円を出していた。それでも不足を来たしたときは、維持費として臨時の寄附金を出した。

節は決して吝嗇家ではなかったが、倹約家だった。無駄な出費を嫌った。節の旅は、歌の材料を得る旅でもあったが、健康のためにする旅でもあった。節は旅は身体を鍛えると固く信じていた。

　しかし節の旅は、家をのがれる旅でもあり、何かもっと得体の知れないもののためにする旅でもあった。家の重圧は、二十七歳の節に結婚を断念させるほど、重苦しいものだった。節は寺田憲に、生涯独身の身になるかも知れないが、そのときは「只運命と諦め可申候」と書き送ったが、旅のはじめにはその傷心がつきまとった。家に縛られる運命にある男が、しばらくはその悲運を忘れるために旅に出るのだと思い、粗末な旅支度も傷心の旅にふさわしいように思われて来るのであった。

　だが途中から、節は旅そのものに惹かれて歩いている自分に気づくのである。笠と茣蓙に装い、杖を頼りに野を越え、峠を越え、見知らぬ町を通り過ぎて行く間に、節の心は時折り説明しがたい喜びに満たされることがあった。喜びは旅の孤独感から来るようでもあった。日の光、吹く風の中、暗い雲の下を、孤独な男がただよい流れて行くと思い、また天地にわれ一人と思うこともあった。そう思うとき節の心と身体は軽やかに解放され、しばらくは快い陶酔感にひたるのである。

　自分を旅にいざなう、何物かの姿をちらと垣間みる気がするのも、そういう時だった。その何物かは、はるかに遠い山の尾根や、はじめて見る町角、街道わきを流れる渓流の泡立ち、風になびく高原の芒の中から不意に立ち上がって、節をさし招いた。

　節は、車を使い金をかけた旅行などは、旅ではないと思っていた。孤独な身を天地の間に置いて、ただよい流れて行くだけでいい。それが旅だと思った。旅のその不思議な感触は、先年の近畿旅行の間にも現われて、節の心をときめかせたのだが、今度の旅行では、いよいよはっきりした顔を見せて来たようだった。節は旅の収穫を「羇旅雑咏」として、「馬酔木」十一月号に発表した。百三十六首におよぶ大作だった。

その年、作歌の上の迷いが吹き切れた節は、続続と短歌をつくった。「秋冬雑咏」三十首、「春季雑咏」二十首、「房州行」四十八首、それに前記の「羇旅雑咏」などを合わせると、その年の作歌数は短歌二百九十八首、長歌十二首という膨大な数にのぼったのである。

炭焼きを中心にする農事にも力をいれ、また村の青年会長に選ばれて、結城郡長の表彰を受けるなど、節は村の指導者としても一歩を踏み出した。節は健康にも自信を持ち、村の若者たちが集まっているところで、若者たちに力くらべを挑んだりしたが、腕力で節にかなう者はいなかったほどだった。

しかし充実して終るはずだった明治三十八年の十二月になって、節の家は節がひそかに懸念していた破局的な場面を迎える。水戸市内にも、幾口か父源次郎の借金があった。遠方の借金ではあり、小口のものも含まれていたので、節と母はつとめて返済を心がけ、ひとつひとつ片づけて来たのだが、その中につい見過していた借金があった。その借金を楯に、水戸から来た高利貸が、うむを言わせず節の家の財産を差し押さえてしまったのである。

年末といういそがしい時期に、節と母は公売延期の交渉、ほかの借金の書替えと、借財処理のために走り回らねばならなかった。その間にも父の源次郎は、家を外に歩き回っていた。

七

「ホトトギス」の俳人坂本四方太(しほうだ)が、左千夫宛に「美装の『馬酔木』有がたう青果とは誰か、『炭焼のむすめ』はうまいではないか、『千鳥』と好一対ぢや、かういふ先生が輩出しては、吾輩筆を焼かねばならぬ」と書いた手紙をよこしたのは、明治三十九年七月二十五日に、創刊三周年記念号と銘打った「馬酔木」が発行された直後である。

青果は節のペンネームであり、「炭焼のむすめ」は、前年の五月に千葉清澄山に炭焼き見学に行ったときに会った、無口で働き者の娘と、羊歯(しだ)の中にまじった著莪(しやが)の花のように清楚なその娘に対する主人公の淡い関心を綴った写生文だった。

旅先でそういう娘に会ったりすると、節はその感動を胸にしまっておけなくて、つい手紙に書いてしまう癖がある。そのときも、宿の山口屋にいる間に、左千夫に炭焼き小屋の著莪のような娘のことを、手紙で知らせた。その手紙に、左千夫はまたすぐに感動して、その娘をテーマに文章を書けとすすめ、「母父の言のまに〳〵山こもり炭焼居るかくはし女にして」、「若葉さす清澄山の八瀬尾にし炭焼く少女見ねどこひしも」と、短歌二首をそえた返事をよこしたのであった。

俳誌「ホトトギス」を主宰発行する高浜虚子を中心に、山会と称する写生文研究の集まりがあった。

虚子の師正岡子規は、生前に俳句、短歌の分野でそれぞれ革新的な主張を掲げ、旧弊の一新に乗り出したのだが、その主張の根拠である写生論を、文章の世界にも拡大するつもりで、三十三年九月に子規庵で文章会をひらいた。その会を山会と名づけたのを、子規歿後に虚子が引きついだのである。

左千夫はかつて節に、俳句は虚子と碧梧桐にまかせておけばよい、と言ったが、それは左千夫の独断というわけではなく、周囲の眼は、子規に矚目された二人の新人が、子規の俳句を継承するものと見ていたのだった。だが、碧梧桐は期待どおりに、まっすぐに革新俳句の道を突き進んだものの、虚子は急に情熱を失ったように俳句から遠ざかり、松山の柳原極堂から引きついだ「ホトトギス」の経営だけに熱中したので、商売人という陰口をきかれたりしていたのである。

だが虚子はそのころ、内心ひそかに小説家になるつもりで、「ホトトギス」経営のかたわら子規から引きついだ山会を熱心に主催していた。

写生文は、美文を排して、事物の真実の姿を、見たままありのままに書くという子規の考えを継承するもので、ある程度はその目的を達したものの、小説との関係ということになると、まだ曖昧な点が多かった。

俳人であり、またすぐれた写生文家、鋭利な観察眼をそなえた批評家としても知られた四方太にしても、「如何なる種類の文学でも写生的に出来て居れば皆写生文である。

だから写生文対小説と云ふ区別を設けるのは不合理なのである。写生文対不自然の文章と云ふべきものである」と曖昧なことを言い、「人情を主題とするものを小説とし、其以外の写生的の文章を写生文と解したい」と、ようやく不十分な定義を下しているだけだった。

山会はそういう写生文を研究する会であり、そこで好評をうけたものが、「ホトトギス」に掲載された。山会の山は、一篇の文章には山がなければならないという、素朴な文章作法から名づけられている。

根岸系俳人の山会を真似て、左千夫、香取秀真、森田義郎が発起人となって、根岸系歌人も、写生文を創作批評する「やま会」を発足させたのが三年前の明治三十六年である。しかし歌人たちの「やま会」はつづかず、そのうちに左千夫や節が、虚子主催の山会に時折り顔を出すようになって、うやむやのうちに消滅した。

その三十六年の四月に、節は山会に「撃剣興行」、「額堂」の二篇を送ったが、文章としては粗雑きわまるもので、山会の集まりでは、「無茶書に書過ぎたれば物にならぬとの話なり」と左千夫が手紙で知らせて来たように、酷評を受けたのであった。

しかし、節の写生文に対する興味は、その後も衰えることなくつづいて、「馬酔木(かんけつ)」誌上に「栗毛虫」、「月見の夕」、「土浦の河口」、「利根川の一夜」などの写生文を間歇的に発表して来たのだが、三年後の「炭焼のむすめ」に至って、ようやく坂本四方太の注目を浴びたのである。

「低い樅の木に藤の花が垂れてる所から小径を降りる。炭焼小屋がすぐ真下に見える」という書き出しではじまる「炭焼のむすめ」に、節は完成まで六カ月をかけている。冒頭の書き出しにしても、何度書き直したかわからないほどである。苦心の作品だった。それだけに、四方太の賞賛は節を狂喜させた。

坂本四方太は、明治三十三年に東京帝大文科大学の国文科を卒業すると、そのまま母校で文科大学助手、兼附属図書館勤務の職につきながら、しきりに「ホトトギス」に出入りして、俳句、写生文の創作発表に力をいれていた。写生文には最初から強い関心を持ち、子規庵でひらかれた第一回の山会から出席しているほどで、すでに写生文集「寒玉集」、子規、漱石らとの共著「写生文集」、虚子との共著「写生文集・帆立貝」の著書がある大家だった。四方太にほめられて、節はにわかに写生文に対する自信がふくらむのを感じたのである。

この年、節はまた何物かに誘われるように旅に出た。八月二十四日に国生を出て、奥羽から佐渡、さらに越後路を上州に回って帰るおよそ四十日ほどの旅だったが、この旅行で節は歌をつくらなかった。そのかわり毎日日誌をつけた。

歌をつくりたい気持がなかったわけではないが、旅の途中から、頭は写生文の材料をさがす方に回っていた。いくらか歌に倦きてもいたのである。

「羇旅雑咏」百三十六首という大作を発表したのに、左千夫は「羇旅雑咏」については深くは言わないつもりだとそっけなくあしらっただけだった。今年になってから来た手紙にも、「三井君は前々号旅行の歌に就きあれだけの多い歌を誌上で何とか云はないのはをかしいだらふと云はれた僕は如何にも尤もだと思つたけれど三分の二以上異存があつては批評の仕様もない」と書いて来た。三井君というのは、最近「馬酔木」に出入りして、左千夫が目をかけている東京帝大の学生三井甲之のことである。

主観の関与がない、したがって一首の中に詠み手の主観が認められない客観写生歌なるものは、歌ではないと決めつける左千夫の短歌観は、本来子規がとなえた写生とは異質の基盤に立つもので、節の創作の方向とは少なからず喰い違っているのである。左千夫自身もその喰い違いには十分に気づいていて、「君の歌ハまねが出来る現にまねてがある僕の歌ハ人にはまねらるまい」と書いてよこしたりした。左千夫には、どうしても節の短歌の方向が承認出来ないのである。

そういう節との喰い違いだけでなく、左千夫は不得手な編集を一人で引き受けている苛立ちから、時時八つあたりのような文句をつらねた手紙を書いて来る。

左千夫も最近は小説を書いていて、いそがしくて小説が書けないとか、提出して来るみんなの歌稿が多すぎる、一度に三十首以上は出さない制限を立てようか、「徒に多く出したがる趣きあるハ実にいやなり僕は当分アシヒに歌を出さぬつもり也」とも書いて来た。

つぎに来た手紙では、左千夫は蕨真の歌がどうにもならない、こんなものを「馬酔木」に出していいかどうか、読んで返事をくれと言っていた。蕨真は「馬酔木」の同人であると同時に、財政面のパトロンでもある。左千夫は極力蕨の歌を酷評するのをひかえて来たのだが、その我慢も限界に来たということのようだった。

同じ手紙で、左千夫は節の歌評にも文句をつけ、四十ページの「馬酔木」に十ページ余の歌評を送って来るというのはあまりだ、「序でだからいふが君の詞書は厭味でたまらぬという様なことを二、三人から聞いたこれは兄君の参考までである」と、妙なところまで八つあたりの筆をとばし、節や蕨に自分の行動についての異存があるのならいつでも「馬酔木」をやめる、「僕の議論批評制作等の上に異存があつたら議論をやつて貰ひ度い若し異論がないならば伊藤が何と云つたつてかまふことはないおれはおれだといふ態度は少しひかへて貰ひたい」と強硬なことを言っていた。

提出した原稿に文句をつけ、作品の批評は手を抜き、「馬酔木」はやめてもいいのだと言ったりするのは、左千夫自身に根気がなくなって、「馬酔木」を継続するのに倦きて来たのだと、節は思わないわけにはいかなかった。

節はめったにむかっ腹を立てたりはしない性格だが、時にはこれだけ文句を言われれば沢山だと思い、それなら強いて「馬酔木」に歌を送ることもないと思うことがあるのも事実だった。節はいくらか歌から遠ざかった気持で、初秋の旅路を歩いた。写生文の方が面白いとも思っていた。

それでも旅行から帰ったあと、十月の「馬酔木」にはその年の六月に常陸平潟に行ったとき想を得ていた短歌を、「青草集」四十三首にまとめて発表したが、左千夫の批評は「君の歌ハ甚だまづい」というものだった。

「青草集」には、節がいささか自信を持った「ここにして青草の岡に隠ろひし夕日はてれり沖の白帆に」、「波越せば巌に糸掛けて落つる水落ちもあへなくに復た越ゆる波」の二首が含まれている。節は、左千夫ははたして「青草集」全歌に眼を通したのだろうかと疑い、ますます歌をつくるのがいやになった。

しかし左千夫は、節と蕨を並べて攻撃した同じ手紙に、「念を推して置くが君と蕨に対する不平は同じ程度ではない。君と蕨君を同視してゐるのではない君と一致の点が三分の一とすれば蕨君とは五分の一程度である」とも書いて来るのである。それもまた左千夫の本音だということを、節は理解していた。

だから左千夫から「次号意外に歌少し。殊に春の歌皆無なり。最早出来る頃ならん。二十五六日迄に御詠送を乞ふ。小生近頃二十五六首作れり。頗る元気也。歌を作るが一番愉快なり。失敬」などという手紙が来ると、やはり遠ざかっていた歌に手をもどさないわけにはいかなかった。

左千夫からその手紙が来たのは、四十年三月で、節は写生文「佐渡が島」を執筆中だったが、いそいで短歌「早春の歌」、「左千夫に寄す」をつくり、長詩「雲雀の歌」、写生文「鉛筆日抄(二)」をそえて送った。

「早春の歌」は、前年の「青草集」以来の写生歌だったが、しばらく歌をはなれていたのがよかったのか、つくりはじめると一気に十首ほども出来た。

天の戸ゆ立ち来る春は蒼雲に光どよもし浮きたゞよへり
おのづから満ち来る春は野に出でゝ我が此の立てる肩にもあるべし
おほどかに春はあれども揺り動く榛が花にも満ち足らひたり
麦の葉は天つひばりの声響き一葉々々に揺りもて延ぶらし

この一連の短歌をつくったとき、節はこれまでの写生歌とどこか違うものが出来たという気がした。だが、どこが違うのかよくわからないままに、清書をいそいで左千夫に送った。

八

「節さん、ちょっと」

外から帰って来て、そのまま茶の間を横切ろうとした節を、いろりのそばにいた母が呼んだ。節は、村の中にある実話を素材にした「芋掘り」と題する小説の執筆にかかっていて、このところ毎晩のように、村の若者たちが集まる場所に行って、それとなく雑談に耳を傾けて来る。

母の顔色で、節はいますすめられている自分の縁談のことだとわかった。黙って坐った。

「渡辺の方からひとが来てね」

母のたかは、節にお茶をすすめた。

「なかなか進まないのだそうですよ」

「………」

節は無言でお茶をすすった。

「ご家来衆の総代の方たちが、時どき集まって相談をなさってくれているのだそうだけど、相談したことを東京に言ってやるというのでもないらしくてね」

「………」

「縁談が決まったら、御用金を納めなきゃいけないだろうと、そんなお話ばかりだそうですよ」

「まだそんなことを言ってるんですか」

節は嘆息するように言った。苛立つ気持が胸にこみ上げて、盆にもどした茶碗が音を立てたのを、そっと置き直した。

「それじゃ見込みないね」

「東京の方じゃ、わたしがきびしいから、艶子さんが苦労するんじゃないかとも言ってるそうだよ」

「ばかばかしい。お母さんほど物わかりのいい姑はいませんよ」

節は母を見て微笑した。だがたかは笑わなかった。深深と溜息をついた。

「やっぱり身分が違いすぎるかねえ」

「そんなことはありませんよ。昔はお殿さまだったろうけど、いまは貧乏華族ですよ」

「岡さんという方に、もっとよく頼んでみたらどうだろうね」

「そうします」

節は立ち上がって、茶の間を出た。下の妹のはなが去年の春内原の半田芳三に嫁ぐと、家の中は急にさびしくなった。今夜のように父もいなくて、土間のむこうの雇人部屋にも人声がしないと、家の中は森閑としてしまう。

節は自分の部屋に入って、ランプをともした。そのまま机の前に坐って頬杖をつくと、凝然と動かなくなった。

縁談の相手は、旧下妻藩主井上子爵家の次女艶子である。今年の七月ごろに、その縁談が持ちこまれたとき、節ははじめて自分の結婚に気持が動くのを感じた。直接には、去年の秋以来身体をこわしていた母が、今年の三月になって東京の病院に入院したことが、節の気持を結婚にむける動機となった。母は六月には退院して来たが、その間三月というものは、父も看護のために上京したので、節の一人暮らしになったのである。奉公人がいるとはいえ、不自由な暮らしだった。

そして何よりも、豪農と呼ばれる長塚の家に、父母がいなければ三十にもなる自分一人しかいないのだということが、節の胸に衝撃をあたえたのである。独身でもかまわないと思っていたが、その世間的な不自然さがはじめて見えて来たようでもあった。

そして振りかえってみれば、独身でも仕方ないと覚悟したほどの家の煩いも、少しずつ消えていた。二人の妹は嫁ぎ、下の弟の順次郎も東京堀留町の小布施家との間に養子縁組の話がすすんでいて、弟妹の煩いは戦争から帰還した軍人である整四郎一人を残すだけである。

そして父の借財の方も、一昨年の暮れに水戸の高利貸から差押えを受けたのが、腹を決めるきっかけになって、父をまじえた親子の相談で、不動産の大部分を抵当に入れて一カ所から金を借り、旧債を返済することに踏み切ったのである。国生からほど近い宗道の回漕問屋で近在の地主でもある松村家から、利子一割で借りた金は九千円だった。

それでも旧債の全部を返済するには足りず、また借りればまた新しい債務が生まれたけれども、雪だるまのように際限なく増えつづける高利筋の借財とはひと通りは縁が切れて、節はひと息ついたのである。家の状況と言い、自分の年齢と言い、節は嫁をもらうのはいまが時機だと思わないわけにはいかなかった。

だがせっかく乗気になった結婚話は、遅遅として進まなかった。井上子爵家は華族といっても旧藩は一万石の小藩である。生活は楽ではないとも聞いていて、節は母が言うように釣合いがとれない縁談だとは思っていなかった。むしろ、父の借財のために執吏が来たりして、とかくの噂がささやかれている長塚家に、華族の令嬢を嫁に迎えることが出来れば、それだけでも家名の挽回になると心ひそかに意気ごんだりしていたのである。

節は井上家と同じ本郷に住む岡麓にも、熱心に縁談の進行を頼みこんでいた。しかしそちらの話も遅遅として進まず、下妻の地元では旧藩士が集まって相談しているものの、結婚話がまとまれば費用を献納しなければなるまい、と節から言えば枝葉末節に過ぎない問題を、はてしなく論じているようなのである。

縁談は、節の手のとどかないところで、じっと停滞したまま、日が経っていた。

——この縁談は……。

不意に節は思った。とてもまとまるまい。白芙蓉のような美人だという、二十一歳の井上艶子の姿が、まぼろしのように眼の前を横切るのを感じたが、節の気持は母の前にいたときよりも落ちついていた。それが、おれの運命かも知れないという、諦観めいたひややかな気持がもどって来るのを感じていた。諦観にはかすかな悲傷の思いが含まれていた。はげしくはなく、いまおとずれている初秋の季節のように、淡い悲傷の思いだった。

節は眼を挙げた。戸があいているので、ランプの光は庭まで落ちている。その庭に無数の虫の声がしていた。虫は部屋の中まで入りこんで来て、見えない部屋の隅で、馬追いが澄んだ声を立てている。

節は泣きふるえる馬追いのひげを感じ取った。すると闇のかなたにひろがる夜の野も見えて来た。寂寥感が胸に溢れた。節は机の上の「芋掘り」の原稿を端に押しやると、かわりに作歌ノートを手もとにひきよせた。そしてそこに書きつけてある心おぼえの下書きを見つめた。下書きは「夜来に花さくといふ稗(ひえ)の如く夜は行きわたりて昼は中空に秋が浮き潜みて暑し(秋は大空に浮きひそむらし)」、「黍(きび)の穂の如くいやこまやかに秋はたつらし」、「芋の葉ゆこぼるゝ玉のこぼれ〳〵子芋は白く凝りつつもあらむ」といったもので、まだ歌の形をなしていない。

節は鉛筆をとると長い間下書きの一部を消したり、新しく書き加えたり、書き加えたところをまた消したりして苦吟したが、思うように歌がまとまらないのに疲れて、ノートの上に鉛筆を投げ出した。すると、ぼんやりと顔を上げている節の頭をまた夜の野が静かに横切った。そしてどこか眼には見えない暗い隅で、馬追いのひげがふるえているのも感じられた。

節はノートに眼を落とした。今度は下書きの手入れしたところが少しずつ歌にまとまって行った。一首の歌が出来ると、つづいて新しいもうひとつの歌が姿を現わして来た。

小夜深にさきて散るとふ稗草のひそやかにして秋去りぬらむ

馬追ひの髭のそよろに来る秋は眼を閉ぢて居て観るべかりけり（蓋し観るべし）

節は二首目の歌の「眼を閉ぢて居て」のところに、「まなこを閉ぢて」と併記した。わるくない歌が出来つつある予感が、ほんの少し節をなぐさめた。

父の源次郎は、その秋に行なわれた茨城県議会議員選挙にふたたび立候補した。寺田憲の実父飯田新右衛門のすすめに従ったのである。しかし選挙費用のことでは、政友会が二百円を援助、飯田が二百円を援助して、長塚家の出費は六百円という条件で、節も飯田の説得に同意したのに、実際には政友会の援助は取りやめとなった。加えて長塚家の出費は千円にはね上がったので、節は激怒して飯田と寺田憲に抗議の手紙を出した。節は興奮して、憲への手紙に「競争の成功すると否とは問はず多額の金円を空費して悲境をして更に悲境に陥らしむる父に対しては、到底心ゆるす訳には参らずこれ小生の不幸に候」、「小生は少しも父の当選を希望せず」、「一家の経営に於ては、父をも除却せざるべからず候」とはげしい言葉をつらね、飯田が真の友人として一家を憂慮してくれるなら、財産整理が出来るまで、父の野心を抑えてくれるのがほんとうではないかと迫ったのである。

しかし源次郎は当選して、十月十八日には推されて県議会議長となった。その前日には、節の家に今度は渡辺泰吉の直訴による宅地山林家屋の仮差押さえ命令がとどき、早急に供託金を積んで差押さえを解かないと、家屋敷が競売に付されるという騒然とした空気の中の議長就任だった。渡辺が返済を請求している負債金額は二千三十九円九十一銭二厘五毛だった。

それより前、十月に入って間もなく井上子爵家から、正式に縁談のことわりがとどいていた。艶子には三つ年上の姉の千枝子がいて、姉が縁遠くているのに、妹を先に嫁がせるわけにはいかないというのがことわりの理由だった。しかし考えてみれば、先方はもとの下妻の殿さまの家である。ことわりの真の理由は、やはり身分が違うということではなかったかと、そのとき節は思ったのだが、今度のような財産差押えなどということが起きると、長い逡巡の間に井上家もこちらの財産状態を調べ、ことわる理由のうちにはその種の危惧も含まれていたのではなかったかと思いあたるようだった。はずかしさで、節は肌が汗ばむような気がした。

節がのぞんだ縁談は、まぼろしに似てあっけなく消滅してしまったのである。あとに「初秋の歌」という十二首の歌だけが残った。

　小夜深にさきて散るとふ稗(ひえ)草のひそやかにして秋去りぬらむ
　植草の鋸草(のこぎりそう)の茂り葉のいやこまやかに渡る秋かも
　目にも見えずわたらふ秋は栗の木のなりたる毬(いが)のつばらつばらに
　秋といへば譬へば繁き松の葉の細く遍(あまね)く立ちわたるめり
　馬追虫(うまおい)の髭のそよろに来る秋はまなこを閉ぢて想ひ見るべし
　外(と)に立てば衣湿(うるお)ふうべしこそ夜空は水の滴るが如
　おしなべて木草に露を置かむとぞ夜空は近く相迫り見ゆ
　からくして夜の涼しき秋なれば昼はくもゐに浮きひそむらし
　うみ苧(お)なす長き短きけぢめあれば昼はまさりて未だ暑けむ
　芋の葉にこぼるゝ玉のこぼれ〳〵子芋は白く凝りつつあらむ
　青桐は秋かもやどす夜さればさはら〳〵と其葉さやげり
　烏瓜(たまずさ)の夕咲く花は明け来れば秋を少なみ萎(しぼ)みけるかも

選挙をめぐる父との確執、左千夫の仲介でその後節が詫びて仲直りはしたものの、親友寺田憲とのはじめての気まずい感情的衝突、そして最後には期待した縁談の不成立と、その年は節を精神的に打ちのめすような出来事がつぎつぎと起きて秋が来たのだった。寺田憲にあてた詫び状の中に、節は「利根川の堤くえしかば、押しひたす水の底ひに、田も畑もなべて朽ちぬ、萍とあらざりしかば、よわくして皆くちぬ、我心つよからねば、さま〴〵に我は悲し、我がこころあはれ」と感傷的な歌謡を記した。

傷心の節に、十一月になって「ホトトギス」から吉報がもたらされた。左千夫を経て「ホトトギス」に発表した写生文「佐渡が島」が、虚子から明治四十年度の客観写生文、第一の傑作と激賞されたのである。同じ十一月、節の父源次郎は茨城県下で行なわれた陸軍大演習で、結城町に大本営を置いた明治天皇に、県民を代表して奉伺文を奉呈した。源次郎は奉伺文の中で「臣源次郎ミダリニ県会議長ノ職ヲ汚セルヲ以テ、衆庶ノ熱衷ヲ代表シテ僭越ノ罪ヲ顧ミズ」とのべて、以来議員仲間から「臣源次郎」と綽名された。

亀裂

一

節の十二首の短歌「初秋の歌」は、長詩「独」とともに、明治四十一年一月発行の「馬酔木」第四巻第三号に掲載された。「馬酔木」の前号第四巻第二号が発行されたのが前年の五月、そしてこの第三号をもって「馬酔木」は終刊となったので、節の「初秋の歌」は、文字どおり「馬酔木」の掉尾(とうび)を飾る傑作となったのだが、しかし誰もそのことに気づかなかった。

いや気づいた者が一人はいた。斎藤茂吉である。茂吉は「初秋の歌」十二首を読んで驚嘆し、かつ興奮して三井甲之をたずねたときにこの歌について議論し、また左千夫にも感想をもとめたところ、左千夫もやはりうまいものだとほめたという。

だが茂吉が、「初秋の歌」について「フルイ付きたいほど小生は感服いたし候」と、節にあてた手紙に書くのは一年後のことである。茂吉は、一年後の明治四十二年一月一日発行の「アララギ」第一巻第二号に載った、節の「濃霧の歌」を傑作と評したその手紙の中で、しかし「初秋の歌」ほどには感心しないとのべ、はじめて一年前の「初秋の歌」に対する「フルイ付きたい」ほどの感服を打ち明けるのである。

茂吉がはじめて左千夫を訪問したのは、明治三十九年三月十八日である。節の「初秋の歌」が発表される二年前のことで、茂吉は前年に一高から東京帝大医科大学にすすんだばかりの学生だった。

左千夫に師事して、あこがれの子規の系統をつぐ根岸派の歌人たちと知り合い、また節とも面識が出来たといっても、茂吉はようやく根岸派の歌人として出発したばかりだった。師と定めた左千夫と並び立つ歌人である節に対して、軽軽しく作品の印象を語るほどに打ちとけてはいず、またその機会もなかったということかも知れないが、いずれにしても、その後さらに一年経ってからの手紙に、そのときの感動を記さずにいられなかったほど、「初秋の歌」は茂吉に強い印象を残したのである。

しかし甲之も左千夫も、山形県南村山郡金瓶(かなかめ)村の農民の子である自我を強烈に保ちつづける茂吉ほどに、この歌に興奮したかどうかは疑問である。そこには、初秋の相をうたって、農村、山村に育った人間ならば容易に気づく把握の凄みとでもいうべきものが現われていたのだが、その凄みというものは、都会育ちの人間、あるいは甲之や左千夫のように、農村の出ではあっても生地の風土に茂吉ほどの執着を持たない人間は、あるいは見過しかねないものでもあったからだ。

左千夫は「馬酔木」最終号が出たあとの一月十六日、信州の歌誌「比牟呂」の歌人篠原圓太が、「馬酔木」の選歌について疑問を寄せて来たのに対し、「馬酔木」の選歌は、完全なものとして採っているわけではないと言い、「僕のほんとうの満足と云へは連作の歌少くも連作の精神に依て作つた歌でなければ満足が出来ない。蕨の歌は勿論長塚の歌も久保田（『比牟呂』の島木赤彦）の歌も実ハ三分ノ二までは気ニ入らない」と書いた。また同じ「比牟呂」の歌人で、そのころ鹿児島に行っていた堀内卓造にあてた手紙にも、「長塚の新体詩ダメ也」と、ひとこと節の長詩「独」に触れただけで、「初秋の歌」には言及しなかった。

そのころ左千夫は、短歌以外のことで多くの問題を抱え、多忙だった。ひとつは散文への傾倒である。左千夫は二年前の明治三十九年新年号の「ホトトギス」に小説「野菊の墓」を発表して、夏目漱石から「野菊の墓は名品です」と評されてから散文に力をいれはじめ、「馬酔木」最終号が出た一月も、「ホトトギス」新年号に発表した小説、「隣の嫁」の評判の方を気にかけていたのである。

ほかにも左千夫は、前年の五月には岡麓が経営する彩雲閣から発行されている雑誌「趣味」の歌壇選者となり、それは七月にはやめたが、入れかわるように六月一日からは、かつて子規が担当した「日本」の選歌をひきうけた。

また、それより前の三月からは、団子坂の森鷗外の居宅観潮楼でひらかれる、月一回の観潮楼歌会にも出席していた。その年の一月に、招かれて左千夫が行ったときの鷗外の希望は、左千夫、佐佐木信綱、与謝野鉄幹などから歌の話を聞きたい、という漠然としたものだったが、それを毎月会合をひらいて作品を持ち寄り、批評し合う歌会にしてはどうかと提案したのは左千夫である。

鷗外の肚はもともと「その頃あららぎと明星とが参商の如くに相隔たつてゐるのを見て、私は二つのものを接近せしめようと思つて、（略）観潮楼に請待した」（大正四年、「沙羅の木」序）ということだったので、会はその方針でまとまり、鷗外を中心に左千夫、佐佐木信綱、与謝野鉄幹、平野萬里、上田敏らがあつまる観潮楼歌会となったのだが、月に一度のその歌会は左千夫の多忙を増幅するものになった。

その上に左千夫は、茅場町の家の庭に茶室を建築しようとしていた。左千夫は子規に茶博士などと言われたぐらいに、はやくから茶事に凝っていたが、その前年の四月ごろから、山林地主の蕨真に相談をかけ、いよいよ念願の茶室兼書斎を建てにかかったのである。

唯真閣と名づけるこの茶室は、六年後の大正二年一家が府下大嶋町亀戸に引越したあともそのまま残し、その年の七月に左千夫が死去したときに通夜の席となったことを考えあわせると、ただの道楽では片づかない因縁を感じさせる建物となったわけだが、しかし茶室の建築は左千夫の家計逼迫の一因となった。

もっとあとの話になるが、左千夫は茶室が完成した明治四十三年、完成直前の四月になって寺田憲から五十円の借金をし、ようやく工事を終らせるのである。

ほかにも左千夫は、厄介な問題をひとつかかえていた。「馬酔木」の後継誌の問題である。

左千夫が赤木格堂あての手紙に「馬酔木も随分厄介にて候。小生は是れが為に全く自分の手足を奪はれ居候。個人的に活動せんには、馬酔木をどうにかせねばならずと存候」と書いたのは、四十年の一月十四日である。一人で「馬酔木」を編集するのに、疲労困憊していたのである。

それでも左千夫は、そのあと第四巻第一号（四十年三月発行）、第四巻第二号（同年五月発行）と、四十年中にとにかく二回までは発行した。第三号も、八、九月中には発行するつもりで原稿をあつめていたが、八月末に左千夫の家は床上二尺におよぶ浸水に襲われ、原稿の一部が水没流失したために、第三号の発行は遅れに遅れ、ついに年を越えた四十一年一月十日の発行になったのである。

水害で流失した原稿の中には、節の写生文「佐渡が島」も含まれていて、急遽控えから書き直した原稿が「ホトトギス」に載ることになり、虚子に激賞されるという、節にとっては一種の幸運をもたらしもしたのだが、水害の一件を別にしても、左千夫の多忙が「馬酔木」の編集に堪え得ないところまで来ていることは、周囲の眼にあきらかだった。左千夫は編集の仕事を誰かにまかせるべきだとまわりは思い、左千夫自身もそう思いはじめていた。

ただし、左千夫の窮状を理解したのは近くにいる人間だけで、「馬酔木」に作品を寄稿している信州の歌人たちなどは、事情不明のまま「馬酔木」の発行遅延に不審を持ち、左千夫に対する不満の声をあげはじめていた。「馬酔木は如何せしと問はれ候程困しき事ハ無之候斯様に延引致候事ハ三通四通の事情有之候今夜も原稿精書（ママ）致居昨日ハ格堂来り今日は義郎来る三十日に二十二日は来客もありやれ『日本』へ歌自分の用事頭痛等に候兎ニ角今後小生一人にてハ到底出来ぬ事と存候」というのは、四十年も押しつまった十一月二十一日の蕨真にあてた左千夫の手紙である。

この日おとずれた旧知の森田義郎の用事は、いまは何も仕事をしていないから、「馬酔木」の編集をやらせてくれというものだった。だが「馬酔木」の編集をゆだねるということは、子規の衣鉢をつぐ、根岸短歌会の機関誌をまかせるということである。疲労困憊しながら、左千夫が編集権を手ばなさないでいる理由もそこにあった。

そして手ばなすなら、後継者は義郎でなく、左千夫にはべつに意中の人間がいた。その年東京帝大国文科を卒業した三井甲之である。義郎が来てから半月ほど経った十二月四日に、左千夫は信州の「比牟呂」の歌人胡桃澤勘内にあてて、「馬酔木」の発行は年内はむつかしいかもしれないと報じたあとに、「小生自らも頗る持余し申候三井甲之君が引受けて大にやつて見様かなと申候故相談中に候同君かやれハ売れ（ママ）様ニやると申居候売れる様にとハ俗味を加へると申事に候併未た決定不致候」と書いた。

胡桃澤には、未だ決定致さずと書いたが、もともと左千夫の意中には三井甲之があったので、話はその翌日上京した蕨真をまじえて急速にすすみ、十二月六日には、神田今川小路の岡麓の家に、左千夫、蕨真、三井甲之が集まり、麓をまじえて協議した結果、甲之の編集主任で明年二月一日から新雑誌を発行することに決定したのである。その後で岡麓の家を出た三人は、九段に住む赤木格堂をたずねて、そのことを報告した。売るためには「馬酔木」の名を廃して、新雑誌は新しい誌名で出発したいという甲之の希望を容れたので、左千夫はそのことを節にも知らせ、その手紙に「僕ハ少しく閑を得て創作に耽ることか出来るかと愉快に候」とも記した。

このような経過で、三井甲之を中心に、東京帝大独文科在学中の増田八風（甚治郎）、同じく東京帝大国文科在学中の大須賀乙字（績）が編集に参加するという、従来の、どちらかといえば土臭い感じの「馬酔木」からは想像もつかない若い知性的な編集スタッフで、後継誌が出発することになったのである。年末の十二月二十九日になって、新雑誌名を「アカネ」とすることが決まった。「アカネ」は、かねて左千夫が提案していた誌名である。

しかしそこまで事がはこばれる間に、信州を訪問した甲之が「比牟呂」の歌人たちの間に、左千夫の悪口を触れ回るという事件が起きて、ひと波瀾があった。一見スムーズに行なわれたかにみえた左千夫から甲之への編集権の委譲も、中身は形ほどに単純ではなかったのである。

その悪口事件を知らせて来た島木赤彦への手紙に、左千夫は三井中心の新雑誌について「小生等ハ任セタル以上ハ一任シテ問フ所ナカリシ位ナリ」、「考テモ解ルコトナラズヤ馬酔木ハ止メント云フニソレヲ次テヤッテクレルモノアルニ何ノ不平ガアルヘキ」と書き、三井の悪口はわけがわからないと記したあとに、つぎのように書いた。「尤モ蕨君ハ新雑誌モ編集大体ヲ小生ガ監督シテ三井君カ主任ヲスルナラバ一切ノ損失ハ負担シテモヨイトノ決心ニテ上京シタルモノニ候三井君カ何モカモ一切自分ノ意ノママニセントナラントナラハ暫ク三井ニ一任セントテ帰リタルナリサレハ三井ガヨスカ又三井君ノナス所根岸趣味ニ反スル様ナ場合ニハ蕨君ハ更ニ資力ヲ尽シテ別ニ雑誌ヲ起サントノ覚悟ヲ誓ヒテ帰国致候サレハ小生等ノ今日ノ考ハ三井君ノ為ス所ヲ見テ之ヲ助クルトモ別ニ活動ヲ起ストモ三井君ノ行動次第ニ候三井君ニシテ根岸文学ノ為ニ忠実ナル以上ハ小生等ハトコマデモ三井ニ助力スベキハ当然怪ムニ足ラヌコトト存候」

そのことで、左千夫は節にも手紙を書いた。後継誌について、「三井の存分ニやらせるといふことにて蕨ハ只表紙を寄附することにて別れた蕨の考てハ三井ハ迚ても一年ハつゝくまいから其後ニなつて大ニ奮発する方よからん其時経費の全部を一人て負担すると云ふて帰つた」と事情を説明し、そのときはまだ新雑誌の名前が決まっていなかったので、二月に出すから、「キサラキ」なんかがよかろうと話し合ったと書いたあとに、「其後何の話なし三井ハ実に陰険な男だ大ニ注意を要する」と甲之が信州で自分の悪口を言って歩いたことを記す。左千夫は節への手紙の最後に、「僕ハ何と云はれても平気たがそんな人間と交際するか馬鹿々々しくてならない僕の所なとへ来てくれねハよいに実にいやな男だ」とまで書いた。

しかしこの悪口事件は、その後左千夫が甲之に会って、話し合い、そのついでに、甲之が左千夫の提案した「アカネ」を新雑誌名に採用すると決まると、あっけなく解決した。

そういう点は左千夫は単純で、甲之と和解が出来ると年を越すのも待てず、十二月三十一日という日にあちこちに手紙を書いた。信州の胡桃澤勘内あてには「三井対小生『アシヒ』対『アカネ』極めて円滑に候間御安心被下度『アカネ』の名ハ小生のつけたるものニ候以て両者間の情意御察し被下度候」と書き、寺田憲には「アシヒの後継者ハ三井甲之氏主として之ニあたり二月一日を以て『アカネ』と改題猛然打つて出つる準備ハ整ひ居申候アシヒは第二期の事業を段落し『アカネ』第三期の成功を責任と致し奮励可致候只小生ハ暫く客位ニ立て個人的活動ニ全力を注かんとするの希望を同志諸君より許されたる次第に有之候」と書き送った。

またあれだけ険しい手紙を書いた節にも、左千夫は「先日三井君に対する事種々申上候へども、其三井に逢候へば何事も無之候。ホトトギスへ歌を出すといふ事に就き誤解して居つたらしくホトトギスの歌を止めに致候処、それより大に円滑に相成候。新雑誌は『アカネ』と定め小生命名致候。そんな訳故まづ平穏と御承知被下度候」と、一件落着を報じた。

だが左千夫は三井甲之を心底から信用していたわけではなかった。そのことは、信州の島木赤彦、また節にあてた書簡に述べているように、「馬酔木」の編集を甲之に引きつがせる相談をしている最中に、べつに蕨真と話し合って、もし甲之がつまずくようなことがあれば、蕨の資力で第三の雑誌を発行する計画をめぐらせていたことで知れる。節への手紙に、左千夫は甲之を陰険な男だと記したが、左千夫もまた甲之に対して陰険だったと言われても仕方がない。

もっとも左千夫が考える甲之のつまずきには、新雑誌が左千夫の言う根岸趣味に反するものになった場合が含まれている。この時期に来るまでに、左千夫と甲之の間には隠微な感情的対立があって、左千夫は甲之を我執の強い男だと見ていた。子規短歌の精神を継承する「馬酔木」の後をゆだねることには大きな不安があったのである。

二

三井甲之が、左千夫のもとに出入りするようになったのは、明治三十七年九月十九日にひらかれた子規の三年忌歌会からである。甲之はその以前から「馬酔木」に投稿して、左千夫の選で作品を「馬酔木」に載せていたのだが、そのときの歌会出席を機会に、左千夫に師事することになる。

抒情味の勝った清新な歌をつくる大学生の出現を、左千夫は喜んだ。甲之は増田八風ら同窓の学生も連れて来たので、左千夫は「大学の連中が熱心なのは頼もしい」（節への手紙）、「新加入連は皆大学の文科若く八理科の生徒にて相当なる素養有之候故……ために意外な新発展を馬酔木に示すやも計られず」（赤彦への手紙）と教養ある新人の加入をあちこちに吹聴した。「馬酔木」に箔がついた気もしたかも知れないが、事実甲之になる。

の歌はその後急速にのびて、翌年の「馬酔木」第二巻第一号の「消息」では、左千夫に胡桃澤勘内と並べられて、「其製作の手腕は優に先進を圧し申し候」とほめられるまでになる。

左千夫の甲之に対する信頼は、その後いよいよ肥大して「甲之なと頗る頼もしい元老の振はぬに八呆きれる」（三十八年二月、節あてハガキ）、「小生の二なき話相手に候」（同年同月、赤木格堂あて手簡）、「甲之か君に手紙やりたいと申居候同君八実に吾々唯一の後継者にて彼を得て僕も漸く安心するを得たり」（同年十一月、節あてハガキ）と書くまでになる。その間に左千夫は甲之から影響されて歎異抄を愛読し、親鸞を信仰するようにもなった。

その後も甲之が左千夫の「馬酔木」編集を手伝ったり、甲州御嶽の短歌会に出席した左千夫が、甲府在松島村の甲之の生家に泊ったり、師弟の蜜月はそのままつづくかと思われたのだが、三十九年の半ばごろから、その親密な関係に亀裂が見えはじめた。

最初のきっかけは、六月十日に虚子の俳書堂で行なわれた六月短歌会である。出席者は左千夫、節、蕨真、香取秀真、甲之、石原純、蕨桐軒の七名で、席上左千夫の「菜の春を雨一夜降り朝ぬるみ蟹網張るも前の小川に」の中の「菜の春」の是非をめぐって、猛烈な議論が起きた。

左千夫、石原純の二人をのぞく全員が、「菜の春」の表現を妥当でないとしたのに対して、左千夫も頑強に自作を弁護したので、議論は延延五時間におよんだのである。このときの議論が呼び水になったように、その月の十九日に行なわれた短歌会の席上でも、最近の文学一般、短歌をめぐって、左千夫と甲之がはげしい論争を交した。そのときの出席者は左千夫のほかは甲之、増田八風、長老の木村芳雨の三人だけで、芳雨はそのときの様子を日記に、「議論湧出して左千夫と甲之と論戦す。八風は黙して云はず、僕は時折奇警の言を放つて二子を愕したり」と記した。

甲之の師匠勝りの頑固な論争癖には、左千夫もとまどったらしく、月を越えた七月二日の節あての手紙に追伸して、「三井君は其平気でやつてくるつまり思ふ事を極端にいふ男であるらしく別に邪念ハないのに候」と書いている。しかし左千夫はやはりそのことが気になったらしく、七月六日の蕨真への手紙にも同じことを書いた。そして「青年諸君と往々衝突を来すハ小生が名利に熱注せざるに基つき申候……小生の本志ハ真に道を楽む人ならハ同志ハ一人にても二人にてもよろしくと存候自己の本領を没却してまても人に苟も合はんと求むるハ陋劣(ろうれつ)に候小感情に衝突して直くに離れる如き人ハさつさと離れる方よろしく候」とも書く。

邪念はないらしいと書いたが、左千夫の甲之を見る眼は、この時期から微妙に変ったらしく、七月発行の「馬酔木」第三巻第五号に載った甲之の「『あやめ草』をよむ」という文章に、左千夫は「左千夫いふ、西洋の真似をせねばならぬとは如何なる心にや、詩作の稽古といふならば兎に角真似た作物に詩の価値はない」と、はじめて甲之を批判する附記をつけた。

つづいて十一月初め発行になった「馬酔木」第三巻第六号に、左千夫は「八面歌論」を発表し、六月の俳書堂歌会における議論のいきさつを記し、さらに自作の弁護を展開したのだが、その文章の中で、前年の三井甲之の議論について意見を言えというひとがいるが、いちいち意見をつけるのは容易でない、誰の議論でも其人一個の私見とみておけば差支えはないとことわった上で、「三井氏の論には、局部には同意の点も多いが、詩の根本義といふ上には殆ど反対の考を有して居る」と書いた。その長文の「八面歌論」を、左千夫は「人に最も戒むべきは私心である。私心さへなければ向上の道を失ふ心配はいらぬ」という、暗示的な言葉でしめくくっている。

こういう批判は甲之にもこたえて、左千夫に何か言ったらしく、十一月七日に蕨真にあてたハガキの中で、左千夫は十一月の歌会にはほとんど参会者がなさそうだと知らせたあとで、「三井君はアシヒと関係を断ちたいなと丶申来候我執のつよい人に候」と告げた。「馬酔木」第三巻第六号の予告に、「十九日会は休会なし、会者一人もなくとも猶休会なし」と記したのをみると、この時期には甲之に同調して若い歌人たちの足も遠のいたことが窺われる。

こういう経過を経て、甲之の左千夫に対する悪口が生まれたのだが、悪口の中身は、さきに記した四十年十二月二十九日附けの節あて左千夫のハガキによると、左千夫には新雑誌を援助する気がない、「野菊の墓」を出版してもう立派な著作家になったつもりでいる、左千夫の歌はだめになった、鷗外の歌会に出て大家気取りでいる云云といったものだった。

多分に感情的な言い分だが、一部はあたっていなくもない。たとえば蕨真は、従来の「馬酔木」には全面的に資金を出しているのに、「アカネ」に対しては表紙刷りの費用を寄附する程度にとどめた。蕨がその程度なのに、金のかかる茶室造りに取りかかった左千夫が費用を出したとは思われず、節にしても同様だったろう。つまり旧「馬酔木」の同人たちは、「アカネ」に対して発行元根岸短歌会の呼称を許し、出版を岡麓の彩雲閣にまかせる話をつけてやっただけで、左千夫がのちに「『馬酔木』終刊之消息」に記すように、資金的には一切手をひいたのである。

甲之は売れる雑誌を目ざして「アカネ」を発刊するわけだが、新たに出す雑誌がはたして採算がとれるほどに売れるかどうかは非常に不安だったろう。甲之の家は甲府在松島村の地主で、当面雑誌を出すほどの金は家から引き出せるとしても、それは別問題である。その上に、左千夫が「ホトトギス」に歌を発表するということが聞こえて来たとき、甲之はいよいよ左千夫に突きはなされたと感じただろう。

節も、「馬酔木」最終号に「初秋の歌」を送ったあとに出来た短歌「晩秋雑咏」を、新聞「日本」に発表しようかと考えていた。だが当時の節は「馬酔木」の後継誌の問題は、まだ耳にしていなかったわけで、後継誌の問題がはっきりしたころに出た、左千夫が歌を「ホトトギス」に出すといううわさと一緒には出来ない。甲之からみれば、左千夫のその行為は、口では後継誌を云云しながら、実際には自分が出すことになる新雑誌をあてにしていないと感じ取れたはずである。

　そういう一切をふくめて、甲之は左千夫には新雑誌を援助する気がないと非難したのだが、甲之のその非難に「蕨の考てハ三井ハ迚ても一年ハつゞくまいから其後ニなつて大ニ奮発する方よからん」という、十二月二十九日節あての左千夫の手紙を改めて重ねあわせると、「三井の存分ニやらせる」という左千夫の言い分は、内容空疎な言葉だけの言い方、というだけにとどまらず、かなり底意地の悪いひびきを持つことも事実である。

　赤彦にあてた手紙にある「馬酔木ハ止メント云フニソレヲ次テヤツテクレルモノアルニ何ノ不平ガアルヘキ」という左千夫の言葉も、資金援助という裏付けがなければ、これ以上はやって行けないからやめるというのに、あんたがやるという、それなら一人でやってみなさい、と読み換えることも可能だろう。甲之は多分、具体的な資金援助もふくめて不満を言い、しかし売れる雑誌をつくると宣言した手前、あからさまにはそれを言えずにいるのに、左千夫はそれを、もっぱら抽象的な、たとえば原稿の寄稿などを含むにせよ、精神的援助の話にすり換えて、突き放した物の言い方をしているのである。

　また、鷗外の歌会に出て、大家気取りでいると甲之が指摘する、観潮楼歌会と左千夫のつながりも、大家気取りはともかく、周囲の眼から見るといささか奇怪なものだった。

　左千夫が積極的に動いて、観潮楼歌会を演出したことはさきに書いたが、左千夫の目的はこの歌会で、森鷗外、上田敏など第三者の前で佐佐木信綱、与謝野鉄幹の歌を酷評し、反論があれば論破して、相手に根岸派の優位を認めさせようというものだった。「佐々木与謝野等の歌は小生には少しも気に入り不申候鷗外上田敏君などという人々を聞人にして例の通り痛快に酷評を加へやり居候、論理的の研究なき人々は気の毒に有之候」(正宗敦夫あて)、「佐々木や与謝野の歌を森上田など真面目なる人々の前にて極力痛評を加へやるは聊か愉快に候彼等ハ可成ダケフせんとする風あれと小生ハ断として論鋒を緩め不申候森氏上田氏などは真面目な丈け意外ニ話か解り申候」(篠原圓太あて)。

いずれも観潮楼歌会がはじまったばかりの四十年四月の手紙で、左千夫は意気軒昂としているが、他人の眼には必ずしもそのとおりには映らず、鷗外中心の歌会は「金持ガ芸人ヲヨブヤウニモ考ヘラレ」(四十年七月、節あて甲之の手紙)るものでもあった。その手紙を節に書いたころ、甲之は観潮楼歌会に対する森田義郎の悪口を耳にしていたふしがある。「馬酔木」旧同人の義郎からみれば、これまで仇敵のように攻撃して来た佐木、与謝野と同席して歌をつくっているだけで、すでに左千夫は堕落したと見えたかも知れない。

甲之の手紙に対して、節はひととおり左千夫の立場を弁解する返事を書いたのだが、甲之の反応は「鷗外会合ノ経路始メテ解シ申候」と諒解しながら「鷗外、佐々木、鉄幹ナドヲ感化スルナド、感化シタリトシテツマラヌコトト存ジ候」と冷たかった。

左千夫の側に立って弁解をしてやったものの、観潮楼歌会に対する節の感想も、むしろ甲之の批判に近いものだった。

甲之が、「金持ガ芸人ヲヨブヤウニモ考ヘラレ候」という手紙をよこしたのは、四十年七月二十七日だが、その同じ月の七月六日、節は誘われて左千夫と一緒に観潮楼歌会に出席している。節はひと眼で、その歌会のサロン的性格を見抜き、このあと歌会には二度と出席しなかった。

それよりひと月ほど前に、左千夫は節にハガキをよこし、観潮楼歌会に触れて「鉄幹、信綱に承服させる事固より無理なる事に候。早晩大血戦を試み可申候。数百回に渡り快戦をなし可申、一人以て天下を敵とする事又快と存候」と書いて来たが、直接に歌会の空気に触れてみると、そんな雰囲気ではなかった。左千夫のそういう言い方は、節には狂気の沙汰にも思えたのである。

その日の歌会が終ったのは日暮れどきだった。まだ鷗外と話しこんでいる与謝野らを残して、節と左千夫はひと足先に鷗外の家を出た。そして表通りに出ると、ひとの姿も見えないうす暗い団子坂を無言でくだった。しかし坂下の四辻に出ると、そこの通りにはぽつりぽつりと街灯がともり、軽装のひとびとが歩いていた。

軒にランプをつるした店の前に、ひとが群れている場所もあった。まだ梅雨が上がったわけではなかったが、晴れて一日中日が照りわたった町には、やや湿りけを帯びた暑気が残っていた。ぶらぶらと根津から池ノ端にむかう道を歩きながら、節はさっきから考えていたことを、思い切って口に出した。

「伊藤君。君はあんな会がおもしろいのかね？」

「おもしろい？」

左千夫は立ちどまって、厚い眼鏡の奥の小さな眼を節に据えた。そうして反問した。

「君はどうだ？　おもしろくなかったのか？」

「僕は肌に合わんな」

と言って、節は歩き出した。節の気持の奥には、もう一歩突っこんだ観潮楼歌会に対する嫌悪感がある。公言したとおり、なるほど左千夫は歌会の席でも生地をむき出しにした傍若無人な発言をしていた。

その少しも臆するところがない左千夫の度胸のいい発言に、節はひそかに感心したが、同時に、席の中にそういう左千夫の野人的な言論をおもしろがる空気があることも、敏感に嗅ぎつけていた。事実鷗外は、左千夫が発言するとひびきのいい声で愉快そうな笑い声をあげたが、それは言わば一段高いところから、珍奇な言論をたのしんで眺めているという感じのものだった。

その気配は、与謝野や佐佐木の左千夫に対する応酬の中にも、ちらちらと現われていて、節は何となく自分まで屈辱感をおぼえたほどだった。おもしろがられているのは、左千夫一人でなく根岸派全体ではないかという気がしたせいだろう。要するに左千夫は、自分で言うほどには歌会の席で重んじられているわけではなく、侮られるまではいかないにしろ、席の中で一人浮き上がって見えたのである。

節は歌会のそういう雰囲気も不快なら、それに気づいていないらしい左千夫の鈍感さにもいくらか腹を立てていた。根津宮永町まで来たとき、点灯夫が道端に立つガス燈に灯をいれているのが見えた。点灯夫はシャツの上に紺の短か半纏を着て、その上から細い帯をむすんでいる。足にはパッチを穿き、足もとはきりりと草鞋で固めていた。機敏な身ごなしで長い点火棒を操作した男は、灯をともしてつぎのうす闇に消えて行った。

「あれは要するに、学者のひまつぶしの文学談義といったものだろ？　われわれとは肌合いが違う世界だよ」

また、思ったよりもずっと先の方で、点灯夫が灯をともしたのが見えた。電灯の普及で、市の中心部では姿を見かけることがなくなったとも聞くから、点灯夫という仕事は、もはや時代おくれの職業なのである。節はその姿に、歌会で見た左千夫の古くさい物言い方や容姿が重なって見えて来るのを感じながら言った。

「われわれは野人だよ、君。僕らだけでなく、蕨にしても岡にしてもそうだ。しかし、その道を行って野人は野人なりに何かをつかめると思っているわけで、何も学者に迎合することはない」

「迎合はしていない」

左千夫はぼそぼそと言った。

「ただ、あれはあれでおもしろいところもある。それに根岸派があの会に出ているというだけで、意義はあるのだ」

「与謝野や佐佐木を、改宗させるというやつかね？」

節は、うなだれて歩いている左千夫を振りむいた。与謝野鉄幹は、前年の「馬酔木」三月号に左千夫が、「与謝野晶子の歌を評す」という文章を載せたのに対して、ひとこと「せめて日本語だけなりとも修養せよ」と批評を返した人物である。それが軽蔑であることが左千夫にはわからないのだろうか。

「いい加減にあきらめた方がいいな。君がいくらがんばっても、ああいう連中が君の意見を聞きいれるわけがないよ」

「なに、そのうちにはこっちの土俵にひっぱりこんでやるさ」

「無駄だと思うがね」

節は、左千夫があまりに頑固なので、岡か誰かの手紙にあった、あるうわさのことを口にした。

「伊藤君は権門に出入りしている、という批判があるらしいよ」

「言いたい者には、言わせておけばいいさ」

左千夫は顔をあげて節を見た。街灯にうかんだ左千夫の顔にしぶとい感じの笑いがうかんでいる。半ばあきらめて、節は言った。

「ま、ミイラ取りがミイラにならないように、気をつけた方がいいな」

だが左千夫は、節のその忠告も聞きいれずにせっせと観潮楼歌会に出席し、のちには門下の古泉千樫、斎藤茂吉なども一緒に連れて行った。

理由は、歌会が有益だったからである。佐佐木信綱、与謝野鉄幹との大血戦はともかく、当代の知識人である鷗外、上田敏などが、座談の合間に語る内外の文学論、わけても文芸と思想、文芸における観念と象徴といった話題は、左千夫の古い文学観を打ちくだき、新しい世界を垣間みせる力を持っていた。そういう話題を、左千夫は耳をそばだてて聞いた。

新しい知識を吸収するのに、左千夫はきわめて貪欲だった。そのためにミイラ取りがミイラになる体裁のわるさなどはいっこうに気にしなかった。観潮楼歌会は、いわば左千夫にとっての大学だったのだ。後には茂吉もまた、この観潮楼歌会から貪欲に滋養を吸収するのだが、節や甲之の見方が一部はあたっているにしろ、観潮楼歌会はやがて左千夫に短歌の方向を変えさせるほどの影響をもたらすのである。

だが、冷静な節はともかく、三井甲之は左千夫の観潮楼歌会への出席もふくめて、左千夫への不信感をつのらせたまま、後継誌「アカネ」を発刊しようとしていた。そして左千夫もまた、根岸短歌会の名称を受けつぐことになった、「我執の強い男」三井甲之の新雑誌の行方を、懐疑の眼でじっと見まもっていたのである。「三井対小生『アシヒ』対『アカネ』極めて円滑に候」（胡桃澤勘内あて書簡）は建前だった。

左千夫は「馬酔木」第四巻第三号に、「『馬酔木』終刊之消息」を書いた。「吾が『馬酔木』は本号を以て終を告ぐと雖も、直に二月一日を以て『馬酔木』の後継者は猛然として現はるべし。雑誌、名は『アカネ』と称す……三井甲之君主として編輯に当り、脳力と経済との上に全責任を負ふて奮起せるに基づけり」と記してそのあと編集スタッフを紹介し、「歌道新興の発展上、子規子の活動は第一期に属し、『馬酔木』五年間の奮励は其第二期を劃したりと云うべし、而して『アカネ』の責任は第三期の成功を挙げんとするに有り……『馬酔木』編輯者の手を離れ信仰的熱烈なる三井甲之君に依て新興の『アカネ』を経営せらるゝは、斯道の為めに予の衷心より慶賀措く能はざる所なり」と、新雑誌に対する期待をのべたてたが、それも建前だった。

左千夫は、その「消息」の最後の方に、「蕨君……今後諸同人の活動上必要の時機に際せば何時なりとも、独力経費の一切を負担して道の為に尽すところあらんと誓はる」とも記したが、それが左千夫の本音で、その経費負担は「アカネ」の援助を意味してはいなかった。

三

明治四十一年の初頭、「馬酔木」の最終号を刊行し終ったころの伊藤左千夫は、当時これだけの多忙と問題を抱えていた。節の「初秋の歌」を、どれほど親身になって読んだかは疑わしい。茂吉に問われて「ウマイものだ」とほめたと言っても、それは愛弟子の茂吉が興奮して意見を聞くので、お義理半分にそう答えたのではないかと勘ぐられるほど、左千夫が「初秋の歌」に関心をとどめた形跡は稀薄である。左千夫は、例の写生の歌かと流し読みしたのではなかろうか。

というのは、さきに引いた「八面歌論」の中で、左千夫は「客観の歌とか叙景の歌とかいふこと流行してから歌が冷かになつた、作者がいつでも第三者の位置に立つて冷静に物を見てゐる様な歌が多くなつたは正しく今の歌壇の一の弊ではあるまいかと信じて居る」と、あきらかに節の客観写生歌を意識した批判意見をのべ、これにつづけて「『妹か名呼て袖を振りつる』とある如く思余つた時に縁(ゆか)りのある景物など呼びかけて思ひを遣るといふことないであらうか、色好まぬ男子は玉の盃底なき如くで迚ても話せない呵々」と書いた。

詠み手の主観が関与しない客観写生歌はだめだ、という従来の左千夫の短歌観の繰り返しだが、左千夫は次第にそういう自分の考え方に自信を深めていて、それだけ客観写生歌に対する眼くばりも辛辣になってきているのである。加えて左千夫の歌は、観潮楼歌会に出席するようになってから、次第に主観的傾向をあからさまに出すようになっていた。

左千夫は、四十年四月に「心細くおもふな吾妹汝がいはば神にも背き世をも捨つべし」という歌を詠んだ。甲之が、明星派への接近を云云して非難したような、この種の主観的傾向の強い作品の行方を追うと、四十一年二月の「アカネ」創刊号に載せた「うつくしく思へる恋の堪へがてに手触るわが手を否といはざりし」(恋の籬)、四十二年一月一日発行の「阿羅々木」一の二に発表した「吾妹子が歎き明かして眠面(はれおも)に俯伏し居ればば生けりともなし」、「立襖一重のおくにへだたりし君がけはひは人を死なしむ」(採草餘香)とつづく。

要するに左千夫は、自然を捨てたわけでもなく、また四十年中の佳作「水籠十首」にみるように、主観による自然の把握という作歌の手法を捨てたわけでもなかったが、その興味はより人間に内在する自然にむかっていたのであり、また方法的には、「八面歌論」に記したように、内なる思いが余って歌になるという理論を確立しようとしてもいたのである。つまりこの時期、左千夫は次第に自然よりは人間に興味を移し、節はいよいよ自然に興味を深めて、子規という同根から出発しながら、二人の歌境は大きく相隔たろうとしていたのだった。左千夫が、純粋客観の世界をうたう節の「初秋の歌」に、長く眼をとどめたとは思えない。

そして節自身もまた、「初秋の歌」をそれほど高く評価したわけではなかった。節は四十年九月三日、信州の赤彦に桑畑の施肥のことをたずねる手紙を書き、ついでに左千夫の家が水害に遭って「馬酔木」の発行が遅れることを知らせたあとに、「小生は依然として歌なく、漸く昨日初秋の歌というものを得申候　空想交りの歌に有之候」と書いた。

「空想交り」という言い方の中に、「初秋の歌」に抱く節のかすかなひけ目がひそんでいる。「小夜深にさきて散るとふ稗草のひそやかにして秋去りぬらむ」と詠んだとき、節はたしかに、眼の前に稗草を見たわけではなかった。闇の野にひっそりと花を散らす稗草を思いやっただけである。

「芋の葉にこぼるゝ玉のこぼれ〳〵子芋は白く凝りつつあらむ」も同様である。それは芋の葉からこぼれる露の玉というイメージが、凝りつつあらん子芋の連想へと節をみちびいたのであり、節はむろん地中の子芋を掘ってみたわけではない。それどころか、この歌を詠んだとき、節が眼前に芋の葉の露を見たかどうかも疑わしい。そして、それらの自然を通じて、節は眼に見えない秋をうたったのである。まさしく空想の産物だった。

客観写生をとなえた子規の忠実な使徒であった節は、そのゆえに、たとえばかなりの歌を詠んだと思ったとしても、それが空想まじりの作品であるという一点において、「初秋の歌」を自信作と言い切ることをためらったに違いない。それが、赤彦あての手紙にある「空想交りの歌に有之候」という、弁解とも謙遜ともうけとれる言葉の意味である。

しかし「初秋の歌」は、節の自信なげな評価にもかかわらず、節が追いもとめて来た客観写生歌のひとつの到達点を示す傑作だったのである。

節にとってははじめての縁談の相手である井上艶子について、調査を依頼しておいた岡麓から、詳細な報告がとどいたのは、四十年の八月はじめだった。岡の調査の結果は、満足すべきものだった。節はその心躍りをそのままに、「御申越のふし〲何れも申分無之、此上は十分の運動仕り、他人に奪はれざる工夫専一に可仕候、容姿十人なみ少し上と申も、此は東京の標準故、先以て田舎へ連れ来り候ては、必ず上の上ならむと存候此点も頗る満足に有之候　十六頃の写真を見るに、小生殊の外気にいり申候」と、岡への返事を書いた。

しかしその縁談は、その後まったく進展をみせず、一カ月後の九月三日に岡麓に書いた手紙の中で、節は「此件もはじめは何の支障もなくて進行することゝ存居候処、以ての外に延引致候、其ために無之候へども、庭の芙蓉も以てのほかに後れ申候」と書かざるを得なかった。節はそのころ、まだ会ったことがない縁談相手、井上艶子をひそかに白芙蓉にたとえていたのである。

縁談は一カ所にじっと停滞したままで、むしろ日を経るにしたがって遠ざかる気配をみせていた。「初秋の歌」はその間に出来たのである。希望とあきらめの間を行きつもどりつしながら、息を殺して縁談の行方を見まもっていた節は、その年の秋のおとずれを、ことさら敏感に、身にしみて感じ取ったに違いない。

「初秋の歌」一連の短歌は、そういう節の、ふだんよりいっそう研ぎ澄まされた感覚がとらえた、初秋の実感の作品化だった。節はその一連の作品の中で、稗草、鋸草、栗の毬(いが)、馬追虫、さらに子芋と青桐をうたったが、これまでのように物そのものだけをうたったわけではなかった。それらの自然を媒体にして、そこに見え隠れする初秋をうたったのである。その方法で、この一連の作品を得たとき、節はそれとは意識せずに、あるいは空想と思い誤ったままに、現象から一歩踏みこんだ場所にある世界を象徴的に表現することに成功したのであった。いわば物を直視して背後にある物まで詠んでしまったのである。

しかもその成功は、象徴的にとらえられた世界と連動することで媒体である自然そのものも躍動するという、二重の構造を持っていた。節は、飽くことなく自然を凝視して来た詩人にしてはじめて可能な、纖細かつ瑞瑞しい表現で、それを実現したのである。

左千夫は「漫りに新奇を求めて、珍らしき材料をあさるの弊は、徒らに材料に重きを置いて、趣味の如何を顧みぬに至るのである……材料が新しいからとて、直に趣味新しいと思はば、大いなる誤解である」（雑言録四）と、詩歌における材料主義を嫌ったが、いささかも珍しくない周囲の自然を取りこんで、それらに新しい生命を吹きこんだ節の「初秋の歌」は、左千夫のその批判を越えただけでなく、かつて左千夫が、短歌では不可能だと言った「感じを表はす」写生の境地に到達したものでもあった。

「八面歌論」の中で左千夫は詩を論じて、「要するに如何なるものを写せば詩かといふ問題ではない、如何に描けば詩になるかといふのが問題である」と、表現こそ詩だと主張したが、その文芸の方法ということでも、「初秋の歌」は、左千夫の要請に十分に応えていたのである。

しかも、節のその表現手法の変化は、「初秋の歌」ではじめて現われたわけではなく、その以前の五月に発行された、「馬酔木」第四巻第二号に載せた「早春の歌」九首の中に、すでにその萌芽をのぞかせていたのである。「おほどかに春はあれども揺り動く榛(はり)が花にも満ち足らひたり」とうたったとき、節はたしかに、揺れ動く暗紫色の榛の花の奥に、おとずれている春を見たのである。

ただ「早春の歌」では、観察の深まりと表現との結びつきがまだ曖昧で、九首の中には「そこらくの冬を潜めて雪残る山の高嶺は浮き遠ぞきぬ」といった旧態の写生歌も含まれているというぐあいだったのだが、「初秋の歌」に至って、物そのものから物を存在せしめる世界へと、ひろがりと深まりを獲得しつつあった節の自然を見る眼が、的確な表現を得て、ついに節の短歌の中の傑作を生み出したのであった。

しかし、それが傑作であることに当然気づくべき立場にいる左千夫は気づかず、節もまたそのことを自覚せず、ただひとり「フルイ付きたい」ほどの感動を受けた茂吉は沈黙したままで、「初秋の歌」はさほどの話題にもならずに忘れられて行ったのである。

「初秋の歌」が載った「馬酔木」最終号も、いそがしまぎれの左千夫の編集だけに、誌面はひどく乱雑で、節は「馬酔木の醜面」と罵ってやった。それには左千夫も閉口して、「醜面とはちと非度いな乱雑は寧（むしろ）馬酔木の特色ならすや併し最後の雑誌を罵る不快を残すなとハ止めよ〱」と抗議して来た。

しかし節はそのころ、不運な「初秋の歌」がきっかけになったように、ぞくぞくと歌が出来た。岡麓にあてた手紙に十三首、香取秀真にあてた手紙に九首、美濃大垣の歌人柘植潮音には八首の短歌だけを記したハガキというふうに、近作を書き送ったのだが、そこには当然ながら、さまざまな形で、不調に終った縁談が影を落としている。

同じころ節は、信州の島木赤彦に手紙を書いた。「小生近来に到りて漸く歌ごころ起り、少々づつよみいで申候　いづれ日本などへ出し可申、此十日ばかりのうちに数はなかなか有之候」と書いて、その出来た歌なるものを五首記したあとに、「尤も以上の如きものにて随分非難もおほかるべく、左千夫君は否と申さむかと存じ候　此が四十首ばかり有之候……兎に角四十首を纏めて出して見たき様存ぜられ候　あとになつて見たならば、厭になり可申は申までも無之候」と記した。

節は自作について、かなり遠慮した物の言い方をしているが、同じ手紙の中に、つぎのようにも書く。「等しく目に映ずる処のもの、一たび作者の頭脳を透して現はるゝ時、其所に生命を有せざるべからず、即ち作者の主観が濃く又は薄く表はれねばならぬものと存じ候　此点に就いて小生の昨年あたりまでの、唯々自然の材料にのみすがりたる写生の歌は全くつまらぬものと存じ候　其材料はつまらぬものでも、其人の見様如何にて、一首のうちの一句に生命を保たしむるものをも得べくと存じ候　此辺余程注意して今回の歌は作り申候」

このあとにも節は、まだ満足なものが出来たというわけではない、非難百出だろうと謙遜した言葉をつづけるけれども、赤彦へのこの手紙は節の自信の表明である。

外在する自然は、作者の意識を経過して作品化されるときには、もとの自然ではなく、そこには作者の主観が「濃く又は薄く」投影されているべきだと言い、去年あたりまでの歌はそうではなく、ただ自然の材料にすがったつまらないものだったと言っているのである。

節はその作歌理論を、どこから得たのだろうか。それは「思余つた時に縁りのある景物など呼びかけて思ひを遣る」（八面歌論）という、左千夫がとなえる能動的な主観とは違い、いかにも写生の詩人らしい、あくまでも自然を主格にした受動的な主観のはたらきを述べているものだったが、そのために節のその考え方は、かえってまっすぐに物の象徴化を指しているのである。

節のその自信作は、四十一年二月一日に創刊された「アカネ」第一巻第一号に「晩秋雑詠（即興拾八首）」として発表された。

だがその作品は、「黄昏の霜たちこむる秋の田のくらきが方に鴫鳴きわたる」、「こほろぎははかなき虫か柊の花が散りても驚きぬべし」などの佳作をふくむものの、全体としては旧態の写生歌に後退したものだった。

節の「晩秋雑詠」は散散な悪評を浴びた。「初秋の歌」のときはことりとも音を立てなかった左千夫は、「晩秋雑詠」については、「三井のもだめ長塚大だめ也技巧を弄ふの愚を覚らすんば醇真な歌は出来ない」（胡桃澤勘内あて）、「アカネの歌ハ平福堀内（君）柳沢の歌か本気の歌で跡は拵歌か多い」（堀内卓造あて）、「長塚君の歌ニ就てハ御覧の通ニ而更ニ申上けなくてもよからんと存候」（島木赤彦あて）と、方方に悪口を書き送った。

そして節自身も、「アカネ」の三月号が出たあとの三月十日、島木赤彦にあてた手紙に「小生は近来更に歌なく面目相立ち不申候　殊に茜二月号の歌の如きは唯慚愧の外無之候　三月号の批評の項に常音氏の『歌はなぐりつけに写生』云々の数言は、小生の頭上に打撃を加へられたるが如く相覚え申候　それにしても昨秋いさゝか得々として大兄へ手紙差上候ことなど以ての外の心得違ひと後悔致し居り候」と書いて、全面的に降参した。近角常音の批評というのは、たとえば「秋の日に干すはくさぐさ小鍋干す箒草干す張物も干す」と言った作品に対してなされたものだろう。

節は前年の、短歌観の変化をのべた赤彦あての手紙の最後に、旧作の「南瓜の茂りがなかに抜きいでし莠そよぎて秋立ちぬらし」を挙げ、岡麓が三句、四句に十分に秋意が出ていると評したことを告げて「小生の前述の主観と申候は、此様なものと覚召され度候」と書いた。

左千夫が観潮楼歌会をバネにして、新しい歌の方向と作歌理論を確立しようとしていたのと時期を同じくして、節もまたひと筋に歩きつづけて来た客観写生の道の上に、新たな作歌の方向を切りひらこうとしていた。そして、その模索は偶然に「初秋の歌」という傑作を生み出したものの、それは方法として十分に自覚されたものではなかったために、「晩秋雑咏」の失敗を招いたのである。

節はたしかに新しい作歌理論を手に入れようとしていた。しかしさきの赤彦あての手紙に、例としてひいた主観のとらえ方にも出ているように、その理論を表現にむすびつける肝心のところはまだ未熟だった。節が言う主観をテコにした方法が象徴に到りつく道はまだまだ遠く、「晩秋雑咏」の失敗を境に、節の短歌はまたしばらく、手さぐりの混迷の中に沈むのである。

四

「晩秋雑咏」では叩かれたが、「ホトトギス」三月号に載った節の短篇小説「芋掘り」は、虚子から傑作とほめられた。

「芋掘り」の原稿は、四十一年のはじめにはもう出来上がって、虚子の手もとに送ってあったが、左千夫は一月の「ホトトギス」に三作目の小説「隣の嫁」を発表し、また岡麓も暮れの「ホトトギス」に小説「葦切」を発表していたので、節は何となく二人に後れをとったようにも思い、処女作に対する虚子の評価を、固唾をのんで見まもっていたのである。

結果は合格と出た。節は、その原稿のことを聞きつけて手紙をよこした岡麓に、「小生の小説高浜君のもとに有之候は、孰れより御きゝに相成候や、小生は非常に厭に非常に下品に感じ申候処、高浜君は傑作なりと申来り候　斯く申され候て小生は何となく恐ろしき様覚え申候」と返事を書いた。一月末のことである。節に特有の、自作に対する極端に卑下した言い方の中に、押さえ切れない喜びがのぞいている。

作品が三月号の「ホトトギス」に載ったあとも、節は作品に対する批評を気にして、やはり岡麓あてに、「芋掘なども、各所より意外に称賛の辞を蒙り候へ共、小生は決して其様なるものには無之と存じ候　只国民新聞には、『徒らに長く書くといふことに興味を持つて居る人らしい』と申す短き冷評に有之候　しかし小生には深く此語が身に染

み申候　それから或二三人の素人の評なりといふをきくに、喰ひ足らぬといふことに一致いたし居候　尤も虚子君よりも未だ作者としての態度が、写生文式を脱せぬとの非難有之候ひしが、此喰ひ足らぬにてつくづく考へ申候　芋掘には各種の人物を皆客観して、作者の乗り移りたるもの少しも無之、随つて軽薄の感を免れずと存じ候　左千夫君の、人物が活々しない、人間を面白がり過ぎて居るといふは、其点を申したるかとも思はれ候　御意見如何に有之候や」と書いた。

節は、批評をいちいち気にしているが、左千夫も胡桃澤勘内あてのハガキに「芋掘り」にふれて「長塚君も小説熱に浮かれ居候芋掘ハなか〳〵よろしく候」と書いている。全体としてみれば、節の処女作は好評のうちにデビューを飾ったのである。

勢いに乗って節はつぎの短篇「開業医」に取りかかっていたが、虚子が京都へ行くというのを聞いて、不意に旅心をくすぐられ、自分も京都へ花見に行ってみる気になった。幸いに、「ホトトギス」から「芋掘り」の原稿料が入った。原稿料は二十七円。うち節が買った「ホトトギス」六冊分の誌代一円二十六銭を差しひいて、手取り二十五円七十四銭が、節の受け取った原稿料だった。

「馬酔木」に作品を発表しても、金銭的には持ち出しになるが、「ホトトギス」に載せる原稿は金になるのである。評判が悪くない小説の原稿料を手にして、節はいっとき文人気分を味わったかも知れない。節はその金をにぎって四月十日夜に東京をたち、翌日の昼ごろ京都に着いた。

その日の夜は、賀茂川べりの旅館に滞在している虚子をたずねたが、翌日から三日間は祇園で芸者遊びをした。東山、嵐山の花を見、夜は都踊りを見て一力で遊び、酒宴のあとに芸者を連れて、祇園の夜桜を見るという、節にとってははじめての、はなやかな遊びの体験だった。一力では芸妓と雑魚寝までした。

このはじめての祇園体験は、節によほど強烈な印象をあたえたらしく、節は藤倉新吉、横瀬夜雨、三浦義晃などの郷里の知友あてに、少少上っ調子なほどに弾んだ筆で、雑魚寝の一件と祇園の芸妓のうつくしさを書き送った。しかし、そういう雰囲気に長くは酔えないのも、節の性格である。節は、「岸勇と申すは其美殆んど言語に絶し候」と、祇園の女たちのことを書き送った橋詰孝一郎あての手紙に、「明日晴雨に不拘吉野行に決し申候　小生一人に有之候」と書いた。四月十五日のことである。

節はその手紙のとおり、翌日には吉野に行き、蔵王堂、水分神社、如意輪堂などを見た。建物もさることながら、節は吉野が山の方まで麦畑と菜の花に埋まり、桜の上に黄色い菜の花が望見出来るのを印象にとどめた。

吉野から奈良に回ったのは十八日。奈良では大極殿跡、東大寺、西の京の薬師寺、唐招提寺などをじっくりと見て回り、藤倉新吉あてのハガキに、「奈良は一度見ねば生れた甲斐はなしと存じ候」と、その感銘を書き送った。そのあと節はいったん京都にもどり、東寺や御室の花を見物したあと、二十二日には島原に引き返し、そこで太夫道中を見物し、帰りには壬生狂言を見る。壬生寺も島原も、一歩外に出ると菜の花の盛りだった。

そういう風景とか、また東寺の雑踏の中に古着屋が多いのは百姓が群集するからで、その百姓たちが、絵馬堂で絵馬を見ながら今年の豊凶を占ってさわぐ様子とかを、節は見のがさない。小説の原稿料を懐に、祇園で芸者遊びをしても、節の本質はやはり野の人間というべきものだった。

節は、京都、奈良の旅から四月末に帰郷した。だがそれから四カ月も経たない八月二十日に、ふたたび国生の村を出て、今度は上信越三県の境界があつまるあたりの山国の旅にむかった。

渋川から中之条を経て沢渡の峡谷に入りこみ、暮坂峠を越えて、群馬県六合村入山に着く。そこはすでに草津からさらに奥に入った山中の村だった。節が目ざす場所は、県境を長野県に越えたところにある秋山峡谷である。節は前前年の奥羽から佐渡に行った旅行の帰途、長岡から小千谷、十日町を経て越後中魚沼郡中深見村に回った。そこから中津川渓谷をさかのぼって秋山郷を経由し、苗場山、三国峠を越えて帰ったのだが、峡谷のほとりに点在する素朴な家家、青い空にそそり立つ山の頂き、木木の間にひびく鳥の声や谷川の音などは、平野育ちの節に忘れがたい印象を残した。

若いころに塩原に湯治に行ったりして、山を知らないわけではなかったが、中津川の奥の峡谷の村には、俗臭を知らない風景とひとの暮らしがあるように思われたのである。

今度の旅では、その峡谷のさらに上流の、長野県側に越えたところにある切明温泉をたずねるつもりだった。

そうは言っても、県境の山山ははたして人が通る道があるかどうかも疑わしい、険阻な場所である。節は案内人を頼んだ。案内人は、入山からきた山ひとつ越えた長平という村に住む覚蔵という男だった。

「道なんてものは、ねえところだがね」

覚蔵は、めずらしいものを見るような眼で、節を頭から足もとまでじろじろ眺めながら言った。覚蔵の顔は髭で埋まっていて、年齢もしかとはわからなかったが、ならびのいい白い健康そうな歯や、力強い声から判断して、節よりほんの少し年上の、まだ若い男のように見える。小気味がいいほど厚い胸と、よくのびた手足を持つ男だった。

入山村で聞いた話によると、覚蔵は冬に山で獣を追い、夏になると大倉山の峡谷に入りこんで魚を釣り、六、七里もある草津まで売りに行くのを生業にしていると言う。

「だめかな？　こっちから越えるのは？」

節は、覚蔵の家の低い軒下に吊ってある串刺しにした蝮(まむし)と、獣の皮でつくった沓(くつ)を見ながら言った。家の入口に五つぐらいの少女が立っていて、さっきからまばたきもしないで節を見つめている。

「あんたなら、案内してくれるだろうと聞いて来たのだが……」

「おれが子供のころには……」

覚蔵は節の質問には、すぐには答えずに言った。

「牛の背に米を積んで、切明まで行ってたもんだ。だから、まるっきり行けないというわけじゃない」

「最近は？」

「いねえなあ、山越えして切明へ行ったというのは。いや、待てよ」

覚蔵はうつむいて、髭もじゃのあごを掻いた。

「二、三年前に、役人が来た。県境の査定官とか言ってたな。えらいもんだ。猿みたいに山に登って行ったっけ。切明へ降りると言ってたから、あのひとらは山を越えたんだよ」

「それじゃ……」

節は胸が躍った。

「道らしいものが、あることはあるんだ」

「ま、行ってみなきゃわからねえがね」

覚蔵は腕組みして考えこんだが、やがて顔をあげると白い歯をみせて笑った。

「行ってみるかね。一日じゃ無理だろうが、大倉山にはおれが釣りをするときに使う小屋がある。そこに一晩泊ったら、あとは下りだから、何とかなるべえよ」

「そうか。引きうけてくれるか」

「いいよ。引きうけた以上は、旦那を危ねえ目にはあわせねえから、心配しなくていい」

節は覚蔵と一緒に二十五日に、雨の中を入山を出発し、県境を越えたその夜は、標高二千五十四メートルの大倉山中にある覚蔵の小屋に一泊した。翌日はよく晴れたので、道もないところを草をわけ笹藪の中を数里も歩くような場所をともかく歩き通して、無事切明温泉に着くことが出来た。そこは温泉と言っても、宿はただ一軒あるだけだった。節はこの温泉に一週間滞在し、附近の字字の秋祭を見たり、熊狩りの話を聞き回ったりした。祇園の雑魚寝の一件もそうだったが、節にはめずらしいものを見聞したり、体験したりすると胸にしまっておけなくて、旅先から知人あてにせっせとその見聞を書き送る性癖がある。

切明に滞在中も、郵便箱まで二里半、郵便局まで七里という山中にいながら、「此の渓谷のもの皆熊突を得意とす、彼等は熊と格闘致し候」と熊突きの話を書いたり、歌好きで不器量な老坑夫の娘のことを書いたりした。その手紙、ハガキは、九月一日に切明を出発して、翌日秋成の郵便局に着いたところで投函した。

そこから節は野沢温泉を経て飯山に回り、ふたたび山に入って、登り降り七里という渋峠を越えて草津温泉に着いたのだが、渋峠越えは、右足に腫物が出来たためにひどく難渋した。それでも節は、さらに浅間山に登るつもりで、膿が出て足の腫物も癒えて来た七日、草津から浅間山麓の六里が原に行った。だが浅間山は雲がかかっていて登れず、三日間待ったが空は晴れないので、ついにあきらめて碓氷峠から横川に降りた。

だが、そこから渋川に帰る途中、ふと思い立って榛名（はるな）山に登り、榛原の平を横切っているときに、節は突然に襲って来た濃霧に巻きこまれたのである。貧しい旅姿の節は、広漠とした高原の中に立ち竦んで、ただひとり襲いかかる霧にむかい合った。やがて、視界は見わたす限り霧に閉ざされ、自分が立っている場所もおぼつかないほどになると、心は夢ともうつつともつかない世界に運ばれて行くようにも思われた。その夢うつつの世界に、鳥の声が聞こえた。

そのときのほとんど畏怖をおぼえたほどに、自然の底力を感じさせる光景は節の記憶に焼きついて、帰宅して五日目の九月二十日の夜、一気に「濃霧の歌」十五首にまとまった。

群山の尾ぬれに秀でし相馬嶺ゆいづ湧き出でし天つ霧かも
ゆゝしくも見ゆる霧かも倒(さかさま)に相馬が嶽ゆ揺りおろし来ぬ
はろ〴〵に匂へる秋の草原を浪の偃(は)ふ如霧逼(せま)り来も
久方の天つ狭霧を吐き落す相馬が嶽は恐ろしく見ゆ
おもしろき天つ霧かも束の間に山の尾ぬれを大和田にせり
秋草のにほへる野辺をみなそこと天つ狭霧はおり沈めたり
榛原は天つ狭霧の奥を深み和田つみそこに我はかづけり
うべしこそ海とも海と湛(たた)へ来る天つ霧には今日逢ひにけり
うつそみを掩ひしづもる霧の中に何の鳥ぞも声立てゝ鳴く
しましくも狭霧なる間は遠長き世にある如く思ほゆるかも

ひさかたの天の沈霧(しずきり)おりしかば心も疎し遠ぞける如
常に見る草といへども霧ながら目に入るものは皆珍しき
はり原の狭霧は雨にあらなくに衣はいたくぬれにけるかも
おぼゝしく掩へる霧の怪しかも我があたり辺は明らかに見ゆ
相馬嶺は己(おのれ)吐きしかば天つ霧おり居へだゝりふたゝびも見ず

この一連の作品は、繊細な、感覚の冴えを持味にする節の短歌の中では、めずらしく規模雄大な、一首一首の表現にも骨太な感じが出た作品だった。榛原の濃霧からうけた感動の、振幅が大きかったせいだろう。

斎藤茂吉は、のちにこの作品を批評して、「一首一首が皆新鮮で、それこそ造化の妙を拓いて見せて居るものばかりであるのに、この連作全体としても自然現象の驚くべく歎称すべき雄大を表現して居るのである。交響楽といふことをここに当嵌め得るなら、それでもかまはぬといふ程の大きさである。この連作の実行は、子規によつて意識的に創められ、左千夫によつて唱道せられたものだが、その実行例としてこの一聯などは永久的なものといふことが出来るだらう」と述べた。

茂吉はまたべつのところでも、この作品を取り上げて、「豪壮な歌」という言葉を使ってほめ、ただ調べの高さをねらって万葉模倣の調べで持たせているのとは趣きが違うとも言っている。つづけて「このあたりのものになると、人麿等の作品に肉迫せんとする勢を示すものであつて、そして加ふるに近代人の持つ心の鋭さがある」とまで言い切った。

節の「濃霧の歌」が出来たのは、赤彦にあてた手紙によると、二十日の夜と推定出来るのだが、その二十日附けの手紙で、節は送られて来た「比牟呂」の批評と、秋山行の顚末を知らせる消息を書き、「小生旅中一首も無之候　興来らば作らむと思ふ個所は少しく頭に残しおき候」と記した。

その「興来らば」の興は、赤彦に手紙を書いたあとにたちまち来たらしく、二日後の二十二日附け赤彦あての手紙に「一昨夜ふと作りたくなり、小生としては珍しく歌が出来申候　榛名山上の濃霧の歌に有之候　一二首は物に成り可申かと存候　アララギへ出す原稿無之候故、此歌をおくる積に候」と書き、「濃霧の歌」の中から二首を附記した。

一、二首は物になり申すべく、というのは例によって節の自作に対する謙遜した言い方だが、左千夫のように、批判に対してどこまでも自作を弁護して譲らない押しの太さを持たず、極端に批判に傷つきやすい節は、そういう言い方で用心深く来るべき批評に身構えているのである。

節のそういうあらかじめ葛藤を避ける用心深い性格は、対人間関係、対世間関係といった面にも顔を出し、周囲から性格の冷たさを云云されることにもなるのだが、節の本性は孤独を好む詩人的な傷つきやすいところにあって、熊が出るような山中を彷徨することは厭わなくても、左千夫のように声高にひとと争うようなことは苦手なのである。

そういう人間が、傷つきやすい自分をかばい、また借財だらけの家を保って行くためには、すべて用心深く、また可能なかぎり理性的に振舞うしかないのである。赤彦への手紙にも、半ば本能的に自分をかばうその性癖が出ているが、しかし、一、二首は物になったかというのは、ある程度は自信の表明でもあった。

その自信があったから、節は濃霧の連作を左千夫や蕨真にも書き送ったのだろう。二十六日に左千夫からハガキが来た。ひさしぶりに節の歌をほめた便りだった。「貴詠拝見久振にての御作大ニ嘻しく候最も完全に秀逸と思ふもの四首」と、秋草のにほへる野辺を以下四首を揚げ、「其他ハとりとり面白けれと君ならずとも又其実境ならずとも作りうへき歌なるか故に秀逸とハ申上かたし猶欲を云はゝ力の内面に溢れざる感あること也……熱力的のねばりに乏しとも云はゞよけんか」と若干けなし、しかし最後に左千夫は、「併したまに作つてこれたけの作あるは敬服の外なし」とほめていた。

そして左千夫は、「濃霧の歌」が「日本」の十月十八日、二十一日紙上に発表されると、それにも「境涯の隔世的なるに詞句皆超脱の響きあり、人をして一読現実を忘れしむ、三四首の議すべきものなきにあらざるも敢て感興を妨ぐるに至らず却つて又籟の真を窺ふに足るべし」と附記した。やはりひさしぶりの節の佳作と認めたのである。

赤彦にあてた手紙に節は、出来た「濃霧の歌」は「アララギ」に送るつもりだと書いたが、その「アララギ」は、蕨真が発行名義人となって郷里の埴岡短歌会から発行された「阿羅々木」創刊号のことである。そして事実節は、歌が出来るとすぐに蕨の手もとに郵送したのだが、創刊号は二十二日に締切りが終っていて間に合わず、「阿羅々木」

創刊号には、結局節が旅中の野沢温泉から左千夫に送ったハガキが掲載されるにとどまったのであった。「濃霧の歌」が「日本」に発表されたのはそのためで、この連作は、改めて四十二年一月一日発行の「阿羅々木」二号に掲載される。

五

節はさきの九月二十日附けの赤彦あて手紙の中で、旅中一首の歌も出来なかったと書いたが、そのあとに、自分の頭が妙に変ったのは文章を書きはじめてからだと、話題を写生文に移し、「写生文は一は材料なりと虚子君は申され候　其材料を得るためには小生は筆の努力の外に身体に苦労を掛くることを厭はず、今年の如きもわざわざ秋山まで参り候　予期に反するは人生の常態なれば思ふ程にも非ず候へ共、数月の後には必ず一篇を綴り得むかと存居候」と書いた。

秋山峡谷に行ったのは、あきらかに写生文の材料をさがしに行ったのである。しかし節が考えていたほどの好材料は得られなかったことがこの手紙からうかがわれ、事実このときの旅を題材にした写生文は出来なかった。しかし節の旅が、取材が目的だけの旅でないこともたしかで、ひらたく言えば、節は旅がおもしろいから出かけるのである。はじめて見る山河の形、木木のそよぎ、鳥の声、そして素朴な人間とのめぐり合いは、節をもろもろの鬱屈から解放する。

不調に終った縁談、借財を抱える家、文学仲間の軋轢。秋の日を斜めに受けて、異郷の峡谷の底を行くとき、節はいっとき背後に残して来たそういう煩いを忘れている。心はつぎに何が現われるかという期待だけにはずんだ。山久の小旦那として、ふだんは抑制を強いられている女性への関心も、旅先では解放されて、鄙には稀な美人に出会ったりすると、節は手ばなしで礼賛せずにはいられない。切明温泉で書いた岡麓あての手紙に、節は「両三日間此渓ニ祭アリ青年ノ本能ヲ満足セシメ候」と書いた。

今度の秋山行は、そういう旅に終るかと思われたのだが、旅の最後になって一連の短歌作品を得たわけである。

十月二十五日になって、節はまた赤彦に手紙を書いた。

「小生の連作は其後自ら甚だ或物の不足を感じ申候　左千夫君は熱乏しと申候　小生は何となく力の足らざるを自覚致候　捉処なくぼうつとした或物が現はし足らず遺憾に有之候　鳥の声の如きそれに候　あれが隔世的にぼうつと現はれねば駄目に候」と記し、脱稿したときは「喜悦禁じ難く」ハガキにも書いたが、児戯にひとしいことをしたものだと、うってかわってしきりに反省の言葉をならべた。

さらにつづけて「左千夫君は小生の霧の歌の如きも遥かに時代後れにして、近来の佳作には及ぶこと遠しと申され候」と書いたのは、左千夫はその後節に会ったとき、「濃霧の歌」について、直接な言葉で、ほめるよりはけなしたのである。

そして左千夫がこの歌を時代遅れと批判したとき、その批判の中身は一連の作品に現われている万葉的な雰囲気、直接には「群山の尾ぬれ」、「天つ霧」、「久方の天つ狭霧」

「大和田」などの万葉的語彙を指していたはずである。作者の節に言わせれば、榛原の平で出遭った霧の全景をとらえるには、おのずからこの種の重い表現を必要としたということかも知れず、また万葉が好きな茂吉は少しもそれを咎めてはいないけれども、しかし評者の眼によっては、ことに左千夫からみれば、節の中に、すでに卒業したはずの万葉の残滓があって、それが不用意に出て来たと見えたかも知れない。

　たしかに、従来の節の作品からみると、力感あふれる連作ではあるけれども、「濃霧の歌」全体が、いささか古めかしい色を帯びることは否めないのである。左千夫のその指摘は、節にはかなりこたえて、赤彦へのその手紙の中で、「阿羅々木」の歌を批評したあとに、「殊に小生は作歌に遠ざかり、時代後れに候へば申すこと歯も立たずと存候へ共」と、もう一度時代遅れを繰り返している。

　しかし左千夫の批判、節の落胆にもかかわらず、節はこの一群の作品でも、節自身が言う「作者の主観が濃く又は薄く」現われるべき表現を作品の上に試みているのであって、たとえば「ゆゝしくも見ゆる霧かも倒に相馬が嶽ゆ揺りおろし来ぬ」、「相馬嶺は己吐きしかば天つ霧おり居へだゝりふたゝびも見ず」といった作品は、旧態の素朴な写実的作品からは、はるかにへだたったところで制作されているのである。

　ことに赤彦への手紙に、「捉処なくぼうつとした或物が現はし足らず」と言い、「うつそみを掩ひしづもる霧の中に何の鳥ぞも声立てゝ鳴く」を指して、あの鳥の声が隔世的にぼうっと現われなければだめだ、と言っているのは現象の背後にあるものにすでに気づいているのである。気づいていて、まだ表現がそこまで及ばないのをもどかしがっているのである。写生の極致に現われて来るべき象徴の世界を、節はいまや紙一重のところで手さぐりしていると言ってもいいだろう。

節のその詩精神の新しさ、茂吉がのちに批評したように「近代人の持つ心の鋭さ」をふくむために、「濃霧の歌」一連十五首は、万葉ふうのやや古めかしい衣裳をまといながらも、一首一首が微妙なひびきをかわし合い、茂吉が言う交響楽に似た重厚で大きな雰囲気を醸し出すことになったのである。

節は旅行前の六月に発行された、三井甲之主宰の「アカネ」第一巻第五号に、「暮春の歌」十一首を発表した。

すがすがし樫がわか葉に天響(あまひび)き声ひゞかせて鳴く蛙かも
車前草(おおばこ)の花がさかむとうれしとて蛙は雨にきほひてや鳴く
蛙らは皆塗り込めの畦越えて遠田こち田と鳴きめぐるらし
やはらかに茂き林が梢よりほがらほがらと春は去ぬらむ

五月のはじめころ、雨の日にふと興を誘われてつくったというその歌は、さほどに目立たないおとなしい作品だったが、ここでも眼に見えるだけの自然を詠み取るのに汲汲(きゅうきゅう)とした、かつての痩せた表現は姿を消し、節は自由に想像をたのしみ、その主観的な部分を自在に表現の中にうたいこみながら骨格のしっかりした作品を生み出すことに成功しているのである。節は観念を歌に取りこむことを、さほど恐れなくなっていた。

その傾向は、「濃霧の歌」にもひきつがれて、節は客観写生歌の道を歩みながら、その途上に一歩一歩と、自分の歌を完成しつつあった。

それとはべつに、「濃霧の歌」についてくどいほど反省の言葉をならべた十月二十五日の赤彦あてのその手紙は、奇怪な部分をふくむ手紙でもあった。それは節が、左千夫が富士見高原歌会で詠んだ歌「秋草のしげき思ひをいひがてにまつはる露を手に振り落す」を、執拗に攻撃していることである。

その歌は、歌会の席上でもわからない歌という批判が出て、左千夫は左千夫でまた、自作に対する批判を容易に受けつけるような人間ではないので、例によって、この歌がわからないようではだめだと高飛車に出て物議をかもした作品だった。

赤彦への手紙の中で、節はこの歌をとりあげ、この歌には閉口したと書いた。「小生は分らぬ歌と申候処、それは小生の解釈力の欠乏せるなりとの論に帰着致候」と言っているところをみると、節自身、この歌については左千夫に直接不満を言ったのである。

だがそれはいいとして、節は赤彦にむかって、「何と申しても小生は不服に候」といって、その不服の理由を、延延とかつ執拗に箇条書きにして示すのである。最後には「どちらにしても上下掛け合はぬ歌なり、妖怪的の組織なり」と、興奮のあまりか左千夫的な言い回しまで援用して、「秋草の」の歌が一首の歌として首尾がととのわない作品であることを強い調子で指摘する。そして、「如何なる作者も言語の意義だけは、吾々国民の間に於ける自然の約束に従はざる可からず、白は到底白にして、黒は到底黒なり」とまで書いた。左千夫の頑として他人の批判を受けつけない態度に、かなり正直に腹を立て、これまでになかったほどに苛立っているのである。

節はつづけて、「大兄も分らぬ由申され候趣承知致し候故申述候　左千夫君には近来此の如きものあるを嘆ぜざる不能、しかも頑として他人の言に耳をかさず候　大兄は富士見の会に於て納得致され候由なれど、全く心よりに候や、小生は不思議に不堪候」と書き、左千夫は「阿羅々木」の歌に傑作が多いと言っているが、自分からみれば「近来の歌は爺むさくてスカリとした秋天」のような歌は一首も見あたらない。このへんも左千夫と自分の著しく意見が違うところだと、執拗に左千夫にからんでいる。

左千夫が、節の「濃霧の歌」を時代遅れだと言ったという言葉は、このあとに出て来るので、節の左千夫批判は、かなりの自信作を時代遅れという致命的な言い方でけなされたことに対する、強い反発を含んでいることは間違いないのだがそれだけではない。

これまでも左千夫は、節の作品に対して大ていは頭ごなしのずばりとした批判を浴びせて来た。それに対して、節はいったんは反発を示すけれども、左千夫の批判は、一見乱暴な言い方の中に不思議にツボを押さえた真実を含んでいるので、節は反発しながらも、その批判を消化し、超えることで自分をのばして来た。要するに受けいれるにしろ、反発するにしろ、節はそういう左千夫との交際に影響されながら、歌人として成長して来たのである。

だが今度の赤彦にあてた手紙には、二人のこれまでのそうしたパターンとは異なる、節の左千夫に対するほとんど敵意に近い感情が吐き出されているのである。二人の間に、いったい何があったのだろうか。

六

熊狩りの話を聞かせる老人や、歌が好きで、朝から晩まで「大工さんより木挽さんが可愛いかたい木の中ひきわくる」と歌っている、山猿のような顔をした坑夫の娘がいる秋山峡谷の村村から、節が国生の家にもどったのは九月十五日である。一通の手紙が、節を待っていた。

それは左千夫から来た長文の手紙で、節が山峡の村に旅立つのとすれ違うようにして、留守の家にとどいたものだった。手紙の前半は、節が前年に子規の遺墨を売ったことを、河東碧梧桐がはげしい言葉で非難して来た一件に関するものだった。

子規の絵や短冊は、そのころ市中では相当の値段になっていて、名古屋あたりでは短冊一枚が十円で売り買いされていた。それで、子規生前には何気なくもらって手もとにためておいた筆墨を、左千夫が茶釜を買うために節に絵を売ったり、節が左千夫を仲介にして岡麓にまとまった遺墨を売ったり、仲間うちのことではあるが、一応は市価に準じて子規の遺墨を売り買いしたのである。

四十年六月五日の節あて左千夫の手紙には、「昨夜岡をたつね候処面白いものか意外少ないなと申居候尤も今思へハ寺田君の方へよいものを抜き過きし感有之候寺田君に百円出して貰ふ訳ニゆかすやと存候如何さすれハ岡君の方ハ二百円ニなり可申それならは承知するやも知れす候」と書いているところをみると、節は寺田憲にも一部を売ったらしい。

むろん、それぞれに金が入用で売り買いしたわけだが、師の遺墨を金に換えるというのは心疚（やま）しいことだったので、彼らはこそこそとそれをやった。それが一年後に碧梧桐に洩れたのである。碧梧桐は、節が水戸中学に入学した年には、もう子規の俳句革新運動に参加している大先輩である。節は碧梧桐の非難に顫え上がった。

同じころ左千夫からも、碧梧桐からそういう話があったという知らせがとどいたので、節は狼狽のあまりに、外部に洩れたのは岡麓からではないかと疑い、麓に手紙を出して逆に不快がられたりしたのだが、結局こういうときに頼みになるのは左千夫しかいなかった。節は左千夫に、事態の収拾を頼んだ。

左千夫には、外部から非難されると、平気で居直れる度胸のよさと胆の太さがある。生前の子規をのぞけば、世の中に左千夫のこわい者は一人もいなかった。節と岡麓の間を仲介したのは左千夫だが、その取引きの中で左千夫は節に、岡からの支払分から二十五円貸してくれ、直接には言いにくいから岡に手紙を書いてくれなどと頼んでいる。どうしても買いたい釜があったのである。その手紙に、左千夫は「岡君ハ道具を売り候程故小生が釜を買うためとは申さぬ様ニ願上候」と附記した。

岡は諸道具を売り払って、節から遺墨を買うのだから、釜のことは内緒にせよという意味である。二人は岡麓にさえ、真相を秘し隠して、あくまでもこそこそと、そのころ凝っていた書画骨董や茶の趣味を満たすための金を才覚していたのである。子規の遺墨を売るのが罪なら左千夫と節は同罪で、同じ穴の狢だった。

だから、節から手紙を受け取ると、左千夫は「君は自分の欲しい物をえたさに自分の物を売つたまてゝあるそれが子規子の遺物であるからとて何も六つかしい問題てハない……それを耻と思ふも思はぬも兄君の精神一つ」だと、節にも居直りを強要した。そして、しかし碧梧桐に会ったら話してみる、と言って来たのが、八月の六日だった。

旅から帰った節を待っていたのは、その第二信だった。左千夫は碧梧桐に会って話したことを記し、ただの金欲しさや酒色のために売ったわけでなく、美術品を買うために売ったのだが、それも悪いと謗られるならそれは覚悟の前だ。長塚は別に弁解もしていないし、その必要もない。ただそのことに関して誤解があるようだから、それだけははっきりさせたいと言ったら、碧梧桐は、「それならば何も咎むるところもないが長塚には矢張り子規子が有難くなくなつたといふのも理由の一つだから面白くない」云云ということだったと書いていた。

左千夫はそれにつづけ、碧梧桐がかねて文句を言って来ている「『馬酔木』終刊之消息」の中の表現について、反復数十回も話したが要領を得なかったと言い、「碧梧桐は潔癖なら人格があると思つてるらしい碧梧桐ハ正直な潔癖な男だが人格は低い彼は馬鹿だ」と罵り、「あんな男を真面目に相手にするな」と威勢よく切り捨てていた。

子規が有難くなくなったということだという碧梧桐の言葉はやはり節にはこたえたが、とにかく左千夫が碧梧桐に会ってくれたために、碧梧桐の非難は一段落したわけだった。節はほっとしたが、そのあとにつづいている左千夫の手紙を読みすすむうちに、また憂鬱になった。

左千夫は三井甲之の問題を持ち出し、岡麓の話によると、君は僕と三井の間に立って、どちらの味方でもない公平だと言って、そのことを言うために三井を訪問したそうだが、君はそういう態度を公平と信じているのかと、詰問していた。

さらにつづけて「(節左千夫)(節甲之)の関係を同量のものと考へ居るにや僕は決して君に親友たることを強いはしない併し君と僕とはどうしても親友の関係が成立して居る……茲に君の親友を私心的に悪むものゝあつた時君はそれを見て平気で居るつもりにや(君と三井との関係の如何は知らねと)言ひかふれは僕を非常に悪む三井と若し君が親しく交り得らるゝならば、僕は最早君の親友ではない」と書き、さらにとどめを刺すように「いつでも云ふことなれと、君は天性感情に疎いからかういふ問題を平気でゐるが、かういふことを蓋をして置いて上べの交りをするとなれはどうしても虚偽に陥いることを免れない、若又君か(左千夫対三井)に就て僕に無理があると思ふなら速に僕につげてくるべきでないか、それもなくして、左千夫にも親しく三井にも親しくと思ふは無理なことではないか、僕は君の三考を望む」と記していた。

その手紙を読んだとき、節は外の井戸水で手足と顔を洗っただけで、まだ脚絆をつけたままでいた。左千夫の手紙は、最後に蕨真が上総埴岡で雑誌を出すというので相談があったこと、それは自分から言いだしたことではなく、協力はしなければならないが「アカネ」に対抗する下心があるわけではないから、誤解されては困る、そのつもりで節にも協力してもらいたいこと、九月号の「ホトトギス」に小説を書いたことなどが記してあったが、節はその部分は流し読みにした。

読み終った手紙を手にしたまま、節は庭に眼をやった。そのまま茫然と庭を見つめた。旅の疲れとはべつの、夥しい疲労感に襲われていた。障子をいっぱいにひらいた部屋の外には、まだ夏の猛猛しさを残す日射しが溢れていて、薄い苔が這う庭の土を灼いている。大きなやんまが、その日射しの中をついと横切って、薄暗い木立の中に入って行ったのが見えた。

奉公人たちは、畑に出ているらしく、家の中は森閑としている。ただ、奥の部屋に来客があるらしく、時おり父の源次郎の笑い声が聞こえて来る。節がいつも、何となくうさんくさい感じを抱く豪快な笑い声だった。

廊下に足音がして、母のたかが部屋に入って来た。

「おや、まだそんな恰好をして」

たかは咎めるように言って、はこんで来たお茶を節の机の上に乗せた。

「着換えないと、疲れがとれませんよ」

「すぐ着換えます」

節は、左千夫の手紙を巻きもどした。

「お客さんは、どなたですか？」

「水戸の方ですよ」

「……」

「議会のお仲間だそうですよ。これから東京においでになるのだそうです」

節の顔にうかんだ危惧を打ち消すように、たかは言った。節は、父の客というと金貸しを連想せずにはいられないのである。

「伊藤さんのお手紙は、何のことでした？」

「例の歌のことです」

節はそっけなく言ったが、あまりにそっけない言い方に気がさして、つけ加えた。

「埴岡の蕨君が、また雑誌を出すのだそうですよ」

「おや、まあ」

と言ったが、たかはすぐには腰を上げようとしなかった。ひと月近い旅から、日に焼けて帰って来た息子が、何か旅の話をするのではないかと思っている様子でもあった。

節が黙っているので、自分の方から言った。

「山の旅は、どうでした？」

「ええ、ま」

節は口をにごして、お茶をすすった。いつまでもそばにくっついている母が煩わしかった。一人になって考えたいことがあった。その気配をさとったのか、たかはやや不満そうな顔で立ち上がった。

「今日は、早めにお風呂をわかしますからね」

母が茶の間の方に去ると、節はまた黙然と庭に眼をやった。胸の中に、左千夫の手紙に掻き回された不快な気分が、落ちつきなくさわいでいる。奥の客座敷から、また父の豪快な笑い声が聞こえて来た。

——これが、おれの家だ。

と思った。すでに山のような借財を抱え、その上になお、父が新しく借金をつくりはしないかと、絶えず怯えに似た気持で父を監視しなければならない家。早晩、何とかして家計の建て直しをはからなければならない家。そして、その家をつぐべき節自身は、三十になってまだ嫁をもらうあてもなく、膝を抱いて家の中にうずくまっているのである。それが国生の豪家、茨城県議会議長の家の実態だった。その家を世間の眼から守るだけで、節は時に疲労困憊する。

——そのおれに……。

この上いったい、どうしろと言うのだ、と、節は左千夫に対して、ふと勃然とした怒りが湧くのを感じる。

左千夫と三井甲之の仲がうまく行っていないことは承知していた。だが、節はべつに甲之と仲違いしているわけではなかった。そういう節からみれば、左千夫と甲之が喧嘩するのは二人の勝手である。にもかかわらず、おれをとるか甲之をとるかと選択を迫って来る左千夫の言い分は、節をその喧嘩の中に巻きこもうとしているとしか思われなかった。左千夫はどうして、おれを静かに一人にしておいてくれないのか、と思った。

左千夫と甲之の間は、お互いに底意を隠した和解という形をとったにしろ、ともかく「アカネ」の発刊に漕ぎつけ、その創刊号に左千夫は短歌「恋の籬」二十二首、「二葉亭氏の『平凡』」を載せた。一応は甲之に協力する形ですべり出したわけである。

だが発刊間もなく、甲之は信州の「比牟呂」の歌人たちとはやくも軋轢を起こしたらしく、左千夫は二月二十三日の篠原圓太あての手紙に、「三井という男厄介な男に候小生も実ハ殆といやに相成居候へとも暫く吾根岸歌会の為めに忍ひ居候……根岸歌会の名でやる以上は三井の一存ニはさせ不申候」と書いた。

「アカネ」の創刊号には、短歌、詩、俳句、評論、岡麓の小説「年の関」、間宮黄庭の写生文「鮪網」、左千夫選、節選の課題短歌などが載ったが、ほかに広瀬青波の「ショパンの恋日記」(翻訳)、「最近に死せる仏国詩人界の巨人シュリーブリュードン氏に就て」、増田八風の「夜の歌(ニイチェ)」(翻訳)、「ツァラトウストラの由来と制作当時ニイチェの作品」、ほかに増田八風の訳詩「少女」(ベッベル)、三井甲之の訳詩「歓迎哀別」(ゲーテ)が載った。

また、増田八風、近角常音、三井甲之の三人による批評欄、「最近の小説及脚本」、「新年諸雑誌の短歌新体詩小説」という新機軸の読物もあった。

左千夫は、甲之が言ういわゆる「売れる雑誌」のこういう内容をじっくりと凝視したに違いない。それはいかにも才気溢れる甲之の編集らしい、旧「馬酔木」からみれば面目を一新した雑誌だった。しかし、左千夫は以前にも甲之のゲーテの翻訳を読んで感心していたし、また観潮楼歌会から刺戟を受けて、ゴーリキーなども読むようになっていたから、翻訳物や外国文学を論じる評論が載っても、さほどおどろきはしなかっただろう。甲之に編集をゆだねたからには、「馬酔木」の後継誌がこういう形で出て来たことも致方なかった。

ただ左千夫は、これが根岸短歌会発行の雑誌かとは思ったに違いない。根岸短歌会というものに対しては、左千夫にはほとんど固陋なほどの思い込みがある。根岸短歌会は、故子規の短歌革新の精神を継承し、実現して行く機関だという考え方である。その点で、「アカネ」の方向は、左千夫に深い疑念を抱かせるものだった。

おそらく、甲之の独善的な歌稿の採否を訴えて来たに相違ない篠原にあてた、さきの左千夫の手紙の背後には、「アカネ」に対するそういう懸念が窺われるのだが、左千夫のその懸念は、「アカネ」第一巻第二号ではやくも裏書きされる。甲之は、その号に載せた「空想文学を排して日本派の将来を論ず」という評論の中で、子規系の「日本」派の文学を論じて「吾々は現時の有様が正岡子規氏の文学の当然発展すべき路を歩み居るか否かと顧みる時、吾々の信ずる所を披瀝すべくば只否と答ふるのみである」と書いていた。

甲之は「アカネ」創刊号の「消息」にも、過去四十年の明治文壇で、真に革新され完成されたものは子規の俳句研究だけだが、その子規も短歌は研究の端緒をひらいただけだったと記し、「同氏の重病は進んで文学一般の研究及創作に従事するを許さざりし事情も有之吾人は新たなる用意と決心とを以て我国文学の中心たる和歌の研究を中心とし進んで長詩小説戯曲に向つて確実なる歩武を進め度候」と宣言している。

その「消息」に今度の論文を重ねてみれば、甲之が子規の文学革新を継承発展させるものはわれわれひとりと自負していることがあきらかだった。その自負をよしと認め、また甲之の子規崇拝を疑わないとしても、発行された「アカネ」が子規の文学における理想を具体化したものだと言われると、左千夫は啞然とせざるを得ない。

左千夫に言わせれば、「アカネ」の誌面は単純に三井甲之の独善的な文学の好みを表現しているだけとしか見えないのだが、現実にはそこで、子規の理想を実現するという大義名分が使用されているのである。

左千夫には耐えられなかったろう。そのころから左千夫はあちこちに甲之と「アカネ」に対する批判を書き送るようになる。「アカネ」への寄稿も、つぎの第一巻第三号に、短歌一首、新体詩「春の歌」を発表しただけで、六月になると選歌もことわり、あとはぷっつりと縁を切った。

左千夫は五月八日に信州に行き、歌会をひらいたり、「アカネ」問題を話し合ったりしたが、信州から越後にむかう途中、善光寺から寺中生の匿名で甲之にあてた非難の手紙を出し、「さて此頃のアカネはいやに相成候甲之先生は人に教ふる態度や宗匠的態度はイケナイ〳〵と言ひながら和歌入門などゝは何事に候や、吾々は不幸にして甲之先生の歌は百首とは見不申候それで早く宗匠ヅラは何事に候や」と書き送った。

姑息な手段というべきだが、左千夫は信州の歌会で「萌黄さす桑の家居にはしけやし越の少女や人待つらんか」と詠み、越後安田から節に出したハガキにも「茲は柏崎北方二里の在である何の為に茲へ来たかと問ふ勿れ」と思わせぶりなことを書いたように、そのころ岡村チカと恋をしていたのである。その恋人をたずねる越後行きの旅の途中で、甲之に匿名の手紙を出さずにいられなかったというのは、甲之に対する敵意が、常時頭をはなれなかったということかも知れない。

だが、甲之も左千夫の批判に負けてはいなかった。「アカネ」は毎号外国の詩や小説の翻訳を載せるのを特色のひとつとして掲げるようになり、増田八風はゲーテの詩を、広瀬青波はメーテルリンクの詩を訳し、やがて青波訳のフローベルの「マダム・ボヴァーリー」、「舞踏会」、「妻」、八風訳の「星流る」、もっと後には狭野茨園訳のルネ・バザン「樵夫の歩」、ゴンクール「恋」、「ラ・テール・キ・ムール」なども掲載するようになる。旧「馬酔木」から、足早にはなれて行ったのである。

同時に、左千夫の批判に応酬するように、たとえば左千夫の「隣の嫁」と節の「芋掘り」を取り上げて「この二篇の恋は肉慾より余り遠くない。発達しない、幼稚な、浅薄な一時的なものとしかとれぬ」と酷評したり、また同じ「アカネ」第一巻第四号の中の

「消息」の中では、左千夫の小説「春の潮」について「新時代の小説を作らむには必ず相当の修養必要と存候。ホトトギス四月号の左千夫氏の春の潮の如き作に接しては一層此感を強く致し候」と、左千夫の無教養ぶりを指摘するような文章まで書いた。節は甲之の「芋掘り」評について、岡麓に「我々の書いたものは、肉慾だといふがそんなことは平気なものである。男女の通ずる処を此次には書く積だと申候……縦横にやるがよろしと存じ候」と書いてあまり気にしなかったが、自信家の左千夫はかなり気分を害したかも知れない。

そういう対立が、左千夫選の名前で「アカネ」に送った堀内卓造らの歌稿を、甲之がわざと無視して載せなかったり、子規七年忌記念歌集の予告を、「アカネ」の「消息」に出してくれという左千夫の申込みを、根岸短歌会の名前で歌集を出すのに、その名称で雑誌を出す自分には一言の相談もなかったのだから、予告を載せるわけにはいかないと甲之がはねつけたり、いちいち小さな反発を生み出すことになって、左千夫対甲之の間は、泥仕合に似た険悪な状況になっていたのである。

その対立が頂点に達し、「アカネ」に対抗する新雑誌の発行が具体化して来た段階で、左千夫は長文のその手紙で甲之と手を切れと、節に迫って来ているのだった。

親友ならそうすべきだという左千夫の言い方は、理にはかなっているけれども、現実に甲之との間に何の蟠り(わだかま)もない節から言えば、一方的な、言っている人間が左千夫でなければ、ほとんど脅迫的とも受けとれる言い方に思われた。そう思うのは、節の気持の

も知れなかった。中に、甲之だけが悪いわけでなく左千夫にも悪いところがあるという見方があるからか

節の手文庫の中には、七月十一日に甲之から来た手紙がある。それは歌集予告のことを斡旋したり、とっくにバレてしまった左千夫の匿名のハガキのことを弁解してやったりした節に対する手紙だったが、甲之は「歌集ノコト今度消息欄ニ書クベシ」と、素直に節の調停を受け入れていた。

つづけて甲之は、「一、従来ノ感情ヲ一掃候トテ左千夫氏ガ他人ノ人格ヲ尊重スルヲ知ラザル間ハ左千夫氏ト交際出来不申候　又匿名ノ葉書トイヒアンナ人ト交際シ居ルトドンナ目ニ逢ハサル、カ不知今ノウチニ用心致居可申候　一、小生ハ歌集出版ガヨイノワルイト云フニ非ズ又渡リヲツケタツケヌナドイフコトニアラズ　左千夫氏ノ言行ハ小生ヲ侮辱シタルモノト認ムルニ候　小生今ヨリ左千夫氏ノ如キ人ニ侮辱サレテ黙シテ居ル位ナラバ死ンダ方ヨロシク候　少シハ意気モ有之魂モ有之候　旅中匿名ノ葉書ヲ出ストイフ如キガ大兄ノ言ハル、如ク無邪気トハトレズ候　小生モ左千夫氏ト交際シテ四年余ニナリ候故少シハ人物モワカリ候　ツマリ左千夫氏ト交際スルノハコハクナツタ故ニ候……人格ヲ侮辱サレテ沈黙シ居ル如キハ小生ニハ不可能ニ候」と激しい言葉を連ねていた。

甲之のその気持は、節にはよくわかった。左千夫を知らなければ、誰だってそうなるとも思う。長年交際して来て、左千夫の言う「どうしても親友の関係が成立して居る」

ある。

節にしても、左千夫の傍若無人な言い方にはかなり苦しめられた。左千夫の言い方は、時に節の自尊心を粉ごなに打ち砕く。節の左千夫に対する気持の中には、そこから来る愛憎二通りと言っては言い過ぎだが、八分二分ぐらいで、二分の左千夫に対する蟠りがある。

ただ節は、その二分の不快な蟠りを左千夫に対する憎悪ではなく、左千夫との間に距離を保つことに置き換えて来た。甲之の言い分は、節の気持の中のその部分にぴたりと重なるのである。

ただし節は、子規の同門であるという、左千夫との関係であると同時に、歌人として挽って立つ動かしがたい一点と、いまひとつは、左千夫の言行の多くが、おどろくべきことに、年下の自分も持たない一種の無邪気さから出て来ることを理解するために、左千夫に対するその種の感情を制御出来たのだが、そのどちらの要件も持たない甲之が、一途に感情を激化させるに至った成行きも理解出来た。

甲之に同情はするが、同調は出来ないことは自明なことだったが、しかし、だから手を切れという左千夫の言い方も、一方的で不快だった。いずれ左千夫とは直接話し合わなければならないだろうと思いながら、節はやっと手をのばして足の脚絆を解きはじめた。一人にしておいてもらいたいなら、たとえば碧梧桐のことを左千夫に頼んだりすべきでないことは、節にも十分わかっていた。

だが、すぐにもそれとわかるような匿名の手紙を出したりする愚行を演じながら、左千夫は根岸短歌会は、子規を継承発展させるための組織だという骨格のところをしっかりと見据えていたのであり、「馬酔木」の後継誌「アカネ」で、それはさしつかえないではないかという節の見方は甘かったのである。それはそのまま三井甲之に対する見方の甘さにもつながっていた。

七

十月二十二日に、節は上京して、虚子の居宅でひらかれた文章会に出席した。むろん左千夫も同席していたので、会が終ったあと二人は連れ立って神田今川小路の岡麓の家をたずねた。

麓は六月のはじめごろ、節にあてて「あゝ苦しい〳〵、自分で自分の咽頭をしめてゆくやうなその日〳〵をおくつてゐる。人間は借金をしてはたまらん」と、麓の悲鳴が聞こえるような手紙を書いてよこしたが、彩雲閣書房の経営はその後もさほど好転せず、元気のない顔で二人を迎えた。

三人の話は、麓のグチ話にほかの二人が相槌を打ったり慰めたりという、不景気な話からはじまったが、麓の妻女がお茶を出してひっこみ、話題が彩雲閣で発行している「アカネ」に移ると、雰囲気は微妙に変った。

左千夫は、突然に甲之の悪口を言いはじめ、やがてその眼を節にじっとむけた。

「その後、君の気持は固まったかね？」

と左千夫は言った。節はおどろいて左千夫を見た。何のことかわからなかった。

「何のことかね？」

「三井と手を切ることだよ」

左千夫は分厚い眼鏡の奥から、またたきもしない眼を節にむけていた。左千夫の口辺はいくらか笑いに崩れていて、そういう顔をすると左千夫の顔はちょっとした悪党づらに見える。

左千夫の執念深さに、節はおどろいた。（節左千夫）（節甲之）を同量の物と考えるのかというはげしい手紙をよこした左千夫は、節が帰宅したあと間もなく、新しい手紙をよこして、長文の手紙を読んだと思うが、あれは一時の興奮とみておいてくれと言って来た。その新しい手紙を読んでから、節は一度上京して左千夫に会ったが、それとなくその話を出しても、さほど気にかけているそぶりは見えなかったのである。

節はあっけにとられて言った。

「あの話は、一応片づいたのじゃないのかね」

「冗談じゃない」

左千夫は吐き捨てるように言って、そっぽをむいた。

「僕はずっと、君がどう言って来るかを待っていたのだ」

「……………」

節はうつむいた。陰険な言い方だと思った。顔を上げて言った。

「それなら言おう。なるほど僕は君とは親友だ。この関係は切って切れるものではない。それはわかっているが、だから僕にも三井と喧嘩しろというのは無理じゃないのかね」

「そうか。僕は無理とは思わん。当然そうあるべきだと思うがね」

「そういうところが君と僕の考え方が違うところだ。三井はただ、感情的になっているにすぎないよ。悪人というわけじゃない。それに、手を切れと言われても、僕はそれほど三井と親しくしているつもりはないんだ」

「伊藤の誤解だよ」

そばから麓がうんざりしたように口を出した。岡麓も、そういう人間関係のいざこざは苦手で、ひと月ほど前によこした節への手紙には、「根岸人間つまらぬことのみ多くいやになるばかりに候……イモノ師ありゴロツキあり宗匠ありサギシの玉子ありムカツ腹立てあり愚痴のみいふものあり曰く何曰く何……」と書いて来ていた。

「三井は要するに若いだけだよ。若いのが感情に走るのはあたりめえのことさ。それを相手にしてもつまらんだろう」

「君は黙っててくれないか。僕は長塚に談判してるんだ」

左千夫は険しい眼で、麓を見た。そして、その顔を節にむけた。

「そんなに親しくないと言ったが、君は三井とずいぶん手紙をやりとりしているそうじゃないか。そうかばうところをみると、三井との間に、何か彼をかばわなければならないような事情でもあるのかね？」

「ひどい言い方をするじゃないか。そういう妙な疑いはやめてもらいたいな」

「君があまり優柔不断だから、疑いたくなるんだ」

「………」

「長塚君、これだけはおぼえておいてもらいたいね」

左千夫は、眼鏡の顔をぐっと節に近づけた。口もとの笑いはもう消えていて、左千夫はほとんど怒気を帯びた形相になっていた。

「三井は根岸短歌会を乗っ取ったんだ。我我が先生の弟子なら、ともに天を戴ける男じゃないよ」

「それは少し、言い方が大げさじゃないのかね」

「大げさじゃない。僕は事実を言っている」

左千夫は大声を出した。それから、その大声を恥じたように、太い首を回して奥を窺ってから声を落とした。

「言っておくが、君の三井を見る眼は甘いよ。そのことはこれぐらいにするが、いずれはっきりした返事を聞きたいね」

「………」

「それから、ついでに言っておくが、君の『濃霧の歌』はちっと時代遅れだな」

「時代遅れ？」

節は左千夫を見た。突然の非難に呆然とし、ついでみるみる顔から血の気がひくのを感じた。節は真青になった顔で、静かに言った。

「そうか、時代遅れかね」

「そりゃ、少し言い方がおかしいんじゃねえのか？」

見かねたように、横から麓が口をはさんだ。麓はめずらしく気色ばんだ顔色で左千夫を見ている。

「僕は時代遅れとは思わんな。いい歌だよ。君だって、この間の『日本』でほめたじゃねえか。いまごろになって、そういうことを言い出すのはどういう了見なんだ」

「いや、また読み直してみたんだ」

左千夫はまた薄笑いをうかべた。眼鏡の奥の小さな眼も笑っているが、その眼をじっと節に据えたままだった。麓の方を振りむきもしなかった。節の脳裏に麓の手紙の一節がうかんで来た。根岸人間つまらぬことのみ多く……イモノ師ありゴロツキあり……。

「読み直して欠点がわかった。最近の歌は、みんなああいうところを通り過ぎたところでつくられているんだよ。いまどき、ああいう古い感じで歌をつくっているやつはいない」

「具体的に言ってくれないか？」

節は鋭く言った。一たんさがった頭の血は、今度は逆流して湯気が立つほど頭が熱くなっている。眼がくらむような怒りにうながされて、節は言った。

「どういうところが時代遅れで古いのか、言ってもらいたいな。遠慮はいらないよ」

よ」

「それは、考えれば君にもすぐにわかるはずだよ。なに、明明白白の事実なのだ」

左千夫は薄笑いの顔のままで、とどめを刺した。

「そういうことを、いちいち言わなきゃわからんところが、君のまだだめなところだよ」

癒しがたい暗い失望感と憤怒をかかえたまま、節は国生の村に帰った。憤怒には、甲之との仲を疑われたことと、作品をけなされたことがごっちゃにまじり合っていたが、どちらかと言えば、作品をけなされた怒りの方が強かった。左千夫は、いつも節が二句をつげないような形で、手ひどい批評をくだすことが多いのだが、今度はとくに念入りにそれをやったわけだと、節は思った。

気持の中のその波立ちがおさまらないうちに、節は赤彦にあてた、左千夫の「秋草の」の歌を攻撃する手紙を書き、さらに甲之のことに触れた手紙も書いたのである。

「小生は今回上京、はじめて左千夫君に猜忌の眼を以て見られつつありしことを発見致し候　而して不少不快を感じ申候……左千夫君は意外に神経家に有之候　大兄にも其お積にて御交際可然と存申候　小生は此間の不快なりし事実も忘れて、左千夫君と交際する覚悟に有之候」

それに対して赤彦から返事が来ると、節はまたそれにも長文の手紙を書いたが、その手紙を書き終ったあとに、いつものように、左千夫に対する静かな許容ともいうべき気分がやって来た。

それは十一月も末近くなったころの深夜だった。障子の外に、木木を鳴らして吹きすぎる木枯しの音がしていた。その音を聞きながら、節は左千夫がよこした古い手紙の一節を思いうかべていたのである。それは「謙遜は飽まてせねばならぬなれと見識の上には常に一歩を進めて居つて貰はねはならぬ君とても僕とても学文といひ才気といひ知識といふ点に於ては小学の教員にも及はぬのである併しなから一種の天品と偉人の教化とに依り異様の発達を遂げ詩といふ一道に就てハ天下何物の上にも立つて恐るゝの念なき境遇に居るのである故に僕は君の製作及び批評に就てハ深く自ら重して貰ひ度い」というものだった。

偉人というのは子規のことだった。そして二人は子規の膝下でお互いの「一種の天品」を認め合った仲だったのである。左千夫は依然としてわかち難く結ばれた親友だった。

だが、左千夫との間に、以前に増して深い距離が出来た感覚は、容易に消える気配がなかった。その暗い裂け目を、節はじっと見つめた。歌のこともわからなくなっていた。寂寥感に襲われながら、節は墨をすり直し、寺田憲にあてて手紙を書いた。「今年は冬のいたることはやく、霜のために楓葉はおほく害せられ候　愛宕の岡の紅葉は如何に候や……障子の外に凩（こがらし）の音をききつつ、小生失意のことのみ多く候」と書きながら、節は時折り筆をやすめて、外の闇を走る風の音を聞いた。

暗い耀き

一

左千夫への不満を訴えた島木赤彦あて往復書簡の最後の一通に、節は「比牟呂」に掲載する短歌作品を附記した。「秋雑詠」と題した八首である。

葉鶏頭（かまつか）の八尺（やさか）のあけの燃ゆる時庭の夕はいや大いなり
久方の天を一樹に仰ぎ見る銀杏（ちち）の実ぬらし秋雨ぞふる
秋雨のいたくしふれば水の上に玉うきみだり見つつともしも
こほろぎのこもれる穴は雨ふらば落葉の戸もてとざせるらしき
鬼怒川は空をうつせば二ざまに秋の空見つゝ渡りけるかも
鬼怒川を夜ふけてわたす水棹の遠く聞えて秋たけにけり
稲刈りて淋しく晴るる秋の野に黄菊はあまた眼をひらきたり
鵯（ひよどり）のひびく樹の間ゆ横さまに見れども青き秋の空よろし

この歌を赤彦に書き送ったのは十一月十二日だったが、節はこのあとにも歌が出来た。

「馬酔木」系歌人の拠るべき短歌雑誌「阿羅々木」は、十月十三日附けで創刊されていたから、発表をのぞむならその歌は「阿羅々木」に送ればよかった。発行責任者になっている蕨真は、喜んでその作品を次号の「阿羅々木」に載せたろう。

だが、節はそうしなかった。岡麓に葉書を書き、秋冬雑詠十五、六首が出来たが、国民新聞に掲載したいので、虚子に話してくれないかと頼んだ。創刊当初は平民主義を基調とした徳富蘇峰の国民新聞は、そのころには国家第一、新聞第二を方針とする与党新聞に変質していたが、虚子はその年の二月から七月まで、同紙にはじめての長篇小説「俳諧師」を連載し、ついで十月には同社に入社して文芸部を担当していた。

節はその手づるを頼ったのだが、岡麓に出したその依頼の葉書に、「左千夫君へ体裁よく致さねばなるまじくと存申候　御意見相うかゞひ申候」とつけ加えた。掲載出来るとしても、左千夫の気分を害さないようにしたいが、どうしたらよいかと岡の考えを聞いたのである。

しかし、節のこの思いつきは実現しなかった。節の葉書を受けとると、岡麓は足まめに虚子をたずねて掲載出来るかどうかを打診したが、虚子の返事は、社とも相談していずれ返事するというものだった。虚子は、以前に左千夫からも短歌掲載の依頼があったが、ことわったとも言った。

こういうことだから、九分通りはことわって来るだろう、と岡の返信は記し、また虚子に話す際に、左千夫に知れても面倒が起きないように、国民新聞に出したいというのは、自分が節にすすめたことだと言いつくろったとも書いていた。だが岡は、節のためにそういう小細工までしなければならないのに厭気がさしたらしく、その返信の最後に、「われ〳〵も内輪の小ぜりあひなんかしてゐる時ぢやない、もう三十こしてみれば、いつまでもわかい気でもあるまい。左翁の事なんか気にかけずにひろい大きい事を考へ給へ、君だからこれだけおもひきつていふ。わるくとつてはこまる」と、苛立つような文句もつけ加えていた。

岡麓は節よりもひと足先に「ホトトギス」に小説を発表していて、いまも小説を書きたくているのだが、彩雲閣の経営悪化で小説どころではなく、焦燥の日日を送っていた。そういう中でも、節の手紙が来れば、律儀な岡は虚子に話をつけてやらずにいられないけれども、傾いた出版社をやりくりする苦しみを嘗めている岡からみると、節の悩みというものが、いかにも閑人の悩みに見えて来るのはやむを得なかった。

そういう苛立ちに加えて、左千夫に対する節の不満は手紙で承知していても、今度のような小細工まで必要だとなると、岡は度が過ぎる節の小心さにも腹が立って来るのである。三十にもなって、というのは岡の率直な感想だった。

だが、節は結局その作品をどこにも発表しなかった。年を越えて、明治四十二年一月一日附けで発行された「阿羅々木」第二号には、すでに「日本」紙上に発表済みの「濃霧の歌」と、三年前の奥羽、佐渡旅行に材料をとった「旅の日記の一部㈠」を掲載しただけである。

「阿羅々木」に出せば、左千夫の批評が待ちかまえているのがわかっていた。左千夫が意識する、しないにかかわらず、左千夫は節を歌の上の好敵手とみて、全力を挙げて批判して来るのだが、節は「濃霧の歌」で時代遅れと批判されてからは、左千夫の批判を正当なものとは認めがたくなっていた。

節の気持の中には、こと短歌に関しては左千夫にもひけをとらない、ほとんど固陋なほどの自負がある。「濃霧の歌」に対する左千夫の最後の批判は、節の自負心をいったんは粉粉に打ちくだいたが、冷静に考えてみると、節にはどうしても、自分が間違った道を歩いているとは思えなかった。子規がひらいてくれた道を歩いて、自分なりにここまで来たという確信がある。

——そうだとすれば……。

左千夫とは行き方が違うのだ、と節は結論を出した。その考えは以前から胸のうちにあって、節はつとめてその考えから眼をそらすようにして来たのだが、歌に対する考え方がここまで違って来ると、その結論を出さざるを得なかった。たとえば左千夫の歌に出て来た最近の変化にも、節は注意深く眼をとめていたが、節からみればその変化の方向は容認しがたいものだったのである。二人の行き方が違って来たのであれば、作品を左千夫の眼にさらして批評をうけることには、もうさほどの意味はない。

そう思ったとき、節はむしろほっとし、長い間の左千夫の呪縛から解き放たれたようにも感じた。暗い失望感はそれで薄らいだが、自負心を傷つけられた怒りだけは根深く残った。当分、歌をつくるのはやめようと節は思っていた。

そして事実、左千夫の影響下にある「阿羅々木」と「日本」を避け、そうかと言って左千夫に敵意を燃やす「アカネ」に歌を出すほどに気持が捩れてもいず、国民新聞もだめとなると、節が歌を発表する舞台はなくなったのである。節は、間接的にはそこにも左千夫の影響が及んでいる「比牟呂」に「秋雑詠」を渡したのを最後にぷっつりと作歌を中止した。これまでそうして来たように、左千夫に対する蟠りを、二人の間に距離を置くことに置き換えたのである。

暮の十二月に、岐阜大垣の柘植潮音から来た手紙も、節のその決心を固めさせるのに影響したようだった。柘植の手紙は、左千夫の小説「浜菊」について、問い合わせて来たものだった。

その年の五月に信州を訪れた左千夫が、越後刈羽郡南鯖石にいる恋人に会うために信州から越後にむかう途中、三井甲之あてに匿名の手紙を出したことはさきに記したとおりだが、その旅のあと左千夫は直江津から船で越中伏木港に回り、そこからさらに敦賀、京都を経て大垣に行くと、柘植の家に一泊した。

「浜菊」は、柘植の家を訪問した際に柘植と家族から受けたある不快な印象なるものをもとに書き上げた小説で、左千夫はその小説を「ホトトギス」の九月号に掲載していた。しかし柘植は「ホトトギス」を読んでいなかったので、十一月になってその事実を友人から知らされ、岡麓から「ホトトギス」を送ってもらって一驚したらしかった。節に寄せた手紙に、柘植は一方的に左千夫の小説の材料にされた不快さを記し、「伊藤氏は三井氏を評して陰険冷酷の人と申候共或は夫子自ら指せる言歟とも被思候　此の如き人に近付き居る事は小生をして愈益不安と不快との域に陥らしむるに過ぎざるを自覚致さしめ候に付小生よりは今後氏に対してそれとなく一切の交通音問を断つべく決心致候」と書いていた。

柘植の手紙につづいて、翌日には岡麓からも手紙が来た。岡は「本所と竹島（柘植の住所は大垣町竹島）とはこれで一寸へだてが出来てしまひ申候　なさけなき次第に奉存候　他人へは話も出来ずいはゞ同人間にてのはづべき出来事と申ほかなく候　申までもなく小生は柘植君の中条一々尤と奉存候」と言い、つい十日ほど前に、左千夫にはこだわるなと訓誡調の手紙をよこしたのを忘れたように、「頼みとおもふ人貴兄よりほかに今はなくなり候」ともつけ加えていた。

「浜菊」の一件では、多分に自分本位な思い込みをそのまま小説にした左千夫に非があることはあきらかだった。だが、柘植がそのことで左千夫を直接非難することを避け、冷静に距離をおくことにとどめようとしている態度を、節はりっぱだと思った。

そして、そういう柘植にくらべれば、三井甲之の言い分はやはり過激だと思わないわけにはいかなかった。甲之は暮の二十四日附けの節あての手紙に、「アカネ新年号にては左千夫のアララギ巻頭の文の月並なるを論じ申候　今後いよ〳〵激烈になり可申小生は……悪人征伐を以て自己の天職と信じ猛進可仕候　悪人一人にて居ればよしそれが跳梁すると天才が死ぬ故天才のため之を折伏致度候」と、左千夫をすっかり悪人あつかいにし、義郎、三子を陥れ、自分まで陥れようとした左千夫を見のがすわけにはいかないと、相変らず過激な言葉をつらねていた。

かつて森田義郎は、追われるようにして「馬酔木」から去ったが、およそ一年後の子規三年忌歌会に出席したいと言って来た。実際には、本人は当日出席しなかったのだが、左千夫は感激して歌会の席上、みんなにはかって義郎の復帰を承認し、「馬酔木」十五号の消息欄に、「森田義郎君は正岡先生三年忌の会合に於て諸同人と和合を復旧せり、従而同君の作物『馬酔木』誌上に顕はるべし、血を分けた同趣味者は到底離難き理由あるなり」と書いた。事実義郎は、節も出席したその翌月の十月短歌会には出て来て、ひさしぶりに旧交を復活したのである。

だが甲之の場合は、森田義郎のときのように単純な和解はあり得ないと思われた。甲之の気持は、左千夫に対する憎悪で凝り固まっている。節にはそのことが気になった。節にしろ義郎にしろ、自分の非は一切認めずに他人には思い切ってきびしい左千夫の自我の強さにはうんざりし、憤慨のあまりに、歌をやめればいいんだろう、というところまで思いつめることがあるのは事実だが、その気持が憎悪にまで行きつくことがないのは、左千夫という人間を知っているからでもあったが、何と言っても彼らのつき合いの核に子規というひとがいるせいだったろう。反目はしても、左千夫の言う「血を分けた同趣味者」意識は切っても切れず、対立が破局的なものになるのを、どこかで抑制する気持が働くのである。

甲之にはその歯止めがなかった。はばかりなく左千夫を悪人と呼び、しかもその悪人退治が自分の天職だなどと言う。甲之の気持は理解出来ても、そこまで言われると節も甲之に同調はしにくくなる。

甲之が、興奮のあまりに左千夫の教養のなさを攻撃したりするのも、正直に言って節はあまりいい気持がしなかった。たしかに左千夫の書くものは、評論にしろ、手紙にしろ、誤字、脱字、当て字だらけで、文脈がはっきりしない文章さえ出て来る。だが節は、その不完全な文章で、左千夫がいかに的確に物を言い、鋭い指摘をして来たかを知っていた。左千夫の小説「野菊の墓」は、これが四十を過ぎた男が〝小説〟と銘打って世に出す作品かと思うほど、幼稚で粗雑な文章で成り立っていたが、その一篇の小説を通して流れる清冽な抒情は、誰の眼にも疑い得ないものだった。だから夏目漱石は「野菊の墓は名品です」と評したのである。

そこのところを一顧もせずに、左千夫の書くものが教養人の文章でないのを嘲り笑う甲之の態度に、節はやはり一種の不快さを禁じ得ないのである。

そういうときに節は、「君とても僕とても学文といひ才気といひ知識といふ点に於ては小学の教員にも及はぬのである併しながら……」という左千夫の手紙を思い出さずにはいられなかった。左千夫は、言うところの教養が自分に欠けていることを自覚しているのである。本人も自覚しているその弱点をあばき立てて快哉を叫ぶということになると、それはもう文芸上の争いでも何でもなく、低劣な人身攻撃でしかない、それを言う甲之自身をも卑しくすることだ、と節は思うのだった。

——二人の間を……。

一度調停してみる必要があるだろうな、と節は思った。歌をやめるということは、左千夫との間に距離を置く一番簡単な方法であると同時に、甲之とのつき合いも遠ざけるということだった。左千夫から遠ざかり、甲之とは従前どおりにつき合って行くというのは出来ない相談である。離れるなら、同時に二人から離れるべきだった。いがみ合っている二人から離れたら、きっとさっぱりするだろう。

だがそうする前に、一度は二人を和解させるために、口を利いてみたらどうかと節は思っている。それは左千夫を理解し、甲之の気持も理解できる自分にしか出来ないことだという気もした。

二

節が本所茅場町の左千夫の家をたずねたのは明治四十二年一月十二日である。節が行ったとき、左千夫は雇人の牧夫を相手に牛の手当てをしていたが、裏に回った節の姿を見ると、すぐに牛舎から出て来た。汚れたズボンの上に短か着を着て、無造作に帯を巻きつけた左千夫の身体から牛の匂いが押しよせて来た。

「よう、めずらしいじゃないか」

左千夫は腰に下げていた手拭いをとると、眼鏡をはずして顔を拭いた。ついでにひろがった襟からのぞいているシャツのボタンをはずし、首筋から胸もとまでごしごしと手拭いを使った。

空からは薄ら日が洩れて来るが、庭のあちこちに二、三日前に降った雪が残っていて、空気はつめたく乾いている。だが、左千夫は汗を掻いていた。牛の世話に精一杯の力を出していたからだろう。節は仕事をしている左千夫の姿を見るのが好きだった。微笑して言った。

「がんばってるじゃないか」

「ああ。がんばらなきゃ喰えん」

左千夫は眼鏡をかけ直し、眼鏡の奥から笑いかけて来た。人の善さそうな笑顔だった。その笑顔を見ると、節は左千夫との間にしばらく距離をおくために、甲之との仲を調停しに来たことを、つい忘れそうになる。

「何か、こちらに用でも出来たのか？」

「いや」

節はまっすぐ左千夫を見て言った。

「君に話があって来たのだ。三井の件だよ」

「ふむ」

左千夫は笑いをひっこめた。黙って節を見つめたが、すぐに、ともかく上がってくれと言った。

「手を洗ったら、僕も行く」

「仕事の方はいいのかね」

「なに、大丈夫だ。あとは若い者がやる」

左千夫はくるりと背をむけて牛舎までもどると、牛舎の中の牧夫に大きな声で何か言いつけた。それからのそのそと牛舎の西側にある井戸の方に歩いて行った。

そこまで見て、節はあらためて表に回ると、小さな冠木門から左千夫の家に入った。声を聞きつけていたらしい左千夫の妻女が、愛想のいい笑顔で節をむかえた。妻女の背には子供が三人ほどまつわりついていたが、母親に言われると大きい方から順に畳に膝をついて、こましゃくれた挨拶をした。節も挨拶を返して家の中に上がったが、いつものように、やはりどの子供が何という名前なのかは、よくわからなかった。

通された左千夫の居間にお茶をはこんで来た妻女が、戸を閉めましょうかと言ったが、節はこのままでいいですと言った。縁側の戸が一枚だけ開けてあって、そこから枯れ色の庭と雪の塊りが見えている。だが風があるわけではないので、部屋の中は寒くはなかった。左千夫のその居間は書斎と茶室も兼ねていて部屋の中には炉が切ってあり、釜の湯が鳴っていた。床の間には茶掛がかかっていて、花瓶にはいま切ったばかりのような山茶花が挿してある。そして長押には子規が書いた「無一塵」の扁額がかかっていた。左千夫はその家を無一塵庵と称しているのである。

しばらくして、着換えた左千夫が部屋に入って来た。相変らず帯のしめ方がだらしがなく、ひろがった胸もとからシャツが丸見えだったが、そのシャツのボタンは、さっき外ではずしたときのままになっている。

「寒かったら、こっちへ寄ってくれ」

左千夫は言って、自分は机の前の座布団にあぐらをかくと、炉の灰を掘り起こした。

「いや、寒くはない」

「そうか。君は若いからな」

左千夫は妻女が置いて行ったお茶を、がぶりとひと口飲むと、すぐに机の上に乱雑に積上げてある本に手をのばし、その中から一冊の雑誌を引きぬいた。ぱらぱらとページをめくった。

「いそがしいから手紙も書かなかったが、『開業医』はあまり感心しなかったな」

「そうかね」

と節は言った。左千夫が手にしているのは「ホトトギス」の新年号だろう。そこには節の小説「開業医」と、左千夫の小説「胡頽子（ぐみ）」が載っている。

節は縁側に近い席から、左千夫を振りむいた。

「どんなところがよくなかった？」

「こまかいところは、なかなかよく出来てるんだ、うん」

左千夫は眼を雑誌に近づけた。しばらく眼を走らせていたが、やがて閉じた雑誌を、机の上の本の上にもどした。左千夫は眼鏡を手で押さえて直すと、あらためて見据えるように節を見た。

「君はね、細部の描き方はじつにうまい。正直に言って、読んでいてうなったところが何カ所かあったな。しかし全体を通してみると、ちょっと首をかしげたくなる。不自然さが目立つんだよ」

「不自然かね」

節はおだやかに反問した。

「前半と後半のつづきぐあいのことだな？　あれはちょっとまずかった。僕は聞いた話を欲張って全部書いてしまったけれども、話を主人公と看護婦のエピソードにしぼればよかったかも知れない」

「そう、そう。その組み立ての問題もあるが、僕が不自然だというのはね、君。その主人公の心理、看護婦の心理のことだよ」

「………」

「男女の間にあれだけのことがあってだね。普通の人間なら、そのことでもっと煩悶があってしかるべきじゃないのかね。両者ともにだ。いや、主人公が薄情なら薄情でいいんだ、その性格が一貫していれば。ところが描かれたところでは、どうもそうでもないらしい。そのへんがどうも不自然だな」

「そうか、まずいか」

と言ったが、節は自分が割合平静なのを感じていた。左千夫が「開業医」を叩いているのはわかっているが、歌を批判されるのとは違って、腹は立たなかった。小説は、書きはじめたばかりだということがあるだろう。写生文と違って、小説はどう書けばいいのか、まだわからないところがあった。書いて活字になっていくらかわかって来ることもあったが、全体としては主題の扱い方でも、表現の方法でも不明な部分の方が多過ぎた。要するに、やっと曙光が見えはじめた段階だと節は思っている。小説のまわりには夜の暗がりが立ちこめていた。

そして、そういうことから言えば、左千夫の小説だって五十歩百歩だろうと、節はひそかに思っていた。「胡頽子」の写生の拙劣さは、読むに堪えないほどのものだったのだ。左千夫の言い方を借りれば、左千夫の小説は、節とは逆に、全体としてのまとまりは悪くないものの、部分的な描写という点では支離滅裂だと節は考えている。要するに節と左千夫は小説では同じ土俵にいて、優劣などということはまだ先の話だった。その意識が、節の気分を楽にしていた。

「友人の話を、面白がって書いてしまったのがまずかったわけだ」

と節は言った。

「つまり、小説的な配慮が足らんということだな」

「君、事実と小説は別物だよ」

左千夫はきめつけるように言った。

「話がかりに事実だとしても、君の友人というのはかなりいい加減な男だな。相手の看護婦の心理が読めてないんだよ。女は男の子供を孕(はら)んでしまっている。女にとって事態は深刻だ。だが、男はそこをわかっていないんだな。しかしながら、小説家たる君は、男と同じレベルで物を書いちゃいかんのだよ。その事実たるものをだ、いま一歩突っこんで……」

左千夫がそこまで言ったとき、部屋の入口に妻女の声がして、そのあとからやあ、やあと言いながら、男が一人入って来た。蕨真の従兄弟で、「阿羅々木」の編集を手伝っている蕨桐軒だった。

「長塚さん、おひさしぶりです」

左千夫にも節にも、丁寧すぎるほどの挨拶をしてから、桐軒は埴岡の歌人らしい素朴な笑顔を節にむけた。

「東京に、ご用でも出来ましたか?」

「ええ。左千夫君にちょっと話があったもので、急に出て来たのですが」

「東京は寒いですなあ。雪が降ったようなので、びっくりしました」

「わたしの村の方も、いくらか降りましたよ」

節と桐軒が話している間に、左千夫の妻女が桐軒にお茶をはこんで来た。妻女は左千夫のそばに膝をついて、小声で何か言った。左千夫はうん、うんとうなずいている。桐軒にみやげ物をもらったとでも告げている様子だった。

「ところで、君の方は？」

妻女が部屋を出て行くと、左千夫は桐軒に笑顔をむけた。

「もう、『阿羅々木』の打ち合わせですか？」

「いや、いや」

桐軒は手を振った。

「ちょっと買物があって出て来たのです。それはそれとして……」

桐軒は節の方にも笑顔をむけながら、言った。

「上野に降りたついでに、千駄木町に寄ったのですよ。どんな様子かと思いましてね」

「ほう、そうですか」

左千夫の顔から笑いが消えた。千駄木町というのは三井甲之のことである。節も桐軒の口から意外な名前が出て来たのにおどろいて、黙って桐軒の顔を見た。

だが桐軒は、左千夫のむっと黙りこんだ気配にも、節の気遣うような視線にも気づいた様子はなく、にこにこ笑いながら言った。

「いや、礎山（蕨真の別号）も、千駄木町の悪口には閉口しているのです。今度の『アカネ』の新年号だって、伊藤先生、茂吉、千樫両君を総なめに批判してるわけでしょ？悪意あっての批判はいかんですよ。そんなわけで、礎山も何とか伊藤先生と仲直りさせる手はないものかと、ふだんから頭を悩ましているものですから」

「……………」

「そんなわけで、ふっと思い立ってあちらに寄ってみたわけです」

「なるほど」

左千夫は頰を膨らませた。いまにも感情が爆発しそうな険しい眼を桐軒にそそいだが、どうにかこらえたらしく、今度は口もとに皮肉な笑いをうかべた。

「それで？　甲之先生のご機嫌はいかがでしたかな？」

「それがです、やっぱり腹を割って話してみないことにはわからんものですなあ」

桐軒がおそるおそる和解の話を切り出すと、甲之はいきなりはねつけるようなことはせずに、それは左千夫次第だと言った。こちらから和解を持ちかける筋合いのものではないとも言った。

「喧嘩ならとことんまでやるつもりでいます、とはじめは取りつく島もない口ぶりでしたが、話している間に、じつは虚子先生からも仲直りをすすめられていると言い出したのです」

「それは僕も知っています」

左千夫は丁寧な口調で言った。「阿羅々木」は、蕨真、桐軒ら蕨一族の資力で発行されている短歌雑誌で、左千夫らはいまはその資力に乗っかった形で短歌を発表している立場である。加えて左千夫は、個人的にも茶室の建築に蕨真の援助を頼みこんでいる最中だった。左千夫の口調に、そういう事情を意識した丁重さがあるのを節は感じる。

「僕も、虚子君に言われた」

「それで、何か先生の方にお考えでも？」

「いや、三井君の態度があのとおりじゃ、僕から声をかける余地はありませんね」

「ところが、そうでもないのです」

と言って、桐軒はお茶をすすり、これはうまいお茶だと言った。

「あなた、お茶がさめたでしょう？」

「いや、大丈夫です。大変においしいお茶です」

桐軒は茶碗を茶托にもどすと、左千夫にまた笑顔をむけた。

「三井君は、これはわたしの観察ですが、きっかけさえあれば和解してもいいというふうに見えましたよ。伊藤先生があまりに頑固だからと、二度も三度も言われました」

「そうですか。僕はこのごろは、一方的にむこうに喧嘩を売られていると感じてますがね。実際、僕は何も言っておらんですよ」

「ところが、千駄木町の方はまるで逆のことを言ってましたよ。いや、人間というものはおもしろいものですなあ」

桐軒は突然に、顔を仰向けて高笑いした。笑いやむと、桐軒は左千夫と節を等分に見ながら言った。

「とにかく、わたしが話してみたところでは、三井君はその、何と言うんですか、そうそう、かなりの被害妄想にかかっているようでしたな。話しているうちに、だいぶ軟化して来たのがわかりました」

「……」

「こちらからひと声かけてやれば、あのひとの気分はがらっと変りますよ。伊藤先生、どうでしょうか？　こっちから和解の手をのべてやるというわけにはいかんものですか」

「さあてね」

「礒山もよく言うんですが、ともかく同じ派の中で、いつまでも睨み合っているのは世間体もよくありません。根岸派の短歌のためにも、ここはひとつ先生も折れて、千駄木町に手をのべてやってはいかがなものでしょうか」

三

「あの若僧、いったい自分を何さまだと思っていやがるんだ」

桐軒を見送って部屋にもどって来ると、左千夫は荒荒しく言って、座布団を節のそばに持って来た。太った身体をむずと据えた。

「このおれに説教するつもりなら、もう少しまともな口をきいてもらいたいよ。根岸派のためだって？　三井は根岸派じゃないよ」

「……」

「大体三井のところに行ったというのが、よけいなことだ。連中、金を出しているものだから、自分たちをよっぽどの人物と思っているようだが、おれと三井を調停するには蕨や桐軒じゃ役者不足だよ」

「僕でも、役者不足かね」

節が言うと、左千夫は険しい眼をじっと節に据えた。

「どういう意味だ？」

「どういう意味もないよ。僕は今日、じつはその用で来たんだ」

「やめとけって」

左千夫はそっぽを向いた。

「君はまだ、三井という男がわかっとらんらしいな。あんなのと仲直りしてどうしようと言うんだ。ほっときゃいい」

左千夫はきびしい口調で言ったが、不意にその声も顔の表情もだらしなくゆるめると、お児ちゃん、奈々ちゃんと呼んだ。

「寒くないかね。雪はつべたーかないのか」

節が振りむくと、いつの間にか縁側の外に左千夫の子供が二人来ていた。植込みのそばに残っている雪でままごとをしているらしく、こちらにむけた小さな臀が二つ、ひょこひょこ動いている。二人とも、赤い花柄の着物を着せられて着膨れていた。

父の声が耳にとどいたらしく、小さい方の子供が振りむいて立ち上がると、よちよちと寄って来て縁側につかまった。小さいので首から上だけしか見えないその子が言った。

「わたえのかんこ、おこちゃんのかんこ」

子供は父親に履いている下駄を見せようとしたのだろう。足を上げかけてひっくり返りそうになった。

「おっと、あぶない」

左千夫はすばやく立ち上がったが、気づいたように、菓子盆から煎餅を二、三枚つまんで縁側に出て行った。

「おんちゃん、おかち」

「よし、よし。お児ちゃんにもおあげ」

お菓子と聞いて、姉の方も立ち上がって縁側を見たが、節の姿をみるとはずかしそうに立ちすくんで、下駄を引きずって妹が近づくのを待っている。

「どっちが誰だっけ？」

と節は聞いた。

「上が由布で、下が奈々枝だ」

「そうか。この間まで赤ん坊だったのがもう歩いてるのか。子供が大きくなるのははやいな」

と節は言った。子規庵で二人が出会ったとき、左千夫はもう四人の子の父親だったが、節の記憶では、左千夫の妻女はその後も一年おきに子供を生んでいたように思う。二、三年前まで、節は東京に出るとよく左千夫の家に泊ったが、妻女はいつも懐に赤ん坊を抱いていたような気がするのだ。

娘ばかり七人か。いや、ひょっとしたらもう一人ぐらいいたかな、と節はおぼつかなく思った。そのほかに男の子も二人生まれたのだが、男の子は不思議に育たなかったことも知っている。いったいどういう仕掛けになっているのだ、と左千夫の家の多産ぶりにおどろいた時期もあったが、いまはもう慣れてしまって、どれが誰だったかわからない女の子たちが家の中を走り回っていても、あまり気にすることはなくなった。

「奈々枝には、まだ自分の下駄がないんだ」

と左千夫が言った。ほそめた眼を、ままごと遊びにもどった二人の子供に、じっとそそいでいる。

「それで、小さいくせに大人の下駄をつっかけて外に出る。決して跣（はだし）じゃ出ないんだ。だけど大人の下駄は重いもんだから、このごろ上の由布の下駄を借りることをおぼえてね。借りると得意になって見せるんだな」

「利口な子らしいな」

と言ったが、節は子供の話にはさほど興味がなかった。何となく親馬鹿の自慢話を聞かされているような気がして来る。話を甲之にもどした。

「さっきの話だが……」

「………」

「ほっておくのはよくないよ。暮にも手紙をよこしたが、三井はかなり思いつめている。われわれの想像以上にだ」

左千夫はじろりと節を見た。

「まだ、手紙をやりとりしてるのか？」

節は切り返した。

「それは仕方ないさ。彼と喧嘩する理由はないんだから」

「ほっとけないと言うのはだね。彼の執念深さがいささか気になって来たからだよ。ことはもう文芸上の議論をはなれて、社会的に君を葬るか自分が倒れるか、そこまで思いつめているということらしいのだ」

「ばかめ」

「ばかめで済めばいいさ。僕のみるところ、このあとも三井は、君のあらゆる創作、発言に難癖をつけて来るよ。徹底的に叩くつもりだ。そうなるともう、煩わしいといったことじゃ済まなくなるよ」

「……」

「君は桐軒の仲裁を役者不足と言うけどね。だから耳を傾ける必要はないんだというのは、僕に言わせれば、君の思い上がりだな。それとも、伊藤左千夫の方は何さまのつもりでもいるのかね」

「厭なことを言いなさんな。おれはちょっとは歌もよむ牛飼いのおやじさ。団子坂の歌会でだって、そう明言してるじゃないか」

「だったら、ひとの忠言も聞きいれた方がいいと思うけどね。桐軒だってよくひとを見てるよ。三井はたしかに被害妄想なんだ。やらなければやられると思っている。ほっとけないというのはそこだよ。ほっとけば、被害妄想というやつはどんどん太るばかりだ」

「気ちがいだ」

左千夫はがりがりと頭を掻きむしった。そして、また外で遊んでる子供たちに眼をやった。

「だが、実情が大体はそういう性質のものだとすれば、扱いは割合簡単だよ。君から声をかけさえすれば、むこうはきっと折れて来る」

「………」

「どうだろう？　これから二人で、三井の家に行ってみないか。僕はこれが最後の仲裁のつもりで出て来たんだ。君があくまでも、そんなものはほっとけと言うんなら、僕は三井には会わずに、このまま帰る。そのかわり、あとがどうなろうと、今後一切口は出さんつもりだ」

「………」

「しかし、口はばったいことを言うようだけどね。僕は君という人間をおよそはわかっているつもりだし、三井の気持も、君よりは理解してると思うんだ。二人の間を仲裁出来るのは、おそらく僕だけだと思うよ」

言い切って、節は左千夫を見た。だが、そこで節は、奇妙な表情の左千夫を見てそのままロをつぐんだ。

左千夫は、外で遊んでいる子供たちを見ていた。だがその顔には、虚脱したようなうつろな表情が現われ、口もとはゆるみ、眼鏡の奥の眼は涙ぐんでいるようにも見えるのだった。左千夫は、あきらかに子供たちの姿に気持を奪われ、節の説得の言葉など、耳にとめてはいないのである。

節は沈黙し、しばらくそういう左千夫の顔を見まもったが、やがて静かに言った。

「聞いていないのか？」

「え？」

左千夫は、夢からさめたように節を見た。そして狼狽した顔になって、はげしく眼をしばたたいた。節は追い討ちをかけた。いくらかは腹も立っている。

「僕の言うことなど、聞いていなかったんだな？」

「聞いていたさ」

左千夫は眼鏡を手で押さえると、にが笑いした。

「いや、ちょっと考えごとをしてたんだ。悪かった」

「……」

「三井と仲直りしろと言うんだろう？　いいよ。これから行こうじゃないか」

左千夫は勢いよく立ち上がると、ゆるんだ帯をしめ直した。

菓子折のひとつもさげて行くか、と左千夫が言い、左千夫の家を出た二人は、低い屋並みの上に鉄道の土手が見え隠れする方角に、ぶらぶらと歩いて行った。

「気がついたかね」

表通りに出たところで、左千夫は節を振りむいた。両手で腹が膨れた恰好をつくると、すばやくその手をおろした。

「家は、またこれだよ」

「え？」

節は一瞬意味がわからずきょとんとしたが、左千夫の言ってることがわかると、笑いがこみ上げるのを感じた。

「またか？」

「まただ。五月には生まれる」

「それで、何人になるの？」

「八人だな」

「また女かな？」

「それは君、生まれてみなければわからん」

「しかし、ま……」

と節は言った。腹の中に、まだ笑いが動いている。

「めでたい話じゃないか」

「めでたくはないよ」

左千夫は憮然とした顔で言った。

「生まれて来れば、喰わせなきゃならん。八人もの子供を養うのは、君、大変だよ」

「それはそうだろうけど」

「明け方に、ひょっと眼がさめたら、家内が浮かない顔で布団の上に坐ってるんだ。去年の秋のことだよ。どうしたんだ、と聞いたら、おとうさん、わたしの身体はまた変ですよと言うんだ」

「……」

「ぞっとしたね。二人とも、物も言わずに布団をたたんで茶の間に出たけれども、火の気もない薄暗い茶の間に坐ったまま、二人とも言葉が出ないんだ。子供たちは、まだ眠っていた」

「しかし、生まれて来るものは仕方ないだろう」

「そりゃ、むろんそうだ。しかし、牛飼いという仕事は経費がかかりすぎる。雇人の給料、毎日の餌代……」

牛が病気になれば、すぐに獣医を呼ばなければならないが、その診察料がこれぐらいかかると、左千夫は縷縷愚痴をのべ立てた。

「牛乳というのはだね、君。ものすごく景気、不景気の波をかぶるんだ。世の中が不景気になると、とたんに売れなくなる。一たん売れなくなったら、牛乳なんてものは、君、始末に悪いものなんだ。捨てるしかない」

「そうか」

「しかし、捨てるよりはましだということで、業者が争って値を下げるだろ。そうなると餌代にもなりはしない。じゃ、給料はどうやって払うか、家族は何で飯を喰うか。牛を売るんだよ。蛸が自分の足を喰うのと同じだ。だからわれわれはそれを喰い込みと言うんだがね」

「……」

「その上、いったん牛疫でも起きたら、それで一巻の終りだ。一夜にして、二十頭、三十頭の牛を撲殺しなきゃならん。何年か前に、僕は知り合いの同業者に頼まれて、評価人として撲殺に立ち会ったことがあるがね。疫牛の撲殺には、警官、警察の獣医、評価人三名の立ち会いが要るのだ」

「……」

「疫牛なんて言ったって、君。見たところは何ともない。普通の牛だよ。三十分後には殺されるというのに、うまそうに餌を喰ってるんだ。同業者は餌を喰わせながら、泣いてたよ」

「大変な商売だな」

「ま、綱渡りだな。子供が少ないうちは、それでも何とかなった。だが、八人となるとね、いささか……」

と言って、左千夫は立ちどまった。節も立ちどまって、左千夫の視線を追った。左千夫の顔にはさっき家の中で見たのとそっくりな、どことなくうつろな表情が現われている。眼は右手前方の屋並みの上に見えて来た、高架の本所停車場の駅舎の方を見ているようだった。

いつの間にか西空の雲が切れて、地平に近づいた日が、道の正面から二人に射しかけている。日射しは淡く、赤かった。空気が冷えこんでいるせいか、道を歩いている人影はまばらで、ひとを乗せた人力車が一台、二人のそばを音もなく走り抜けて行った。停車場の方で突然汽車の罐がつづけざまに蒸気を吐き出す音がした。

「どうしたんだ？」

節が声をかけると、左千夫はぼんやりした顔で節を振りむいた。

「いや、いまむこうで何か光ったような気がしたものでね」

「停車場の硝子だろう」

「そうか」

左千夫はまた歩き出した。そして突然に、僕は四十六だと言った。

「四十六になって、また子供が生まれるんだ」

「そんなものは、君。五十になって子供が出来るひとだっているだろうし、子供なんてものはすぐに大きくなるよ」

「しかし、疲れる」

「どうしたんだ、いったい。いつもの君らしくないな」

節は左千夫の顔をのぞいた。

「どこか、身体のぐあいでも悪いのか？」

「いやいや、元気だ」

左千夫は丸っこい手を振った。

「ただ、親はいずれ子供を残して、先に死ななきゃならん。僕の場合は、どうしても小さいのがうようよと残るだろう。これはたまらん。悲惨だ。子供がかわいければかわいいほど……」

と言ったが、左千夫はそこで口をつぐんだ。左千夫はそのとき、以前信州の篠原圓太に、子供に対する愛情などということを語っても、「蕨も長塚も此点に於ては殆と啞と語るの感がある」と書いたことを思い出していたのだが、むろん節にはそんなことはわからなかった。

「ま、そういうわけだから、三井と仲直りしろと言うならするさ。僕も、もう若くはないし、若い者と喧嘩するほどの元気もない」

左千夫はそう言うと、ようやくいつもの調子を取りもどしたように、いよいよ淡くなった日射しの中で、勢いよく節を振りむいた。

「もっとも、三井と仲直りしたところで、つまらんことはつまらん。君はいったいに、あの男を買いかぶりすぎているよ。ま、今日は君の顔を立てに行くんだから、そのつもりでいてくれ」

四

ひさしぶりの上京は、いつもと違う左千夫の様子が、胸にわずかな気がかりを残したものの、左千夫、甲之両者を強引に和解させてしまったことで、節に満足感をもたらした。

——これでいい。

と思った。和解は、不意をおそわれた甲之が軽薄なほどに多弁になり、反対に左千夫は、節に言われて仕方なく来たという態度を露骨に出してそっけなかったので、終始ぎごちない会話に終ったが、それでも話しているうちには、文芸上の批判はともかく、感情的に相手の悪口を言うやり方はつつしもうといった程度の合意は出来たのだから、一応の和解は成立したと考えてよかった。

左千夫の言うとおり、その和解が「阿羅々木」と「アカネ」、もしくはそれぞれに属する人間に何かの好結果をもたらすほどの意味があるとは思えなかったが、外部には、「アカネ」の執拗な「阿羅々木」もしくは左千夫への個人攻撃を、根岸派の内輪もめと見る者が意外に多かった。「アカネ」が根岸短歌会を名乗っている以上、それは当然の見方でもある。

二人の仲直りは、少なくとも根岸派歌人の醜い内部抗争といった印象を、世間の眼からぬぐい去る効果ぐらいはもたらすはずだと節は思った。そして節自身も、両者の間にはさまれて不愉快な思いをしたこれまでのいきさつと、ひとまずこれで縁が切れたのである。

なすべきことをした、と節は思った。あとは知るもんかといったような、軽い気分がもどって来た。実際に、愚にもつかない感情的な揉めごとに巻きこまれて右往左往するひまはなく、やりたいことはいっぱいあった。

しばらくの間歌からはなれる決心は変らなかったが、去年の京都旅行のときの印象を、写生文にまとめる仕事が出来ていなかったし、新しい小説の構想が、もう二つほど膨んで来ていた。本も読みたかった。

東京から帰ったあと、節は「ホトトギス」に載せた「開業医」をほめて来た島木赤彦に返事を書いたが、「開業医」の反省、左千夫の小説「胡頽子」の批評、左千夫と甲之の和解などを報じた返事の中に、「中央公論にては、藤村の一夜よろしく候　一読してわからず、再読して賛成致し候　真面目にして下品ならざる処をとる、然かも目のつけ処、描く処すぐれ中候　風葉はくどくて到底駄目に候　白鳥はきび〳〵したれど下品、花袋は論外に候」と書いた。節は左千夫が「野菊の墓」で小説家の仲間入りしたころから、いわゆる文壇の小説にも熱心に眼を通すようになっていた。

二年前の明治四十年九月、田山花袋が「新小説」に中篇小説「蒲団」を発表してから、文壇は自然主義文学に覆われた感があったが、節は花袋の「露骨なる描写」の主張には共感するところがあったものの、花袋の作品そのものにはあまり心を惹かれなかった。

粗野な感じを受け、事実を書けばそれが小説というものでもあるまいと、花袋の技巧排斥の主張に反発を感じたりもした。

同じ自然主義の作家の中で、藤村に好感を持ったのは、同じく自己告白的なことを書いても、藤村には粗野なところがなかったせいかも知れない。島崎藤村は「若菜集」以下の抒情詩で確立した詩人の地位を捨てて小説に転じ、「旧主人」、「藁草履」、「水彩画家」などの短篇を発表したあと、三十九年に発表した長篇小説「破戒」で一躍名声を得た。昨年は東京朝日新聞に「春」を連載し、いまは花袋とならぶ自然主義文学の代表的作家とみられていた。

節は藤村のそういう経歴にも興味を持ち、藤村詩の合本である「藤村詩集」を読み直してみて、旅びとの漂泊感がつきまとっているのに共感したり、また自分の写生文を、ひそかに藤村の「千曲川のスケッチ」になぞらえてみたりすることがあったが、そうかといって、特に藤村に傾倒しているわけでもなかった。左千夫が国木田独歩を愛読していると聞けば独歩も読んだし、ほかの作家の小説も読んでいた。

節は写生文から出発したが、必ずしも写生文にこだわってはいなかった。身近なところに、写生文の特徴を生かした文章で書きはじめて、一流の小説家の評価を得るに至った夏目漱石がいたが、漱石の真似をしようとは思わなかった。写生文で書き馴れた描写が小説の中に入りこんで来るのは避けられなかったが、それは漱石の文章とは異質のものだと思っていた。結局、と節は思っていた。漱石はもちろん、藤村とも左千夫とも独歩とも違う、自分の小説を書くよりほかはないのだ。そしてその方向は、ぼんやりとだが見えていると思うこともあった。

処女作の「芋掘り」の創作に苦心惨憺していたころ、節は岡麓あての手紙に「田舎者は到底田舎のことを書くより外は無之候」と書いたことがある。節はそのあとにつづけて、ある感動にうながされるままに、「今夜下女下男は蕎麦をひくとて、石臼をごろ〱とめぐらし居り候　縄にて括りたる竹の棒が、ぎり〱と軋り申候　蕎麦は日のうちに洗つて、莚へ干して夜になつてひき申候　百姓どもの家にては庭の土のうへで打つて、それを箒で掃きよせて、更に干して其儘ひいてたべ申候　平気でうまい〱と申候　百姓はこれから、子供は青洟(あおばな)を垂らし、老人は炉のほとりに頭へ白い灰を冠って焚火し、壮年者は埃臭くなつて木の葉掻きに忙しかるべく候　櫟(くぬぎ)の枯葉がころ〱と転がつてあるく処など、淋しさに不堪とて貴兄の如きは三日も居たゝまらぬことゝ存申候」と記した。

節の部屋までひびいて来る、そばをひく石臼の音。葉の落ちつくした雑木林の中で、うすい埃を立てながら落葉を掻き寄せている男たち。乾いた道の上を、風に押されてどこまでもころがって行く櫟の枯葉。それは小説というものに眼を凝らしたときにはじめて、節の眼に見えて来た光景、耳に聞こえて来た物音だったのである。歌にもならないような、ごく散文的でうす汚れて、それでいて生命力に溢れるそれらの光景が、やがて小説の中で命を持つことになるだろうと、岡への手紙を書きながら、そのとき節は思わず気持が高ぶったのである。国生の櫟林はうつくしさでは独歩の「武蔵野」に負けないが、そこは村人の生活の場所でもある。それにくらべれば、独歩の「武蔵野」は、所詮文人の眼に映ったそこにうつくしい風景があるというだけのものにすぎない、とも思った。

「阿羅々木」からも「アカネ」からも解放されたいまこそ、小説に打ちこむ絶好の機会だと節は思っていた。その目的があるので、歌から遠ざかること自体はさほどさびしいとは思わなかったが、友人に手紙を書くこともなく、冬の国生にじっと閉じこもっていると、節は時折りはげしい孤独感におそわれることがあった。そういう日は、煩わしいだけと思った「阿羅々木」、「アカネ」の不毛のいがみ合いさえも、人間くさく懐かしいもののように思われて来るのだった。

冬の間は、晴れた日にも北西の強い風が櫟の枝を鳴らして、その透明な光の中に、丘の上の家家は悴んだように孤立して見える。節は家を出ると、風の中を歩いて裸の枝が日に光ってざわめき揺れる雑木林に入って行く。そして小道の奥に風も通らない日だまりを見つけると、枯草の上に長い間腰をおろして、林を吹き過ぎる風の音や小鳥の声に耳を傾け、高い枝頭にじっと光って動かない冬の日を眺めては、ぼんやりと時を過ごした。

林の奥を、竹籠を背負ったひとが通りかかり、節の姿を見ておどろいたように足をとめることもあったが、節は気にしなかった。村人に変り者とみられることには馴れていた。

五

だが、出来るだけ孤独な環境に自分を閉じこめて、創作にはげむという節の計画は、思ったようにははこばなかった。

二月の中旬になって、節は風邪をひいた。九度五分もの高い熱が出て、節はうつらうつらと日を過ごしたが、寝ている間にも全身が堪えがたいほどにだるく、床の上を転転として苦しんだ。

原因はわかっていた。節の頭の中には、宗道河岸の床屋に働く唖の女を主人公にした小説の構想がふくらんでいて、ある風の強い日に、思い立って鬼怒川の土堤に出ると、上流の宗道河岸まで歩いてみたのである。主人公の女は、節の村から宗道河岸まで、土堤の道を歩いて通うのである。節は実在のその女には会ったことがなく、頭の中に女のイメージがふくらむのにまかせていたが、細部は実地にためしてみなければ気が済まなかったのである。その日の風が寒かったのだ。

そのあとでしきりに悪寒がしたが、十年もの間風邪などひいたことがなかった節は健康を過信していた。そのままほっておいていたが、三、四日経っても悪寒がとれず、そのうちに食欲も落ちて来たので熱をはかってみると、高熱が出ていたのだった。風邪は、寝ているのにも倦きて途中で起き上がって書きものをしたために、またぶり返したりして、節は結局半月ほども寝込んでしまったのである。

三月の末になると、今度は母が病気で倒れた。最初は風邪だろうと思っていたのが、ひと月経っても回復せず、かかりつけの医者のほかに妹の嫁ぎ先の奥田医師を呼ぶさわぎになった。そして父の源次郎は、県議会の用事や、借財のやりくりなどの用事を抱えたまま、水戸と東京を往復し、二月も三月も家にもどらなかった。

そのあげくに、酒に酔った源次郎が、親戚の者にむかって、いまに大金を儲けて家産を回復し、おまえにも家を建ててやると大言壮語したなどという話も洩れて来て、節は父にむかってきびしい意見を記した手紙を出さざるを得なかった。実際に源次郎が抱える用の中には、借財のやりくりだけでなく、節や母とも打ち合わせ済みの、投機的な金銭がらみの用も加わっていたので、ぴったりと家にもどらなくなった父を、母も節も胸の動悸が高なる思いで見まもっていたのである。

そして、その間にも、一家の主である父がいれば、当然父が取りさばくべき親戚の家の揉めごとの仲裁とか、季節の農事、不調に終った自分の縁談の後始末といった雑事が、つぎつぎと節のまわりに押し寄せて来るので、「菜の花」という題名だけが出来ている、去年の春の京都旅行を材料にした写生文は、いつまでたっても出来上がらなかった。

そういう雑然としたいそがしさに取り巻かれながら、節は一方では山久の小旦那として、家伝の売薬の袋の意匠を変えるために、友人の平福百穂に新しい図案を頼みこんだり、また、農地のはしに試験的に竹を植付けたり、家の収入をふやすことにも細かく眼をくばっていた。

　あれほど力を入れた炭焼きは、手っとり早く現金収入をもたらすのは副産物である醋酸石灰の方だという矛盾もあって、結局のところ家計に一定の収入をもたらすほどの成果を上げることなく、失敗に終ったが、竹林の栽培は、近くに大量の竹を必要とする野田という一大醤油産地をひかえているだけに、取引きが軌道に乗れば意外に手固い収入になる可能性があった。節はひそかにその計画をあたためていて、自家用農地に竹を試験栽培する一方で、近在の良質とされる竹林を見回ったりもしていた。

　そうしている間の六月半ばに、東京・本郷千駄木町の三井甲之から、不思議な便りがとどいた。それは、「阿羅々木」、「アカネ」両誌をともに廃刊し、新たに伊藤左千夫、蕨真、長塚節、三井甲之の四人を編集員とする隔月刊の歌集を発行することになったという内容の手紙だった。

　甲之は、蕨真、蕨桐軒の二人から、成東(なるとう)まで来いという手紙を受け取り、行ったところそういう相談になって、編集は上記の四人、経営は蕨真と甲之とで行なうことになった。左千夫も諒解ずみだと書いてあった。

　甲之の知らせによれば、根岸短歌会系の歌誌二つが、突然に廃刊になるわけだったが、その理由が少しもはっきりしなかった。「阿羅々木」が廃刊になるから、「アカネ」も廃刊にしなければならないという理由はなく、その逆も同様である。それなのに両誌同時に廃刊して、しかも新しく歌誌を発刊するというのでもないらしく、隔月の歌集を出すというのだった。

節は、「阿羅々木」からは一歩身をしりぞいた気持でいるものの、甲之の手紙の不可解さにはあきれた。何を言っているのか、さっぱりわからないと思い、蕨真と桐軒あてにさっそく問い合わせの手紙を出した。

二人からはすぐに返事が来たが、それがまた少しも要領を得ないものだった。甲之を成東に誘ったのは桐軒である。それに真が加わり、話はいきなり、議論はもう絶頂に来たと思うのでやめてはどうかと桐軒が言い、甲之も同感だと答えて、それから計画のような合同話になったのだという。

ただし、桐軒も真も、両誌廃刊後の同人誌は隔月発行の歌集といった得体の知れないものではなく、根岸短歌会同人が結集して一雑誌を発行すると解釈しているようだった。その新雑誌の写生文の選者は、節に頼むことになっているのだと、桐軒の手紙は甲之の簡略な知らせとは対照的に、はっきりしないことをくどくどと書きつらねていて、節にますます不可解な思いをさせたのだったが、それからひと月ほど経ったころ、桐軒からまたハガキが来た。「阿羅々木」、「アカネ」合同の下相談は、その後議論百出して難航しているという知らせだった。

その知らせによると、臨時歌会という名目で六月二十七日に民部里静宅の下相談にあつまったのは、主人役の里静のほかに、左千夫、甲之、茂吉、千樫、それに蕨真の弟橿堂の六人だったが、甲之と茂吉らが激論をかわして歌どころではなく散会、今日になって、甲之から「アカネ」を続刊するという通知を受け取ったというのである。ついてはこの件について、来月十一日に改めて同人会をひらくということなので、万障を排し出席されたいと、桐軒は文面を結んでいた。要するに合同問題は水に流れたということなのである。そのハガキを読んで、節は直感的に、茂吉たちが潰したなと思った。

斎藤茂吉と三井甲之の対立は、甲之が前年十一月に発行した「アカネ」第一巻第十号で、「阿羅々木」創刊号の歌を批評して、全体に即興的なものが多く、人生に直接な心から湧いた切実なものがないと言ったのに対し、茂吉が「阿羅々木」第二号で、「甲之君は余等が歌に向つて、痛切なる訓言を与へられたり。（アカネ十号）。その御礼として余は君が作の一二首に就ての評言を君に呈せんとする也」と応酬してからにわかに険しくなり、その対立が、ひいてはその後の「阿羅々木」、「アカネ」の関係悪化の一因にもなったのである。

いったいに左千夫と甲之の周囲では、左千夫対甲之、「阿羅々木」が出てからは「阿羅々木」対「アカネ」という関係にもなる対立を、もともとは根岸短歌会内部の、それもせんじつめれば左千夫と甲之の人間的好悪の問題だと、事を内輪に見る傾向が強かった。甲之も甲之だが、左千夫の側にも非難されてしかるべきところはあると見ていたのである。

そして、事の真相が内輪揉めの範囲を出ないものであれば、何も根岸短歌会の恥を天下にさらす必要はなく、左千夫と甲之が和解して問題を収拾すればいいことだと思っていた。そう思っていたのは、節や岡麓、蕨真といった内部の人間ばかりでなく、もうひとつ外側にいる「比牟呂」の歌人たちや、「ホトトギス」の人びとも、ほぼ同様の気分で両者の対立を眺めていたのである。

そういうときに、「阿羅々木」二号で、茂吉が正面から甲之に反論する姿勢を示したことは、甲之本人を刺戟しただけでなく、「阿羅々木」の周辺にもちょっとした波紋を投げかけた。

もっとも、反論と言っても、茂吉は「阿羅々木」二号で正式に甲之批判をはじめたというわけではなく、「漫言(一)」と題する小文の中で、ほかの、たとえば川田順の短歌や「帝国文学」の中の詩を取り上げて批評した文章とならべて、軽い気持で甲之に反論してみたという形だったのだが、茂吉はこのときの「阿羅々木」二号に載せた論文「短歌に於ける四三調の結句」、随筆的小文「漫言(一)」が、およそ文章というものを発表した最初だったにもかかわらず、その文脈は理路整然としていて、端倪(たんげい)すべからざる論客ぶりを示したのであった。

神経過敏な甲之は、茂吉の「漫言(一)」を読んで、敏感に新しい敵が出現したことを感じ取ったらしかった。節が左千夫と甲之の間を調停したのはちょうどその時期のことだが、その後甲之が菓子折を持って左千夫を訪ねたら、生憎の不在で会えなかったとかいう、小さな喰い違いがあったりして、甲之はむしろ「阿羅々木」批判の筆を強めるようになった。左千夫に対する甲之の個人的な敵意が、茂吉の「漫言(一)」を契機に、明確な「阿羅々木」対「アカネ」の対立関係に変質したとも言えた。

「阿羅々木」は四十二年新年号である第一巻第二号を発行してから、つぎの第一巻第三号を出すまで四カ月もかかっているのに、「アカネ」は毎月一回きちんと発行されていた。そしてそのつど左千夫、茂吉ら「阿羅々木」に拠る歌人たちを、執拗に攻撃しつづけたのである。たとえば四月一日発行の「アカネ」第二巻第三号では、甲之は「阿羅々木」第二号に発表した左千夫の歌「採草餘香」を「歌壇漫言」で批判し、同じ号の「消息」には、「小生等より見候へば茂吉氏等の議論製作は吾派にとつては自殺的の振舞と確信致し候」と茂吉を名指しで攻撃する文を載せるというふうであり、四月末に発行された「阿羅々木」第三号で、左千夫が「歌人閑語」、「東京より」で甲之を批判すると、甲之は六月一日発行の「アカネ」第二巻第五号で早速その批判に嚙みつき、お返しに「阿羅々木」第三号の左千夫の作品「非行録」を徹底的に批判するという有様だったのである。

そういう状況に対して、左千夫自身もいささか厭気がさしていて、「阿羅々木」第三号の原稿をそろえて蕨真に送るついでに、「アカネの悪口も極点に達し候アラ、キにて曖昧な言は申さぬ様願上候只々相手にならぬ様に致度候」と書き送ったほどだった。甲之の気質を見抜いているとは言えない蕨真や桐軒が、不用意に甲之を刺戟して、無用の争いをひき起こすことを懸念したのである。

左千夫は、甲之の執念深い攻撃に心底うんざりしていた。だから、六月十四日に平福百穂宅で行なわれた東京歌会に、成東からの帰りだと言って立ち寄った甲之が、唐突に「阿羅々木」、「アカネ」合同で話がまとまったと言い出したときも、おかしな話だとは思ったが、あえて反対はしなかった。そして事実、金主である蕨真がその気になってしまったのなら、左千夫が「阿羅々木」をつぶすのは反対だと言ってみても仕方ないことだったのである。

こういう事情を、節はくわしく聞いていたわけではない。さきに書いたように、唐突な甲之の手紙で、両誌の廃刊とか、合同とかいうことを知ったのだが、「阿羅々木」、「アカネ」合同問題というものほど、節に首をかしげさせたものはなかった。合同して、前途に何かの実りが期待出来るかといえば、およそその種の効果は皆無に近いだろうと思われたのである。勘ぐれば、甲之が、好人物なだけで格別雑誌経営に見識があるわけでもない蕨を籠絡して、一ぺんに根岸短歌会の主導権をにぎりにかかったのではないかと疑われるほどだった。効果といえば、せいぜい甲之一人に有利なその程度の効果しか見えて来ないのである。

そして、誰が見ても実のとぼしい、うさんくささがつきまとう合同案なるものに、左千夫が文句も言わずに賛成したということが不思議でならなかったので、今度桐軒から合同問題が流れたというハガキが来たとき、節は流れて当然だという気がしたのである。ただし、合同問題を潰したのは左千夫ではないような気がした。左千夫は甲之と争うのに倦きあきしていたはずで、また五月に七女の奈々枝を事故で失った左千夫は、まだ意気消沈していて、甲之と一戦まじえるという気分ではなかろうとも思ったのである。民部里静宅の歌会で、矢面に立って甲之に楯つき、合同問題を潰したのは茂吉、千樫、ことに茂吉だったろうと節は想像した。左千夫は前言をひるがえす気はなかったのだが、その場の空気に押されて、合同反対に回ったのだろう。

甲之と事を構えたくはないが、若い弟子の熱意を踏みにじるわけにはいかない、理は実際は甲之にあるのだが（甲之はのちに、「アカネ」七月号の「消息」に、「阿羅々木」は元来蕨のもので、茂吉、千樫などは投稿者にすぎない。左千夫は主な記者と思われるから、一応の了解をもとめたが、合同問題は蕨との間に了解が成り立てばそれで十分なのだと、理屈が通りすぎて胸が悪くなるような言い方をし、茂吉たちを憤慨させる）、この際は仕方ないだろうといったふうに、しぶしぶ反対に回る左千夫の姿が見えて来るようだった。旧「馬酔木」時代のような、左千夫独裁の時期は過ぎたのか、と節は思った。

若い連中が育って来ている。

と、いまさらのように節は思う。斎藤茂吉が、「阿羅々木」の「漫言㈠」で刺戟的なことを述べたとき、節なども情勢を危惧して、隠居の小言めいた文句を言ったものだが、若い歌人たちが成長して来るのは押さえられないし、そして大ていの場合、手に負えないほどに成長したときになってはじめて、先輩たちは若い者の成長を知るのである。いまがその時期で、茂吉、千樫、石原純といった若手は、直接の師である左千夫の制御も利かないほどに、大人になって来ているのかも知れなかった。

桐軒が知らせて来た来月の同人会というものも、従来のように左千夫中心に事が決定されるというようなものではなく、今度の騒ぎの火つけ役である若手が会を牛耳ることになるのかも知れない、それならべつに、自分の出る幕はないと、節は思ったりした。

発行人である蕨真を迎えた「阿羅々木」在京同人会は、七月十一日に多摩川べりの府下立川町普済寺でひらかれ、「阿羅々木」の発行所を東京に移すこと、雑誌発行は月一回とし、責任を編集同人が分担して負担するなどの大綱を決めた。

節はその同人会に出なかったが、不思議なことに重要なその会議に、左千夫は義姉の急死で、また中心人物の一人である茂吉も病気で、ともに欠席したのである。そこで、右のような大まかな方針は決めたものの、在京同人は二日後に再度左千夫の家に集まり、普済寺の決定を再確認するとともに、「阿羅々木」の継続発行についてさらに具体的な相談をした。

そうした相談の結果まとまったのが、新装の「アララギ」は九月一日に発行する、編集兼発行者を伊藤幸次郎（左千夫）とする、発行費用は、なお蕨真に多額の補助を仰ぐことになるものの、編集同人も応分の負担をする、編集は在京の同人が編集会議をひらき、その決定にしたがって石原純、民部里静、古泉千樫、山本董湫、斎藤茂吉らが月月交代の当番制で編集にあたる、信州の「比牟呂」と合同するなどだった。

こうした相談が、かなりすすんだころに、左千夫から節あてにつぎのような手紙が来た。

「拝啓　アラヽキを中央より発行し毎月必ず刊行せんと存候　就てハ蕨君よりも御通知有之候事と存候へども東京同人協義(ママ)の結果是非永久に持続せんとの計画にて不取敢在京同人にて大要を決定致候　無論大兄にも御異存ハなき事と存候　初号発行ニ就てハ一度御上京願度候へともそれも随分億劫な事故強て希望不致候」

ページ数は四十二ページほど、編集は同人が順番にやることになって、初号は石原純が担当する。また発行経費は蕨が月十円ずつ出金、ほかは同人分担とすることになった、と左千夫は記し、さらにつぎのように続けていた。

「就てハ大兄ハ如何してくれ候や頭割の仲間になりくれか否か編輯も順番の仲間となりくるへきや大兄ハ遠方に居る事故強てとハ不申上候　御迷惑ならばいづれにてもよろしく候『オレニハ相談モセヌ』などと後で厭味を云はれてハ困るから一応御相談申上候比牟呂ハ今後合同諸同人大半中央に集めて活動するハ全体の希望也　大兄の原稿ハなきや」

節はその手紙を、縁側に腰かけたままで読んだ。隣村まで竹林を見に行って来た帰りで、草鞋をとっただけの跣の足がほてる。

ふん、と鼻で笑って、節はたたんだ手紙を畳の上に投げもどした。費用の頭割りに入ってくれるか、編集当番に入ってくれるかと言う言葉の下から、左千夫は「遠方にいることだし」「迷惑ならどっちでもよい」と言い、最後には後で厭味を言われても困るから、一応相談するのだと書いていた。そのあたりが左千夫の本音で、要するに師弟水入らずでやりたいということのようにも受け取れる。「アララギ」は、何か知らん希望に燃えて再出発する様子に見えるが、その新しい雑誌は、参加するひとの面でも、中身ということでも、旧「馬酔木」とも「阿羅々木」とも、まったく異質なものに生まれ変るところらしい、と節は思った。

そう思うだけで、関心はうすかった。遠い祭の喧騒を聞かされているようで、わざわざ出かけて一緒にさわぐ気持にはなれなかった。

――それはそれでけっこうだが……。

蕨に金を出させるのは、そろそろやめにする方がよくはないか、と節は意地悪く思ったりした。新しい雑誌と、かつがれていい気分になっているに違いない左千夫に対して、つめたく批判的な気持になっていた。

しかしまた、左千夫の手紙にある種のつめたさがただよっているのは、こちらが「アララギ」に距離を置いた気分でいることを、左千夫は左千夫なりに見抜いているせいかも知れないとも思った。節は、いよいよ孤立して行く自分を感じた。

縁側から降りて、井戸がある裏口の方に歩いて行った。梅雨上がりの白い日射しが、節の歩く方向に短い影をおどらせた。

その夜節は、左千夫と新生「アララギ」の根岸短歌会旧同人に対する処遇についての不満や、最近の短歌観など、日ごろ胸にたまっていることを、洗いざらい左千夫に書き送った。ひどく闘争的な気分になっていた。

左千夫からはすばやく返事が来た。だがそれは「貴意の存する処は充分に解せり知識の命する処ニ従へハ小生の考も君と大差なし只小生ハ感情上諸同人と進退を共にせんとするの念多しアララキ問題ハ小生ハ只衆意に従へるのみなり歌に就ての考ハ今日の処君と大に異なれる様也小生ハ君の考を古しと思ふなりこれハいつか機を見て話致度いアララ、キに対する小生の責任ハ君のいふか如く重大てハない」と、弁解と反発だけを記したそっけない中身の返事で、節は左千夫との仲がどうしようもなく捩れて行くのを感じた。

六

日が落ちても、夏の光はまだしばらく地上にとどまっていた。昼の間の暑気も村の中に澱んだままだったが、そのうす明かりと暑さには、気だるいような解放的な感じがふくまれている。

夜の食事を済まして外に出た節は、浴衣の裾をからげ、草履をはいた身軽な恰好で、家の前の道を南に歩いて行った。行く場所の目的はあるが、まだ時間が早い。その前に小学校に行って、宿直の教師としゃべって来るつもりだった。

櫟林のむこうに、黄ばんだ西空がひろがっていて、空はそこからすれ違うひとの顔が見えるほどの微光を村に投げかけている。櫟林が終り、右手に人家が見えて来たところで、節はひとと すれ違った。弟を連れた嘉七の娘だった。

「………」

すれ違うときに、娘は気遅れしたような低い声で、夜の挨拶を残して行った。若い娘らしく、高音の澄んだ声に、いくらか甘えるようなひびきがまじっている。

「うん」

節は返事だけ返した。娘もその弟も、田植や取り入れの時には手伝いに来るし、ふだんでも風呂をもらいに来たりして節の家に出入りしているが、節は言葉をかわしたことはなかった。言葉をかわすような機会もなく、また何を言ったらいいかわからないのである。

いまも、通りすぎてから二人を振りむいた。二人は村の豆腐屋にでも行って来た様子で、娘は片手に小鍋をさげ、もう一方の手で弟の手をひいていた。野良仕事から帰って、足を洗ったところで使いを思いついたか、嘉七に言いつけられたかしたのだろう。娘はいま井戸のそばからはなれて来たというように、野良着の下から白い足をむき出しに見せていた。少し太り気味の、なまめかしい足がうす暗がりの中を遠ざかるのを、節はちょっとの間見送ってから、首を回した。

——二十だったかな？　いや、もう二十一になっているかな？

と、節は娘の齢を数えた。母親に死なれたころ、一人前に田畑の仕事にひっぱり出されて、野良着も笠も、案山子の衣裳のように身にそぐわず大きかった小娘を、あわれと思って眺めたものだが、なに、たくましいものだと節は思った。ちゃんと大人になる。それも、男の気をひかずにはいないほどの、魅力のある娘になるのだ。

娘には弟が二人いるはずだったが、上の弟はしばらく見かけない。多分、よそに奉公にでも出たのだろう。娘が手をつないでいるのは、下の男の子だ。もう、手をつなぐような齢でもないのに、ああして姉の手を握るのは、小さいころに母親に死に別れて、姉に母親がわりに育てられた甘えが残っているのだろう。

節の記憶に、ある呼び声が残っている。時はまぶしく晴れわたった春のころだったろう。嘉七と娘が、万能をふるって田を起こしている。上の弟は、そのころまだ小学校に通っていたらしく、やはり姿が見えず、下の弟だけが田のそばの小川の岸にむしろを敷いてもらって遊んでいた。

その弟は、姉の姿が田を起こしながら岸から遠ざかると、しきりに姉を呼び、しまいには心細がって泣き出すのである。姉が不愍がってそばへ行こうとすると、嘉七の怒声がひびいた。

「かまあねえで置け、耡ってあっち行ったときにみてやれ」

娘は言われた通りに、長い田の先まで耡い、また耡いながら弟のいる岸の方に引き返す。姉が万能をふるいながら近づくと、弟は手をさしのべて泣く。田の上の台地の畑を横切っていた節の耳に、娘の声が聞こえた。

「どうしたんだ、そんなに泣き虫で」

「………」

「姉は泥だらけで、しょうあんめえな。汚れてもええのか、長は」

下の弟は長吉という名前である。姉はむしろの上に膝でにじり上がって、弟を抱いてやった。

「泣くんじゃねえぞ。姉はこの田ん中に居んだかんな。ええか。泣くと、おとっつぁにあっぷって怒られっかんな」

姉は弟に、あたりの野の花を折り取ってやると、また田に降りた。その間にも、先の方で田を起こしている嘉七が、じれて「何してんだ、ええ加減にしろ」とどなる。嘉七は、百姓仕事となると、まだ子供のような身体の娘でも、手を抜くことはおろか寸時の遊びも許さないのである。

熟練の百姓である嘉七にくらべると、娘の耡いぶりはたどたどしく、またはじめは並んで土を起こしにかかっても、いつの間にかはるかに父親に遅れてしまう。すると嘉七はもどかしがって、田の中を走って来る。「そんなにおっかなびっくりの仕事じゃしょうねえ。見てろ、こうすんだ」とわめくと、自分ではっしと万能鍬を打ちこんで見せるのだ。

「姉は行かなくちゃなんねえよ。おとっつぁに怒られっかんな」

姉が弟に言い聞かせるその声が、どういう加減か、丘の上の畑にはっきりととどく。

節はまた歩き出した。しばらくして振りむくと、小川のそばの弟の姿は見えているが、姉の方は丘の下の陰に入ったらしく姿が見えなくなっている。

弟はしばらくは姉にとってもらった花で遊んでいるようだったが、やがてそれにも倦きたか、あるいは姉の姿が遠くなったのを心細がってか、むしろの上から「姉よう」と呼ぶ。「おーい」と答える姉の声は遠かった。姉が答えるので、弟はまた呼ぶ。その呼び声に、姉の方は懸命に身体を動かしながら、「おーい」とか「ほーい」とか答える。その声は節が丘の畑道を突っ切って村にもどる道に出るまでかすかに聞こえていた。

──まったく母親がわりだったからな。

夜はおそらく、十五、六の身で弟を掻き抱いて寝ただろう、と節は思った。

だがそう思ったことが、節の脳裏に、その娘おしづに対する村びとのもうひとつの暗いうわさをうかび上がらせた。嘉七の娘は、弟に対して母親がわりをつとめているように、嘉七に対しても女房のかわりをしているらしい、とひとが言う。

そのうわさがささやかれ出したのは、二年ほども前からだったろう。節ははじめの間、年頃になって来た娘に眼をつけて、村の若者が寄って来るのに、まだ娘を嫁に出す気も、婿をとる気もない嘉七が、必要以上に警戒して娘を男に近づけまいとしているのを、若者たちが嫉妬して悪質なうわさを立てたのではないかと思っていた。じっさいに嘉七の家は、いま娘が嫁に行けば、暮らしが立ち行かないほど貧しかったのである。

しかし節のその解釈は、やはり嘉七がもとは自分の家の奉公人だったという意識のために、好意的に偏ったものだったようである。その後ひとから話を聞き、また節自身も目撃したところによれば、嘉七は実際にそう疑われても仕方のないようなことをしているのだった。嘉七は、年頃になった娘を男たちから保護するために、しばしば人眼もかまわずに常軌を逸した行動に出るのである。

盆踊りの夜に、櫛を取られた娘に嘉七が加えた折檻は、その後狭い村の評判になった。娘は櫛を取った若者と言葉をかわしたわけではない。若者もからかい半分にしたことであるのに、嘉七は狂乱して娘を殴りつけたのだから、暗いうわさの一部は嘉七自身が種をまいているのだと言えなくもなかった。

むろん、そういううわさを一ぺんに打ち消す方法がないわけではない。嘉七が後添いをもらえばいいのである。だが、嘉七の家は貧しい上に子供が三人もいた。今年の春には、野田に奉公に出ていた舅の米松が、身体をこわして家にもどっている。そういう家に、後添いの来手はなかった。時折り後添いの話を持って行く村びとがいないではなかったが、からかい半分だった。誰しもが、一人前の娘がいては、後添いの来手はないだろうと思っているのである。

しかし、そういう環境だから、親子の間に村びとがささやくような関係が必ずあるとは言えない、と節は思う。うわさは往往にして、ごく無責任に肥大するものなのだ。

——だが、まったくないことだと、断言することも出来まい。

と節は思ってみる。男と女という、性を異にする人間の間に、深淵の暗がりが横たわっていることを、節は知らないわけではなかった。それは、思い起こせばすぐに、眼の前に忘れ得ない光景となって現われて来る。

二分芯のランプが、芯が出すぎて火屋(ほや)の上にかすかな油煙を上げている。部屋に入って行ったときは、節はたしかにそのランプを消してやろうと考えたのである。しかしはたしてそれだけだったろうか。それだけだったら、ランプの下に居眠っている女の白い顔を、息をつめて眺めたりするだろうか。

ともかく、節がランプの芯をほそめたとき、居眠っていた女、手伝い女中で来ていた巡査の娘が目をさましたのである。女の顔にうかんだ驚愕のいろを、節はいまも生生しく思い出すことが出来る。不意を打たれたために、女の顔は日ごろの取り澄ました表情を忘れて、醜いほどに女くさい素顔をさらけ出していた。だが、ランプの火屋が倒れて、部屋に闇が立ちこめてしまうと、いち早く落着きを取りもどしたのは女の方だった。女の方が大胆に振舞い、節は一どきに闇を満たした女体の香に、ただ圧倒されていた。

──男と女の間には……。

どんなことだって起こり得る、と節は思った。節は村をはずれて畑中にかかった道を歩きながら、母から聞いた、嘉七の娘が鬼怒川に唐黍を捨てに行った話を思い出していた。

嘉七は、身にそなわった盗癖にうながされて、相変らず小さな盗みを重ねていた。雑木林の開墾を請負えば、約束外の木の根を家にはこんで隠し、また夜おそくなった畑の帰りに、道ばたの畑のさつま芋をみて、むらむらと手を出してしまうというようなことだった。

今度は嘉七は、よその畑から唐黍を盗んだ。そして、それはいつものように簡単に嘉七のしわざと知れてしまったのである。被害にあった畑の持主は、今度こそは嘉七を官憲に訴えて出ると息まいていた。嘉七は恐れて節の家に駆けこむと、節の母に土蔵にかくまってもらったのである。

夫の源次郎も節も不在のときだったが、頼られた節の母は、とりあえず嘉七をかくまい、姉弟も家に引き取って泊らせると、被害者の家に出かけて行った。

「まあ、病気さね、これも。困ったもんだが、しかしあれを懲役にやってみたところで、子供らが泣くばかりだからね」

節の母は、こんなふうに切り出して、相手を説得にかかった。

「それにま、ほんと言えばひとつ村にこうしているんだから、先が困り切っているうちに勘弁してやれば、あれも一生ひけ目に思う道理だろうけれども、それを罪に落としてしまえば、あれはまた、それで帳消しになったようなつもりでいまいものでもなし、そうすると敵一人こしらえるようなものだからね」

被害者の百姓は、それでどうにか訴えを取り下げることに同意したが、すでに警察の方に届けが出ていることなので、節の母はその調べにそなえて、嘉七が言いのがれ出来るように、嘉七自身の畑からも唐黍を刈り取らせ、川に捨てさせたのである。嘉七の娘は、節の母に言い含められると、ためらいもなく夜の畑に入りこんで唐黍を刈り取り、刈り取った唐黍を草刈り籠に背負いいれて、深夜の鬼怒川まで走ったという。

嘉七の一家は貧しく、一家の主は盗癖を持つ男だった。そういう家であるために、親子がよけいに寄り添って暮らしているという趣きもあった。

被害者の百姓と話をつけて来た夜、節の母は、おしづを連れて土蔵に行った。訴えを取り下げるということになったので、警察に調べられても、嘉七が盗んだおぼえはないとがんばり通せば、罪を免れることが出来るのである。節の母はそのことを話し、警察へ出ても、盗らないと言い切れるかと念を押した。

だが嘉七は警察と聞いただけで顫え上がって、「わしがにゃ、とっても持ちきれあんせん」とうなだれるばかりだった。がんばりきれないという意味である。

嘉七は、じつにあっさりとひとの物に手を出してしまうのだが、一たんその盗みを知られてしまったときの怯えぶりもはげしい男だった。巡査の姿が家のまわりにちらついたりするのを見るだけで、歯の根も合わないほど恐れおののき、自分の娘にむかって、「おしづ、おら今度はとってもだめだ」と、救いをもとめるようなことを言うのである。

嘉七の娘は、そういう父親をよく見ているためだろう。さっき節の母に呼ばれて来たときには涙ぐんでいたのに、嘉七が「持ちきれあんせん」と言うと、歯がゆそうに、「おとっつぁあは何ちんだんべな」とつぶやいた。

そして、はげしく「おとっつぁあ」と言った。「盗らねって言えよ、おとっつぁ」

嘉七の娘は、母親のいない弟のために母親がわりをつとめ、盗癖のある父親を世間からかばって生きているのだった。そこから男女の深淵が横たわる場所まで、何歩の距離があるだろうかと、節は息をのむ思いで、人間のその暗がりをのぞきこむことがある。いまも、うす闇の中を軽やかに遠ざかって行った白い足から、節はほのかな罪の匂いを嗅ぎ取らずにはいられなかったのだが、むろん節はうわさをそのまま信じているわけではなかった。罪の匂いなどというものも、いまは遠い西の村落の上の空に、ひとすじの赤味を残すだけになった薄暮がはこんで来た妄想のようにも思えるのである。

節は首を振った。そこは小学校の前だった。校庭に洩れている灯影をたしかめてから、節はゆるやかな坂をのぼって行った。

七

小学校からの帰りに、節が念仏堂に寄ったとき、時刻はまだ八時前後だったろう。予想したとおり、戸をあけはなした念仏堂の中にも、ランプの光がやっととどく外の庭にも、若者たちが群れていた。

盂蘭盆前のこの時期は、炎天下の草取りなど、夏の間のもっとも苛酷な仕事をひととおり終えて、農家がひと息つく時期である。このあと村は、比較的軽い労働の間に、盂蘭盆を迎え、盆踊りをたのしみ、秋の収穫を待つのである。

明日にはげしい労働をひかえているときは、若者たちは夜遊びどころではなく、暑い夏の夜を死んだように眠り通すのだが、この小休止とも言うべき時期になると、誰が誘うともなく夜になると念仏堂や、おそくまであけている村の店の前にひとが集まって来る。店で何か買うわけでもなく、雑談にふけったり、女客が来るとからかったりして時をつぶし、やがて遠くの村から盆踊りの太鼓の音が聞こえて来ると、元気な者はそちらに足をむけ、ほかの者はべつの目的があって連れ立って姿を消したりして、いつの間にか誰もいなくなるのであった。

若者たちは、大ていは節のように浴衣を尻からげに着ていた。これから踊りに行くらしく、首に手拭いを巻いている者もいた。彼らは軽装し、自由な闇に取り巻かれて、早口に活気がある雑談をかわしている。庭の隅には、白地の浴衣を着て、手拭いで顔を隠した三人連れの娘も立っていた。

節が念仏堂の庭に入って行くと、娘たちは顔を隠すようにして、節と入れ違いに庭から道に出て行った。男たちに、他村の盆踊りにでも連れて行ってもらう約束でもあったのか、部屋の中にいた若者が、縁側まで出て来て、うしろ姿に声をかけた。

「角の店で待ってろ。すぐに行っかんな」

その声で、男たちがどっと笑った。娘たちが節をはばかって庭を出て行ったことも、また若者が招かれざる客である節にあてつけて、わざと大きな声をかけたこともわかっている笑いだった。

いまはやめたが、節は五年ほど前に村の青年会長をやった。村の若者たちが、大酒、大飯喰いを自慢し、夜集まっても、せいぜい腕相撲で力くらべをしたり、女の尻を追うぐらいで日を暮らしているのをみて、率先して生活ぶりを改善しようと考えたのである。

節は村の小学校の教員に協力してもらって、農閑期には学校で夜学会をひらいた。また月一、二回の幻灯会、彼岸休みの草相撲、夏の盆踊りなどを健全娯楽としてすすめ、ほかに平苗代を短冊苗代に改良する、米俵を二重俵にする、堆肥の増産を考えるなど農事改良も指導した。

だが、たとえば伝染病の流行と風紀を問題にして、県が盆踊りの中止命令を出したとき、下妻署の署長と交渉して、節の家の庭を会場にして午後十時には打ち切ることを条件に、盆踊りの許可を得てやったり、若者たちのために奮闘したにもかかわらず、節の生活指導は評判がよくなかった。要するに、節に監視されながらの盆踊りなどはおもしろくも何ともないというのが理由だった。盆踊りが終ったあとを棒を持って見回るような、杓子定規な節のやり方はかえって若者たちの反感を呼んだ。

それでも彼らが一応は節の言うことに従ったのは、節の家が家であり、節はそこの息子で、また反抗すれば暴力も辞さないほどの、屈強の身体を持つ正義漢なのを恐れただけだった。節は、高浜虚子が小説の中に、節をモデルにして「仁王のような腕」と描写したような、筋肉の盛り上がった体軀を持ち、百姓仕事で鍛えている若者たちにも、力負けするようなことはなかったのである。

いまは、節は青年会長の役から降りている。国生の青年たちを改革する、などということもとっくにあきらめ、ずいぶん性急なことをやったものだと、四、五年前のことを苦く反省したりもしているのだが、彼らには節のそういう胸のうちまではわからない。女の話をしているところに、節が顔を出せば、やはり監視されているような居心地悪さを感じるらしかった。節が、ほかでもない彼らが口にする女の話を聞きに来るのだとは誰も思わなかった。

節は、男たちの警戒するような視線には、いっこう頓着しないで縁側にすすむと、庭に入ったときに見つけていた作男の八造のそばに、身軽に上がりこんだ。八造は、節が近づくと、一瞬ひとのうしろに身を隠すようなしぐさをしたが、節と顔を見合わせると、きまり悪そうな笑顔になって軽く頭を下げた。

節は脛を抱いて、暗い庭の方に顔をそむけると、低い声で八造に言った。

「これから、盆踊りか？」

「うん」

「どこだ？」

「飯沼」

と八造は言った。聞こえて来る遠い太鼓の音は、飯沼村の盆踊りらしい。若者たちは、節と八造が話しはじめたので、警戒を解いたらしく自分たちの話にもどった。

「遠い」

と節は言った。八造は不満そうに節を見た。若者たちは一里ぐらいの夜道は、飛ぶように走って行くのである。飯沼村は遠いとは言えない。節は八造の横腹をつついた。

「今夜は、おれにつき合え。ええな」

と節は言った。八造はがっかりしたようにしばらく首を肩の間に落としこんでいたが、やっとあきらめた顔になってうなずいた。

そのとき、念仏堂の中にいた若者たちが、一斉に立ち上がった。相談がまとまって、大部分の者はこれから飯沼村の盆踊りに行くらしかった。節と八造も縁側を降りて、ほかの者と一緒に道に出た。

二時間後に、節と八造は村はずれの兵助という家の、裏手の雑木林に忍びこんでいた。二人がいるのは、兵助の若夫婦の寝部屋に近い場所である。暑いせいで、兵助の家の縁側の戸はあけはなしてある。若夫婦の部屋の小窓もあいていたが、家の中は寝静まったとみえて、真暗だった。

八造が、節の腰をつついた。少し前に、若夫婦の部屋と思われるあたりから、かすかなため息のような声が洩れて来たばかりで、あとは声は途絶えたままである。収穫はないから、引き揚げようという合図だったが、節はその手を振りはらった。

節は闇をのぞきこんでいる。人間の間に横たわる深い闇だった。聞こえて来たかすかなため息のような声は、ただの寝息かも知れなかったが、ひょっとしたら節がのぞきこんでいる深い闇が発した声かも知れなかった。節は、八造の肩を叩いて、もう少し待てと合図した。

そのときに思いがけないことが起きた。不意に物音がして、暗い家の中から外にひとが出て来たのである。姿は朦朧と黒いが、若い女のように見えた。下駄をつっかけて縁側から庭に降りた黒い人影は、すたすたと庭を横切ると、節たちがいる林の端からほど遠くない地面に身を沈めた。そこは庭隅の畑のはずである。と思う間もなく、地面にはじける尿の音がした。女は尿意に眼をさまされて外に出て来たようである。

黒い人影は、間もなく立ち上がって庭にもどった。そこで立ちどまると、男のように威勢よくあくびをした。戸をあけはなしていても、家の中はやはり寝苦しいのだろう。あくびをした女は、少し庭を歩いてから立ち止まった。節は木の陰で身体を固くし、息を殺した。女は眼と鼻の先に立っていた。

女の白い顔がぼんやりと見えた。二布の上に袖無しの白い肌着をつけているだけなので、女の肉づきのいい肩と腕が見えている。女はじっと立ったまま動かず、節が隠れている方を見ているようでもある。

――見つかったかな？

節は胸の動悸が高まるのを感じた。つかまったら、ひどい恥さらしになるだろうな、と思ったとき、女が突然に背をむけて縁側の方にもどりかけた。だが縁側まで行きつかないうちに、女はもう一度立ちどまった。そしてくるりと振りむいた。節は、今度こそ女がはっきりとこちらを見つめているのを感じた。気づいたのだ。

「ありゃあ、そこに誰かいるんでねえべな?」

言ってから、女は急に恐怖に襲われたらしく、高い悲鳴を挙げた。たちまち家の中に足音がひびくのが聞こえた。そのときには節と八造は立ち上がっている。立木の間の小道を一散に走った。その背後から、薪か何かを投げつけたらしい物音が追いかけて来て、雑木林がからからと鳴った。つづいて迫力のある男のどなり声が聞こえた。

「野郎めら、足打折(ぶっちょ)られてえか?」

怒声の主が追いかけて来るのではないかと思うと、背筋がむずがゆくなった。節は夢中になって逃げた。八造は、はるか前を走っている。途中立木に顔をぶつけたり、草の蔓(つる)に足をとられてころんだりしたが、二人はどうにか無事に雑木林を抜けて道に出た。

道に出ても、二人は足どりをゆるめずに走りつづけ、遠回りして節の家の方にむかった。村は眠っていて、誰とも出会わなかった。節が走るのをやめると、八造も足どりを合わせた。八造が言った。

「ひでえ目にあったよう。小旦那のお供は、おら、もうごめんだな」

「まあ、そう言うな」

恐怖がゆるやかに去ると、そのあとに新しい興奮がこみ上げて来るのを感じながら、節は八造をなだめた。

「こんな夜中に、外にひとが出て来るとは思わなかったからな。しかし、収穫はあった」

背後の闇に、薪かなにかがからからと音を立てたときの恐怖を思い返して、節は笑ったが八造はむっつりしている。飯沼の盆踊りに行けなかったことに、まだこだわっているようでもあった。太鼓の音が、夜更けても遠く小さく聞こえている。

「さっきの女子は、あれ、誰だろな？」

と節は言った。勢いのいい放尿の音や、三メートルもはなれていない場所に立った女の、肉づきのいい白い肩を思い出している。

「兵助の嫁か？　それともおひでか？」

「嫁だ」

八造が短く言った。おひでというのは兵助の家の娘である。八造は、夜ののぞき見ではさすがに節より一日の長があって、とっさの間に相手をよく見ていた。

二人は手さぐりで土間に入り、家の中で右と左に別れた。節は自分の居間にしている四畳に入った。真暗な中に、蚊遣りの香と家を出たときの蒸し暑さが残っていた。節は音を立てないように雨戸をあけた。

外を歩いているときには気づかなかったが、闇の中にはかすかな風が流れていた。風は音もなく節の部屋に入って来て、蚊遣りの香をはこび出し、わずかな冷気を残して行くようである。節はしばらく暗い畳の上に寝ころんで、外の虫の声に耳をかたむけていたが、やがて起き上がると、机の上のランプに灯を入れた。そして引出しから出した手作りの手帖に、今夜見聞したことを、虫のような細かい字で記しはじめた。

それは、「村のノート」というようなものだった。引出しの中には同じような古い手帖や新しい手帖が数冊も入っていて、古い手帖の中に克明に記されているのは、村の行事、自然、出来事、人間についての覚え書、うわさ話などである。節は新しいページを埋めながら、夕方に道ですれ違った嘉七の娘の白い足や、まだ耳に残る兵助の家の嫁の放尿の音などを思いうかべている。

これらの古い手帖から、短篇の「芋掘り」や「開業医」が生まれた。もう一冊の比較的新しい手帖からは、「おふさ」という短篇が生まれて、ついこの間発行になったばかりの「ホトトギス」八月号に掲載された。

いま書き記している念仏堂の若者たちや、嘉七の娘の足、兵助の家の嫁の放尿の音は、これまで書いて来た短篇とは違う、何かしら途方もなく奥深い世界につながっているような気もしたが、節は疲れていて、そこまで考えをつめる気にはなれず、ただ見聞きしたものだけを、丹念に記した。

ランプを目がけて虫がとびこみ、騒騒しい翅音を立てたり、不用意に身を焼いて異臭をまき散らしたりしたが、節は手帖を埋める作業に熱中して、顔を上げなかった。

八

節は蕨から来た手紙を巻きもどすと、縁側にあぐらをかいたまま、ぼんやりと庭に眼をやった。長屋門の内側の生垣にそって、夏の花である立葵となでしこの花が、花柄も小さくなり、葵などはあきらかに幹も折れ曲りながら、まだ咲いているのが見える。その上に、まぶしいほどに白いが、もう暑くはない日射しがさしかけているのを、節は何となく不快な気分で眺めている。

もっとも、不快さは手に持っている蕨真の手紙に原因があることがわかっている。蕨の手紙は「貴書読了りて誠に詞兄の先見の明に敬服仕候　実に小生の迂なるに致しても嘗て根岸の先生へ参り候時を憶へば左千夫君の二三年前よりにて昨今の心意行動ハ実に不快のもの十に七八に有之候」と書いている。

蕨のその手紙そのものが不快なわけではなかった。蕨の手紙は、節の手紙に対する返事である。この手紙をほかのひとに見せるなという節の要求にも、蕨は唯唯諾諾としたがい、節からその手紙をもらったことは「十万の援軍を得たる心地に有之候」と喜んでいるのである。蕨を不快に思う理由はない。

節は蕨真に、左千夫の悪口を書き送ったことで、自己嫌悪に陥っているのだった。きっかけはやはり、蕨真から便りが来たことである。そのハガキで、蕨は「アララギ」第二巻第一号が、いよいよ東京から発行になったと知らせ、つぎのような愚痴を言って来た。

「歌の評論（斎藤君の甕腹の歌）等について、いよ〳〵小生ハ左千夫君と歌の趣味離反候様相成候間一寸申上候」と蕨は書き、山荘に退隠したいとか、何も苦しんでうろうろしていることもないのだと自覚したとか、まったくの愚痴にすぎない言葉をつけ加えていた。

うろうろしているというのは、もう自分の手からはなれて、誌名もカナ書きに変った「アララギ」に、依然として資金を出したり、茂吉や千樫に代表される左千夫門下が表面に出て来て、すっかり様変りした歌欄に、旧態依然の歌を出して批判されたりしていることを指しているわけだろう。

そのハガキを読んで、節は猛烈に腹が立ったのである。「馬酔木」時代から、金銭的にはさんざん利用され、さらに「阿羅々木」から「アララギ」に変っても、まだ利用されていることに気づかない蕨のひとの善さにも腹が立ったが、左千夫にはもっと腹が立った。

山林地主である蕨の金力を利用したと言っても、「馬酔木」は子規が掲げた短歌革新の志をついで発行された、希望にあふれる同人誌だった。子規の弟子である同人が相集まって資金を出し合い、その中で蕨がもっとも裕福だから、金主格に扱われたのである。また岡麓は、ついひと月ほど前に彩雲閣を人手に渡してしまったが、「馬酔木」発行当時は金を持っていたから、これもかなりの金額の負担を押しつけられた。

しかし、それはそれでほかに方法がない以上やむを得なかったのだし、蕨にしろ岡にしろ、資金を負担しながら歌にも情熱を燃やしていたのだから、それでよかったのだと節は思う。

だが、新興の「アララギ」は事情が違うと、節は思わざるを得ない。

——左千夫君の私党じゃないか。

と、節は勃然と腹が立つのだ。新しい「アララギ」を支えるのは、左千夫を直接の師とする茂吉、千樫、石原純などの在京同人、そして新しく発行された「アララギ」第二巻第一号に「比牟呂同人に告ぐ」という感動的な合同決定の辞を載せて、改めて左千夫を指導者に仰ぐことになった島木赤彦、胡桃澤勘内ら信州「比牟呂」の歌人たちである。そこに蕨真が坐る椅子があるとは思えなかった。

希望に燃えて出発したころの旧「馬酔木」同人を、節は振りかえってみる。伊藤左千夫、香取秀真、結城素明、岡麓、平子鐸嶺、蕨真、安江廉、森田義郎、そして節。左千夫本人と蕨真をのぞくこれだけの人間が、「馬酔木」から「阿羅々木」に至る間に、つぎつぎと左千夫からはなれて行ったことを考えないわけにはいかなかった。

「アララギ」は、根岸系短歌を継承すると、左千夫は当然謳うだろう。そこにも左千夫の独善があると節は思うのだが、そのことをべつにしても、「アララギ」は人間的には旧「馬酔木」とはほとんどかかわりない歌誌として出発しているのである。そこに旧「馬酔木」同人である蕨真がうろついている姿は、ほとんど痛痛しいものだった。「アララギ」はむろん、「阿羅々木」でもないのである。みずからの足で歩き出した新興の歌誌なのだ。

そのことを、左千夫は蕨に言うべきだと節は思った。言わないのは、むろん蕨から出る金をあてにしているからだろう。節は左千夫を、金だけが目的で蕨を「アララギ」につなぎとめているほど、心情陋劣な人間とは思いたくなかった。左千夫だって、蕨の立場はわかっているはずである。ただ在京同人や、「比牟呂」から資金を募っても、月一回の印刷発行は無理だから、やむを得ず、しばらくは蕨の資力に頼ろうという考えなのだろう。

そこまで考えて来て、節はふと、いや、わかるものかという気もしたのだった。左千夫には信じられないほどルーズな一面があるのだ。節は左千夫が、節の親友の寺田憲から、個人的に金を借りていることも知っていた。

蕨に対してだって、何を考えてつき合っているか、わかったものじゃないと思ったとき、節は、先生などとあがめられて、根岸系短歌の後継者づらで傲然とかまえている左千夫に、あるうさんくささと、ほとんど近親憎悪的な腹立たしさを感じたのだった。節は禁欲的なまでに、子規の一弟子という立場をつらぬき、先生などと呼ばれると、真顔できびしく訂正する方である。その点でも、左千夫とは考えがまったく違っていた。

「御葉書は小生に於て全く意外に候　然しこれ早晩来るべき事実なりしは小生をして疑はざらしめしものに有之候　今日に及んでは大兄にも定めし小生の根岸短歌会と甚だ疎遠になりし理由に就いて略了解せられしことゝ推察仕り候」——他見をはばかると前書きして書き出した蕨あての手紙は、こういうものだったが、つづいて自分と左千夫との確執の経過を記したあとは、つぎのように猛烈な悪口になった。

「伊藤君に於て小生は狭小なる度量を認めざる能はず候　而して陋劣なる虚栄心に駆ら

れつゝあるを否定し能はず候　鷗外歌会に出席するも虚栄心の満足を得んがために候智識もなきに小説を否定し一朝称揚を蒙むれば得意満面にして述作に従事し、しかも此を発表するに自己の全部を傾注すと称したる馬酔木に於てせずしてホトトギスに於てす、ホトトギスの拒んで取らざるものを以て往々にして馬酔木に掲載す、更に自己の製作のホトトギスの巻頭に現はれざれば衷心の不平を禁ぜざるが如き、小生は悉く虚栄心の発露なりとなすものに候……これ小生の堪へざる処に候　要するに左千夫君は単に一作家として存在を認めらるれば沢山なるべき天分なるべきにも不拘自ら大将たらむとする処に誤を生ずるものに候　小生は暫く歌と絶縁せざるを得ず候」

　節はいま、蕨真にあてたその手紙を思い出しているのだったが、手紙そのものは、間違ったことを書いたとは思わなかった。言っていることに格別の誇張はなく、九割までは事実である。左千夫のそういう性格は、子規が死んだあとは野放しになったと節は見ていた。

　だが勢いこんで書いたものの、その手紙を読んだ蕨が、節の先見の明に敬服したとか、十万の援軍を得た気持がするなどと書いて来ると、それで喜んでもいられないなという気分になるのだった。たとえは悪いが、主流から落ちこぼれた者同士が、肩を叩いて慰め合っている図柄がうかんで来る。

　――先見の明と言われても……。

　要するに蕨が鈍感に過ぎたということなんだから、と節は心の中でつぶやいてみる。

蕨真は節より三つ年上で、人柄は申分のない人間だったが、肝心の作歌活動の方は、かつて左千夫が本気に腹を立てて、「馬酔木」同人の資格を云云したほどにのびなかった。その蕨と、肩を叩き合っていても仕方ないなという気もした。

言いたいことを言って、溜飲はたしかにさがったものの、ひとを罵った後味はよくなかった。そしてルーズだと非難されようが、狡猾だと罵られようが、左千夫はとにかく、「アララギ」を月一回発行の態勢に仕立て、傘下に「比牟呂」の歌人たちを組みこんでしまったのである。節とはやり方が違うことは確かだが、根岸派歌人として、やるべきことをやっているという気もするのだった。一党派をひきいるには、左千夫のような強引さとある種のいかがわしさが必要なのかも知れない。

「ま、いいか」

ひとりごとを言って立ち上がると、節は蕨の手紙を机の上にもどし、部屋の隅に置いてある旅支度の点検にとりかかった。明日は、水戸を出発して東北旅行に出かけるのである。

節は昨年の十二月に、陸中平泉の中尊寺をたずねた。十二月七日の夜十二時発という汽車で水戸を立ち、九日には帰郷するという慌しい旅だったが、節はその旅行のあとで、同行してくれた従兄の渡辺剛三に、「小生煙霞の癖愈つのり候て何時やむべしとも相わかり不申候」と書いた。「濃霧の歌」や甲之をめぐる見解の対立から、しばらく左千夫との間に距離をおくことを決心したあとの、不意に思い立った小旅行だったが、それでも旅は節の気分を解放し、喧嘩相手の左千夫にさえ、平泉から「昨夜突如として来り、今夜突如として去る」などとハガキを出したほどだった。

今年は平泉から青森に行き、浅虫温泉、弘前などをたずねたあと、十和田湖、小坂鉱山を見て秋田へ出て、最後は福島に一泊して帰るつもりだった。その日程を節は十二日間とみていたが、今度の旅には楽しみがひとつ隠されていた。

昨年の暮、従兄の剛三と二人で平泉に行ったとき、節はふと、名古屋の歌人依田秋圃が、小説「わたりもの」に書いた娘が平泉にいることを思い出し、従兄を誘って、その娘を見に行ったのである。と言っても、そのときは案内人の女に娘を外に呼び出してもらって、こっそりと顔を見ただけなので、今年はぜひともその娘に会い、言葉をかわしてみたいものだと、節は思っていた。

宿にもどって雉子（きじ）鍋の夜食を取ったが、酒好きの剛三はかなりの酒を飲み、やがて、さっき会った娘がかわいそうで仕方がないと言い出した。剛三は二年前に、ふとした浮気心から女を妊娠させたが、身分が違うというのでたちまち別れさせられた。その子が十六だったと、節も知らないことまで言い出して泣き出しそうになった。

従兄の酒をひどく感傷的なものにしたほど、依田の小説の娘は、素朴であどけない顔をしていた。名前はこのゑで、齢は十六である。その娘の顔を思い返しているうちに、節は蕨真の手紙がもたらした不快な気分を忘れていた。

だが節は、ただそういう楽しみのためだけに旅行に出るのではなかった。旅は身体を健康にすると、固く信じてもいた。今年の前半は自分の風邪を皮切りに、母まで病床につき、父は長いこと不在で、節は結局どこかにしじゅう黴(かび)の香がただよっているような、古くて大きな家にじっと居竦んでいるしかなかったのである。鬱屈した気分が溜った。

そして梅雨が終ったころからは、「ホトトギス」の原稿がいそがしくなった。京都旅行の印象をまとめた写生文「菜の花」を「ホトトギス」八月号に、短篇小説「おふさ」を同じ九月号に、そして矢のような催促をうけて短篇小説「教師」の原稿を、二十日すぎに三たび「ホトトギス」に送ったばかりである。その無理が祟ってか、節は少し痩せた。鏡をのぞくと、頬の肉が落ちているのがわかるほどだった。節は、ふだんの健康を取りもどすためにも、旅に出るのである。

だが節の旅は、いつもどおりにつつましいものだった。「菜の花」の稿料が十円、「おふさ」の稿料が十三円入って来て、旅費の助けとなったが、節はその上に水戸機関庫に勤めている渡辺剛三から、浅虫温泉までの三日間だけ、無料パスを借りようとしたほどだった。

また、はじめは九月二十八日に出発する予定だったのが、明日十月一日にのびたのは、持ち山の中の杉、檜を一部立木のまま売却する交渉がのびたためである。杉、檜は彼岸どきをうんと過ぎてしまうと、樹皮が用立たなくなるので、出発前に立木伐採の契約を済まして行く必要があった。

節の旅は、思い立ってすぐに出かけるという気楽なものではなくなっている。それだけにまた、旅に対する執着、煙霞の癖としか言いようのない外にあこがれ出る気持も、いっそう強まるのを節は感じていた。

九

しかし、せっかく楽しみに目指して行った平泉の娘は、もう嫁に行って会えなかった。節は落胆して、依田秋圃に「コノヱサンハ今年嫁ニ成リ申シ候　小生ハ失望致シ候」とハガキに書いた。

節は、首尾よくこのゑという娘を取材出来たら小説に書くつもりで、その構想をあためていただけに、失望は大きくて平泉二泊の予定を一泊に切り上げ、早早につぎの予定地浅虫温泉にむかったのであった。

冒頭にそういう事件があったせいか、その年の節の旅行の便りは、女性に触れた文句が多かった。

「土地の女は皆色白く、顔の形よく候」（青森より、横瀬夜雨あて）、「青森には美人多しと申候　今日青森から非常な美人の嫁さんが乗り申候　弘前にもいゝ顔が見えるやうに候」（弘前市より平福百穂あて）、「青森には美人おほしと申候　美人の嫁さんとおなじ汽車へ乗り申候」（弘前市より、胡桃澤勘内あて）、「東北は意外に美人を見られ申候」（弘前市より、寺田憲あて）、「此辺美人多し」（弘前市より、島木赤彦あて）と言ったぐあいである。

また、さらに土地を移っても、節は「旅中既に嫁さんを見ること四人内三人は文章に相成可申候」(秋田市より、渡辺剛三あて)、「旅行中都合四人の嫁を見申候　一人は青森の美人に候」(秋田市より、寺田憲あて)と書く。時は祝言の時期だったらしく、節は秋田の男鹿半島めぐりの間に、嫁入りの娘を四人も見るのである。

節は予定を変えて、秋田から福島に直行するのをやめ、途中山形県の新庄に降りて、そこから荘内平野にむかった。あるいは荘内美人のうわさでも聞いて寄り道する気になったのかも知れないが、鶴岡、酒田を経てもう一度県境を越え、秋田の象潟をたずねて終るその旅で、節は美人を見なかった。

下妻の友人の三浦義晃にあてた絵ハガキに、節は「荘内は美人多しと申せど、三日の旅に一人も美人らしきを見ず」とこぼしたが、鶴岡、酒田はむろん、田の中畑の中に、頰かむりしてごろごろいたはずの荘内美人が眼にとまらなかったのは、節の不運というしかない。

それはともかく、この荘内、象潟への寄り道のために、節の旅行日程は大幅に狂い、福島の知人佐久間政雄宅に寄って国生に帰ったのが二十二日だった。

旅先の各地から、筆まめに友人、知人へ消息を書き送るのは節の癖である。ことにきれいな女性を見かけたりすると、必ず消息の中に書き加えるのは知人の間にもう有名になっていたが、三十を過ぎてまだ結婚のあてもない独身男が、美人を見た、嫁さんを見たと、読む方が気はずかしくなるほどにはしゃいだ筆で書き立てているのは、節自身が意識していないだけに、どこか滑稽で、見方によっては少少悲惨な光景でもあったのである。

しかしまた、旅はいつも節を生き返らせるようであった。旅行前の鬱屈した気分は、帰郷したときはすっかり掻き消えていて、身体のぐあいもよくなっていた。節は紅葉した木木に囲まれた村を精力的に歩き回ったり、母にかわって取入れを指図したり、また雨の日は荒れた庭を眺めながら、「ホトトギス」の新年号に出す小説のことを考えたり、蕨真に手紙を書いたりした。蕨は一度節の家を訪問したがって、何度か手紙をよこしながら、節が旅行に出たり、自分の方がつごうが悪くなったりして、まだ来られないでいた。

節が下妻読書倶楽部に入ったのもそのころで、節はその話を下妻中学校の教師橋詰孝一郎から聞いていたのだが、十一月十六日になって、橋詰の同僚安塚千春から、倶楽部を今月からはじめたいという正式の通知と、倶楽部の規約を送って来たのである。

メンバーは発起人格の橋詰孝一郎、横瀬夜雨、節の三人のほかに、三浦義晃、藤倉新吉、また、下妻中学校、小学校の教員、下妻裁判所の判事、書記、詩人である夜雨の門下なども含まれてかなりの人数になった。安塚千春は、本間某と一緒に幹事をつとめた。

部費は月五十銭である。

規約では「購入書籍ハ部員三名以上ノ同意アルモノニ限ル」となっていて、発足後の読書倶楽部が購入回覧した雑誌は、主として早稲田文学、三田文学、帝国文学、中央公論、露西亜文学、白樺、文章世界、太陽、秀才文壇、日本及日本人などで、単行本はほとんどが小説だった。

十

この読書倶楽部は、節に少なからぬ影響をおよぼした。ひとつは回覧が終った雑誌の入札（規約によって定価の半額）とか、合評会とかで、下妻に行く機会がふえ、夜雨や橋詰との交遊が以前に増して深まったことである。

夜雨は下妻の東北、真壁郡横根村の豪農に生まれて節よりひとつ年上だった。節とは父の実家青木家を通じて遠い親戚の関係になるだけでなく、父親同士がおれ、おまえで呼びあう非常に親しいつき合いをしていたので、子供である二人とも自然に行き来するようになった。

夜雨は幼年時に佝僂病をわずらい、尋常小学校だけで学業を断念せざるを得なかったことからかえって早く詩に親しみ、やがて文庫派の詩人として頭角をあらわすようになった。夜雨がひとびとに愛誦された高名な詩「お才」を発表したのは二十一歳のときであり、秀作「やれだいこ」を発表したのは二十三歳のときである。節とは違い、はやくから世に才能を認められた天才型の詩人だったと言える。

節たちと読書倶楽部をはじめたころの夜雨は、すでに「夕月」、「花守」、「二十八宿」の三詩集を持ち、伊良子清白、「文庫」の詩欄を長く担当した河井酔茗と並び称される、文庫派の一流詩人だった。夜雨は前年の明治四十一年からは、酔茗が編集する「女子文壇」の新体詩欄の選者をひきうけて、若い女性投書家のあこがれの的でもあった。もっとも心ない文学少女たちは、あこがれて夜雨をたずねて来るものの、現実の夜雨に会うと多くは手のひらを返すように裏切って、夜雨を苦しめていた。

節と夜雨は、性格がむしろ相反していた。節の性格はとかく内に閉じ籠りがちで、たとえば政治などというものを極端に嫌った。本領とする短歌にしても、根岸派の歌人として一部に名を知られるだけの境遇に甘んじ、郷土の新聞、雑誌などにも、下妻中学校の校友会誌「為桜」をのぞけば、ほとんど作品を発表することがなかった。

節にくらべると、夜雨の性格は、持病のためにたびたび深刻な苦悩を味わったにもかかわらず、いったいに開放的だった。夜雨は政治が大好きで、地方新聞に政治的な意見も載せたし、不自由な身体で選挙運動らしきものをしたことさえあった。四年前に、村の子弟をあつめて私塾をひらいたのも、夜雨の開放的な性格を示す出来事だったろう。まその私塾は、結局大正末年までつづいて、夜雨の教え子は数百名に達するのである。また節は地方文壇とのかかわり合いを避けたが、夜雨は積極的にかかわり合い、のちに「いはらき」新聞の木星欄を主宰し、短歌の選をひきうけることになった。夜雨の短歌は明星派で、そこも節と相反する点だった。

ひと口に言えば夜雨はざっくばらんで、節は堅苦しい性格だった。夜雨の節あての便りは、たとえば「晴レタル元旦ニテ、至極泰平ニ候　ホト、ギス只今着、開業医一番アトノ楽シミニシテマダヨマズ候……オヤ曇ツタ、雲メガ出テマヰリ候」(四十二年一月一日)、「本ヲヨゴサレルノガキラヒダトアルノニ恐縮シテ、文章世界ヲトリ初メタ、宅デハ母モ見ルシ、中学生モカハル〴〵見ルノデドウシテモキレイニ行カヌ。大塚屋ノ番頭ガ来タカラ聞イタガ開業医ノオカゲデ大分ホト、ギスノ注文ガアルトノ事。早稲田文学ニ評ガアル、送リマセウカ(後略)」(同年二月八日)のように、口語文まじり、あるいは口語文のままの多少ぞんざいな文章が多かった。

それに対して、節は夜雨あてに「私は手紙の言葉は丁寧なことを切望する、さうでないと、折角人に手紙を貰つても不愉快でならない」とずけずけと書いてやったりした。節は手紙は候文で書くべきだというのが持論だったのである。

二人は性格も、文学的な好みも異なっていたために、文学や人生を論じたりすると、かなりはげしい論争にもなったが、言いたいことを言える間柄であるということと、文学や人生を深いところで論じあえる相手であるということで、二人ははなれがたい友情でつながれていた。

手紙は候文であるべきだという考えを持っていた節から、夜雨にあてた口語文のハガキがある。「お葉書本日とゞきました、お待ち申ます、母はまだ帰りませんが、壮健で見物をしてをるといふ便で安心しつゝ留守居をしてをるのです、小生一人でもお昼の支度位は出来ますから可成時間を早めてお出下さい、話する時間が余計になるからです、鶏が近頃卵を生みはじめて、一日に八つも九つも出来ます、村に豆腐もあります、早く来て下さい」

このハガキは、二年前の四月に夜雨が節の家をたずねたいと言って来た時の返事だが、二日後の十日に重ねて出した二通のハガキも、文面は友を迎える喜びにあふれている。その一通。

「昨日の葉書御らんのことゝ存じ候　幸此頃は天気もよし、鬼怒川堤もはじめてならば、いくばくか目を喜ばすに足ることゝ存じ候　両親も今日明日には帰宅可致、常々御噂致し居候こと故、嘸よろこばれ候はむと存じ候　書一つ画ひとつ老兄を楽しましむるもの有之候（後略）」

夜雨はのちに節を回顧して、「長塚君は矢釜し屋であつた、其家庭に於て矢釜しかつたやうに、やはり知人間でも六かし屋であつた、殊に僕のやうな物臭な横着太郎にとつては『怖い人』であつた」と述べるけれども、節が一歳年長の詩人を、文学からハガキにあるような書画の趣味、女性問題と、何でも話せる友人として尊重し、心をゆるしていたことは、右に挙げた二通のハガキをみてもあきらかであろう。節のハガキには、夜雨のはじめての訪問に対する喜びといたわりが、溢れるばかりに表現されている。

もっとも、二年前の四月のその話は、多分夜雨の方のつごうで取りやめになり、実際に訪問が実現するのは、もっと後になる。

下妻中学校の国語教師橋詰孝一郎も、節にとっては得がたい友人の一人だった。橋詰は「為桜」という月刊の同窓会誌を編集していて、たびたび節の原稿をもらって「為桜」に載せたことから、二人のつき合いは殊に親密さを加え、節は下妻に行くと大ていは橋詰の家をたずねて、夜おそくまで文学談義や旅行の話に熱中することが多かった。橋詰の肝いりで読書倶楽部がはじまると、そういう機会がふえた。

しかし節は、いくらおそくなっても泊ることはしなかった。木枯しが吹きまくる冬の夜などは、橋詰はたびたび泊るようにすすめたが、節は母が待っているからと言って、十時ごろから二里の道を帰って行くのである。

節は長いマントを着て鳥打帽をかぶり、白足袋に枯葉いろのカバーをつけてはいていた。そういう姿で提灯も持たずに、鬼怒川沿いの榛の木や櫟林の間を縫う夜道を国生まで帰るのである。橋詰はのちに、野いばらが咲くころとか、月がきれいで虫が鳴く季節とかはともかく「冬の夜道を何とも思はなかつた一事は他人の真似がたいことである」と、そのころの節を振りかえっている。

渡し場の船頭も、「源次郎さんの若旦那は怖い知らずだから——わしら寝てからでなきゃ川を越えないのだから」と言っていた。

読書倶楽部が節にもたらしたもうひとつの影響は、回って来る雑誌や本を読んでいるうちに、外国文学、なかでもロシア文学に惹かれて行ったことである。

ずっと後になるが、節は幹事の安塚千春に、「生田長江著新叙景文範、上田敏訳アンドレエフの心、それから雑誌の方へ文章世界を加へたらどうです」と希望を出したり、また上京して帰ったら、「一遍に沢山の雑誌が来て居るのに喫驚即席四冊だけを通読御返し申します。三田文学と露西亜文学は最終に願ます」と連絡を書き送ったりする。

節はまた、夜雨をたずねて話しているうちに、ひょいと「日本の小説なんかおかしくて読む気にならぬ」と洩らしたりした。節がツルゲーネフやトルストイに親しんだのは、「猟人日記」や、トルストイの作品の中に国生の農民の姿がちらつくのを感じたせいかも知れない。

しかし節は、動き出した読書倶楽部を横眼に見ながら、そのころは「ホトトギス」に出す小説の執筆に追われていた。題名は「隣室の客」だった。その間に古泉千樫から「アララギ」に寄稿を依頼して来たが、節は丁重にことわった。実際に、明治四十二年というその年は、一首の歌もつくらなかったので、短歌も歌論も書きようがなかった。

十一

明治四十三年に入ると、節は「ホトトギス」につづけざまに短篇を二つ発表した。新年号の「隣室の客」と二月号の「太十と其犬」である。

節は、田山花袋の小説が好きでもなく、また自然主義文学というものに近づきたいと思ったこともなかったが、たとえば花袋が「露骨なる描写」で主張したような、飾りを取り去って真相を描くということには、文学というもの、あるいは創作というものの本質が含まれているように思うことがあった。

花袋の「露骨なる描写」という評論は、技巧を排して露骨なる描写を推すと言っても、論旨はかなり混乱していて、節は「ありのままを描くにも、技巧というものは必要ではないのか」と反発したりするのだが、花袋が大声で「けれど十九世紀革新以後の泰西の文学は果して何うであらうか。その鍍(めつき)文学が滅茶々々に破壊せられ了つて、何事も露骨でなければならん、何事も真相でなければならん、何事も自然でなければならんと言ふ叫声が大陸の文学の到る処に行き渡つて、その思潮は疾風の枯葉を捲くがごとき勢で、盛にロマンチイシズムを蹂躙(じゅうりん)して了つたではないか。（中略）虚言と思はゞ、イブセンを見よ、トルストイを見よ、ゾラを見よ、ドストイエフスキーを見よ」と、大見得を切っているあたりは勇ましくて好きだった。

節が師の子規から学んだことは、飾りや先入観を取り去って、自然の真相をつかむということだった。小説は短歌とは違うだろう。そこに描かれるのは人間で、人間は自然のように、たやすくはあからさまな姿をつかませるような存在ではないのだが、それだけにいっそう、飾りを剥がして人間の真実に迫るということは、花袋のようにそれがすべてだとは言わないまでも、小説というものの重要なはたらきの一部分のように、節には考えられるのだった。

「隣室の客」は、節のそういうかなり自然主義に傾いた小説観で書かれた、一種の告白体の小説で、節の過去唯一の女性関係ともいうべき、手伝い女中で来ていた巡査の娘との交渉を小説化したものだった。

これに反して、「太十と其犬」は処女作の「芋掘り」と同じく郷土に材料を得た小説で、太十という瞽女（ごぜ）好きで頑固者の生涯を、田園の風物とともに簡潔に力強く描いた短篇だった。その「太十と其犬」が二月号の「ホトトギス」に載ってから間もなく、朝日新聞の文芸欄を編集している森田草平から手紙が来た。用件は新聞小説の依頼だった。

朝日新聞の「朝日文芸欄」は、前年の十月から設けられた欄で、主任は夏目漱石だった。漱石は明治三十六年のはじめに英国留学からもどったあと一高、帝国大学文科大学の講師を兼ねながら、虚子にすすめられて「ホトトギス」に「吾輩は猫である」を連載し、その成功をきっかけに文筆生活に踏みこんで行った作家である。「漾虚集（ようきょしゅう）」にまとめられた「倫敦塔」、「カーライル博物館」、「薤露行（かいろこう）」などの短篇を経て「吾輩は猫である」につづく諷刺文学「坊っちゃん」を書いたのが明治三十九年、つづいて「草枕」、「二百十日」、「野分」などをつぎつぎと発表して小説家としての名声を確立したが、三年前の四十年三月に、そのころ京都帝大から招聘（しょうへい）があり、また東京帝大からは英文学教授の内示があったのをことわって、東京朝日新聞に入社したのである。

漱石はその後も、最初の新聞小説「虞美人草」を成功させたあと、「坑夫」、「三四郎」、「それから」などの力作、問題作を発表する一方で、小品の「文鳥」、あるいは「夢十夜」といった作品では、人間の意識の内奥を手さぐりする方法をすすめるなど、小説家としての成熟の時期をむかえつつあったが、「朝日文芸欄」の開設を機会に、持論であった無名の新人を小説欄に登用する方針を打ち出して、その新人に節をえらんだのである。

漱石はのちに、「長塚節と私を結びつけたものは『ホトトギス』に出た君の佐渡の紀行文であつた。私はそれを見て面白いと思つた。それで私が『朝日』の文芸方面を担当してゐた際、君に長篇小説の寄稿を頼んだ」（「釣鐘の好きな人」）と書いたように、節の写生文「佐渡が島」に感心したのである。

そして多分、その後の「ホトトギス」に載った節の短篇にも眼を通していたのだろうが、同じ「釣鐘の好きな人」の中に、小説「土」に触れて、「あれは書き方が少し堅くなり過ぎたと思ふ。あの材料を『佐渡が島』のやうな筆つきで書いたら、更に一層面白いものになつたらうと思ふ」とのべているところをみると、漱石は「佐渡が島」一篇で節をみとめたのである。そのイメージで、節を長篇も書ける新人作家とみて、森田に小説連載を交渉させたとみていいだろう。森田草平は東京帝大英文科で漱石に学んだ門下生で、二年前に妻子がいる身で平塚明子（雷鳥）と心中行事件を起こして社会の非難を浴びた。一年経って、森田は漱石の庇護のもとにそのときの次第を小説「煤煙」にまとめ、それが認められてようやく社会復帰したばかりだった。

朝日新聞からの長篇執筆依頼は、節をおどろかせたが、新聞連載となると、「アララギ」や「ホトトギス」に書くのとは違って、読者を想定しなければならない仕事だった。節は冷静にその点を考慮して、一たん森田の申し入れをことわった。適任にあらずということわりの理由の中には、はじめての長篇執筆ということに対する不安も含まれていたが、それよりはむしろ、身辺の落ちつかなさといったものが、そんな長期にわたる約束事をひきうけていいのかと節をためらわせるのである。

母がリューマチで床についていた。また、節の家の借財は、岩井銀行から借りている四千円ほどの借金を筆頭に、およそ五千五百円ほどに達していた。その借金と父の行動は、極端に言えば一瞬も目ばなしならないものだった。借財は黙っていればじりじりと利子を加えてふえつづけ、経済観念にとぼしい父は、また何をやり出すかわからなかった。

朝日新聞から執筆依頼があった翌月の三月に、節から水戸ホテルにいる父源次郎にあてたつぎのような手紙がある。「扨而ふと思ひ出し候故念のため申上候は昨年三月は東京に御在留中県庁より議長の手当金の内百円丈相届きそれを植田清五郎氏方へ差回し候ほどに有之候が今年も此の三月中に百円相届き可申候や其辺しかと承り申度、月末に植田氏へ払込むべき金子唯々一意調達方奔走致候へ共何分共思ふ様に不参右百円丈にても手に入り候ことならば此処非常に都合宜しく候　父上様もはや受取相成候ものならば誠に詮なく候へ共それも御受取相成候てまだ余金も有之候ことならばそれ丈にても一時御差回し被下度御願申上候　尚右金子御受取無之候はゞ昨年の如く三月中にはこちらへ送金相成候ことに候や県庁へ一寸御照会被下度御願申上候」

植田清五郎は多分借金先であろう。節は月末に植田に支払うべき利子の捻出に苦しみ、父に県庁からもらう百円の議長手当てはどうしたか、もう受け取り済みなら、残金だけでも送ってもらいたいと問い合わせているのである。

母のリューマチが回復しなければ、田畑の指図もしなければならなかった。節はまた、今年になってから、心あたりに縁談を依頼してもいた。その種の小説以前の身辺の雑事が節を厚く取り巻いていて、落ちついて長篇の執筆に取り組むという雰囲気ではなかったのである。何が起きるか、わからないのだからと思いながら、節は森田草平にことわりの手紙を書いたのだが、それでまったく平気だったわけではない。折角の好機を逸したという悔いは残った。

節にも文学的な功名心がないわけではない。東京朝日新聞の小説欄は、二葉亭四迷が「其面影」、「平凡」を連載し、漱石が「虞美人草」、「坑夫」、「三四郎」、「それから」を連載した舞台である。島崎藤村が「春」を発表し、永井荷風が「冷笑」を連載した場所でもある。小説ではるかに先輩格の虚子も、また先輩づらをしたがる左千夫も登場したことのない場所である。

そして森田草平の手紙によると、夏目漱石は三月から六月まで「門」という小説を連載し、承諾すれば、節はそのあとを引きつぐのであった。晴れがましい舞台だった。そして、書くべきことがないわけでもなかった。

——書くとすれば……。

あれしかないと、節は森田にことわりの手紙を書いたあとで、引き受けていれば書くことになったであろう小説に、じっと眼を凝らすことがあった。

節の眼には、貧しく、かつ不可解な影をひきずりながら、活力に満ちて暮らしている嘉七一家が映っている。その周辺の村びと、そして村と村びとをさらに取り囲む丘の傾斜と鬼怒川と櫟林の自然。その自然と人間が渾然とまじり合う重層的な世界は、長篇小説でしか表現し得ないものだった。

空想の中で、節は嘉七に勘次という名を、娘にはおつぎという名をあたえた。上の弟は登場人物からはずして、年寄りには卯平という名、下の弟には与吉という名前をあたえた。そして、その名前を例の手帖に小さな文字で書きとめた。すると仮の名をあたえられた一家は、台地の上の村をいきいきと動き回るのであった。

森田草平から、再度の懇切な依頼の手紙が来たとき、節の頭の中には、ひとつの物語が半ば出来上がっていた。今度は物語の方が節を動かし、節は森田に快諾の返事を出した。そして早速執筆の準備にかかった。漱石の「門」が六月半ばまでつづくとしても、その前に四、五十枚の原稿は用意しておく必要があった。

新聞小説の題名は「土」とした。その題名を、節は小学校に行って、校長の中島助太郎やほかの教員にも考えてもらった。黒板にいくつか題名を書きならべ、その中から「土」を選んだのであるが、小学校まで行って新聞連載の話をし、およその内容を話して題名を選んでもらった節の気持の中には、むろん朝日新聞に小説を連載することを、まわりに誇りたい気分もあったのである。節にはその種の、わずかだがひとに軽薄とそしられかねない性格があって、その軽軽しさは、さほどの矛盾もなく慎重で謹厳な性格と同居しているのだった。

「土」を書くには、まだ取材しなければならないことがいっぱいあったが、節はとりあえず執筆に取りかかった。夜になると、まだ寒さが残る四月の初めで、節はランプを引き寄せると、取材メモ帖と同じ大きさの、自分でつくった無罫(むけい)の手帖を机の上にひらいた。

──さて、どこまで書くかだな。

節はふと顔をあげて、まだ決着がついていない問題に考えをもどした。眼の前の暗い硝子戸に、少し頰の瘦せた男の顔が映っていた。むろん、節自身の顔である。窓の外は闇だった。

節が考えているのは、嘉七親子をめぐる例の暗いうわさのことだった。それを書けば、それは親子を傷つけることになるだろうか。多分そうだろうが、しかしそこを捨ててしまえば、この小説はにがりを失った豆腐のように、得体の知れないものになるだろう。節にもまだ正体が見えていない、ひどく緊張を強いるその人間の暗がりこそ、この小説のにがりになり、構想している人間と自然の物語に命を吹きこむことになるのだ。なぜ、そうなのかと言えば……。

──つまり、それは……。

罪深い行為だから、その罪のためにヒューマンな行為たり得ているのだ。だからこそ、人間は書かれるに値する謎なのだ。その暗い耀きを、はたして「土」の中に書きとめることが出来るだろうか。

「………」

節は深い吐息をついた。嘉七の娘の澄んだ声と白い足が、脳裏をゆっくりと横切り、節は答はまだ出ないのを感じた。書きだしてから考えるしかなかった。

節は万年筆のインクを調節してから、手製の手帖の上に、虫のような小さい文字で、「土」の最初の一章を、「烈しい西風が目に見えぬ大きな塊をごうつと打ちつけてはまたごうつと打ちつけて皆瘦（やせ）こけた落葉木の林を一日苛（いじ）め通した」と書き出した。

婚約

一

明治四十三年の四月十六日に、本所茅場町の伊藤左千夫の家で歌会が開かれた。歌会は、まだ完成はしていないがおよその体裁がととのった新築の茶室で行なわれ、参加したのは主人役の左千夫のほかにひさしぶりの節、その日、何の前触れもなく偶然に来合わせた長野の胡桃澤勘内、ほかに木村芳雨、古泉千樫など歌会の常連六人だった。

一応の触れは歌会となっていたものの、内実は完成を待ちかねた左千夫が、内内に仲間に出来かけの茶室を披露したいのが本音だったので、歌会をほどほどに切り上げたあとは雑談になった。当然ながら話題には唯真閣と名づけた左千夫の茶室のことも、蒸し返されて出て来た。

その話の中で、左千夫は機嫌のいい笑い声をあげていたが、不意に立つと、太った身体をかるがると動かして茶室から姿を消した。そして、つぎに息せき切って現われたときは、手に表装の新しい軸物を一本持っていた。諸君に、これを見てもらおうかなと左千夫は言って紐をといた。

「じつはこの軸は、茶室びらきのときに披露しようと思っていた正岡先生の遺墨だ。長塚君も、この軸のことは知らん」

「……」

節は、左千夫の興奮状態にいくらかとまどっていた。あいまいな表情で黙っていると、左千夫は節にも機嫌よく笑いかけながら言った。

「壁が乾いたら、床にはこの軸をかけるつもりだよ。まあ、見てくれ」

左千夫が仁王立ちになって掲げてみせた子規の軸物には、「かみふさの山の杉きりみやこべの茅場の町に茶室つくるも」という短歌が読みとれた。

左千夫が茶の湯を習ったのは三十歳のときである。牛乳搾取業者として、本所茅場町に独立してから四年目のことで、茶の湯を手ほどきしたのは深川大工町に得生舎を開業している同業の伊藤並根だった。並根はもともと名古屋人で、このときはもう六十歳に近く左千夫とは親子ほども齢がはなれていた。

伊藤並根は、左千夫に茶の湯と一緒に桂園流の短歌も手ほどきし、二、三年後には桐廼舎の月次歌会にも紹介することになるので、趣味人伊藤並根の左千夫にあたえた影響は、はかり知れないものがあったというべきである。

とにかく左千夫は、歌をよみ、茶の湯にくわしいこの先輩同業者とつき合い、茶の作法を習ったり、歌をよむための探勝旅行をともにしたりするうちに、すっかり歌と茶の虜になってしまったのである。のちに根岸の子規庵に出入りするようになってからもしきりに茶の湯の知識をひけらかし、効能を講釈してやめないので、左千夫は子規から茶博士のあだ名をもらったほどだった。

もっとも子規には茶の趣味はなく、ことに茶人宗匠と呼ばれる人種が持つ一種のくさみに対しては潔癖な嫌悪感を抱いていたので、茶博士というあだ名にはからかいがこめられている。そして子規は、からかいながらも一方で左千夫に贈る消息歌の中に、「茶博士ヲイヤシキ人ト牛飼ヲタフトキ業ト知ル時花咲ク」といった歌をいれ、左千夫が例の熱中癖から変なぐあいに茶人くさく染まるのを本気で戒めもしたのだった。

だがその子規も、山持ちの蕨真が左千夫にむかって、茶室をつくるときには材木を上げようなどと約束をしているのを聞いても邪魔だてはせず、かえっておもしろがって「かみふさの山の杉きり……」の歌を書いて、左千夫にあたえたのである。その歌を書いてあたえたとき、子規は新しい杉の香がただよう茶室のさまを頭に思い描いたかもしれないと思えば、なるほどその軸は、左千夫が興奮するほどに新築の茶室の床に似合っているようでもあった。

「これはいい。これはぴったりの軸だ」

木村芳雨が大きな声で言って手を叩いたのも、そういう意味だったろう。ほかの者も口ぐちに子規の軸をほめているのを聞きながら、節はそっと出口の方にしりぞいて、みんなが気づかないうちに外に出た。

——茶の湯か。

と節は思った。節にも茶の湯の趣味はない。あのころ、つまり左千夫や節が子規庵に出入りしはじめたころ、左千夫の茶にいくらかでも理解を示したのは岡麓ぐらいのものではなかったか、と節は思い返している。

岡麓は、彩雲閣書房の経営ですっかり家産を摺(す)りへらしてしまったが、家は幕府の奥医師を勤めた家柄で、直参を気取って巻舌で物を言ったりするものの、身についた趣味のよさは田舎者の左千夫や節とはくらべものにならなかった。書家多田親愛について習った書は、一流の域に達していたし、漢学、国学の素養も深かった。むろん茶の湯の作法などというものも、岡の場合は日常茶飯のこととして身にそなわっていたようである。

そういう岡にくらべると、左千夫の茶にはどこかおかしなところがあった。変に深遠な理屈を言っているものの、素姓のいい茶を正式に学んだというのでないために、何となく我流に固まったものを、自分で茶の湯と呼んでいるにすぎないようにも見えるのである。たとえば左千夫が茶室と言っている新築のその部屋は、床があり、炉があり、水屋があり、貴人畳、点前畳、客畳と茶室の体裁はすべてそろっているのに、にじり口がなく、大きな窓が二つもあるのだった。つまり、部屋は書斎を兼ねているのである。

そういうふうに、あえて定跡にこだわらない左千夫の茶の湯は、ひょっとしたら茶人くさく染まることを戒めた子規の言葉を忠実に守った末に、たどりついた形なのかも知れず、またそこには、左千夫なりの茶に対する考え方があらわれているのかも知れなかったが、結果的にどことなくまがい物の匂いがすることも事実だった。

――よせばいいのに。

茶の湯の趣味がまったくない節は、簡単にそう思っている。

町には町の暮らしがあり、村には村の暮らしがある。ひとのたのしみに水をさす気はないが、茶の湯などというものは、町の暮らしの長い伝統の中に生きつづけて来たものだろうから、田舎者が急に真似たところでサマになるわけはないのだ、と節は左千夫に対していくらか意地悪い気持になっていた。

節自身は、約束ごとにしばられた茶の湯などよりは、村の自然の方にはるかに興味をそそられる。林の上にひろがる青い空、綿のような木木の芽、道ばたの草の花、丘の傾斜を照らす春の日の移り……。そこには何度見ても見飽きない不可思議なものがある、と思う。左千夫は長く町に住み馴れて、もう村の自然を忘れつつあるのだろうか。

そういうことを考えるのは、今度の茶室を建てるために、左千夫がかなり無理な金策をしているらしいことが頭にあるせいに違いなかった。材木は、こまかな用材はべつにして、蕨真の贈り物だから金はかかっていない。だが工事費の方は即時に支払わなければならないものである。

左千夫はこの四月に入ってから、大工の手間を払う目途が立たずに寺田憲に借金を申し込んで来たという。そのことを節は寺田の手紙で知ったのだが、左千夫の話や寺田、蕨の手紙などから節がわかっているのは、蕨はにわかに材木を送って来たわけではなく、去年の十一月末にはもう送ることを予告し、実際に左千夫の家に材木をとどけたのが今年の一月半ばすぎのことであり、左千夫が茶室の建築に取りかかったのが二月二十日前後だということである。

その間に、左千夫ほどの人間が工事費を工面出来なかったことにも首をかしげるが、十分に工事費の手当てがついていないのに、建築にとりかかったことはさらに不可解に思われた。

しかも左千夫は、寺田に対する借金申し込みの手紙の中に、寺田が土屋文明に出してやっている学資一年分を、前借りさせてもらえないかと言って来たと言うのである。左千夫がそんな申し込みをしたのは、寺田からの昨年の借金の半額を、月賦で土屋の学資の方に回す形で返済した前例があったからだろう。左千夫は今度もその方法で七、八十円ほど借りたいと頼んだ模様だった。

寺田が洩らしているその話を読んだとき、節は首筋のあたりがうそ寒くなったような気がした。借金というもののこわさを、日ごろ身にしみて感じているせいでもあったが、それだけではなく、左千夫が土屋の学資をダシに使って借金を申し込んだというところに、何とも言えない荒廃が匂うのが気になるのだった。

土屋の学資を、寺田憲から出してもらうように斡旋したのは左千夫である。寺田は土屋を将来ある青年とみて、快く学資の負担をひきうけた。左千夫はそれだけで、寺田の配慮に感謝すべき立場にある。その土屋に行くべき学資を前借りさせてくれというのは、親が子供の金をかすめとるのに似て、無頼の言い分に近くはないかと、節は言ったそのひとが左千夫だけに、釈然としなかった。

おそらく寺田にもその疑問があったから、左千夫に対してはすぐに五十円の金を送ったものの、土屋の学資一件はそっと節に洩らす気持になったのだろう。

節は左千夫の家の門を出た。左千夫の家のまわりは人家もまばらで、南側にはひろびろとした埋立ての湿地がひろがっている。歩いて行くと沼に出た。左千夫に、このあたりは北白川宮家の屋敷あとで、沼は庭園の池に雨水がたまって出来たものだと聞いたことがあるが、じっさいに来て見たのははじめてだった。

沼はかなり大きく、岸には密生する葦が勢いよく葉を茂らせはじめていた。沼の中央あたりに島のようなものがうかんでいて、そこにも葦や灌木が茂っていた。日暮れ近く、ひと気もない沼の岸は無気味なほどに静かだったが、節が立って水面を眺めていると、突然にばさっ、ばさっと何かで水を叩くような物音が二度した。

左千夫に、沼には水鳥がいるのだ、と聞いたことがあるから、物音は水鳥かも知れなかったが、鳥にしては音が大きすぎるようでもあった。しばらく耳を澄ましたが、鳥の姿も見えず音はそれっきり絶えたので、節は早早に足を返した。途中に、窓が黒い穴になっている、あきらかに空家と思われる倉庫のように大きく古びた家が立っていて、西の方からほとんど水平に滑って来る赤い日射しが、その家のどこかに残る硝子に映るのだろう、鋭い反射光が歩いている節の顔を照らした。

——さびしい場所だ。

と思いながら、節はゆっくりと左千夫の屋敷を迂回して北側に回った。高い杭にはりめぐらした針金の間から、左千夫の家の牛舎、牧夫部屋、飼料小屋、牛の運動場などが見える。両手にバケツをさげた牧夫が一人、飼料小屋の方から歩いて来て暗い牛舎に入った。牛に餌をやる時刻なのかも知れなかった。

左千夫の家の北側は、道路をへだててその先にひろがっている広大な鉄道の空地に面している。空地にはまだ子供が群れて遊んでいた。子供たちが走り回っているクローバーやたんぽぽの花がいちめんに咲いている野原の突きあたりには、赤土の高架鉄道の土手が見えた。夕日を浴びて駆け回っている子供たちの中には、左千夫の、節がいつになっても名前をおぼえられない子供たちもいるかも知れなかった。

甲高く澄む子供たちの声を聞きながら、高架の鉄塔を照らす日のいろが少しずつ変るのを眺めてから門をくぐり、節が左千夫の家の庭にもどると、庭と牛舎をへだてる木の柵のそばに、胡桃澤勘内が立っていた。

胡桃澤は節を見ると、くるりと身体を回して、若若しい笑顔をむけて来た。信州歌壇の有望な歌人である胡桃澤は、節より六つ年下だった。

「どこへ行かれたかと思いましたが、散歩でしたか」

「ええ。伊藤君の茶室自慢を聞くのも、少少倦きたもので」

節が言うと、胡桃澤は軽い笑い声を立てた。

「ま、十年来ののぞみがかなったのだから無理もないんだが。ところで、何を見てたんです？　暗くて牛は見えないでしょう」

「ええ、見えませんね」

二人はうす闇が立ちこめている牛舎の軒下のあたりに眼をやった。饐えたような牛舎の匂いがただよっているだけで、牛の姿は見えなかった。

「あ、いや」

胡桃澤はふと気がついたように、節の顔を見た。

「牛を見に出たわけじゃなくて、長塚さんを迎えに来たのです。先生の奥さんが、手づくりの料理で夕飯を出してくれるというものですから」

「あ、そうですか。それはわるかった」

と言ったが、節はすぐには歩き出さずに胡桃澤を見ながら言った。

「君は、今夜ここに泊るの？」

「いや、帰ります。宿を取ってあるもので。ただ、明日伊藤先生と古泉さんに上野と田端大竜寺を案内してもらう約束をしました。長塚さんも、ご一緒にいかがですか？」

「上野はなに？　お花見ですか」

「はあ、いま桜が見ごろだそうです。ちょうどいいときに来ました」

「お花見だけならつき合ってもいいな。田端まで行ってしまうと、汽車に間に合わなくなりそうだけど。いや、こういうことを言うと、子規先生に叱られるだろうね」

二人は軽い笑い声を合わせると、茶室の方にむかって歩き出した。母屋の方はまだ暗かったが、茶室にはもう灯が入って、そこから茶室らしからぬあかるいざわめきが外に洩れている。胡桃澤が言った。

「奥さんは、またおめでたのようですね」

「え？」

節は意表をつかれて胡桃澤を見た。

「あ、そうなの。僕は気づかなかった」

「先生も、お子さんが多いから、大変ですな」

「どういうつもりなのかね」

何となく、節はそう言った。左千夫の妻女がまた子供を生むという、ただそのことだけでなく、近ごろの左千夫について漠然とそう言いたいものが腹にたまっているのを感じる。

「伊藤先生は、最近は働いておられないんでしょうか？」

「え、どうして？」

節はまた、意表をつかれた感じで立ちどまると、胡桃澤を見つめた。

「誰か、そんなことを言ったの？」

「いえ、ただ、さっき、ここで牧夫のひととちょっと話したもので」

胡桃澤はあいまいに言葉を濁し、そのまま口を閉じてしまった。節は胸の中に得体の知れない不安が兆すのを感じながら、にぎやかな笑声が洩れて来る目の前の茶室を眺めた。

二

「やっと二人きりになれたな」

客を門前まで送って行った左千夫が、もどって来るとそう言って、どっかとあぐらをかいた。時刻はもう九時を過ぎていた。

「今夜は泊って行くんだろ？」

「いや、黒船町まで行こうかどうしようかと、まだ迷っているんだ。亀沢町まで歩けば、あとは電車があるんだし」

黒船町というのは、寺田憲の父飯田新右衛門が東京に構えている別宅で、節は上京すると、定宿のようにその家に泊めてもらっていた。

「あんな遠くまで帰ることはない。それに、もう母屋の方に床の支度をするように言って来たんだ」

「しかし、黒船町にも泊めてもらうとことわりを言って来たんだけどな。こんなに遅くなるとは思わなかったんだ」

「なあに、気にすることはないよ」

左千夫は、菓子盆の中から客が残して行った大福をつまみ上げて、むしゃむしゃと喰った。

「むこうだって、今日ここに来ることは知ってるんだし、遅くなれば泊ったと思うさ」

「ま、そうかも知れないけど……」

節は、話したいことをまだ何も話していないのだからと思いながら、やっと決心をつけた。

「じゃ、泊めてもらうことにするか」

「そうしろ」

と言ったが、左千夫は疲れたように軽いあくびを洩らして、失礼と言った。そしてうるんだ眼を節にむけると、君の嫁さんはまだかと言った。

「そろそろ身を固めなくちゃ、仕方あるまい」

「いや、いまもあちこちあたってはいるんだがね」

節はにが笑いした。

「なかなかまとまらない。と言うのは、家は条件がむつかしいんだよ。中身は借金だらけなんだが、一応は格式というものがあって、そこらの百姓の娘をもらうというわけにもいかない。でも借金があるのは事実だから、ちゃんとしたところとは話がまとまらないという具合だな。それに、僕自身も齢を喰っているしね」

「君、いくつになったの？」

「三十二だ」

「三十二か。僕が家内をもらったのは二十六のときだったな。一緒になったのは二十二年の暮だったんだが、籍を入れたのは翌年の四月だった」

「……」

「いそがしかったんだ」

左千夫は眼鏡をはずして、つるりと顔をなでた。

「林君というひとと、共同して乳しぼりとして独立した年だからね。人手が要るんで家内をもらったという事情もあったのさ」

「奥さんはいくつだったの？」

「五年生まれだからね、いくつだったんだろうな。十八かね」

「すると、それからざっと二十年か」

「その間、二年に一人の割合で子供を生んで来たんだ」

と言って、左千夫はいつかのようにすばやく腹をなでるしぐさをした。

「うちは、またこれだよ」

「そうだってね、いつ？」

「六月だそうだ。去年奈々枝を亡くしただろ？　亡くしたあとというのは、すぐに出来るんだってね。どうにもならん」

左千夫は、今度は手を上げて頭を掻きむしった。そして、ひょいと顔を上げて言った。

「歌のほうはどう？　その後、何か出来たの？」

「いや、だめだ」

節は手を振った。

「頭がいっこうに、そっちに向かないのだ」

「ふむ、もっぱら小説の方に力を入れているわけか」

左千夫はあぐらの足を組み直した。太った毛脛をむき出しにしているが、夜が更けても寒くはなく、半ばひらいている窓から生あたたかい夜気が入って来る。

「僕も今年はあまり歌が出来ないんだ。歌の方は若い連中にまかしてしまおうかと、ふっと思ったりしてね。僕も気が弱くなったよ、君」

「そうかね」

「そのかわりに、小説は出来た。『去年』というやつだがね。ホトトギスで増刊号を出すからというので書いたんだ。間もなく出ると思うから、読んでみてくれ」

「中身はどんなものなの？」

「友人あての手紙という形でね、自分の暮らしのことを書いたんだ。赤裸裸にね」

「…………」

「僕はね、君、長塚君。いま、言いたいことがこのへんに……」

と言って、左千夫は大きな手をひろげて胸を押さえてみせた。

「いっぱいたまっている気がするんだ。世の中に対しても、人生そのものに対しても、それから自分自身に対してもだ。だから小説も、どうしてもそういう形になるな」

「……」

「君はいま、どんなのを書いているんだ？」

「長篇にかかっている」

と節は言った。

「じつは、今日はその話もしたくて来たんだ。今度僕は、朝日新聞に小説を載せることになったよ」

「朝日新聞？」

左千夫は、厚い眼鏡の奥の眼をじっと節に据えたまま、動かなくなった。顔にはおどろきと疑惑の表情がうかび上がっている。

節はこそばゆい快感が、背筋を駆け上がるのを感じた。歌でも小説でも、つねに左千夫に一歩先んじられた形でここまで来たが、どうやら今度こそ、頭ひとつ左千夫を抜いたらしいという実感がこみ上げて来たのである。

べつに朝日新聞に小説をのせると、自慢しに来たわけではなかった。そうなった事情も話したかったし、長篇という未知の分野に手をつけるにあたって、左千夫の意見も聞きたかったのだ。だがそう思いながら、気持の奥の方に、いまのような左千夫の反応を期待する気持もまったくなかったとは言えない。節は、左千夫の表情がおどろきからはっきりした羨望に変るのを満足して眺めた。

だが左千夫は、すぐに身じろぎして眼を窓の方にそらすと、へえ、と言った。

「で、いつからのっけるの？」

「六月からだ。いま夏目さんが『門』というのをのせている。そのあとだそうだ」

「へえ、漱石のあとかねえ。そりゃ、ま、えらいことじゃないか」

と言ったが、左千夫は急に鋭い口調で切りこんで来た。

「君、自信はあるの？　いったい、何を書くの？」

「自信なんてないな。なにしろ長篇ははじめてだからね。でも、書くものは決まっているんだよ」

節は懐をさぐって、手帖の第一稿から書き写して来た、書き出しの十行ほどを記した紙片を左千夫に渡した。

「題名は『土』と言うんだ。ま、要するに村の話なんだけどね。僕は都会の話は書けないから、身丈に合ったものを書くしかない」

「………」

「しかし、村の話と言っても、いざ書くという段取りになるとよく知らないことが多くてね。この間なんかは、村の博労を呼んで、酒を飲ませて馬子唄を聞いたよ」

「そうか」

左千夫は、節がわたした紙片から眼をはなして、節を見た。

「なるほど、こういうことなんだな。こういうことなら、君に書けるだろう。ま、背のびせずにやるといいね」

「背のびなんていうのは僕の性に合わない。自分に書ける世界を書くだけだよ」

「しかし、それにしても……」

左千夫は訝しむように節を見た。

「いったいどういうつながりで、朝日から話が行ったの？」

「それが、僕にもよくわからないのだが、どうも夏目さんの推薦らしいんだ」

節はにが笑いした。

「僕は正直に言うと、夏目さんの文章はあまり好きじゃないんだ。以前、朝日新聞に載った『満韓ところ〴〵』などは、友達に悪口を言って回ったぐらいでね。ああいうふざけた文章は、嫌いなんだ」

「君なら、そうかもしれんな」

左千夫はにやりと笑った。二人とも漱石を人気作家の夏目漱石というよりは、虚子の友人といった立場において、いくぶん内輪な見方をすることで一致している。

「その夏目さんの紹介だとすると、ことは皮肉に出来ているものだな」

「僕もそう思った。あまり、ひとの悪口など言うもんじゃないね」

「ところで稿料なんかはどうなの？　朝日新聞あたりだと、かなり高いんじゃないのか」

節は左千夫を見た。左千夫は真剣な眼で節の答を待っていた。しかし節の頭は「土」をどう書くかでいっぱいで、稿料のことまでは考えがおよんでいなかったのである。それに担当編集者の森田草平も、稿料のことは口にしたことがなかったようである。もっともホトトギスだって、一枚いくらで書けといったりするわけではない。

あいまいな顔で、節は言った。

「さあ、くれることはくれるだろうけど、金額のことはまだ話したことがないな」

三

左千夫の家に泊った翌日、節は左千夫、胡桃澤勘内、古泉千樫と上野で花見をし、そのあと田端に子規の墓参りに行くという三人と別れて汽車に乗った。

そして国生にもどったとき、節はかすかな悔いが胸に残っているのを感じた。前夜、左千夫とはひさしぶりに夜おそくまで話しこんだが、話の中身は小説のこととか、出席をやめてから一年になるという観潮楼歌会のこと、そこで左千夫が会った石川啄木という若い歌人のこと、三井甲之と休刊中の「アカネ」のことなどで、左千夫の暮らしのことは、ついに何の話も出ないで終ったのである。

左千夫の家は、見たところ何の変化もなく、また左千夫は寺田から金を借りたなどということを、おくびにも出さなかったから、暮らしが話題になるようなきっかけもなかったのだが、それでも節は、国生の家にもどったとき、左千夫の経済状態に対する懸念といったものが、出かける前よりも深まったような気がしたのだった。

朝日新聞の稿料は高いのかと聞いた左千夫の、真剣な顔や、牛舎の柵のところで胡桃澤勘内とかわしたあいまいな問答を思い出し、節は、やはり気がかりなことは突っこんでただすべきだったかと悔んだのである。聞きただしてどうなるというものでもないかも知れなかったが、しかし左千夫が茶室をつくるために多額の借金をした理由を知りたい、と節は思うのだった。

節からみれば、左千夫の茶はただの道楽にすぎなかった。その道楽のために苦しい借金をする左千夫が不可解でも不安でもあり、そのままほうってはおけない気もして来るのである。左千夫は「去年」という小説に、何を書いたのだろうかとも思った。

しかし、節のその懸念も、月が改まって夏目漱石から手紙がとどくと、すっと遠景にしりぞいて、かわってわが身の心配が前面に出て来たようでもあった。

漱石の手紙は、節が小説連載を承諾したことに対する礼状だったが、連載中の自分の小説「門」は九十回ぐらいになるだろう、いまは六十回まで来たから、そろそろ執筆にかかってもらえば自分も安心出来る、とさりげなく執筆着手を催促した手紙でもあった。手紙を読みながら、節ははげしい緊張感にとらえられるのを感じた。当分は左千夫のことどころではない、という気がした。

しかし、手製の小さな手帖に記した「土」の第一稿はかなりすすんでいて、そんなにあわてることもなかったのである。

節は、はじめは自分の家で原稿を書いた。しかし、家の中ではどうしても集中力に欠けることがわかると、国生の西にあってもっと静かな、飯沼村馬場の秋葉家の書院を借りた。当主の弟が、節と水戸中学の同級で親しくしていた。しかし、短期間ならともかく、そういつまで秋葉家の厄介になるわけにもいかず、節はふと思いついて、今度はいつも遊びに行く小学校に行ってみた。

その小学校の図書室が、意外に執筆に適していたのである。節は校長に話して、しばらくそこを原稿執筆の場所に借りることにした。節は早目に夕食を済ませて、家から約二キロの学校まで歩いて行く。節が行ったころにはもう生徒は下校して校舎はがらんとしている。

節はそのまま図書室に入って、四人の子供が掛けられるようになっている四角い閲覧机にむかうのである。その時刻には、図書室にはまだ夕明かりがさしこみ、遠い職員室の方でかすかに教師たちの話し声がするものの、校舎は静まり返って、鉛筆一本を床に落としても周囲の壁に鋭く反響するほどだった。

節は閲覧机にむかうと、手を頭のうしろに組んで、窓のむこうにうすれて行く日射しをぼんやり眺めたり、それまで書きすすめて来た原稿に手をいれたりする。そして気がつくと人声はやみ、図書室もいつの間にかうす暗くなってきているのだった。節は図書室を出て、宿直の教師からランプを借りて来る。

閲覧机は真四角で大きいが、大人がその上で物を書くにはやはり低く、板の腰掛けも低くて固い。机にむかうと、節はどうしても背をまるめ、足をちぢめる恰好になる。そうして木の固さと窮屈な姿勢に堪えていると、節の気分は自然に禁欲的になった。

家の中にいるように、手足を投げ出してひっくり返るということが出来ないので、気持は創作の一点に凝縮して行き、文字はほとんど節本人しか判読出来ないほどに小さくなって、凝縮しとぎ澄まされた精神がとらえる創作世界を書きとめるのである。校舎の一隅のランプの光の下で、節はしばしば時の経つのを忘れた。そのために、宿直の教師が寝るに寝られず迷惑するなどということもあったが、そういう夜は、「土」の登場人物も村の風景も、節の小さな手帖の中でそれぞれに命を得て、いきいきと動くのであった。

小学校の片隅を借りるようになってから、小説はかなりはかどった。そのため森田草平に約束した五月末に、節は原稿用紙に書き直した新聞小説、およそ四十回分ほどを森田に渡すことが出来たのである。

六月六日には、朝日新聞の紙上に「土」の予告が出、十三日から連載がはじまった。予告は節の手紙をもとにして森田がまとめたもので、力にあふれた文章になった。こうしてはじめた新聞連載は順調にすべり出したかに思われたのだが、連載がはじまった直後に、節は以前からわずらっていた痔疾が悪化し、にわかに妹としの嫁ぎ先である真壁郡河間村の奥田医院に入院することになったのである。患部は化膿していて、節は義弟の奥田稟之助の執刀ですぐに切開手術を受け、そのまま入院横臥する身となった。

新聞の小説の方は、その時には五十回あたりまで森田の手に渡してあって、いますぐに困るということではなかったが、この思いがけない入院は、精神的にも節を苦しめた。

入院が長びいて、原稿が間に合わなくなったらどうしようかという不安が先立つのである。

奥田医院がある河間村は、下館からおよそ北に二キロ、栃木との県境に近い農村である。田植が終った四方の田から、夜は絶え間なく蛙の声が聞こえた。節はその声を聞きながら、手術後の痛みと新聞小説の心配で、幾夜か眠りにくい夜をすごした。はじめての新聞連載にそなえて、万事手順よく執筆をすすめて来たつもりだったのに、突然の入院は、その努力のすべてを御破算にしてしまったようにも思われたのである。

一方、担当編集者の森田草平も、節の小説「土」について、漠然とした不安を抱いていた。節が連載開始早早に痔疾で入院したことにはおどろかされたが、直接の不安はそのことではなかった。受け取った原稿は、まだ一カ月あまりは掲載出来るだけの分量があり、病気はたかが痔、そのうちによくなるだろうと思っていた。

森田の不安は、最初の話し合いで確認してあるはずの、およそ三、四十回という掲載回数についての取り決めを、節がまったく意に介していないように思えるところから生まれる。掲載開始前の五月末に、森田は四十回分ほどの原稿を受け取ったのだが、それは読んだかぎりでは小説が近く終ることを予想させるようなものではなかった。森田に読み誤りがなく、おつぎという少女が小説の中で最も重要な登場人物となるものならば、小説はやっと本筋に入って来たところだとさえ思われたのである。

森田のもうひとつの不安は、「土」がいかにも読みづらく、地味な小説だという点だった。新聞小説には、小説の本筋に照らせば議論のあるところだろうが、読者うけというものが必要だった。むろん新聞は、読者うけのする小説によって、新聞の購買がのびることを期待するのである。

節の「土」は、そういう期待に応えるような小説ではなかった。舞台は西茨城の寒村であり、登場人物はその貧しい土地に縛りつけられたようにして暮らしている、晦渋な茨城弁を話す農民である。

新聞に出した予告の中に、そのことはことわってある。「百姓を書いた小説である。真実の百姓を書いた小説である。西洋の小説を読んだ眼で見たのではない。直接百姓を見て書いた小説である。其処に此小説の新しい味ひがある、力がある」、また「田舎に生れて、田舎で育つた者にも気の付かぬ、新しい自然の描写がある」と、森田がまとめた予告は謳い、まさに節はそのとおりの小説を書いているのだが、漱石の「門」を読み終った朝日新聞の読者が、つぎに茨城の農民の話を読みたがるかどうかは、はなはだ疑わしかった。

はっきり言って、「土」は新聞小説向きではないと、森田は思っていた。「土」の全容はまだわからない。その評価は後日にゆずるべきだったが、森田は受け取った原稿を読んだかぎりで、単純に新聞小説の担当者としてその判断をくだしたのである。森田は、「土」が読者うけすることはまず望めないとしても、せめて嫌われないでくれればいいと祈った。ついでに、この歓迎されざる新聞小説が、なるべく早く終ってくれることも、そっと祈った。

しかし、編集者森田草平のそんな気持を知るよしもなく、節は奥田医院のベッドの上で、書きつぐべき小説のことを思い悩んでいた。手術の結果は意外に良好で、七月に入ると、二十日前には退院出来そうだという見込みも出て来たのだが、節は何となく今度の病気で小説執筆の腰を折られたような気がし、退院して小説を書きつぐということを、ひどく億劫なことに思いはじめていたのである。

そのあたりの気持を、節は病床から信州の島木赤彦にあてて、つぎのように書き送った。

「(前略) 横臥しながらも今日あたりより筆とり申度心得なれど、一ケ月以上も休み居候こと丶て、何となく厭でなり不申候　今日までの処にては幸に一般の評判よろしく、何卒して完結を告ぐるまでは、気力の衰へざる様と祈り居候へ共、仮令些少にても身体のうちに損所ありては、一体に衰弱を来し申候　且旅行記等ならば何処に居ても自分の記憶のみを辿ること故差支無之候へ共、此で『土』の如きものになれば自分の熟知して居ることでも人物の動作や、季節の変化等を仔細にまのあたり見ねば本当の情が乗らぬものにて、小生は病気の為めに、大事を逸し去つたるが如き感を懐き申候　西洋画家がモデルなしに描けぬやうに、小生の『土』は自分の土地を離れては困難の事業に候　つまらぬこと丶御笑ひ下さるまじく、小生には此から先が心配で〳〵堪らぬ処に候　然し書き出したら一生懸命やる積なれど、書き出しがまた大問題にて、一向愉快な日とては無之、頭の悪いのは天候の関係のみには無之候（中略）『土』の人物は皆現存せり」

赤彦あてのこの手紙は、七月十一日附けで、つぎに岡麓に手紙を出した二十日には、節はもう自宅にもどっている。岡あての手紙にも、節は「人間といふもの情なきものにて、少しの損所ありても元気乏しく、強ひて筆とり候てもうまく参らねば苦痛のみ多く候」と書いた。

病気のために執筆の勢いを殺がれた上に、手術した場所が場所だけに、退院したと言ってもどうしても身体をかばいながら書くことになる。しかも新聞連載という小説の性質上、気乗りしないから、身体がきついからと書くことを怠けるわけにもいかない。そういうわけで、その夏の「土」の執筆は節をかなり苦しめ、岡麓あての手紙に書いたように、「元気乏しく……、苦痛のみ多」い仕事となったのである。

しかし節の仕事は小説で、苦痛だと言っても、書きたいことをうまく表現出来たときには、いっときの喜びが訪れたりもするのだが、同じ夏、東京本所の伊藤左千夫を襲った災厄は、苛酷で救いのないものだった。

その年の八月は、東京をふくめた関東一帯で連日のように雨が降り、節の村でも鬼怒川が溢れる騒ぎになったのだったが、やがてその雨は、九日から十日にかけて、天地がごうごうと鳴りつづける豪雨となった。そして東京の下町では二ツ目から東の本所一帯に水が出たのだが、本物の出水は、その雨がいったん止んで日さえ照りわたった二日後にやって来た。左千夫の家を囲む竪川、天神川、横川がことごとく溢れ、床上をただよっていた水は一気に腰まで上がって来たのである。

左千夫は、家族を近くの知り合いの二階家に避難させたあと、飼牛の方は牧夫をはげまして鉄道線路に沿う高い土手まではこんだ。自身も、腰まである水の中を、牛を牽いて二回、三回と牛舎と鉄道の土手を往復し、その間に興奮した牛にひきずられて溝に落ち、左千夫は全身濡れねずみになった。

その間にも、水は刻刻とふえつづけて、乳牛の避難を終った数時間後に、高架線の土手から振りむいてみると、左千夫の家は辛うじて母屋の屋根が水に浮いて見えるだけになっていたのである。左千夫は翌日、さらに家族を両国の知人の家に避難させ、また牛も苦労して遠い回向院の庭まではこびいれ、どうにかひとと牛だけは、水害から守り抜いたのであった。ほかの家財はすべて水に没した。

そのころ編集当番で「アララギ」第三巻第七号の編集にあたっていた島木赤彦は、東京大水害の知らせにおどろき、「消息」に「○水害にて本誌編輯は大打撃を被り申候。十五日編輯済みの予定に相運び居り候処、東京よりの郵便全く杜絶致し、為に原稿は空しく積んで机上にあり（中略）、○左千夫先生よりは依然として消息無之、古泉君の手紙によりて多分無事だけには押しつけたるべしとの事、夫れも古泉君と先生と鼻の先程の処に居て交通今に杜絶の由、凄愴想像に堪へず候。安否は依然として斯く不明なり」と記した。しかし左千夫は、疲労困憊しながらも最後の勇猛心をふるい起こして、どうにか災害をしのぎ切ったのである。

節が、身体をかばいながら小説を書きすすめるのに呻吟していたころ、左千夫はようやく水がひきはじめた本所の道を歩きながら、三人いる若い牧夫を一人減らし、これからは自分が二人分働こうかと考えていた。水害から立ち直るためなら、三、四年文芸的なものからはなれることなど、何でもないことだとも思ったりした。

ところで、さきに島木赤彦あての手紙にも書いたように、節は「土」の評判が香しくないなどとは夢にも思っていなかったのである。聞こえてくるのは友人たちや漱石のほめ言葉と、担当者としての森田の励ましの言葉だけだったから無理もなかった。

ただ、節も回数ののびは気にしていた。約束の回数よりのびることは、最初にまとまった原稿を森田に送ったときにもうわかっていたが、節の心の中には、こと小説に関しては芸術至上主義とでも言うべき頑固な自己主張がひそんでいる。のびるものは仕方ないじゃないかと思っていた。

だが八月になっても、小説の方はいっこうに先が見えず、最初に森田と想定した回数の二倍ぐらいではとうてい追いつかないことがわかると、さすがに相手方のつごうが心配になって来た。原稿料をもらった礼状と一緒に、回数がのびていることを詫びた節の手紙に、森田から待っていたように返事が来たのが、九月のはじめのことだった。

森田はその返事の中で、「土」は新聞向きの小説でなく、「ひと口に言へば文学を知らぬ女学生などに喜ばるゝものにあらず」、そのために営業部の方から苦情が出ていることと、しかし主筆の池辺三山は支持して作者の自由にまかせろと言っていることなどを記し、さてこれは自分の一存だがとことわって「土の作意と趣向を害せず即ち作者として甚しく御迷惑ならざる範囲内に於て先日御申越しの回数より少しにても短縮して結末し下さるを得ば有難く存候」と書いていた。つまり出来るだけ早く終らせてくれと懇願しているのである。

節の「土」は不評だった。社内でも社外でも不評で、漱石の手もとに、ある小説家がわれわれは「土」などを読む義務はないと言った、と知らせて来た者もいた。それは「土」に対する一種の侮辱だった。むろん眼のある者は「土」を読み誤ったりはせず、主筆の池辺三山も漱石も、漱石山房に出入りする新進文芸評論家の安倍能成も、「土」の中に展開されつつある稀有な小説世界に注目していた。

だが、節から来た手紙で、不評の「土」の大幅な連載のびが決定的になったちょうどその時期に、森田草平が頼みとする漱石は、胃潰瘍をわずらって、静養先の伊豆修善寺温泉菊屋本店で吐血し、一時は危篤状態に陥ったほどの重病を病んでいたのである。漱石はいつ回復するあてもなく、社内では営業部はむろん、最近は編集部内にも「土」を非難する声が出はじめていた。森田はいたたまれなかったろう。それが連載短縮を打診する手紙になったのである。

森田の手紙は、節を仰天させた。しかし、不評だからと言って、いまさらどうなるものでもなかった。節の感覚では、小説はまだ半ばまで来たにすぎなかった。小説の中で、国生の四季はゆるやかにめぐりつづけ、勘次一家の村びとたちは、それぞれに命を得て土の上を歩き回っていた。節はいまでは、「土」の中の人物たちの動きや季節の移り変りを、忠実に誤りなく写し取っているだけだと思うことさえある。

不自然な短縮は気が進まなかった。もし連載が新聞に不利益をもたらすということであれば、「土」を中断するほかはなかった。節はそのことを森田あてに手紙で言ってやり、一方岡麓にも、その事情を知らせた。

「(前略)病気も中途に打棄て『土』の脱稿迄は骨折り可申候　成るべく早く結末をつけよとのことに有之候へ共、百卅回位にわたらねば済み申すまじく、段々厄介物にされ申候　社の営業部に於ては、殊に渋面致し居る由申候　女学生に喜ばれぬが一つの原因と申候　小生も不評判は覚悟の前故、驚き不申候へ共、回数の短縮は堪へ不申候に付、手加減をせぬため社の不利益になるならば、社のためにはじめたること故、只今にても中止すべき旨申遣し候　それもこれも身体の工合悪く後から追はれ候ことのみ苦痛に候(後略)」

しかし「土」は、結局主筆池辺三山の理解ある扱いによって連載を継続することになり、十一月初旬に漸く脱稿、新聞紙上への掲載は、十一月十七日の百五十一回を以て完結したのであった。

節は小説の先が見えた十一月はじめに書いた岡麓への葉書に、「冗漫なる『土』も百五十回にて完結の筈に有之候　筆を執りはじめてより満六ケ月と更に数日を費し申候」と書いたが、脱稿したときに節を襲ったものは、意図したものを、とにかく妥協せずに書き終ったというわずかな満足感をのぞけば、あとは疲労感とこれ以上は書かずに済むという解放感だけだった。

四

明治四十四年九月一日発行の「アララギ」第四巻第八号「子規忌十周年記念号」に、節はひさしぶりに短歌を発表した。「乗鞍岳を憶ふ」十四首である。

落葉松の渓に鵙鳴く浅山ゆ見し乗鞍は天に遥かなりき
鵙の声透りて響く秋の空にとがりて白き乗鞍を見し
我が攀ぢし草の低山木を絶えて乗鞍岳をつばらかにせり
おほにして過ぎば過ぐべき遠山の乗鞍岳をかしこみ我が見し
乗鞍と耳に声響きかへり見て何ぞもいたく胸さわぎせし
おもはぬに天に我が見し乗鞍は然かと人いはゞあらぬ山も猶
くしびなる山は乗鞍かしこきろ山の姿は目にかにかくに
乗鞍をまことにいへば只白く山の間に見し峰をそを我れは
うるはしみ見し乗鞍は遠くして一目といへどながく矜らむ
乗鞍はさやけく白し濁りたるなべてが空に只一つのみ
おろそかに仰げば低き蒼空を遥にせんと乗鞍は立てり
乗鞍は一目我が見て一つのみ目にある姿我が目に我れ見つ

まなかひに俤消たずたふときもの山に乗鞍人にはたありや
乗鞍は一目見しかばおごそかに年を深めてます〳〵思ほゆ

「乗鞍岳を憶ふ」は、歌人長塚節がひさびさにはなった澄明の歌声だった。それはしきりに主観的な言葉をつらねながら、実際には天にそばだつ乗鞍岳を眼の前に見るように描き出し得た不思議な作品だった。この乗鞍岳との静かな対話とも山岳讃歌ともいうべき一連の歌は、信州の胡桃澤勘内から来た古い絵葉書を見ているうちに、急に感興が動いて出来たものだった。

三年前の七月二十五日に来た胡桃澤の古い葉書は、焼岳噴煙の絵葉書で、葉書の裏に「これは松本より見たる光景に候　この山乗くら岳の右の方に当りて盛に烟を吐き灰を降らし候　この灰は全信州に及び候」の説明書きがあった。その絵葉書と「この山乗くら岳の右の方に当りて」の一句が、節の脳髄に、かつて信州のどこかで見た乗鞍岳を、白い一点の光のようにうかび上がらせたのである。めずらしい体験だった。

しかし節は、乗鞍岳を見た場所がどこだったかはどうしても思い出せず、歌が出来たことを知らせた胡桃澤あての手紙にも「兎に角見たりと思ふ場所は、落葉松と鵙のこゑとに忘れ難き山坂にして乗くら岳は白かりし一つに限り申候」と書いた。

歌が出来たのは三年ぶりのことだった。節はそのことを素直に喜び、胡桃澤あての同じ手紙の中に「小生には従来歌といふものはもはや到底出来ぬものと観念もし、又歌はつまらぬものとのひねくれたる考も起り申候ひしが、作りえたる時はやはり懐しきものにて、有るは無きにまさりたる心持に有之候」と記し、歌が出来たのは焼岳噴煙の絵葉書のせいだということを書いたあとに「小生をして僅ながらに再び呼吸するを得しめたるは全く貴兄に候　貴兄の賚(たまもの)に候　小生は斯く思ふて深く感謝するものに有之候」とまで書いた。

しかし歌が出来たのは、「土」が完結してからこちら、節は農事にいそがしくてまったく文章の筆を絶っていたせいであるかも知れなかった。

「土」の執筆から解放された昨年末、節は待ちかねたように旅行に出た。と言っても、主な目的は岐阜揖斐郡本郷村に住む竹林栽培の大家坪井伊助をたずね、竹の栽培のことで教えを乞うことにあった。

節は二年ほど前から、屋敷に近い農地に試験的に竹を植えていたが、竹には竹特有の病害があり、また筍が出て来る時期には竹林に夜盗虫が湧いて、せっかく生えた筍を腐らせたりした。竹林栽培を拡大するためには、こういった病虫害についての対策を含めて、もっと専門的な知識が必要だと思われたのだが、その間ずっと頭の中にあったのが、数年前に一度おとずれたことがある坪井伊助だったのである。

「土」の連載が終った節を、ひしとしめつけて来たのは、借財を抱えた家計のことであり、いつまとまるというあてもない縁談のことだった。節は出発間ぎわの十二月十五日に、岡麓あてに、今度は隣村飯沼村崎房の旧家秋葉三太夫の次女きし子について、調査を依頼する手紙を投函して岐阜に旅立った。崎房の秋葉家は地方の名家豪族として知られる家で、当主は漢学者として著名なひとだったが、その次女きし子が、この春三輪田女学校を卒業していると知らせる者がいて、節は岡麓に、きし子の在校中の品行、成績、さらに本人の容貌などを調べてくれるように頼んだのである。その手紙には、近くの櫟林で獲れた雉子を添えた。

節はその旅行で、坪井伊助に竹林栽培の指導を受け、さらに京都に足をのばして京都近辺の竹林を見たり、宇治、奈良にも行って年末に家にもどったのであったが、秋葉家との縁談は、年を越えてからはっきり不調とわかり、節は岡に「先日探索方御願申上候件、両親は至極の賛成なれど、本人が田舎は厭と申すことの由にて、不調に終り申候、本人の年の足らざることが、無分別たらしむる所以(ゆえん)と存候」と書き送った。

未練そうな口吻もなく、さっぱりした文面になっているのは、田舎住まいはいやだと言われては、節も二の句がつげなかったのだろう。明治四十四年は、縁談不調で幕をあけ、節にとってまたしても灰色の年になるかと思われたのだが、三月ごろになってまた縁談が持ちこまれ、今度は相手と見合いするところまで漕ぎつけたのであった。

縁談の相手は結城郡山川村の医師黒田貞三郎の長女てる子で、斡旋したのは父の政友である下妻の松山貫道である。黒田てる子はそのとき二十一歳で、兄昌恵の家から目白の女子大に通学していた。

二人の見合いは、四月ごろに東京神田にある料亭で行なわれ、てる子には兄の昌恵がつき添って来たが、節は折から風邪をひき、首に白い繃帯を巻いてかなり憔悴した姿で出席し、しかも席上絶えず咳込んだので、てる子の兄はその咳をひどく気にしたらしい。帰宅早早に、あの咳は尋常のものではない、結核の徴候があるから縁談は受けるべきでないと、強く主張したという。

黒田昌恵は、節の弟小布施順次郎と中学、一高で同級で、またともに野球部で親しくしたことから、この縁談には順次郎の意見も加わっていたのだが、昌恵は九大を卒業してから東大に転じ、病理解剖を専攻した気鋭の医師でもあった。そのころは民間病院に勤めていたが、牛乳なども自分で煮沸して飲み、刺身や焼魚も喰べず家族にもそうさせていたというほど、病気に対して神経質だったというから、節の咳を気にしたのは当然のことだった。

しかし、てる子自身はその縁談を望んだらしい。松山貫道を通して、黒田家の方からは七月ごろには、ほぼ賛成の意思表示がとどいた。むしろ、節の方の諾否の返事が遅れていたのである。

返事が遅れた理由のひとつは、家計の建て直しという問題だった。その年の六月に、節から弟の小布施順次郎にあてた手紙によると、長塚家の借財はわずかでも減るどころか、一年前よりふえて、岩井銀行からの借り入れ四千円を筆頭に、合計で六千八百円、ほぼ七千円近い額に達していた。その借財を、いっぺんに返済することは無理としても、節は縁談をまとめる前に、せめて家計建て直しの目途だけはつけたいものだと思っていたのである。

節はそのころ、母のたかが身体が弱くなったこともあって、雇人を指図しながら率先して畑に降り、夏そば、大豆、陸稲、肥料用の豌豆などの栽培に力をいれていたが、家計挽回の中心に据えて考えていたのは、竹林栽培だった。節は、竹は茨城県の林業部門にも挙げられていないほど冷遇されているが、一方に竹林の欠乏と濫伐があり、一方に竹の需要は日増しにふえていることから、近い将来竹の価格が騰貴するのは間違いないと考えていた。

節の自慢は、自分で作った多量の堆肥だった。さきの弟順次郎あての手紙にも、「実際に小生程堆肥を所持するものは郡中には素より恐らく有名なる猿島郡にも匹儔なかるべしと申候」と書いたぐらいで、節の竹林栽培は従来の伝統的なやり方とは違う、人工肥培技術を使った新しい方法のものだったのである。

節の竹林は、村びとがおどろくほどの成長を示しつつあった。その勢いに乗って、節はこの年、屋敷近くの約四町歩の桑畑を、竹林に転換する仕事をすすめていた。横瀬夜雨はのちに、前年の暮に節から竹林栽培の勉強のために岐阜へ行って来ると聞いたとき、「君は何で百姓仕事を世話する気になったのか。その暇で本を読んだ方がよかっぺに」と言ったら、節が「だって君、おやじがなくしてしまったおかげで、下らぬ奴らに頭を下げてへいへいあやまってなくちゃならないことがある。それが業腹だからだ」と答えた、とこの当時の節のことを振り返っている。

節は岡麓にあてた七月三十一日附けの手紙に、「竹は小生死活の分岐点に立つて栽培しつゝある処、日として其土を見ざること無之候」と書いた。若竹は夕方近くなると大量の水を土から吸収して、枝の先から水滴を落とす。その水滴を浴びて、若竹の幹を抱いてじっと動かない雨蛙がいる。

そんな風景を見てなぐさめられることはあったが、節の生活はまったく百姓の暮らしにほかならなかった。

岡あての手紙には、つづけて「昨日堆肥の製造に手を貸して今日身体いたく候　一昨夜は殆んど眠らず、此は珍らしく三年目にて歌が頭に浮び出でし故に候　眠るも惜しき故蚊帳の外にランプをともして書きつけ申候　乗鞍岳を憶ふといふ題をつくべきものにて、十三首程有之候（後略）」と書いた。「乗鞍岳を憶ふ」は、そういう生活の中から生まれたのであった。

きっと後を追って来るだろうと思っていると、はたして足音がして、母のたかが部屋に顔を出した。

「小布施からの手紙は何でした？」

「写真です。ごらんになりますか」

節は母に、あけて見たばかりの黒田てる子の写真を渡した。そして自分は別便でとどいている弟の順次郎の手紙を読み直した。「黒田氏の妹御の写真一葉借受候もの別封ニて御送申上候　写真ハ昨年の即二十一歳の撮影の由ニ候　妹御ハ女子大学ニて家政学を修めたる由に御座候（中略）兄上様ニ於ても已に大部お年を召され候事ニ有之候へば大概ハ我慢せられざれば御自分一個ハ兎ニ角父母兄弟ニ心配せしむる様相成候と存じ候故」云云と、弟は兄に意見していた。

——順次郎は誤解している。

と節は思った。縁談のことで節がまだはっきりした返事をしていないことを、順次郎は兄が見合いの相手を気に入っていないからだと思っているようである。

たしかに黒田てる子は、節がずっと思い描いて来たような美人ではなく、そのことで節がちょっぴり失望を味わったことは事実だが、しかし婚約をためらうほどの不美人でもなかった。まずは人並みの容貌の女性である。そして、ひとの値打ちは心ばえにある、とも節は思っていた。催促する松山貫道に、まだ明確な意思表示をしていない理由はほかにあった。

「少し、気性の勝ったひとかしらね」

写真を節にもどしながら、たかが言った。節は写真を見た。写真の黒田てる子は、眼尻がいくらか上がって勝気そうに見える。

節はめずらしく冗談口調で言った。

「眼尻が上がっているからですか。でも、垂れ眼よりはいいでしょう。私が垂れ眼だから、おそろいではおかしなことになる」

「そんな、おまえ……」

たかはうつむいて、手を口にあてると小さく笑った。だが、すぐにきっとなって言った。

「眼が上がったの、下がったのはどうでもいいことですよ。それよりも丈夫で教育もあり、東京暮らしにもなじんだひとが、こんな田舎に嫁に来てもいいと言ってくれるのは、ほんとにめっけものだと思います」

「まあね」

婚姻の話というものは、やはりひとの気持を浮き立たせるものだった。節は心の中にある蟠り（わだかま）りを忘れて、母に調子を合わせた。

「秋葉の娘なんかには、ぴしゃりとことわられましたからね。その点、このてる子さんというひとは考え方が堅実なのかも知れない」

「見合いのときの様子はどうだったんですか。おとなしそうだったとか、勝気そうだったとか言うことは？」

「それが、あまり口をきかなかったですからね。なにせ、夜のことで部屋もうす暗かったし……」

「小布施の方でも、心配だからこうして写真なんかも送ってくれたのでしょ」

たかは、節が机の上にのせた黒田てる子の写真を、もう一度のぞくようにしながら言った。

「そろそろ、松山さんの方にご返事をさし上げたらどうですか。私たちはけっこうなお話だと思っているのですから、あとはあなた次第ですけど、そういつまでも、あいまいにしておいては、先さまにも失礼ですよ」

「まったくそのとおりです」

と節は言った。

「ま、竹のこれからの見通しなどということも絡んでますから、ちょっと返事をのばして来ましたが、これ以上はのばせません。近く松山さんに会うことにしましょう」

「それで、あなたの気持は固まったのですか？」

「ええ、ま」

節はあいまいに言った。

母が部屋を出て行くと、節は写真と順次郎の手紙を一緒にして封筒におさめ、机の引き出しにしまった。それから自分も部屋を出て、がらんとしてひと気のない茶の間を横切ると、外に出た。

節は門を出ると、いったん屋敷の北側の道に回り、そこから丘の下の田圃に降りかけたが、早稲を刈るひとがいるのか、道の下の方で大勢の人声がするのを聞くと、くるりと背をむけて来た道をもどった。

今度は門前の道を、雑木林のひろがる西の方に歩いて行った。歩いて行くにしたがって、もう西空にかたむいている秋の日は林の陰にかくれ、木立の間からちらちらと節の顔を照らすだけになった。

節は雑木林に入った。雑木林の中で道は交叉したり曲ったりするが、節はその道のひとつひとつを知悉していた。誰にも会わなくて済む林の隅を目ざして歩いて行った。母の前で我慢していた咳が、つづけざまに出た。そしてそのあとに、いつもの不快な喉の痛みがやって来た。

歩いて行く間にも、林の中に入りこんで来る夕日は、赤味を増すようだった。木木の葉は、まだ夏の間の生気をとどめていたが、下ばえの草はもう黄ばみはじめていた。林の中の空気はつめたく、小楢や櫟の幹は、日があたるところはことごとく赤く日を照り返し、日の射さない木の裏や枝陰は濃い影をつけはじめていた。節はまた、林の中の小道をひとつ曲った。すると急に節の顔に無数の光の粒があたり、歩いて行くうちにその光はまぶしくて、眼をあけていられないほどになった。そして、節は林を抜けて台地の端の畑の隅に出ていた。

——承諾の返事を出そう。

と、節は思った。

だが、その決定には気持が浮き立つような喜びがなく、節は漠然とした不安にとらえられていた。これまで松山貫道に承諾の返事を伝えることをためらって来たのは、本音を言えば、この縁談がはじまったころから節の胸の中に居坐って動かない、ぼんやりした不安のせいだったのである。

その不安は借財のせいでもなく、竹林栽培の見通しのせいでもなかった。まして黒田てる子の容貌のせいなどではなかった。ぼんやりした不安は、軽いがしつこい咳と喉の痛みがもたらしたものだった。咳は黒田てる子と見合いしたころからはじまり、すっきりとなおり切らないままにまだつづいていた。そして夏ごろからは、そのしつこい咳に喉の痛みが加わったのである。

咳をする節を周囲は風邪がなおらないとみていて、聞かれれば節もそう答えるのだが、節の直感によれば、咳と喉の痛みは風邪ではなかった。もっとべつのものだった。べつのもっと厄介なもののように思われた。不安はそこから生まれて、時には先行きに対する漠然とした暗い予感をはこんで来る。

節はその不安を、まだ誰にも話していなかった。またいそがしさと一種の気おくれから、まだ医者にもみせていないので、咳と喉の痛みの正体は不明のままだった。しかしそこから来るぼんやりした不安は何となく縁談をすすめることをためらわせ、承諾の返事を出すと決めたいまも、節の胸にはかすかな迷いが残っているのだった。

畑のものは大方は黄ばんだ秋のいろをして、黒黒とした土の上にひろがっている。日は隣村飯沼村の木立の陰に沈むところだった。節は胸に日を浴びながら、気持の奥底に居坐っている落ちつかない不安感の正体を手さぐりしていた。

女人幻影

一

朝の竹林ほどうつくしいものはない、と思いながら節は早朝の竹林の中の小道を歩いている。日はいま竹林に射し入って来たばかりだった。その光を受けて、真竹の幹はうっすらと赤味を帯びて直立していた。その奥にはまだ日が射さない仄暗い一帯があり、さらにその奥の朝霧が白く残るあたりでは雉子鳩が啼いている。

広大な竹林は、すべて節が計画し、育て上げたものだった。直立する真竹は、根元から三尺のところでほぼ径三寸はあり、中には目測であきらかに径四寸を越えるものさえ混っていた。下草のほとんどが枯れ色に変った中に竹は力強く立っていた。

今年は真夏を迎えるまでに、結城野を三度も大風が駆け抜け、さんざんに畑を荒らして行った。夏蕎麦と大豆は全滅に近い被害をうけ、せっかくふやした竹林でもあちこちで枯死する竹が目立った。作物の中でどうにか普通作を維持出来たのは陸稲だけという有様で、竹林栽培を中心にする農業経営に家運の挽回を賭けようとしていた節をがっかりさせたのだが、意外なことに、竹林は秋口になってから生気を取りもどした。

と言っても、むろん枯れた竹が生き返ったわけではなく、残る竹が節の予想を越える成長ぶりを示したというだけの話だったが、竹林に大きな期待をかける節にはそれが嬉しかった。節は竹林に落葉堆肥と緑肥を大量に鋤きこむ。その肥料、ことに五月ごろに花のさかりの豌豆をたっぷりと鋤きこむ緑肥が利いたのだと思われた。

節は竹林栽培に自信を深め、来年は竹林をさらにひろげる計画で、その拡張にそなえるべく、この秋も緑肥用の豌豆を二町歩も作付けし終ったところだった。左右に眼をくばりながら歩いて行く節の胸に、ゆるやかな満足感がひろがる。

節は夏ごろから痛み出した喉が、いっこうに治る気配がなく、秋になると痛みに加えてはげしい咳に悩まされるようになったので、下妻町の耳鼻咽喉科の専門医中島医師の治療をうけていた。その中島医師が、つい最近になって、節の喉の痛みは喉頭結核から来ている疑いがあると言い出したので、節は二、三日中にも上京して、その方面の専門医に診察してもらう手はずをすすめていた。

頭を占めて去らないその不安も、竹林を眺めているといつの間にかうすれて、節の頭は来年になったら実行するつもりの竹林拡張計画にむいている。節の計画では、竹林はここ一、二年のうちに六町歩を越え、数年後にはさらに二町歩余の土地を加えて八町歩余の竹林が出現することになっていた。そうなれば、平福百穂あての手紙に書いたように、節の一家は竹だけで喰えるようになるだろう。

——おや？

節は足をとめた。そこはもう竹林の出口が見えている場所だったが、右手の竹林の中に、竹ではない何かが立っているのに気づいたのである。

節はそれが細長い板切れであるのをたしかめると、竹林の中に踏みこんで行った。そのときには板切れの正体も大体わかってきて、節は顔色を曇らせた。

そばに行ってみると、はたして思ったとおりのものだった。土に突き刺さっているのは細長い板切れで、板の表面には稚拙な墨文字で「も一杯くんろ」と書いてある。懸念したような新しいものではなく、どうやら節が以前抜き取って竹林の外に捨てたものを、また持ちこんで来たらしかった。板は古びていて、文字にも見覚えがあった。

誰とも知れない、と言ってもいずれ隣近所の人間と見当はついているのだが、その人間が節の竹林にいま眼の前にある立札をしたのは、竹林に青刈豌豆を鋤きこんだ五月過ぎのことだった。

村ではあちこちで鶏を飼っていて、そういう鶏は地つづきの節の家の野菜畑にも平気で入りこむので、節は作物を荒らされるのをつねに気にやんでいた。入りこんで来た鶏が、ついさっき蒔いたばかりの大豆を掘り返して啄(つい)ばんだりすると、節はたまらなくなって鶏を追い立てるのだが、むろんそんなことでは利目がなく、節がいなくなれば鶏はまた入りこんで来るのである。

そこで節は、鶏を飼っている家を一軒一軒たずねて、せめて作物の播種(はしゅ)期と芽出しの生育期は鶏を放し飼いにせず、鶏舎飼いするように申しこんでみたが、近所の百姓たちも鶏と似たようなものだった。そのときははあ、はあと言っても、節が帰ってしまえばいま話したことも忘れた。

自然や人事を測る物差しが、節と村の百姓たちとでは異なっていたのだというほかはない。百姓たちに言わせれば、鶏は気持よく外に出して遊ばせてやるべき生きものであり、節が口やかましく言う鶏の被害などというものは、大きな目でみれば自然のいとなみの一部、目にあまるときは追いはらってくれたらいいではないかということになる。村びとはそういう形でのんびりと鶏と共存して来たので、節に言われたからといって、長年の慣習を急に改める気持などはさらさらないのだった。村びとはむしろ、大の男が鶏の被害などということを大げさに言い立てて、家家を回っていることを訝しんでいた。

しかし違う物差しで世の中を測る節からみれば、村びとのそういう態度は根本的に公徳心を欠いているせいで、口で承知しても誰ひとり実行に移す気配がないのは人間が怠惰に出来ているからだとしか思えなかった。節は不正を嫌い、ことに他人に迷惑をかけることはもっとも嫌いな性格だった。

鶏卵の仲買いが来て母から卵を買っているときに、売り渡すべき卵の中に鮮度が落ちている品がまじっているのを見つけた節は、ひと前もかまわずにきびしい口調で母を叱責し、仲買いをおどろかしたなどということもあって、節の過度な潔癖ぶりは、他人はもとより家族にまで煙たがられていたのである。

そういう節であるから、村びとの無責任な態度には大きな不満を抱いたが、そうかといってほかに取り締まる方法もないので、苛立ちを隠して我慢を重ねていた。

ところが、鶏は今度は竹林に入って来た。そして節が土に鋤きこんだばかりの大量の緑肥、豌豆の葉や未成熟の莢などを片っぱしから荒らしはじめたのである。竹林は常時ひとが監視したり、作業をしたりする場所ではなく、緑肥を鋤きこみ、竹の植付けが終れば無人の場所になる。鶏はそこに現われて、まだ青青としている豌豆をつつき、蔓をひっぱり出してかなりの被害をあたえた。竹林の栄養になるはずの肥料を、鶏が横取りするのである。

節は鶏を野放ししている村びとに対して、はげしい怒りを感じた。今度は徹底的に戦ってやろうと思った。節はまず、鶏を飼っている家を回って以前そうしたように放し飼いの自粛を説いたが、例によって例のごとく黙殺されると、今度は駐在巡査を頼んできびしく威嚇してもらった。

だが、巡査を頼んだことはかえって村びとの反感を買い、鶏飼い農家は放し飼いをやめるどころか、陰で節の悪口を言うようになった。その悪口が聞こえて来たころ、節は第三の手段を講じた。

節は竹林の中に毒を盛った皿をくばり、近所の農家には、「毒をおいたから竹山には鶏を入れるな」と警告した。しかし農家にはもともと鶏の放し飼いをやめる考えがないのである。鶏は相変らず出歩いて竹林に入り、そして毒を喰った。毒死する鶏が出た。

毒死する鶏は、一日に一羽のときもあり、三羽のときもあったが、いっぺんに十羽の鶏が死んだこともあった。節は死んだ鶏を飼主に配って歩いた。飼主がわからないときは、鶏が毒死したことを近隣に通知して、引き取らせることもあった。妥協のないつめたいやり方だったが、そういうときの節は、古い型の地主風の冷酷な気分になっていた。頑迷なやつらめと思っていた。

だがこの毒盛り事件で、節と近隣の村びとの仲は一挙に険悪化したのである。鶏を殺された百姓たちが、「小坊ちゃんじゃしようがあんめえよ。小坊ちゃんでねえけりゃ、闇夜でぶっとばしてやるがよ」とか、「長塚の小旦那に出来んのは、鶏殺しぐれえのもんだかんな」とか言っているということが、節の耳にも入って来た。

節は眉も動かさずにそのうわさを聞き、相変らず竹林に毒餌を配りつづけていたが、ある朝、毒をきれいに持ち去った皿のそばに、いま節が見ている木の立札が突き刺さっていたのである。

「も一杯くんろ」という稚拙な文字には、百姓たちの反感が露骨に現われていた。だが村びとの反感は、鶏の毒殺事件だけでなく、節の竹林栽培そのものにもむけられていたのだった。節は今年に入って、やや性急に過ぎるほどに竹林をふやしたのだが、屋敷に近いところから山林、畑、桑畑とつぎつぎと竹林に変えて行った結果、突然に出現した広い竹林のために、それまでふんだんに浴びていた日光を奪われて日陰になる家が出て来たのだ。

竹林は日光を奪っただけでなく、風通しまで悪くしたので、日陰になった家では節の竹林をひどく憎んだ。そばに出来た竹林のために、田や畑が日陰になってしまった農家も同様だった。日照を奪われては、作物も満足には育たなかった。

一度引き抜いて竹林の外に捨てておいた立札を、わざわざ中に持ちこんでこれ見よがしに立ててあるということは、村びとが節の竹林経営に対して、いまもなお強い反感を持ちつづけている証拠だと思われた。それも、多分夜の間にやった仕事ではないかと思われるところが、少し無気味だった。

節はしばらく腕組みをして立札の文字を眺めたあとで、板を引き抜くと、それを片手につかんで道にもどった。一度は怒りで赤くなった顔いろはさめて、節はつめたい表情になっていた。

竹林栽培には適地があって、どこでもいいというわけにはいかなかった。節は慎重に適地を見きわめて竹林をふやしていたので、日陰になる家が出ても、やむを得ないと思っていた。遠慮していては、良い竹を育てることは出来なかった。

それればかりでなく、来年からの拡張計画には長塚家の小作人の家の移転まで含まれているのである。節は換え地をやり、移転費用の一切を負担し、その上代償として一反歩の田から上がる米をつけて話をまとめるつもりでいた。しかし、それでも相手がうんと言わない場合は、地主の威光で押し切る肚をかためているので、節と竹林がいま以上に村びとの目の敵にされることは間違いなかった。

鬼畜呼ばわりされるかも知れないな、と節は思っている。鬼と呼ばないまでも、竹林に父祖伝来の屋敷を追われる人間は、一生おれを怨みつづけることになるだろう。

——だが、それでも……。

竹林をやめるわけにはいかないのだ、と節は思った。竹林栽培は、節に残された唯一の家運挽回の道だった。いや、家運挽回と言ってしまってはおこがましい話だろう。節には、とりあえずいま現在苦しんでいる、借金の利息払いの道を確保するためにも竹林が必要なのである。

竹の需要はいくらでもあった。稲をかけるオダ竹、養蚕に使うかご、ざる、棚竹、また町と村とを問わずひろく暮らしの中に使われているざるや物干し竿。そして仲買いが大きな納入先にしている野田や近隣の醸造用樽のタガ竹。そういう竹製品の材料を集めるために、節の村にも仲買いが入りこんで来る。多くは近くの村の兼業農家だった。

需要は十分にあり、また値段は岐阜の坪井伊助が保証したように、先行き値上がりすることは間違いないと思われた。問題は、いかにして質のよい竹を育てるかだけだった。それだけの見通しを立てた上で、節は今年の六月、弟順次郎の養子先である小布施家からも、新しく借金をしている。竹林栽培の利益を縷縷述べ立てた上で、竹が売物になる数年先には返却する約束でした借金だった。節は後には引けない立場に立っていた。

思うとおりに計画をすすめるほかはなかった。弱気になって村びとと妥協し、竹林を失敗すれば、旧債の利子払いの道も家運挽回の夢も一切断たれるだけでなく、小布施家からの新しい借金まで返済出来なくなるのである。順次郎に、竹林の成功は間違いないと吹聴して借りた金だけに、そのときは、節は弟の養家から詐欺漢呼ばわりもされかねないだろう。そこまで考えると身体に冷たいものが走る。

トンネルのような竹林の道を抜けて、節は畑に出た。黒い土だけがひろがっている畑道をしばらく歩いてから、後を振りむいた。

日は少しはなれた村の木立の上にのぼって、静かに節の竹林を照らしていた。上空にいくらか風があるのか、竹林の梢のあたりが時どき身震いするように揺れて日を弾いている。暗い竹林の中が、黄金の太い矢を射こまれたように斑（まだら）な光にかがやいているのも見えた。

うつくしい眺めだった。だが、そのうつくしい竹林が、はたして長塚家を救う救い主となるのかどうかは、まだ賭けだった。うまく行けば、家は立ち直り、節は何の懸念もなく黒田てる子との結婚生活を送ることが出来るだろうが、もし失敗すれば、暮らしの苦しみはのぞみが失われた分だけ重みを増して、節の上にのしかかって来るはずだった。

立札に「も一杯くんろ」と書いた村びとを、節はうらやんだ。彼らの暮らしは貧しいかも知れないが、おれのように借金の重みに喘いだりはしていないだろうと思った。「も一杯くんろ」は単純な反発である。彼らは長塚家が借金を抱えていることにうすうす気づいてはいても、その借金がかくも多額で、切羽つまったものであることまでは知らないはずだった。

節は竹林に背をむけ、少しいそぎ足になった。するといそいでつめたい空気を吸ったせいか、急に咳が出て来て喉にいつもの痛みが走った。広い畑の中に立ちどまって、節はひとりで咳きつづけた。

咳がおさまったとき、それまでつとめて考えないようにしていた喉の病気のことがどっと意識にあふれて来て、節の胸は不安に波立った。やはり東京に行って診察してもらうほかはないと思った。

二

木村という耳鼻咽喉科の医師は、昨日岡麓に連れてもらって来たときに一度診察しているのに、その日も節の身体を最初から丁寧に見た。そして昨日は言わなかった病名を口にした。

「間違いありませんな」

手まねで、着物を着ていいと合図しながら、木村医師は曖昧な感じがまったくない口調で言った。

「喉頭結核です」

「やっぱり……」

と節は言ったが、そうでしたかという言葉がつづかず、茫然と医者の顔を見た。そうか、これがあの根深い不安感の正体だったのかと思った。

下妻の中島医師に、喉頭結核の疑いがあると言われたあと、節は気持のどこかで絶えず、診断は間違いかも知れないのだからと思いつづけて来たようである。中島医師の診断を信用しないわけではなかった。ただ、誤診ということもあると思ったのだ。言われた病名が信じがたいものだったからである。それに、下妻はなんといっても田舎だから、と理由にならない理由もくっつけた。そうでもしなければ、平静ではいられなかった。

東京の専門医が、正しい診断をくだすだろう。その結果、中島医師の診断が裏書されることもあるだろうが、ひょっとしたらそれは誤診で、喉の痛みは風邪をこじらせただけということになるかも知れないではないかと節は思い、内心はとっくに勝目がないと思っている後の場合に、ひたすらに賭けていたのである。

だが、木村医師の言葉と態度は、節のそんな淡い願望を、粉粉に打ちくだいてしまうものだった。

「着物を着ていいですよ」

木村医師は、まだ上半身裸で自分を見ている節にそう言うと、立ち上がって手を洗った。それから椅子を鳴らして机にむかうと、カルテにペンを走らせはじめた。

節は立ち上がって着物を着直すと、また丸い椅子にもどった。その間に白い割烹着をつけた看護婦が、節の喉をのぞくために使った器具や、洗面器を片づけて部屋を出て行った。診察室は急に静かになった。

医者と二人だけになった節は、心細い気分で夕刻の光にうかぶ診察室の医療器具や、幅ひろい医師の背を眺めた。これからどうなるのだろうと思った。部屋は大きな火鉢に活けた炭火であたたまっているのに、節の身体は、着物を身につけたあともずっと、冷えたままのような感じがつづいている。ともすると胴震いが出そうだった。

医者は、節がそこにいるのを忘れたように、まだカルテにむかって熱心にペンを動かしていた。その動かない背を見ていると不安が募った。

「先生」

たまりかねて、節は医者の背に呼びかけた。

「喉頭結核ということはわかりましたが、病状の方はいかがでしょうか」

「…………」

「よほど悪いのでしょうか。それとも……」

医者はペンを置いて、ゆっくりと節の方に身体を回した。

「下妻の中島さんという方は、どうおっしゃっていました?」

「さあ、そこまでは……」

「そうですか」

木村医師はそのとき、節に病状を話そうかどうかと迷っていたのである。

昨日の診察で節の病状は大体見当がついて、木村医師はつき添ってきた岡麓をひとりだけ呼ぶと、明日もう一度みるが喉頭結核に間違いはないようだ、そのことを、出来れば明日本人が来たときに話してやって用心させたいのだが、どうだろうかと相談をかけていた。木村は、病気のことは本人に隠さずに知らせる方が、治療上よい結果を生むと考えている医師だった。

木村の話を聞いて、岡麓はかなりのショックを受けた様子で、しばらく考えこんでいたが、やがて、絶望ということではなく、治療次第でずいぶん長持ちもするという話をつけ加えてくださるならと言って、木村の提案を諒承したのだった。

だから木村医師は、長塚節という患者が来たら、もう一度病状を確認した上で、今日は正直に診断の結果を話してやろうと思っていたのである。だが偽りのない病状を告げるには、強いためらいがあった。それほどに、眼の前にいる患者の病状は悪かったのである。

木村医師は、机の上に投げ出してある聴診器を手に取った。足を組み、首を少しかしげるようにして眼を落としながら、しばらく聴診器の象牙の部分を振り子のように動かしたが、やがてそれを机にもどすと、今度は膝をそろえてその上で指を組んだ。決心がついて、木村医師はまっすぐ節を見た。

「はっきり申しますとね、相当に悪い状態です。病気はかなりすすんでいます」

「と言いますと?」

節は、息を詰めるような気持で聞いた。

「それはどの程度なんでしょう。治らないということでしょうか」

「そこまで、申し上げた方がいいですか」

木村医師は、相手も正直なことを聞かなければ気がすまないたちの患者であるのをさとった。

「はい。おっしゃってください」

「では、申し上げましょう。放っておけばあと一年か、一年半の寿命と考えてもらったらいいかと思います」

「あの……」

と言いかけて、節はそのまま絶句した。一瞬頭の中がぽっかりと白くなったような気がし、医者の顔が見えなくなった。

ほんの一瞬の目まいに襲われたようだった。気づくと、木村医師が節の顔をのぞきこんでいた。

「大丈夫ですか」

「ええ、大丈夫です」

「このままに放っておけばということですよ」

医者はなぐさめるように言ったが、節にはその声が遠く小さく聞こえた。

「適切な治療を加えれば、むろん命はのびますし、うまく行けばちゃんと治る場合だってあります。ただ絶対に油断も無理も出来ませんよ。とにかく慎重に療養することです」

「……」

「しかし、これは厄介な病気でしてね。適切な治療というものが、はっきりこうと定まっているわけではありません。各説がありまして、いま現在は、医者がそれぞれに手さぐりしながら、自分なりの治療法をすすめている段階でしょうな」

「先生」

節は、窓から射す光にうかぶ、艶のいい医者の顔を見た。急に耳の穴が固くつまってしまったようで、自分の声まで他人の声のように聞こえるのがもどかしかった。節は大きな声を出した。

「では、おねがいすれば先生に治療してもらえるんですか」

「もちろんです」

医者はうなずいたが、さっき診断をくだしたときに見せたような自信のある表情ではないのが節を不安にした。それでも木村医師は言った。

「私でよければ、むろん治療して上げますよ。明日から通いますか」

そうすると答え、さっそくに喉の患部に薬を塗ってもらって、節は木村医師の家を出た。門を出たところで、節は立ちどまって眼の前にひろがる町の風景を見た。

町は、たったいま寿命はせいぜい一年ほどと宣告されて来た節には無関心に、雑踏し、いきいきと動いていた。洋服にカバンをさげていそぎ足に通りすぎる男、着物にとんび姿の商人ふうの男、ショールにあごをうずめて話しこみながら来る中年の女連れ。鳥打帽をかぶり、背中に大きな荷を背負った少年、前の幌をおろして、すべるように走って行く人力車、荒菰で包んだ大きな箱を山積みにした荷車、歯を見せて笑いながら近づいて来る、四、五人の女学生。いそがしげにひとが出入りしている呉服店。客を呼ぶ魚屋。誰も節を見なかった。そして笑う女学生の白い歯まで見えているのに、町は一切の物音を断ったように静かで、建物も動くひとや車も、色を失って灰色に見えた。

はっと思ったとき、節の耳に町の騒音がどっと走りこんで来た。眼を上げると、何事もなく晴れわたった十一月の空がひろがっていた。日が落ちた直後らしく、空のいろは薄青くいくらか寒そうに見えたが、そこから降りそそぐ、まだ五時には少し間があるだろうと思われる時刻の光が仄あかるく町を照らしていた。

だが、その明るさは節の気持を底知れないさびしさに引きこむように思われた。人形町の市電の停留所がある方に、ゆっくり歩きながら、節はときどき眼を上げて町を行く人びとを見た。

——みんな、こともなく生きている。

と思った。病気などということは知らぬげに、屈託なさそうに、いきいきと歩き回っている人びとがうらやましかった。節は自分を、冬の枯木のように感じ、すでに眼の前の日常の光景と、住む世界をへだてられてしまったような心細さを感じていた。掌にあたる日もつめたかった。

ぼんやりした頭に、やっと現実的にものを考える力がもどって来たのは、市電の片隅に腰をおろし、窓を通りすぎる町を眺めているときだった。

シートは固く、電車は時どき大きく揺れた。身体を縮めて、冷える身体をかばっている節の頭の中を、無数の問いかけが飛び交った。もし自分がいなくなったら、病弱な母はこの先どうなるのだろうか。金銭感覚にうとい父は、またひとに騙されて山のような借金をこしらえるのだろうか。竹林は結局、手入れするひともなく荒れはてて、二束三文で人手にわたることになるのだろうか。

それにしても、日があたる国生の丘の斜面や鬼怒川の砂洲、可憐な露草の花や櫟の新葉を、二度と見られなくなるなどということが信じられるだろうか。婚約を破棄し、黒田てる子に別れの手紙を書くべきだろうか。この病気は治らないのだろうか。死後の世界はあるのだろうか。

繰り返し繰り返し、節はそういうことを考えつづけた。そしてその考えの合間に、木村医師が言った放っておけば一年か一年半の寿命ですという言葉が、雷のようにとどろいて節の頭の中を通りすぎるのだった。同じ医師が、適切な治療を行なえば治ると言った言葉の方は、ただの気休めとしか思えなかった。

電車に揺られながら、節の身体は考えごとに翻弄されて熱くなったり、つめたくなったりした。そして乗り換えの停留所を間違えて、来たばかりの路線を後にもどったりした。

――あれはやはり……。

そういう意味だったのだと、節はあることを思い出していた。終点の江戸川橋で市電を降り、泊めてもらっている弟の養子先小布施家にむかって歩き出したときである。電車を間違えて乗り換えに手まどったりしたので、初冬の短い日は夜に入りかけていた。

節が電車で通りすぎて来た町には、まだ遠い空から残光がさしかけていて、高い建物のガラスが薄赤く日のいろを照り返しているのが見えたが、小布施家があるあたり、関口台町、高田老松町、高田豊川町とつづく高台の麓、節が歩いて行く方角は仄ぐらい夜色に包まれている。小布施家まではまだ遠かった。

節が思い出したのは、岡麓に木村医師を紹介してもらう前に診察を受けた小此木という医師のことだった。

兄の病気を心配した弟の順次郎は、医学博士小此木信六郎という専門医に診察の予約を取りつけてくれた。その上で、養家の小布施家に滞在して、そこから節が治療に通えるように段取りをつけてから、秋田の小坂鉱山に出張して行ったのだが、小此木医師は丁寧に診察はしたものの、病気についてはあまりはっきりしたことを言わなかった。病名もあからさまには口にせず、ただ気候のあたたかいところに転地療養するといいだろうとすすめただけだった。

節は突きはなされた心細い気持を抱いて岡麓をたずね、そこで幸いに岡から、富豪の岩崎家にも信頼されているという木村医師を紹介してもらったのだが、いまにして思えば、小此木医師は即座に節の病状を見抜き、あとは転地療養するぐらいしか手段は残されていないと判断したのではないかと疑われて来るようだった。

その夜節は、止宿している小布施家の一室で、幾度かおびただしい汗とともに目ざめ、寐ぐるしい不安な一夜を明かした。

そのときのことを節は、のちに翌四十五年二月発行の「アララギ」第五巻第二号に「喉頭結核といふ恐しき病ひにかゝりしに知らでありければ心にも止めざりしを打ち捨てておかば余命は僅かに一年を保つに過ぎざるべしといへばさすがに心はいたくうち騒がれて」という、長い詞書をつけた短歌にして発表した。つぎの十首である。

生きも死にも天のまに〳〵と平らけく思ひたりしは常の時なりき
我が命惜しと悲しといはまくを恥ぢて思ひしは皆昔なり
往きかひのしげき街の人皆を冬木の如もさびしらに見つ
我が心萎えてあれや街行く人の一人も病めりとも見ず
知らなくてありなむものを一夜ゆゑ心はいまは昨日にも似ず
かくのみに心はいたく思へれや目さめて見れば汗あえにけり
しかといはゞ母嘆かむと思ひつゝたゞにいひやりぬ母に知るべく
なにしかも命悲しといはまくに答ふることは我は知らぬに
なうれひそと人はいへどもまたけくてあらばかあらむ我愁ひざれや
人は我ははかなきものかひたすらに悲しといふもわがためにのみ

詠まれる対象との間に冷静な距離をおく、客観写生の歌に本領を示して来た節は、左千夫とは対照的に短歌を自己表白の手段にすることを嫌った。だが、「喉頭結核といふ恐しき病ひにかゝりしに」云云と詞書をつけた十首には、そのゆとりが失われて、うめき声のような節の地声が出たというべきだった。

三

節が木村医師から喉頭結核を宣告されたのは、十一月二十一日である。だが、弟の順次郎は秋田に出張中で、岡麓にも岡の仕事のつごうでつぎの日曜日までは会えそうになかった。節は不安でたまらなかった。

ことに、診断の明快さにひきくらべて、治療の見通しを話すときの木村医師の口ぶりが、いかにも歯切れわるく曖昧だったのが節の不安を深めた。病気は言うとおりに楽観的な見通しなどはひとつもないほどに悪化していて、木村医師はただ患者に正直に接しているだけなのかも知れなかったが、節は気休めでもいいから、先にのぞみが持てるような言葉を聞きたかったのである。

そういう焦りと不安に包まれながら、しかしほかには頼るところもなく、節は小石川区の西はずれ高田豊川町にある小布施家から、人形町の木村医師まで治療に通っていたが、二十六日になってようやく順次郎が出張からもどって来た。

順次郎は節から話を聞くと、かなりおどろいた様子だったが、すぐに産業界の第一線で働いている技術者らしく、もう一度話の要所要所を確かめたあとできっぱりとした口調で言った。

「医者を換えなきゃだめだな」

「やっぱり、そうか」

木村医師を信頼し切れずにいた節は、何となくほっとした気持で言った。

「べつの医者にかかれば治るかな」

「あたりまえだよ。治してくれる医者をさがすんだ。大丈夫だ。心あたりはあるから、僕にまかせてくれ」

「むろん、おまえに頼むしかない。いや、心細かったよ」

「それにしても、もう少し元気を出さなきゃだめだな」

兄さんは神経質だから、こういうときには損だ、もっとのんきにかまえなくてはだめだと、順次郎は小言を言った。憔悴した顔で沈みこんでいた節を見兼ねたのだろう。

しかし順次郎と話して、前途は闇と決まったわけではないと気持を取り直した節には、弟のその小言もうれしかった。節はあとのことは順次郎にまかせて、かわりの医者が見つかるまでと思いながら木村医師に通いつづけた。

そうしたある日、節は水天宮に行く電車の中で、俳人の寒川鼠骨（そこつ）に会った。話が節の病気のことになると、鼠骨はそれなら日本橋の菊地という医者がいいかも知れないと言い出した。節はさっそく岡麓にそのことを葉書で知らせ、菊地医師がどういうひとか調べてくれるように頼んだ。

岡にその葉書を書いた日の午後、節は順次郎のつてで長与又郎博士から紹介してもらった専門医岡田和一郎博士の診察を受けることになっていた。にもかかわらず岡あてにその葉書を書いていそいで投函したのは、気持が落ちつかず、絶えず藁をもつかむ思いで、どこかにいい医者はいないかと気持をせき立てられていたからである。

だが結局、節は三十日に岡田博士の診察を受けると、十二月五日には岡田博士が経営する根岸養生院に入院することになったのである。岡田博士の治療は、喉の患部を切り取るものだった。

患部を切り取るということが、どういうことか十分にはのみこめなかったが、しかし喉にただ薬液を塗るだけの木村医師の治療よりは信頼出来そうに思われた。そして岡田博士は「あなたのは、悪いところをすっかり取り切れるでしょう」とか、「すっかりよくなるように取ってしまうつもりですから」というようなことを、自信たっぷりな態度で口にする医者だった。

節の胸の中には、木村医師の宣告がまだ鮮明に残っていて、岡田博士があまりにもこともなげにそう断言するのを聞くと、逆に不安に駆られたりもしたが、しかし手術で治るという明快な診断は、先の見通しもはっきりせずに喉に薬を塗ってもらっているのにくらべると、節の気持を明るくしたことはたしかだった。

——岡田院長にまかせるしかない。

節はそう思い、やっと心が落ちつくのを感じた。喉にしつこい痛みがつづいているのをべつにすれば、熱はなく、寝汗もかかず、体力もさほど落ちていなかった。

入院したと言っても外出は自由で、節は中根岸にある病院を出ると、地理がわかっているその附近を足にまかせて散歩して回ったが、それで格別に疲れるということもなかった。そういったことを岡田博士の言葉に重ね合わせると、失われた自信もいくらかはもどって来て、節は時にはおそるおそる、自分の病気は木村医師が診断するような重症なものではなく、岡田博士の言うとおりに手術で回復可能なものかも知れないと思ってみるのだった。

その第一回目の手術が行なわれたのが、十二月八日である。彎曲した細い器具を喉の奥までさしこみ、節の場合は病気に冒されている会厭軟骨というところを、器具の先端についている家鴨の嘴のような部分ではさみ、切除するだけのことだった。

切除したときに、ぽきりという音がしたが、手術そのものに格別の痛みはなく、緊張していた節は、あまりに手軽なのに拍子抜けしたぐらいだった。それが、これをやっているのは私一人ですと岡田博士が自慢する手術だった。

ただ、手術は一回では済まず何回かにわけてやるというのが、いくらか気がかりだったが、節の気持はとにかくそれで落ちついた。節は手術の前後からあちこちに手紙や葉書を書き、また不意に創作意欲が動いて、「白瓜と青瓜」という田園風物詩ともいうべき、童話体に仕上げた作品を書き上げたりした。

島木赤彦に書いた手紙は、さきに赤彦からもらった葉書に記されていた、「あるものは草刈小屋の艸月夜ねぶりて妻をぬすまれにけり」など四首の短歌を賞揚し、「アララギ」に発表したらどうかとうながした手紙だった。節はようやく他人の作品に眼をくばり、また自分の創作についても考えるゆとりを取りもどしたのである。

「白瓜と青瓜」は、軽いタッチで得意とする田園のひとと自然を描いたものだったが、節は長篇「土」を書いていたころから気持の中にあった、ある殺人事件を小説化することにも、ふたたび気持をむけはじめていた。

それは霞が浦のそばで起きた事件で、数人の炭焼人夫が共謀して、無慈悲な監督とその家族を惨殺した有名な事件だったが、節がとくに注目したのはその事件の被告の一人だった。

犯人である男たちはつかまって、地方裁判所で死刑の判決を受けたがすぐに上級裁判所に控訴した。しかしその中の一人だけが、「私は人を殺したから殺されるのが当然です」と言い、仲間、裁判所長、典獄、さらには教誨師まで控訴をすすめるのをことわって絶食して死んだ。べつに教育があるわけでもない無学な男だったという。

節はこの事件に強い関心を持ち、小説に書きたくて市ヶ谷の東京監獄をたずね、看守を志願したことがあった。むろん、ある期間看守に採用してもらって、獄中生活の実状を知るためである。

節は長篇小説「土」でも、あるがごとく、なきがごとくに近親相姦という罪を扱って、「土」の隠れたしかし衝撃的なテーマのひとつとすることに成功したのだが、その霞が浦殺人事件にも、被告たちが犯した罪の中に、窺い知ることの出来ない人間の深淵のようなものが、わずかに露出しているのを感じ、はげしい創作意欲をそそられたのだった。よく知悉している霞が浦周辺の風景と、異常な事件との対比にも気持を惹かれ、節はその小説を、不滅のうつくしい自然の中で進行する、人間の罪と罰の物語になるかも知れないと思ったりしたのである。

しかし看守志願はうまくいかず、そのうちに竹林栽培の多忙につづく発病と身辺の事情が激変したために、小説どころではなくなったのだったが、入院して生活も気持も一応の落ちつきを迎えると、節はまたその長篇小説に気持がもどるのを感じたのだった。

同じころ福島の門間春雄にあてた手紙に、節は病気を知らせたあとで、その小説のことに触れて、「今一つ長篇の小説に筆をつけたくと存居候　風情おほき霞が浦沿岸を捕へて描写したきは年来の志望、実際の殆んど部分的に捕捉すべからざる霞が浦は、何人も未だ満足に表現し得たる者無之かと存じ候　此希望空しからぬ様とそれのみに候」と書き、またその少しあとには、「湖沼の研究」という本を取り寄せたりもした。

「土」で、国生附近の自然風土を克明に描写した節は、殺人事件がテーマとなる小説でも、霞が浦沿岸の自然を描写で捉え得るかどうかが、小説成立の鍵だと考えているのだった。節にとって自然と人間は不可分の存在だったのである。

第一回の手術が行なわれた八日ごろから、節に見舞い客が来るようになった。弟の順次郎は当然として、岡麓、伊藤左千夫、木村芳雨などがつぎつぎと見舞いに訪れ、十日に来た左千夫は、斎藤茂吉、中村憲吉を同道して来た。

中村憲吉は、鹿児島七高で知り合った堀内卓造のすすめで左千夫に入門し、「アララギ」の同人に加わっていたが、まだ東京帝大法科大学経済科に前年入学したばかりの学生で、節とはその日が初対面だった。初対面だったが、節は亡友の堀内卓造から聞いていたとおりの風貌をしていて、憲吉には「長塚さん自身の短歌文章の格調が示すごとく、少しのたるみもない引締った感じで、その健康時は何処か銅像の希臘(ギリシア)神マーキュリーなどを思はしむる」に違いないと思えたのであった。

のちに節を回顧したその文章で、憲吉はさらに当日の節をつぎのように書いている。

「恐ろしい死病の宣告を受けたあととて、その相貌には病気による衰弱も見えたが激しい精神的動乱と闘つたためか一種の悽愴味を帯びてゐた。しかしそれでゐて長塚さんの態度は意外に沈着で活気があつた。自分の病気の経過のことや、また病閑にまかせて庭の椿の稚い蕾を見てゐると、その太つて行くさまが面白くて堪らないなどと、頻りに元気よく語つてゐた。私は死病に面した病人とは思へぬ、その落ちついた態度に驚いた」

憲吉は、むろん左千夫も茂吉もだが、「生きも死にも天のまに〳〵と平らけく思ひたりしは常の時なりき」と惑乱し、「なにしかも命悲しといはまくに答ふることは我は知らぬに」と、限られた命を茫然と見つめた場所から、ようやく立ちもどって来た節を見たのである。

四

そのころ、というのは根岸養生院に落ちついて岡田博士の手術を受けはじめたころのことだが、節の心の中に不思議なものが棲みついた。それは南国土佐という地名だった。厳密に言えば、土佐という地名によって喚起されるあたたかい土地に対する一種のあこがれである。

「節さん。あんたのその病気は、あったかい土佐にでも行って、しばらくごろごろしていればじきに治るものだよ」

節にそう言ったのは、父の政友であり、寺田憲の実父である飯田新右衛門である。新右衛門のこともなげなその言葉は、いまは上京した節が最初に診察をうけた小此木医師の診察とも無理なく重なっていた。あたたかい土地に転地療養するとよいという医師の言葉を、ひと月前の節は突きはなされたような心細い気持で聞いたのだが、いまになってみると、それはそれで権威ある診断のように思うこともあった。

そう思うのは、あるいは師走の病院の中が寒く、食事は粗末で時には堪えがたく思われることがあるせいだったとも言える。

入院した夜の根岸養生院の食事は、鯖の煮つけに菜の浸し物、それにきざんだたくあんに醤油をたらして出すといった献立で、菜浸しは固かった。翌朝の菜っぱ汁の菜も固く、昼食に出た魚のフライは骨が抜いてなかった。その上添えられたキャベツは固くてどうしようもなく、ほかに里芋の鉢が出て来たが、中身は芋六個だけという寒寒とした食事だった。

節は恐れをなして、その後は自弁で牛乳とか刺身とかを食事に加えるようにしていたが、そういうこともあって、岡田博士には今年いっぱいぐらいで手術は終ると言われていたが、節は一日も早く手術を終えて退院したい気持が強まる一方だった。

以前にも節は、母のたかに喉のぐあいがよくなったら土佐にでも転地したいと手紙を書いたことがある。木村医師の診断をうけたあとで飯田新右衛門が言った、南国土佐のことを思い出したときである。そのときはあてもない希望といったものにすぎなかった土佐は、根岸養生院で二回目の手術を終ったころには、具体的なこのあとの療養計画の中に入って来た。

節は千葉の銚子にある鉄道院機関庫に勤める従兄弟の渡辺剛三に、「今年一杯位入院すれば手術後の疵は癒着せずとも退院致候て鎌倉あたりに転地するをよしとする由に候へば暫時それに従ひ可申其後は暖国土佐へ参り申度心組、此は来年二三月の頃にも相成可申か、若し其折に御尽力被下候ことならば甚だ幸と存申候　御手続相叶ひ申候ことならば一寸九州地方より迂回して土佐へ参り申度と存候　乗車券といふもの（区域、期間）等はどの様なるものに候や　譬へば鹿児島位までにても貰ひ得ることに候や」と、例によって旅行の便宜をはからってもらうための手紙を出した。

その手紙を出したのは十二月十八日で、このときの節の頭の中には、九州を一巡して最終的に高知まで行く旅行計画が出来上がっていたのである。

節は寝ているような病人ではなく、また病院の中にじっとしていると気も滅入るので、よく外出した。病院は中根岸にあったので、正岡家や中村不折の家にも近く、節は両家をたずねたり、さらに河東碧梧桐や木村芳雨を訪問したりした。母が見舞いに上京して来たときは、翌日電車で厩橋まで行ったが、それでもとくに疲れたということもなかった。

そして節の病室にも、相変らず弟の順次郎や飯田新右衛門、岡麓、伊藤左千夫などが出入りしていた。年もおし詰まった二十四日に、また左千夫が鶫(つぐみ)の麹漬けを持って見舞いに立ち寄った。

「大丈夫か」

部屋に入って来ると、左千夫は太った腿をそろえてずかりと坐り、必ずそう言った。そして節が大丈夫だと言うと、安心したように膝を崩してあぐらになるのだった。

「ああ、変りない」

「そうか。少し血色がよくなって来たようだな」

左千夫はそう言って、無造作な手つきで見舞いの品を出した。礼を言って受け取ってから節は微笑した。

「最近、美食しているせいかも知れないね」

「病人には見えんな」

左千夫は言い、廊下の方を窺うようにしてから言った。

「手術の方はうまく行っているのかね」

「一昨日、三回目をやったところだ。うまくいけば今年いっぱいで退院出来るはずなんだが……」

節は、左千夫にも退院後の計画を話した。鎌倉あたりに転地療養するというあたりでは、ふんふんと聞いていた左千夫は、節が九州とか高知とかいう地名を口にすると、口をつぐんで黙然と節を見た。

そして、節の話が終るとずばりと言った。

「病人がそんな大旅行をしていいのかね。少少無茶じゃないのか」

「いや、大丈夫だと思う」

と節は言った。

「院長は手術で患部を全部取り切れると言っているが、僕はどうも、そうはいかないんじゃないかという気がして来たのだ」

「ほう」

「ある程度はよくなるだろうが、この病気はすっかり治り切るというわけにはいかないように思う。すると、あとは身体に力をつけて余命をいくらかでものばすことを考えなくちゃいけない。そう思うようになって来た」

「……」

「僕はこれまで、身体の調子がわるいときにはよく旅に出たのだ。旅から帰ると自分が丈夫になっているのがわかった。だから無理せずに体調を考えながら回れば、今度もうまく行くんじゃないかな」

「そうか。そこまで考えているんなら大丈夫だろう。しかし、僕のみるところ、君には……」

と言って、左千夫は腹の前で指を組み、節をじっと見た。

「君の人格の中には、ただごとでない煙霞癖といったものがある。くれぐれもミイラ取りがミイラにならんように気をつけるといいな。無茶しなさんな」

「心配はいらないよ」

節は苦笑した。

「むろん病気を治すのが第一だ。物見遊山に出かけるわけじゃない」

「そのとおりだ」

「しかし、僕ももう無理は出来ない身体になった」

と節は言った。

「身体に罅が入ってしまったのだ。まるっきり家事から手をひくことは無理としても、ま、これからはなるべく世俗をはなれて、好きなことをやって暮らすことを心がけるつもりだよ」

「うらやましいと言ってはナニだが、うらやましいような話だな。こっちは世俗にまみれる一方で、にっちもさっちもいかなくなった」

と左千夫は言ったが、そこで不意に声をひそめた。

「あのひとはどうした？　例の婚約者は……」

「兄の昌恵さんというひとあてにことわりの手紙を出した。それも一昨日出したばかりだよ」

「それは気の毒だな」

「いろいろと考えたしひとにも相談したが、急に決心がついてね」

節は左千夫から眼をそらすと、ガラス戸越しに見えている庭に顔をむけた。庭はそろそろ日暮れ近い薄日に照らされて、寒そうに見えた。

「先方はまだ若いし、ちゃんとした教育も受けていていてどんないい家にでも嫁に行けるひとだ。病人にしばりつけておくのはよくない」

「しかし……」

左千夫は言葉を切ってから言った。

「それで、君の方はさびしくはないのか」

「いまのうちならね」

節は左千夫に眼をもどして、ちょっと照れたような笑顔になった。じつを言えば、さびしいなどという甘い話ではなかった。おれの病気で家産の立て直しも振り出しにもどり、結婚どころではなくなるのだ、と節は思ったが、左千夫にはそこまでは言いたくなかった。

「ほんとのことを言うと、だいぶ以前に一度会ったきりで、あまりよくは本人を知らないんだ」

「せっかく婚約が出来たというのに、うまくいかんもんだな」

左千夫は嘆息するように言った。そしてしばらく膝に眼を落としていたが、急に顔を上げると言った。

「今日は百穂のところで歌会があってね。その帰りなんだ」

「ああ、日曜日だから」

「そう、そう。そこでまた斎藤君と衝突したのだ」

「ほう」

節は用心深い気持になって、左千夫の顔を見た。左千夫と弟子たち、と言っても問題の弟子は主として斎藤茂吉と島木赤彦の二人だが、その両者の間に深い亀裂が見えはじめたのは、「アララギ」の一月号の誌上で、茂吉の歌「木のもとに梅はめば酸しをさな妻ひとにさにづらふ時たちにけり」をめぐる解釈が対立したころからだった。

そういう事情を、節は「アララギ」の中からも読み取っていたし、また一部は赤彦からも聞いていたが、あまりかかわりは持ちたくなかったのである。茂吉、赤彦、千樫といった若い歌人たちが、いま何を視野に入れながら短歌を制作しているのかもおぼろげにわかり、また左千夫の、歌は技巧ではなく感動だという年来の主張も理解していたが、どちらにも味方するわけにはいかない立場にあると思っていた。

「斎藤君が何を言ったの？」

「歌は技巧だと言うんだ。何を考えているのかね、いまの若い連中は。だから僕は歌はそんなもんじゃないと言ってやったんだ。歌は人間生活の根本から流れ出て来るものだと」

「しかし若い連中の考えていることも、理解はしてやらんとまずいのじゃないか。文芸の世界も、形式、中身ともにどんどん変って来てるからね」

節は慎重に言った。

「そういうことじゃ、若いひとたちはかなり勉強をしているようだよ」

「勉強なもんか」

と左千夫は言った。

「牧水だ、夕暮だ、白秋、杢太郎の南蛮趣味だと、いちいちおどろいて浮足立っているだけだよ。腹が据わっておらんのだ」

左千夫が興奮して言ったとき、部屋の外に男の声がして、お客さまのところを一寸失礼しますと言った。節と同じ病気で入院している、福島県から来た中学生の知人で、柳沢健という帝大の学生の声だった。

柳沢は、同郷の知人である中学生の一家に、少年の世話を頼まれたとかで、頻繁に根岸養生院を訪ねて来ていた。入院患者のための病室は四つしかない病院なので、いつの間にか節とも言葉をかわすようになり、時には一緒に上野坂下の汁粉屋に出かけることもあった。

といってもつきあいはその程度で、これまでは二人で何かを見に行くということもなかったのだが、その日はめずらしく、節は柳沢に観劇に誘われていた。少年に、本郷座にかかっているバーネットの「小公子」を見せに行くので、一緒にどうですかと言われたのである。柳沢は節が小説「土」の作家であることを知っていて、だから観劇にも誘う気になったのかも知れなかった。

後年外交官でありながら詩人としても知られるようになる柳沢は、帝大法科の学生であった当時から、フランス文学に傾倒する一方で歌舞伎俳優と一緒に雑誌を出したりしていたのである。

「今夜は冷えそうですが……」

障子をあけた節に、柳沢はひとを逸らさない気持のいい笑顔をむけた。

「予定どおりで大丈夫ですか」

「そちらは大丈夫ですか」

と節も言った。一応同病の少年を気遣ったのである。少年の方が病気が重かった。

「熱もないし、本人はすっかり行く気でいます」

「それじゃ、僕も連れて行ってもらいましょう」

「じゃ、のちほど」

柳沢はあいた障子の間に見えている、左千夫の大きな背をちょっとのぞくようにしてからつけ加えた。

「寒くないように、厚着して行ってください」

柳沢が少年の部屋に帰って行くと、左千夫も腰を上げた。

「僕も、暗くならんうちに帰る」

「そうか。じゃ、玄関まで送ろう」

節が言い、二人は部屋を出た。

「今夜は、どこかに出かけるのか」

「本郷座の芝居を見に行くんだよ」

と言って、節はにが笑いした。

「僕はどうも、芝居というのはわざとらしい気がして嫌いなんだが……」

「たまには気ばらしによかろうさ」

と左千夫は言った。

「風邪をひかんようにして行って来たらいい」

左千夫が、めずらしくやさしい気遣いを見せた言葉を口にするので、節は思わず先に歩いて行く左千夫の背を見た。廊下が暗いせいか、その背は丸く年寄りじみて見えた。

左千夫が言いたがっていたことを、十分に聞いてやらなかった後悔が、節の胸にうかんだ。

「さっきの話は、またあとでくわしく聞くよ」

「うむ」

「しかし、ある程度は若いひとたちにまかせる方がいいよ。君も、むかしのように若くはないんだから」

「まかせているさ。最近の『アララギ』なんかは、もう斎藤君や古泉のいいようにやらせているつもりだ」

「それでいいじゃないか。若い者に憎まれてもつまらんからね」

左千夫はくるりと振りむいて、節を見た。診察所に使っている表の洋館の玄関に来ていた。

「しかし、譲れぬところまで譲るわけにはいかんよ、君」

左千夫はそう言うと三和土に降り、そそくさと履物をはいた。また来る、と言って出て行く左千夫のうしろ姿が門を出るまで節は見送った。大きな背だったが、まるい背をかがめるようにして、手の傘を杖がわりに地面に突いて行く姿が、やはり年寄りくさかった。

——頑固者め。

と節は思った。それならとことん論争すればいいんだと思い、また「アララギ」の歌人たちから、いくらか気持がはなれるのを感じた。

ふだん芝居のことをあまりよく言わないのに、その夜の観劇で、節は小公子を演じた坂東かつみという子役の演技に引きこまれて、涙が出て困った。同行の柳沢も泣いているのがわかったからべつに照れる必要はないのだと思いながらも、節はやはり自分が涙を流しているのが照れくさく、また不本意でもあった。節は涙を拭きながら苦笑し、ひとりごとともとも柳沢に言うともとれる口調で、何度も「どうも涙が出て困る」とか、「ばかばかしいね」とか言訳を言った。

中根岸の病院にもどったときは、もう夜も更けていたが、三人はまだ芝居見物の興奮がさめず、すぐには眠れそうにないねと言い合った。そこで少年の部屋の前まで来たところで、「もう少し、話そうか」などと立ち話をしていると、その声を聞きつけたらしく、節の部屋から附添看護婦の丸山はなが出て来た。

はなは節が帰るのを待ち兼ねていた様子で、いそいでそばに来ると、風呂敷包みを出した。

「さっき、お留守中に女の方がみえて、これを置いて行ったそうです」

「女のひと？　へーえ……」

節は首をかしげて風呂敷包みを受け取ると、自分の部屋にむかった。あとに丸山看護婦と、好奇心を起こした柳沢がつづいた。

節は部屋にもどると、無言で風呂敷包みをほどいた。中から出て来たのは、仕立てたばかりと思われる寝巻だった。そして寝巻の中には一通の手紙がはさまっていた。

その手紙をひらいて眼を走らせたとき、柳沢の眼に、それまで青白かった節の顔がみるみる朱に染まったのが見えた。

「お安くないわねえ、長塚さん」

さっきの声を聞きつけたらしく、べつの看護婦が節の部屋に顔を出してそう言った。少しはなれた病室にいる木場の材木屋の主人だという患者の附添看護婦だった。

節に風呂敷包みをとどけて来た女性のことは、病院の中でそのあと恰好の話題になったらしく、丸山はなよりずっと年かさのその看護婦の声には、節をからかってやろうといった気負いがある。

「その包みはね、本館の看護婦さんが受け取ったんだけど、若くてきれいなひとだったそうですよ。さぞやおぼえがおありなんでしょ？」

丸山看護婦が言いかけた話を、年かさの看護婦がそばからうばって言った。本館というのは、根岸養生院の表の診察所のことである。

「病院の前を、何回も行ったり来たりして、やっと玄関に入って来たんですってよ。でも、長塚さんがお留守なもので、渡してもらえばわかると言ってその包みを預けると、名前も言わずに帰ったんですって。何だか、おかわいそう。長塚さんも罪なひとね」

「………」

「いったい、どういう関係の方なんですか。白状なさいな」

病院の中の節はふだんは陽気で、丸顔で血色よく太っている丸山看護婦に桃太郎さんというあだ名をつけてからかったり、よく冗談を言ってはほかの看護婦まで笑わせていた。

そういう節を見ているので、年かさのその看護婦は今夜はどうしても節をからかいたいらしく、挑発的な言い方をしながら女性客の身元をさぐろうと懸命だったが、節はその挑発には乗らなかった。眼を落として寝巻を見つめ、また手に持っている手紙に眼をもどして、節はほかにひとがいるのを忘れたように、沈痛な顔をうつむけている。一度赤くなった顔は、いまは青ざめたように血の気がひいて、看護婦の声も聞こえたかどうかわからないような様子だった。

「あら、ずいぶんわけありみたい……」

もくろみがはずれた看護婦は、気まずそうに捨てぜりふをつぶやいて姿を消した。つづいて丸山看護婦がおやすみなさいと言ったが、節はそれにもうなずいただけで顔も上げなかった。節は何かに強く打ちのめされたひとのように見え、受けた衝撃を隠していなかった。

「じゃ、僕もこれで……」

丸山看護婦が部屋を出て行ったので、柳沢も腰を浮かした。すると、節がやっと顔を上げた。

「君、もうちょっといてくれないか。聞いてもらいたいことがあるんだ」

柳沢は無言で、いったん上げた腰を落ちつけた。すると節は、寝巻を元のように丁寧に風呂敷に包み直しながら、ぽつりぽつりと話し出した。いつもの節とは違う暗い顔をし、出て来る言葉も重苦しかった。

「今日、これを持って来た女性というのは、僕の許嫁です。いや、許嫁だったというべきかな。もう破約の手紙を出してしまったものでね」

柳沢は、話がいきなり深刻なものになったのにおどろいて、何も言えなかったが、節は柳沢に返事をもとめているのではないらしく、うつむき加減にしゃべっている。

「僕はなにしろ、こういう病気ですからね。将来というものを、あまりあてには出来んのです。病気は正直のところ、治るかも知れないが治らない場合だって多分にあるといったものでしょうから」

「………」

「ま、人並みの暮らしなどというものはあきらめて、この先身体のことだけを考えて気ままに過ごせば、いくらかは寿命ものびるんじゃないかと、そういうはかないのぞみを抱いているだけですからね。そういう男が、婚約を解消する気になるのはあたり前じゃないでしょうか」

「ええ」

柳沢は固くなってうなずいた。だがその返事が節の耳に入ったかどうかはわからなかった。

「僕はいまはこうして、みなさんとバカなことを言い合って笑ったりしていますけどね。喉頭結核の宣告をうけたときは、とてもそれどころじゃなかったんです。人生これでおしまいかと思いましたからね」

節は、木村医師から喉頭結核と診断された当時の、絶望的な気分をこまごまと話し聞かせ、婚約を解消する考えはそのころから自然に固まって来たのだと言った。

「まだ若いひとですからね。婚約を解けば、どんなところにもお嫁に行けるんです。大学教育も受けているし……」

「……」

「そういうひとを、婚約者だからというだけで病人の僕に縛りつけておくのは、僕はそういうのが嫌いなんです。とても重荷に感じますね。だから解消してすっきりしたい気持もなかったわけじゃないんですが……」

節はそこで言葉を切って深く頭を垂れた。そして顔を上げたときには、節の顔はまた紅潮して、柳沢を見る眼が熱を帯びたように光っていた。

「しかし、いまになってこういう物をとどけて来るとはね。柳沢君、僕はひとの心というものを見誤っていたかも知れない」

「……」

「三十を過ぎた男がバカなことを言うと思うかも知れませんがね、君。僕はこの齢になってはじめて、女のひとの愛情に触れたような気がするんです。やっぱり滑稽ですかね、こんなことを言うのは」

「いえ、滑稽だなんて思いませんよ。それでいいんじゃないでしょうか」

節の沈痛な告白に圧倒されて、柳沢はようやくそう言うと、おやすみなさいと言って唐突に立ち上がった。しかし、今度は節はひきとめなかった。

その夜節は、黒田てる子にあてて長文の手紙を書いた。どうせ別れるにしろ、一度はてる子に会って、心をひらいた話をしてみたかった。その上でいさぎよく別れを告げたいものだとねがった。病院を留守にしたために会えず、そのまま右と左に別れて他人になることは堪えがたいとも思った。そういう気持にさせたのは、てる子が残して行った見舞いの品と手紙である。

つねに冷静な節の胸の中で、その夜は何かが音を立てて崩れ落ちたようだった。節はほとんど泣きたくなるほどの恋愛感情に心を搔き乱されていた。暗い電灯の灯の下で手紙を書いていると、病院に入りかねて二度三度と門前を往復したというてる子の姿が、幻影のように脳裏にうかんで来て胸が苦しくなった。節は乱れる心を飾らずにそのまま書き綴り、もう一度だけ病院をたずねて来てほしい、生涯のねがいだとまで書いた。

そのあとで、節はてる子の兄黒田昌恵にも礼状を書いた。てる子の手紙に、兄の代理でという一句があったからである。節はその礼状の末尾に、同封の手紙を手渡してほしいと記し、てる子への手紙を昌恵に託した。

手紙を書き終ったのは深夜だった。病院はことりとも物音がせず、静まり返っていた。節は灯を消してつめたい布団に入ったが、すぐには寝つかれなかった。さまざまなことを思いながら、闇の中に凝然と眼をひらいていた。

その一夜のことを、節はのちに「アララギ」四月号に、短歌として発表した。「病中雑咏」の巻頭に、長文の詞書をつけてまとめられているつぎの一首がそれである。

明治四拾四年十二月廿四日、ふと出でありくことありて此の日ばかり夜に入りて病室に帰り来れば、むすびし儘に派手なる袱紗のつゝみ一つ電燈のもとにおかれたり、怪みて解きみれば我が為に心づくしの品は出できにたるに、赤きインキもて書かれし手紙も添へられつ、四たびまで立ち入りがてに病院の門を行き過して、けふ始めておとづれきといふに思ひ設けぬことなれば待たんやうもなく、今は悔ゆれども及ばずなりぬ、されどわれ生れて卅三年はじめて婦人の情味を解したるを覚えぬ、我は感謝の念に堪へず、其の人一たびは我と手を携ふべかりつるに悪性の病生じたれば我に引き止めむ力もなく、斯くて離れたるものゝ合ふべき機会は永久に失はれ果てぬ、其の夜はふくるまで思の限り長き手紙に筆執りて、生涯の願いま一たびおとづれ給ひてんやと書きつけゝるを、夜もすがら思は掻乱れて、明くれば痛き頭を抑へつゝ庭の寒き梢に目を放ちて

四十雀なにさはいそぐこゝにある松が枝にはしばしだに居よ

五

手紙を投函した翌日、突然に黒田昌恵が節をたずねて来た。昌恵は二、三世間話をしたあとに、医者らしく節の病状についていくつかの質問をし、また先に受け取った婚約解消の手紙のことを持ち出して、節の気持をたしかめるようなことを言うと、あわただしく帰って行った。

昌恵は本館の待合室に節を呼び出しただけで、部屋までは来なかった。話したのは十分ぐらいのものだったろう。そして昨日出した手紙については、ひと言も触れなかった。そのために節は、てる子のこと、ことに昨日出した手紙を渡してくれたかどうかを聞きたかったのに、口に出せずにしまった。

その兄昌恵の病院訪問が、間接的にしろ節にもたらされた黒田てる子の最後の消息だったといえる。というのは、あれだけ心をこめて書きおくった節の手紙に対し、てる子は返事もくれなければ姿も現わさず、以来ぷっつりと消息を断ってしまったからである。

そして一方、病状が予期したほどに快方に向かっていないのか、岡田院長からは年内退院の許可は出なかった。節は暗い気持で、明治四十四年を見送り、根岸養生院の病室で新年を迎えた。

その元日、節は正月でひっそりしている病院を出ると、前日留守の間に見舞いに訪れたという親戚の堤定次郎、靖夫父子を西黒門町の宿泊先にたずねて行った。そしてそこで意外な吉報を聞いたのである。堤定次郎は節の父の従兄弟で、香川県庁の内務部長を勤める官吏だった。この人が、喉頭結核治療の権威である九州帝大医科大学病院の久保猪之吉博士と親交があるので、治療に行く気があるなら紹介してもよいと言い出したのである。

なお聞いてみると、久保博士とはかつて落合直文に師事して、のち尾上柴舟らといかづち会を結成した歌人久保猪之吉その人であり、また久保夫人より江は松山の出身でやはり落合直文門下だが、子規や漱石とも面識がある人だという。節は久保夫妻に浅からぬ縁を感じた。加えて九州という地名には、天啓を思わせるものがあった。さきに渡辺剛三に相談したように、節の頭の中には九州を回って四国土佐に転地療養に行く考えがあったからである。堤の話は、父子が四国に帰ったあともしっかりと節の胸に根をおろしていた。

新年早早に、寺田憲の心づくしで至誠堂から新年号の雑誌が四冊もとどいた。二日づけのその礼状に、節は「小生も唯今の処如何相成候ものか一向相分り不申候へ共、兎に角頼むべき人を頼み申候より外は無之、岡田氏の手を離れ候ての上は、福岡の大学なる久保氏を手頼りて参り可申かとも相考へ居候」と書いた。

つまりこのころから、節の脳裏には九州、四国旅行に組み合わされた形で、久保博士の治療が入りこんで来ているのだが、しかしそれはいますぐ、根岸養生院を退院してもということではなかった。

年内退院の許可を出せなかった岡田院長に対して、節は漠然とした不安を持ったが、その不安は不信感といった強いものではなかった。節はまだ、岡田博士の手術を信頼していた。先に掲げた寺田憲への手紙の中に、節は「東京も此より追々寒さきびしく相成可申候　転地の命に接する日の早く来らむことを希望致居候」とも書いたが、この転地は岡田院長の言う鎌倉あたりのことである。

また、四回目の手術をうけた翌日の一月九日、節は父の源次郎あてに葉書を書いたが、その葉書には柳沢健の知人である中学生は全快はおぼつかないらしいと書き、さらに「昨夜其大学生の申候に医学士と談話中丁度私の手術有之候ことゝて私を例に引きて語られし由なるが、『あの人などは悪い処を取ってしまへばそれで癒るけれど云々』と有之候趣事もなげに申され候ことなれば結構なりなど大学生は申され候」と、中学生にくらべ自分の病気が軽くみられている喜びを記した。大学生は柳沢健で、医学士というのは根岸養生院の副院長のことである。

節はこの病気の権威である久保博士の名前を、心にきざみつけていたが、それはまだ、いずれ出かける遠い旅行先に、そういうひとがいることを心強く思い、旅のついでに診断を仰いでみようといった程度の関心の持ち方でしかなかった。節は当分は、岡田院長に治療をまかせるつもりでいた。

そしてほかにも、根岸養生院にしばらくは腰を落ちつけていたいわけがあった。いうまでもなく黒田てる子のことだった。

てる子の手紙の中にあった兄の代理の見舞いという言葉を、節は疑わなかった。それが、女ひとりの才覚で節を見舞う気になった自分を恥じて、てる子が使った口実ではないかというような気の回し方を、節は知らなかった。

だから、誰が読んでも愛の告白としか思えない文句で埋まっている手紙も、黒田家のひとを裏切ってこっそり本人に手渡すなどということは考えもせず、ことさら公明正大めかして兄の昌恵から渡してもらうように頼んだのである。むろん節の頭には、昌恵がその手紙をあけて読んだり、あるいはてる子に手渡さずに捨てたりするかも知れないなどということも思いうかばなかった。

もっと言えば、節の想像力は、危険な病気を持つ節からの婚約解消の申し入れを、少なくともてる子をのぞく黒田家の人びとが大喜びで受け入れたかも知れないということには思い及ばなかったのである。したがって、婚約を解いた男からの恋文めいた手紙などは、黒田家の人びと、ことにてる子を家に同居させていて妹のことでは直接に責任を負っている兄の昌恵にとっては、迷惑以外の何ものでもないということがあり得るとも、節は考えなかった。

節の気持の中には、はげしい感情の乱れをそのまま記した手紙を出した翌日、黒田昌恵が病院をたずねて来たことが、いくらか不審な感じでひっかかっている。そのことと、黒田てる子が葉書一枚よこさず、ぷっつりと消息を断ったままでいることに何かの関連がありはしないかと、ちらと疑うこともあったが、節はひとを疑うことを恥じた。

結局は本人の意志だと思った。再度たずねて来るかどうかは、てる子自身が決めることだと思い、節はまたてる子にあてて手紙を書いた。しかし、それにも何の答えもなく、日が経っていたが、それでも節は、まだてる子がひょっこりと病院をたずねて来はしないだろうかと、心の隅で待ちつづけていたのである。

節の病室には依然として見舞い客が多かった。木村芳雨、平福百穂、子規の母堂、左千夫、茂吉、千樫らの「アララギ」の歌人たち、さらに横瀬夜雨の代理で夜雨の従弟武井準というひとが青柳のカステラを持って現われたり、叔母と従兄弟の剛三が銚子水戸屋の菓子をみやげに見舞いに来たりした。木村芳雨と岡麓が連れ立って現われ、節は酒が好きな芳雨のために、病院に頼んで外から酒と刺身を取り寄せ、夜九時ごろまで話しこんだこともあった。

そういう見舞い客を迎える一方で、一月七日に弟の順次郎が突然に腸チフスで神田の橋田医院に入院したので、節は今度は逆に弟を見舞いに神田まで通い、寒い時期なのに、節は身辺がざわめくような落ちつかない日を過ごしていた。

だが、そういう暮らしの中に、順次郎の見舞いも済んだばかりで根岸養生院には一人の見舞い客も現われないという、穴があいたようにぽっかりと静かな日がまじることがある。

そういう日は、節は所在なく、まだ少女といってもよい附添看護婦の丸山はなを相手に、冗談を言ったりからかったりして時を過ごしたが、丸山看護婦も用足しに出ていないときは、黙然と庭を眺めているしかなかった。

根岸養生院は、以前は大きな汁粉屋だった家で、ぜいたくにこしらえた庭がそのままに残っていた。節の病室は庭に面した方がガラスをはめた障子になっていて、そこから大きな庭石や松、つげ、つばき、山茶花の植込みなどが、淡い冬日に照らされているのが見えた。

そうして一人で庭を眺めていると、節の思いはいつの間にか音信のない黒田てる子の上に飛んでいて、はっと気づくと気持はじっとりと重い感傷に浸っているのだった。また歌が出来た。

既に五十日にも余りぬれば我が病院生活も半を過ぎたらむと思ふに、待つ人の遂に来らねば徒らにおもひを焦すに過ぎず医術の限を竭して後は病はいかに成り行くべきかと心もこゝろもとなくて、一月廿三日の夜いたく深くる程に筆とりて

我が病いえなばうれし癒えて去なばいづべの方にあが人を待たむ
あまたゝび空しく門は過ぎゝとふ人はかへしぬ我が思止まず
癒えぬべきたどきも知らず病みたれば悲しと来しに我は逢はぬに
霜柱庭に立てれば石踏みて来とさへいひてやりける人を
いたづらに思ひたのめて人待つと氷は閉ぢて解けにけらずや
さきはひを人は復た獲よさもあらばあれ我が泣く心拭ひあへなくに

てる子の残して行ったものと思えば、節には風呂敷さえもなつかしかった。たびたび手に取ってみた。その風呂敷が露草の花のいろをしていることから、節は郷里の露草を思いうかべ、つぎのような歌もつくっている。

袱紗の地はつゆ草の花のいろなるを、人は鬼怒川のみなかみに我とおなじ西岸に棲めれば、想を故郷の秋に馳するに、なよ〳〵とせるつゆ草の馬の腹七たび過ぐれども根は絶えずなど俚言に聞きけることもいまはなか〳〵に懐しく

鬼怒川の篠に交れる鴨跖草は刈る人なしに老ゆといはずやも

鬼怒川の岸のつゆ草打ち浸りさゝやくことは我はきけども
鴨跖草を岸に復た見ば我が思ふ人のあたりゆ持てりとを見む
いまにして人はすべなし鴨跖草の夕さく花を求むるが如
つゆ草の花を思へばうなかぶし我には見えし其の人おもほゆ
からまるを否とたれかいふ鴨跖草の蔓(つる)だに絡め我はさびしゑ

この一連のつゆ草に寄せる歌は、「鬼怒川のみなかみに我とおなじ西岸に棲め」るひと、黒田てる子に対する呼びかけにほかならなかったが、そのあとに詠まれた「我が病いえなばうれし」以下の歌も、やはり節の、姿を見せないてる子に対する呼びかけの歌だった。

てる子が根岸養生院をたずねて来てから、もうすでにひと月も経っていたが、その時間の経過が、むしろ節の中の記憶や想像力を鋭く刺戟し、節は時には風呂敷包みをかかえて門前を行きつもどりつするてる子の姿を、幻のように思いうかべることが出来た。「あまたゝび空しく門は過ぎゝとふ人はかへしぬ我が思止まず」、「癒えぬべきたどきも知らず病みたれば悲しと来しに我は逢はぬに」は、節の慟哭の声に似ているが、節はまだてる子に会うことをあきらめたのではなかった。「さきはひを人は復た獲よさもあらばあれ……」と歌っても、節の本心は「我が病いえなばうれし癒えて去なばいづべの方にあが人を待たむ」の方にあった。

その気持は、「又庭にある山茶花(さざんか)のあはれにさきのこれるに僅に懐をやるとて」と詞書したつぎの歌三首にもあらわれている。

打ち萎え我にも似たる山茶花の凍れる花は見る人もなし
山茶花のわびしき花よ人われも生きの限りは思ひ嘆かむ
山茶花は萎えていまは凍れども命なる間は豈散らめやも

寒い冬のさ中にもひっそりと咲きつづける山茶花に気持を託し、節はともすれば崩れそうになる自分の気持を立て直そうとするのだが、歌の色調は呼びかけから次第に独語めいて行くのもやむを得ないことだった。

そして一月も末に近づくと、節の気持はさすがに追いつめられて、堪えがたい孤独感に苛まれることがあった。

一月二十六日は、一日中雨が降った。節はこの日第六回目の、根岸養生院での最後の手術を受けた。雨の中を、寒川鼠骨が菓子折を持って見舞いに来たが、手術と聞いて長くはいないで帰った。夜になって父の源次郎が来て、去った。

この日節は、また黒田てる子が残して行った風呂敷を出して、両手の上にひろげて見た。すると、またしてもいろいろな思いが胸の中を駆けめぐるのだった。

一月廿六日、彼の袱紗ゆくりなく手にとることありしに、糸巻の型の染め抜かれたるが今更に目に映れば
とこしへに解かむすべなし苧環のあまたはあれど手にもとれねば
をだまきといへばすゞろに懐しき故郷の庭なる耬斗菜のうへにも及びぬれば

あまたゝび冬には逢へど枯れざりし庭の耬斗菜かれなくてあれな

父が帰ったあとも、雨はやむ気配がなく、夜の庭にまだひそひそと音を立てていた。柳沢は今日は姿を見せず、丸山はなも用を終えて、ほかの附添看護婦たちと自室に籠っているらしく、声も聞こえなかった。病院のどこかで、時どき誰かが咳をする声が洩れて来るだけである。

——だめかも知れないな。

出した手紙はことごとく無視され、姿を見せない黒田てる子を、ようやくあきらめる気持が、節の胸に動いた。これほど言ってやっても来ないのは、やはり本人に来る意志がないのだと思うしかないようだった。深い失望感に襲われて、節は膝を抱いたまま茫然と暗い庭の雨の音を聞いていたが、ふとこの雨は国生にも降っているだろうかと思った。すると広い家と小さな母の姿が心にうかんで来た。

父は節の見舞いにではなく、橋田病院に入院している順次郎を見舞いに来たのである。養家に気兼ねする順次郎にうながされた儀礼的な意味の見舞いだったが、小布施家から何かと見舞いの品をとどけてもらっている節も、順次郎に実家から見舞いが来なくて肩身が狭いと言われると、いそいで手紙を書き、父の上京を催促してやったのである。

だが考えてみれば、父も母も老いたのだと思った。他家にくれてやった息子のために、儀礼的な役目をはたすため、はるばると上京して来る父も大変だが、広い家に一人取り残されて留守を守る母も心細かろうと節は思った。自分を見舞いに来たときの、心労にやつれて老いが目立って見えた母の顔を思い出し、その母は、いろりの火のそばで雨の音を聞きながら、いま何を考えているだろうかと思った。家のすすけた障子が見え、いつもきまった音を立てる軒下の雨だれの音が聞こえた。

悲傷の思いが、節の胸に突き刺さって来た。母も孤独なら、ここにいる子も孤独だと節は思い、胸の中に母を思って歔欷（きょき）する自分の声を聞いた。

　此の日、ひねもすに雨ふる、なにごとにも母のおもひ出でられて

我さへにこのふる雨のわびしきにいかにかいます母は一人して
張り換へむ障子もはらず来にければくらくぞあらむ母は目よわきに
こゝにしてすゝびし障子懐へれば母よと我は喚ぶべくなりぬ

黒田てる子への思いを断ち切らせるかのように、雨に明けた翌朝は山茶花の花も散っていた。節はつめたい縁側に立って、しばらく凝然と花のあったあたりを見つめた。

　病室の内に雨を聴き暮して明くればまだきに彼の山茶花のもとに思ひ煩ひて

からくして低きが枝にのこれりし山茶花のはな散りにけるかも
山茶花のはかなき花は雨故に土には散りて流されにけり
山茶花のあけの空しく散る花を血にかも散ると思ひ我が見る
山茶花はむなしくなりぬ我が病癒えむと告ぐる言も聞かなくに

だがその日、雨がやんだあと庭下駄をはいて庭に降りて見た節は、山茶花の株の中に、小さな蕾がひとつ残っているのを見つけた。節はうれしくなって丸山看護婦を呼び、蕾

くり笑いを見せるだけだった。

仔細に見るに葉の間に半開の蕾只一つすがりたるがいとほしくて山茶花よそをだに見むと思へるに散らなくあれな我が去ぬるまでに

根岸養生院で出来た節の短歌は、「喉頭結核といふ恐しき病ひにかゝりしに知らでありければ」云云の詞書がつく十首に、「病院の一室に年を迎へて」と題した二首を加えた十二首が、「我が病」として「アララギ」第五巻第二号（二月号）に、また黒田てる子の訪問を歌った長い詞書がある一首「四十雀なにさはいそぐ……」以下の五十一首は、「病中雑咏」として「アララギ」第五巻第四号（四月号）に発表される。

左千夫は歌は感動の表出だと言い、形としては内的告白を重んじて、節の客観写生の歌を容易に認めなかった。そして節は節で、感動一点張りの左千夫の歌論を泥くさいもののように思い、洗練された客観写生の歌の完成に力をそそいで来たと言える。

だが長い休止期を経て、突然に奔流の勢いで制作されはじめた節の歌は、客観写生歌とは似ても似つかない内的告白の歌だった。自然は歌われていても、それは節の心を託すための物であり現象であるに過ぎなかった。そして一群の節のそれらの歌は、死と愛を凝視しながらつくられたために、中に若干の感傷に流された作品を含むとはいえ、概ねその感動は重く、悲傷は鋭くて、読むひとの胸をうつ作品となったのだった。

伊藤左千夫は、「アララギ」第五巻第一号（新年号）に、「黒髪」八首を発表した。

世に薄きえにし悲しみ相歎き一夜泣かむと雨の日を来し
日暮るる軒端のしげり闇をつつみかそけき雨のおとをもらすも
うらすがし頬にまつわる黒髪を見るに堪へねど目よは放れず

左千夫はそのころ越後からもどって来た恋びとと再会し、熱烈な恋愛に溺れていた。「黒髪」はその晩年の惑乱の中から生まれた作品で、島木赤彦が斎藤茂吉にあてた手紙の中で、「左千夫先生の『黒髪』八首益々特色を発揮し来り光彩陸離に候。……新年号の劈頭斯様なものを見せられ候事我々の奮励と成り可申候」と賞揚したほどの力作だったが、感動を歌う左千夫の「黒髪」も、節の「我が病」、「病中雑咏」と比較するとき、その悲傷の深さにおいては見劣りしたと言えるだろう。

二月二十日に、節は根岸養生院を退院した。岡田院長から退院の許可は出たものの、全治という診断ではなく、一応小康を得たところで退院するという形になった。

しかしそのころには節の気持は、九州に行って久保博士の診察を受ける方に固まっていて、根岸養生院を退院することに未練はなかった。九州に行けば、夜雨の従弟武井準の世話を受けられるはずで、それも心強かった。

夜雨の代理で節の見舞いに来た武井は、結城郡江川村の出身で、一高から九州帝大医科大学にすすみ、そこを卒業してからは同大学附属病院の眼科教室に勤めていた。節は武井が病院に現われたとき、夜雨の家で見かけただけのひとなので、名乗られるまで相手がわからないほどだったのだが、その武井準は、久保博士をたずねて九州に来たときは便宜をはからうと約束しただけでなく、ほかにも節に貴重な置きみやげを残して行った。

ひとつは武井そのひとが、肺結核を患ったのに全治した経験の持ち主だったことであり、しかも、病気が治ったのは日向の青島に転地療養したとわかったことである。武井準が根岸養生院にいたのは、腰かけて話す程度の短い時間に過ぎなかったが、そのときに聞いた武井の話は節の記憶に深く残っただけでなく、最終的に節に九州行きの決心を固めさせる役割を果したようであった。節はもう九州に行くことにためらいを持たなかった。

そして黒田てる子はついに姿を現わさなかった。てる子が訪れない根岸養生院は、堪えがたいまでに空虚に思われる日があった。節はいっそ、遠く旅に出たかった。

二月廿日といふに漸く病院を出づ、七十八日の間僅に我を慰めし花は只一株の山茶花に過ぎざりけるを、けふを限りと復た更に其の傍に立ちて見るに、思はざる花の綻びたるがそれも彼方に一つ此方に一つと只二つのみに余所にはふゝめる枝もなし、

此の花遂に我がためにのみさきつくしけるにこそとさへ思ひいでられて

我がおもふ人にあらなくに山茶花は一樹が枝に相隔りぬ

山茶花の華なる花は枝ながら背きてさけり我は向けども

山茶花のはなは見果てゝ去ぬらくに人は在処も知るよしもなく

此の如ありける花を世の中に一人ぞ思ふ其の遥けきも

病院の支払いを済ませ、丸山はなどもう一人の附添看護婦に心附けを渡し、節は車を呼んで、上車坂町の旅館那須館に移った。そこで二月一杯は残っている用を足し、それから帰宅して、三月の十日前後には九州に旅立つつもりだった。

那須館にも、胡桃澤勘内から見舞いの品がとどいたり、春陽堂の番頭が「土」の出版のことで現われたり、左千夫や古泉千樫、寺田憲がたずねて来たり、来客は多かった。

その間に節は「土」の出版契約を決め、朝日新聞に池辺三山、夏目漱石、森田草平をたずね、小布施家や永楽病院に勤めているてる子の兄、黒田昌恵に退院の挨拶に行き、精力的に雑事を片づけた。「土」の出版のことでは、岡麓の世話になったので、麓をたずねて謝礼の品を贈ったりもした。昌恵のところでは、何かてる子の話が出るかと期待したが、その話はちらりとも出ず、短い挨拶と世間話だけに終った。

そういう雑事がひととおり片づいた三月二日、節は柳沢健に誘われてカフェーに行き、そこから有楽座に回ったが満員で入れなかったので、歌舞伎座をのぞいて帰った。翌日は出直して、柳沢と古泉千樫の三人で有楽座の活動写真を見た。

節が帰郷したのは三月七日である。家に帰る前に、節は横瀬夜雨の家に立ち寄った。そこで夜雨から、黒田てる子がほかに嫁入るらしいという話を聞いた。夜雨はてる子が病人の節を捨てて他家に嫁ぐのを非難したが、節は不思議なほどに気持が平静だった。てる子が、あたかもそういう世俗の約束事とは別に存在するように、依然として節の胸の底につつましくとどまっている気がするせいかも知れなかった。また、ほのかにてる子を思う相聞の歌が出来た。

三月七日、暫しが程と郷にかへる、三日ばかりして帰りこんと出で行きて既に四月にもなりたれば、あたりはさながら忘れ去りたるやうなるを一日二日とある程にゆくりなく拗切りてみつる蚕豆の青臭くして懐しきかも

蚕豆はまだ短くして、たとへば土に落ちたる生石灰の石のやうなるが自ら水分をふくみてほとびつゝあるが如し、我も此れより遠く西国の旅に赴かむとすれば

蚕豆の柱の如き茎たゝばいづべに我は人おもひ居らむ

三月九日、十一日と梅林の梅の枝の剪定をしてから、十六日に節は上京した。子規の家にみやげものを持参、翌日はもう退院している順次郎と夏目漱石に会い、漱石からは久保博士への紹介状をもらった。節が朝日新聞に「土」を連載していた一昨年、伊豆修善寺で大病を患った漱石は、去年のうちはその胃潰瘍が再発したり、痔疾を病んだりしていて、大きな仕事はしなかったが、節が紹介状をもらいにたずねたころは元気を回復していて、正月二日から朝日新聞に連載を開始した「彼岸過迄」を執筆中だった。三月十九日、節は九州へ旅立つ汽車に乗った。

ほろびの光

一

根岸養生院を退院して、下谷上車坂町の那須館に滞在していたとき、節は長野の胡桃澤勘内に、久保博士の診察を受けるために九州へ行くことを知らせる手紙を出し、その中に「明石以西は悉く生面の山相に候へば、序を以て煙霞の癖を満足せしめむ計画に有之候」と書いた。

退院直後の節は、自分の病気を全治はむつかしいものと判断し、それも仕方ないことだと考えるようになっていた。あれだけの手術をしたというのに、唾を嚥みこむときに依然として喉に痛みがあったからである。

ただ、堤定次郎に紹介された、そして以前に一度診察を受けた小此木博士の甥であることも判明した、耳鼻咽喉科の第一人者久保博士に対する信頼は深まる一方だった。

横瀬夜雨あての手紙に、「一月に入って、寒さの募り候ためか、患部よろしからざるやうにも感ぜられ、少しは心細く相成申候　どうしても福岡へ参りたくて堪り不申候死ぬとしてもそれでなければ残念に有之候」と節が書いたのは一月十五日である。夜雨の代理で見舞いに来た武井準と話し合ったあとだった。

久保博士を頼って九州に行く考えは、そのあとも少しも変らず、胡桃澤に手紙を出したその時期に、同じ那須館から「福岡の大学に久保猪之吉氏を訪ね診察を受け可申、其上は死んでも悔は無之」（福島・門間春雄あて）、「久保猪之吉氏の診察ヲ受け申候ての上は手当に悔は無之候」（従兄渡辺剛三あて）とも書いている。

前年の暮あたりの節は、暖国の土佐に転地療養しようかと考え、そのときには九州を旅行して、そこから土佐に行くことを考えていた。そういう漠然とした計画のかわりに、今度は久保博士の診察を受けるという、明確で具体的な目的が出来て九州へ行くことになったのだが、節ははじめに考えた九州、四国旅行の計画の方も放棄したわけではなかった。

胡桃澤あてに「序を以て煙霞の癖を満足せしめむ計画に有之候」と書いたとき、節の胸はやはりはじめて見る明石以西の西国の風景を思ってふくらんでいたのである。胡桃澤にその手紙を書いたあとで、節は従兄の剛三に、名古屋から伊賀上野、梅の名所月ヶ瀬を経て京都へ、九州は福岡から鹿児島、鹿児島から大分、鹿児島から長崎まで、四国線、岡山、宇野間、大阪から和歌山に出て高野山へ、次いで奈良から京都へという旅行計画を書き送っている。例によって家族優待乗車券をつごうしてもらうためだった。

三月十九日に東京を出発した節は、予定どおり弟の整四郎がいる静岡と名古屋にそれぞれ一泊したあと、月ヶ瀬をたずねてここにも一泊した。梅は盛りを過ぎていたが、節は梅の下の山葵畑や、そのあたりの山の木が見馴れた櫟であることなどに眼を惹かれ、また宿の給仕の娘に生まれをたずねると伊賀の名張だというので、月ヶ瀬から方方に出した絵葉書に、名張乙女に会ったことを書き記した。

翌日は月ヶ瀬から笠置山にのぼり、それから京都に出た。三月二十二日である。京都には、京都帝大医科大学附属病院の小児科に松田道作、内科に草間庸と、二人もの同郷人が助手をしているので、節はその紹介で大学病院の診察を受けたり、京都見物をしたりして、二、三日は京都に腰を落ちつける気でいた。

ところが、軽い気持で見てもらうつもりの診察が、大きな誤算となったのである。松田、草間両医学士の紹介で、耳鼻咽喉科の主任教授和辻春次博士の診察を受けたのが二十五日で、その結果にわかに手術をすすめられたのが第一の誤算だったが、その手術というものが、根岸養生院の岡田院長の方法と同じもので、しかも根岸養生院で六回の手術で切り取った部分の数十倍という量を一度に切除する大がかりなものになったため、半月ほどの入院を余儀なくされたことが第二の誤算だった。

思わぬ足どめを喰った形になったために、従兄の剛三からもらった家族優待乗車券が、まず役に立たなくなった。乗車券の期限は四月十日までとなっていて、九州旅行どころか福岡に着くのもおぼつかなくなったのである。節は、明日は手術を受けるという三月二十六日に、剛三に手紙を書き、改めて三カ月先まで期限を引きのばした優待乗車券を送ってくれるように頼んだ。

また入院費用は、牛乳三合がついて一日一円といった程度で、さほどの出費ではなかったが、和辻博士への謝礼に十円もかかったり、いずれにしても当初の心づもりより費用の方もかさむことになったのである。

手術を受けた翌日、三月二十八日の父源次郎あての手紙に節は、「全く営業的なる養生院とは異り患部を一時に取り去り申候」と、病院の処置を好意的に解釈した文句を書いたのだが、実際にはその手術は和辻博士自身が行なったわけではなく、助手が二時間半もかかって患部一帯を大量に切り取る、あとでは節もそれと気づいたほどに粗雑なものだったのである。

しかし、そのために喉に痛みは残ったものの、熱が出るわけでもなく、常時ベッドに寝ていなければならないような状態ではなかったので、手術が終って二、三日も経つと、節はそろそろ桜が咲きはじめた京都の市内に散歩に出た。そして、四月に入って四、五日すると喉の痛みもうすらいで来たので、下賀茂や白川村、銀閣寺、嵐山といった郊外にも足をのばすようになった。

それでも時間はあまるので、節は同室の患者たちと話しこみ、伊予の患者から聞いた糸瓜（へちま）の話、大和の患者から聞いた稲作、山葵栽培の話、河内の患者に聞いた葡萄づくりの話などを、父や叔父の源五郎にせっせと書き送った。節は父の源次郎に、ついでに麦畑の土入れ、麦や豌豆に肥料を施すことなどの念を押し、また「成るべく御在宅の程御りした。

「願申上候」と、自分の留守をよいことに父が他出がちになることを懸念して釘を打った

入院しているうちに、節は体重が健康だった二、三年前よりもふえたのに気づいた。もういつ退院してもいいのだったが、今度は渡辺剛三にたのんだ乗車券がとどくまでは、京都にいなければならないのである。

しかし、月ヶ瀬、笠置を経て京都についたときは、翌日の朝早速に三十三間堂と博物館を見に行ったほどだったのに、節は毎日出歩いて展覧会から動物園まで見たのでいささか京都に倦きた気分になっていた。銀閣寺は前にも見ているので、今度で三回目である。嵐山はやはり三度か四度目で、行くたびにいいとは思うものの食傷した感じもあった。節は退院して、吉野の花を見て来ようかと思いはじめていた。

二

節が京都を立って九州にむかったのは、四月二十日だった。

京都帝大の附属病院に入院している間に、たずねる相手の久保博士が、四月三日、四日と二日にわたって東京でひらかれる耳鼻咽喉学会に出席することを知った。旅程その他をふくめて前後数日から十日ほどは、博士は福岡を留守にするわけで、節は思いがけない入院が偶然に久保博士の日程に適合したのを感じたのだったが、それにしても予定よりほぼひと月遅れの出発となったのである。

節は四月十日に退院して京都の最初の止宿先、京都市烏丸通五条下ル亀利方にもどると、十二日には吉野に桜を見に行った。そして京都にもどった翌日十五日に病院をたずね、再度和辻博士の診察を仰いだのだが、そこで病院あてに送られて来た渡辺剛三の書留が、附箋つきで国生に転送されたことを知った。

待っていた優待乗車券が、節の連絡不十分から国生の家に回送されてしまったのである。節は大いそぎで家に再転送を連絡する一方、乗車券がとどくまで草間助手のつてを頼って内科の笠間教授の診察を受けたり、また京都の寺寺を回ったりして時間をつぶしたが、好きな博物館も三度も見たので、気持はしきりに九州に向っていそいだ。結局乗車券が回送されて来たのが十九日で、節は翌日、飛び立つようにして京都を出発したのである。

そうは言っても、節はそのまま汽車でまっすぐに福岡に行ったのではなく、途中岡山の後楽園、岩国の錦帯橋などを見て、広島、下関にそれぞれ一泊したので、福岡に着いたのは二十二日だった。節は九州帝大医科大学附属病院の正門前にある大坂屋に宿をとり、翌日は市内を散歩したり床屋に行って髪をととのえたりし、二十四日に久保博士の診察を受けた。

耳鼻咽喉科の権威である久保博士は、鼻下のひげがいかめしい、沈着な風貌をした医師だった。夏目漱石の紹介状を持って、はるばる茨城から来た節を丁寧に診察した。そのあとで、節は博士とむかい合った。

「だいぶ、よくなっています」

と博士は言った。

「もっとも、患部がね。ちょっと赤くなっているところがあります。手当てをするとなると、そこを治療することになりますが……」

博士はそこで首をかしげるようなしぐさをしたが、すぐに節に眼をもどした。

「このあと、どこかへ行く予定でもありますか」

「じつは、さしつかえなければ鹿児島の方まで旅行したいと思っているのですが……」

「鹿児島までね」

久保博士は、またちょっと首をかしげたが、すぐに椅子を鳴らして立ち上がると、ひびきのいい声で言った。

「よろしいでしょう。旅行からもどったら、二、三日ここに来てみてください」

「先生」

節も立ち上がりながら言った。

「すると病気の方は、あまり心配しなくともいいのでしょうか」

「ああ、心配することはありません。ただ、少し様子をみてから治療にかかった方がいいでしょう」

節はその診察の模様を、その日のうちに父あての手紙に書いた。旅行から帰ったあと、ひょっとすると入院して治療を受けるようになるかも知れないが、武井準の話によると、無料の官費入院にしてもらえるかも知れないとも書き加えた。

久保博士の診断は、概して言えば楽観的なもので、節はひとまず安堵し、許可の出た九州縦断旅行に出かける気になっていた。ただ博士の言い方にいくぶんあいまいな言い回しの個所があって、節の気持はいくらかそのことにひっかかった。それは京大病院で行なった手術のために節の患部はすっかり荒れていて、手当てするにしても先にのばして少し様子をみるしかないという意味だったのだが、節はそこまでは気づかなかった。

節の気持は、そのことよりも窮屈になって来た旅費の心配の方に向いていた。京都で思わぬ足どめを喰ったために余儀なくされた出費、和辻博士の二度の診察に対する謝礼などで、かなり旅費が減ったところに、九州へ来てまた久保博士に十円の謝礼を包んでしまうと、手持ちの金はいよいよ心細くなったのである。

節が父に入院しても官費入院にしてもらえるかも知れないと書いたのは、そういうことを念頭に置いていたのである。その手紙の中に、節はつぎのように記した。「甚だ申兼候へ共順次郎より貰ひ受け候金は鹿児島より帰れば全くなくなり可申、尤もそれまでには順次郎より送金は有之筈に候へ共、何程送りくれるかも相分り不申一寸心細く存候へば廿円位当地へ御送り被下度、旅費を頂戴仕り候は誠に不本意の次第に有之候へ共入院致候上は多少ものいりも可有之、其位は用意致度と存申候」

だが節には、懐が心細くなったから旅行を控えようという気持はなかった。鹿児島までの往復には、渡辺剛三につごうしてもらった優待乗車券を使えるのである。そういう機会は二度とないかも知れなかった。

節は、郵便は福岡市外東公園裁縫女学校前武井準方の自分あてにくれるように、父に書き送ると、翌日大坂屋を引き払って鹿児島に出発した。

三

四月二十五日に福岡を立って熊本着。そこで宿をとって節はその日は一日市内を見物した。翌日は鹿児島に着いて一泊、二十七日には汽船に乗って山川港まで行った。そこから川尻まで行って泊り、翌日は薩摩半島の南端にある開聞岳にのぼった。

開聞岳は海抜九百二十二メートル。千メートルに足りない山だが、登るとなるとかなりの体力が必要だった。節はその山にのぼって格別の疲れも感じなかったのがうれしく、あちこちに開聞岳に登ったことを書き送った。

今度に限らず、九州に来る前もまた九州旅行のあとも、節はじつに筆まめに消息を書き送り、京都から郷里の橋詰孝一郎に出した葉書に、自分でも、絵葉書を書くのが務めのようで、京都に来てから五十枚も書いたと記したほどだが、消息の大部分は絵葉書である。

節の筆まめは疑いないとしても、半面五枚一組、あるいは十枚一組で売っている絵葉書が、節の便り先をふやしてもいるのである。登山の消息も、開聞岳の絵葉書に記されたもので、送り先は寺田憲、胡桃澤勘内、古泉千樫、橋詰孝一郎、伊藤左千夫、岡麓、横瀬夜雨、斎藤隆三などの友人たち、父、叔父の源五郎、従兄の青木輸児などの身内や親戚、それに下妻の医師、中岫友彦などだった。

登山したその日に、節は鹿児島にもどり、今度は安楽温泉に行って二泊、そのあと一たん国分にもどって汽車に乗り、五月一日には熊本県の宇土まで引き返した。翌日はそこから半島の先にある三角まで行き、長崎行きの船に乗った。

三角から天草の島島を経由して長崎に行くその船の上で、節は一群の若い娘たちに会った。まだ少女と言ってよいほど稚げなところが見えるその娘たちは、節にはよく聞きとれない天草言葉で元気よく話したり、笑ったりしていたが、節がちょっと横になったあとで甲板に上がってみると、その娘たちは一本の丸太を枕にしてぞろりと横になっているのだった。後で聞くと、娘たちはロシアのウラジオストックまで出稼ぎに行く売春婦だったのである。

節にその話を聞かせたのは、船中で知り合った天草の時計商だという男で、長崎に着いてから節に商人宿を紹介してくれたのもその男だった。

その夜節は、灯を消した部屋でさっきまで船で一緒だった娘たちを思い出し、なかなか寝つかれなかった。娘たちは、ちょっとした用があって長崎まで行くという屈託のない様子だったので、外国へ出稼ぎに行く売春婦だとは、節は夢にも思わなかったのである。

——ひょっとしたら……。

どこへ行くかも知らずに船に乗っていた子もいたのではないか、と節は思った。娘たちのほがらかな笑顔が、胸の中にいつまでも消えない衝撃を残していた。娘たちのことを考えていると、その考えの合間にやはり今度の旅で出会った、もう一人の売春婦の姿がうかび上がって来た。鹿児島から山川港に行く汽船の甲板で出会ったその女は、ウラジオ行きの娘たちとは違って、売春婦らしい崩れたうつくしさが身についた大人だった。

もっとも節は、女と船の客のやりとりの中から、女が男相手の商売で暮らしている売春婦らしいことをさとっただけで、むろんたしかめたわけではない。ところが、船が山川港に近くなったころ、節は甲板で偶然に女と二人だけになったのである。

女は船の手摺りにもたれて砂糖きびを嚙んでいた。そして芯を嚙んで波の上に吐き出すと、低い声で歌をうたった。一節ほどうたうと、また砂糖きびを嚙み、海に吐き散らす。そういうことを繰り返している女には、もの憂い投げやりな感じがつきまとっていた。

女の歌声は低いのに、船のエンジンがひびく中を通して節の耳に入って来る。いい声だった。女と同じように手摺りにもたれて海を見ていた節は、歌が終ったので声をかけた。

「いまのは何という歌ですか」

「これですか？　博多節ですよ」

女の声は澄んだ歌声とは違って、少しかすれて濁っている。女はその声を恥じるように、節を見てにっと笑った。

「いい声をしてますね」

節は女の歌をほめた。

「すると、生まれは博多ですか」

「生まれ？　生まれは天草」

と女は言った。節の関東弁にとまどったように、女の返事は短かかったが、そのそっけなさを補うように、女はまた声を出さずに笑った。

そのとき船は港にさしかかって、甲板にどやどやとひとが出て来たので、女との話はそれっきりになったのだが、頬骨が出たどちらかというと男っぽい顔なのに、はっとするほどうつくしかった女の眼や、すらりとしているのに、どこかに鈍重で淫らな力を秘めているように見えた女の身体つきなどは、節の記憶に残った。

ウラジオ行きの娘たちの姿に、錦江湾の上で会った娼婦の姿が重なり、そして眠れないでいるうちに、節は安楽温泉で会った、宿のうつくしい病身の娘のことまで思い出していた。

——今度の旅では……。

かなしげな女たちに会う、と節はぼんやりとそう思った。

だが、そう思うだけで、女たちは歌にも散文にもむすびつきそうになかった。節は旅の感傷にとらえられ、流されているうちにいつとはなく眠った。自分の病気のことは、ほとんど忘れていた。

節が途中佐賀県の住の江に住む中岫友彦の娘おせいをたずね、佐賀を経て太宰府に現われたのは五月七日である。節はそこに都府楼の名前で知られた太宰府政庁跡、またそこからほど遠からぬ場所に観世音寺があることを知っていて二日市で汽車を降りたのだが、樟(くす)の若葉に包まれた観世音寺で予想外のものに出会った。思いもかけぬ仏像の群である。

節ははじめ、境内の左手にある金堂を外からのぞいて見た。すると、広さ三十坪ほどの建物の中に、ぎっしりと仏像が並んでいるのが見えた。うす暗い室内の光でも、正面の阿弥陀如来の坐像を中心に、左右に四天王、さらに左右の壁ぎわには十一面観音像や吉祥天などが見わけられる。阿弥陀坐像と、持国天、増長天、広目天、多聞天はいずれも二メートルを越える木像で、しかも彫刻としてすぐれたものであることが感じ取れた。

節は狭い金堂内にひしめき合っているりっぱな仏像に、いくらか気圧されるような気持をおぼえながら、境内を横切って今度は正面の講堂に行き、やはり格子の外からのぞいて見た。

外は午後の日が樟の若葉に反射して、明るすぎるほどの光が境内に溢れていたが、講堂の中はそのためにかえってうす暗く見えた。そのうす暗い堂内に、巨大なものが立っているのを節は見た。

正面に見えるのは坐像の観音である。だが観音像の右手と左手の立像、さらに左手壁ぎわにある立像は節の視角からは顔が見えないほどに背が高かった。その大きさに節は眼を疑った。腰を落として格子の間から見上げると、ようやく顔が見えた。やはり観音像のようである。丈六の仏像という言葉が節の胸にうかんだ。巨大な立像は、天井につかえるほどの位置から、静かに節を見おろしていた。

節は興奮に胸がふるえるのを感じながら、いそいで庫裡に引き返した。住職に頼んで講堂に入れてもらった。

古い木の仏像だった。木質が腐朽して触れたら腕などは落ちそうに見えた。正面の坐像は聖観音、左手の立像が十一面観音、右手が不空羂索観音、そして左手壁ぎわの立像が馬頭観音像だった。聖観音像と右手壁ぎわの十一面観音の立像が、三メートルちょっと、ほかの立像三体は五メートル前後の、いわゆる丈六の仏像である。

「今年の秋から、修理する予定になっています」

と住職は言った。

住職は、最初はいくらか迷惑そうだったのだが、節の熱心さにひきこまれたように仏像の歴史などを話し、最後に仏像が古くなっていることに触れてそう言ったが、節は返事をするのも惜しまれるような気持で、巨大な仏像の群を見上げていた。見事な仏像だった。その彫刻の見事さと予想を越えた巨大さが、宗教的荘厳さといった濃密な空気を生み出しているのに節は気づき、圧迫感を感じるほどだった。

高く暗い空間から、絶え間なく森厳な物の気配が降りて来る。むかしのひとならそれを、仏の語りかける言葉と受け取ったかも知れないと節は思った。節はようやく言った。

「すばらしい仏像ですね」

「この寺には二十体ほどの国宝の仏像があります」

住職はそう言い、金堂の方を振りむいて、あちらを見ますかと言った。

金堂に引き返して、改めて阿弥陀如来像や四天王、吉祥天、大黒天などを見せてもらい、節が礼を言うと住職は、鐘はいいんですかと言った。

「何でしたら、撞いて上げますが」

「え？」

節は、そこでやっと観世音寺に立ち寄った動機を思い出した。筑紫に流された菅原道真が、「都府楼は纔かに瓦色を看、観音寺は只鐘声を聴く」と詠じた詩が頭にあって、駅に降り立ったはずだったのに、思いがけない仏像を見て肝心の鐘の方を忘れていたのである。

「あの鐘が、あるんですね」

「あります。白鳳から伝わる鐘です」

と言って、住職は節を鐘楼の方に案内した。

福岡に帰ってから、節は平福百穂あてに観世音寺の絵葉書に消息を書いたが、それでは物足りなくて、べつに手紙を書いた。

「九州めぐりの最終に太宰府へ来て僕は驚いて畢（しま）つた、表面で見て見すぼらしい観世音寺が立派な仏像でぎつしりだ、二十体も国宝だ、奈良京都を除いては日本に類がない、数は兎に角だが、値打から云つたら京都よりは上だらう、梵鐘なども第一流だ、菅公の観音寺は云々といつた鐘だ、坊さんが撞いて聞かしてくれたが恐ろしくい〻、仏像がなか〳〵大きなものが儼（げん）として居る、寺が寺だけに観音の像が多い、それで大抵は観音といふと何処のも慈悲の相であるが、此処の唯一つの馬頭観世音は、全身漆黒で頭部は前後左右辛辣な形相の四つの面を有して、其上に赤い馬の形が載せてある、二丈に近いのが恐ろしい目をむいて居る……」

と書いているうちに、節は観世音寺講堂の中の巨大な仏像がありありと眼に甦るのを感じた。

観世音寺を出て、むかしの太宰府の五条大路の名残りだという道を西に歩いて行くと、右手に都府楼趾が現われた。背後に小高い丘をひかえて新緑に囲まれた都府楼趾もまた、雄大な空間だった。

——何もかも、大きい。

仏像も、都府楼趾も、樟もと思いながら、節は薄暮の道を駅にむかったのだが、百穂に手紙を書いていると、そのときの身体がざわめくようだった興奮が甦って来るようだった。

四

福岡にもどった節は、五月八日、一日おいて十日と改めて久保博士の診察を受けた。博士が本腰をいれて、節の病状をたしかめにかかったのである。

その結果を、節は郷里の父に「非常によく癒り居れど只一ケ処組織に疑はしき処がある故念のため焼き可申一週間ばかり通へとのことに有之候　此にては大に見込も有之候こと〻私も喜び居り候」と、手紙で知らせたが、久保博士の外来日誌の節の項には、そのときの節の診察結果を次のように記載していて、博士はほぼ正直のところを節に話したのだった。

五月八日　鼻孔異常なし　咽頭やや発赤、潰瘍なし。喉頭　両側声帯発赤　潰瘍なし　会厭　遊離縁瘢痕収縮　軟骨欠損あり　体温三十六度六分

節が福岡に来てはじめて久保博士の診察を受けたときは、京大附属病院で行なった大量切除の手術のための瘢痕を認めるばかりで、何とも診断をつけ難かったのだが、今度はようやく病状も確定出来、処置の方法も決まったのである。久保博士の治療は、会厭軟骨のいくらか腫脹している部分を電気焼灼するというものだった。十日が金曜日だったので、治療は十三日の月曜日から行なうことも決まった。

治療のために入院する必要もないとわかり、また心配した滞在費用の方も、弟の順次郎から六十円の送金があってひと息ついたので、節はまた近くの名所めぐりをはじめた。

九日には福岡の北にある香椎宮、宿の大坂屋からさほど遠くない筥崎(はこざき)八幡宮などをたずね、十日には診察が終ったあと、また太宰府に引き返して武蔵温泉に宿を取った。翌日は天拝山にのぼり、十二日には再度観世音寺をたずね、十三日に福岡にもどって最初の治療を受けた。

電気焼灼の治療は、十三日にはじまり、五月中に十五、十七、二十七日と治療をつづけるのだが、五月二十九日の久保博士の外来日誌には「咽頭粘膜発赤」の所見が現われ、つづいて「六月三日　軽い嚥下痛がある、六月七日咽頭に刺戟感があり、発赤がある。六月十日（日附のみ）。六月十二日咽頭側索やや発赤・腫脹、六月二十二日（日附のみ）、七月二日（同）、七月四日（同）」といった所見が記載される。

電気で焼く治療が、思ったほどに効果を挙げていないことを窺わせる記載だが、節はその間にも志賀島へ行ったり、六月二十六日には三度太宰府をたずねて、昼食、夕食を二日市で取って夜になって福岡にもどったりしている。博多から二日市駅までは汽車賃十七銭の距離で、観世音寺、都府楼趾、そして駅のすぐそばに武蔵温泉、背後に天拝山がある筑紫野の一角は、節の気持を強くひきつける土地だった。

だが、治療効果が挙がっていない感じは、節本人にもわかっていて、六月二日に平福百穂あての葉書には「咽喉が腫れたりして心もとなく存候」と不安を洩らしているが、同じ葉書に久留米の東、羽犬塚まで行って石人山古墳を見、さらに南にくだって船小屋温泉に泊ったことも記している。

節は五月二十五日、久保猪之吉、より江夫妻に料理屋一方亭に招待されて、おしんという芸者が歌う正調博多節を聞かせてもらった。その博多節の文句に「筑紫名所は名島に宰府芥屋の大門の朝あらし」とあるのを聞くと、芥屋にも行きたくなって、十一日には糸島半島の西端にある名所芥屋の大門をたずねる。さらに十三日には吉塚から汽車で二日市に出、そこから軽便鉄道に乗って朝倉郡恵蘇宿まで行った。普門院、円清寺、南淋寺などの古寺、仏像をたずねるためである。

普門院の本堂、秘仏である十一面観音像、円清寺の新羅から渡来したと伝えられる鐘、医王山南淋寺の秘仏である高さ七十センチの薬師如来像などは、いずれも節を感動させるものだった。節はその感動を「筑前といふ国はどうしてこんなにいゝ国なんでせう」（久保より江あて、六月十四日葉書）と書き送る。それは世話になっている久保博士夫人に対する社交辞令というわけではなかった。船小屋温泉からもどった直後にも、節は郷里の三浦義晃にあてて、「筑前といふ国は実に何ともいはれぬいゝ国と思ひます」と書いている。節は筑前の国に魅せられたのである。

福岡周辺の古蹟は、古く由緒あることでは畿内の旧蹟に負けないものだった。そして筑紫野を中心に散在する古刹観世音寺、東光院、朝倉の寺寺の仏像は、節の予想を越えてすばらしいものだったのである。感動が瑞瑞しいのは、構えたところのない筑紫野の自然の中に、あるいは観世音寺の巨大立像のように、あるいは南淋寺の秘仏のように、豪放に、また緻密に光彩を放つ仏像が、格別ひとに騒がれることもなく無造作な形で存在していることに、京都、奈良の仏像から受ける印象とは異なる、一種の野性味のようなものを感じるせいかも知れなかった。だから節は、伊藤左千夫にあてた五月十四日附けの絵葉書に、「いよ〳〵かへりとなれば奈良へよるが、観世音寺の仏像をよく見ておいて、奈良を見たらどう見えるだらうと楽みにして居る」と書いたのである。

福岡滞在中に、ほかにもうれしいことがあった。装丁を平福百穂に、校正を古泉千樫にまかせて来た「土」が、いよいよ春陽堂から出版されて節の手もとにとどいたのである。菊判四百四十四頁の箱入り上製本で、一円十銭の定価がついていた。

装丁を引きうけた百穂は、表紙に鳳仙花、扉に苧環（おだまき）の花、箱の背に枇杷を描いていた。そして節の希望を容れて夏目漱石が序文を書いていた。「土に就て」というその序文の中で漱石は、「先づ何よりも先に、是は到底余に書けるものでないと思つた。次に今の文壇で長塚君を除いたら誰が書けるだらうと物色して見た。すると矢張誰にも書けさうにないといふ結論に達した」と書いていた。節はその序文を繰り返して読み、「小生は何もかもうれしく存申候　漱石先生の序文は小生感謝の外無之、もう十遍以上も反覆して読み申候が、どうも何と挨拶の手紙を書き候て宜しきか殆んど困り申候」（五月二十日、古泉千樫あて）、「あの序文を小生はもう十遍以上も反覆して読み申候　小生すべてに於て幸福と存申候」（同日、平福百穂あて）と、喜びを書き送ったのである。

だが、六月も半ばを過ぎるころから、節の便りには微妙な翳りがさしはじめる。「小生病状は依然として帰する処を知らず候　されど急にどうと申すことも無かるべく、思ひたのむ処なく気長に相構へ可申候」（六月十七日、胡桃澤勘内あて絵葉書）、「病状は真実の処如何相成居候ものか小生にはわかり不申候　されど此地を去つて帰路に就くことも間もなきことゝ存申候」（六月十八日、松田善四郎あて葉書）、「私も近頃博多をたつて行くことに成りました」（同日、中岫友彦あて絵葉書）といった文章がそれで、喉の病気については完治はしていないがさしあたって心配するほどのことはなく、一たん帰国して様子をみるといったことで、久保博士との間に諒解がついたことを窺わせる文句である。

六月十七日附けの郷里の父母あての長文の手紙の冒頭に、「私其後別段の変化も無之向後何日間位滞在の必要有之候ものか久保氏に篤と相談仕度考に有之候」とあるので、久保博士との話合いはその日か、翌日の十八日に行なわれたのであろう。

ともかく節は、これ以上福岡にいても病状の好転、完治ということはのぞめないことがわかったので、帰国の決心を固めた。そしてそう心を決めたあとで、不意に思い立って壱岐、対馬に渡ってみることにした。博多港から対馬厳原に渡ったのは、六月二十三日である。船で十時間の旅だった。

六月二十六日には対馬から壱岐にわたり、節は船酔いに苦しみながらも、旅行好きの本領を発揮して汽船で会った女とか、カス巻という菓子のこと、壱岐の女性的な景色や大豆のこと、島の牛のことなどをこまかに観察して、古泉千樫や斎藤茂吉に書き送った。

しかし同じくめずらしい景色を見ても、以前のようには気持にはずみがなく、手紙や葉書にも、「たうとうかういふ処へ来て見る気に成つたのです」(六月二十五日、対馬厳原から寺田憲あて)、「歌は一つも出来ません、どうかして畢つたからもう駄目です、文章も一つも書きません、頭が悪くて迚ても根気がないのです。書きたいと思ふことも有るのですから、打棄つてしまふのは遺憾のはなしですが仕方がありません、何処でも見られる丈見て行かうといふのが現在に於いての第一の希望なんです」(六月二十六日、古泉千樫あて)、「帰国の途に就くも間もなきことゝ存じ、思ひ立つまゝに渡航一寸のぞいてかへり可申候」(同日、胡桃澤勘内あて)、「筑前を立つて行く日も近づきました、非常な好意を表してくれた久保博士の手を放れて帰るのです、あとは天に任せるより外はなく成りました」(同日、島木赤彦あて)、というような文章が多くなった。節はあきらかに気持がふさいでいるのである。

そして七月四日附けの三浦義晃あての手紙に、「私も病気はどうでも既に帰らねば成らぬ時期が来ましたから明日出立することに成りました」と書いて、節は七月五日福岡を出発した。

だが節は、気持がふさいでそれで汽車でまっすぐに郷里にむかったわけではなかった。九州から四国にわたるというはじめの旅行計画を変える気はまったくなく、今度は新たに耶馬渓、英彦山、別府温泉を経て伊予松山へ、そして安芸の宮島へ渡るという旅程を決めて、福岡から中津にむかったのである。

節は帰りの四国旅行にそなえて、五月下旬に岐阜鏡島の俳人塩谷華園から、百円の借金をした。家にも内緒の借金だった。華園は子規門の俳人で、かつて節が稿を寄せたこともある「鵜川」の編集発行人である。大地主でもあった。

さきにあげた郷里の父母あての六月十七日附けの手紙の中に、節は農作物の出来や、借財の整理状況を問い合わせたあとで、つぎのような辛辣な言葉を書きつらねている。

「……銀行の方など只打棄て置候ては随分面倒に有之可申と存じ候　先頃の御書面にはどうかする積との御話に有之候へ共それは只どうかと申居る場合に無之候へばしかとしたる処にて御運び被下度少くとも十分御勘考被成下度……只どうかすると仰られ候ことは従来幾年といふ間父上様御癖の様に承り候へ共此際は最早それにては通り申す間敷」云云と書いたあとに、今度は県会議員選挙に触れて、「それ故私達は疲弊の極度に達せんとしつゝありし場合に只一時の名誉心を満足せしむるために県会議員の候補を争ふが如きをつくつぐ(ママ)と情なく存申候　随分それは虚心にして御考遊ばされ候折は半生の御行為に就いて思ひ当る処も有之候はんかと存候へ共、それがどう御考遊ばすも更に改る処なかりしは年来の恐ろしき悪習慣と、それを強ひても破らせまじとする周囲の悪友の為と存申候」と節は記し、父源次郎の野放図な金銭感覚と、「更に改る処ない」政治病を、語気鋭く非難しているのだが、そういう節自身の旅好きも、ほとんど病気に類似したものだった。

九州に来てから、節は席があたたまるひまがないほどあちこちと出歩き、胡桃澤勘内に「序を以て煙霞の癖を満足せしめむ計画」と書き送ったその序というのは治療の方ではないかと怪しまれるほどだった。主客顚倒である。

だが本人は主客顚倒とは思わず、順次郎から六十円の送金があったあとも、父に二十円の送金を掛け合っている。このあとの旅行にそなえて少しでも多く資金を確保したい考えは明らかで、それでも十分ではないとみて、塩谷華園にはるばると借金を申しこみ、百円の金を借りたのである。

節が壱岐、対馬の旅から福岡に帰ったのは六月三十日だった。だが福岡に着くのを待ちかねたように、翌日七月一日はさっそく太宰府に行き、何度目かの観世音寺見物をした。節のそういう行動に、時に飢え渇くように性急な感じが現われるのは、旅をして土地の風物や古刹、仏像などを見、その雰囲気にひたることは、歌わない歌人、書かない作家である節の、創作の代償行為のようなものでもあったからだろう。対馬厳原から古泉千樫にあてて書いたように、歌も文章も出来ないなかで、心を惹かれる旅の風物を見るということだけが、節の生甲斐になっているのである。

福岡地方は、節が太宰府に行って来た一日までは晴天つづきで、田植の代掻き（しろかき）も出来ない有様だったが、節が出発と決めて郷里に送る小包みなどをまとめはじめた二日から雨になった。

七月五日、雨期特有の煙るような雨の中を、節は止宿先の大坂屋を出て、ほど近い吉塚駅から中津にむかう汽車に乗った。

五

伊藤左千夫と門下の斎藤茂吉、島木赤彦、古泉千樫らとの間、ことに左千夫、茂吉の二人の間に対立する空気が生まれたのは、明治四十三年ごろからだが、長塚節が九州に行った四十五年になると、潜行していた師弟間の対立は一度に表面化し深刻化する様相を呈して来た。

明治四十五年一月発行の「アララギ」第五巻第一号、つまり四十五年新年号の「アララギ」に、伊藤左千夫はつぎのような「消息」をのせた。

「去年全一ケ年を通じて、縦横馳駆労る丶事を知らなかつたは岡千里君を推さねばならない。君の歌は技巧の熟達より進んで、所有実生活の上に於て深く人世の問題に触れた作が多い。実生活の辛苦を味つた人でなければ解することの出来ぬ所まで這入つた歌も認められた」

一年を通じて、岡千里がもっともすぐれた歌をつくり、進歩したとほめたのである。そして「消息」は、急に話の方向を変えてつづく。

「技巧の発達につれて似寄つた歌の多いといふことは甚面白くなく思ふことである。殊に一風変つた人の言葉を無造作に真似るなどは甚見苦しいことである。例へば、『楽しみにけり』とか、『楽しかるかも』とか『淋しみにけり』とか『いとほしみけり』とか『嘆かひにけり』とかいふ風に一捻り捻つた言ひ方は初めて一度見るすらも余り感心せぬ詞である。こんな言の本家は斎藤茂吉君であつたと思ふ。斎藤君の歌の一種他と異なつた階調（ママ）の中にあつても僕は余り感心が出来なかつた。それを多くの人々の歌に見た時は殆口真似のやうな感じがして実にいやであつた。僕は露骨に諸君に忠告する　如何なる場合に於ても製作上人の真似をするといふことは大なる恥辱であることを悔いて、本年の歌壇には断じてかういふ浅薄を見せて貰ひたくない」

つまり茂吉の語法そのものが感心しないものなのだから、「楽しみにけり」とか「楽しかるかも」などを真似するのは論外だと言っているのである。

この「消息」に対して、早速島木赤彦から反響があり、左千夫はまたそれを、三月号の「アララギ」誌上に「アララギの歌に就て」と題した文章で取り上げる。

「〇柿乃村人云く、人の口真似はよくないに違ひないが、ほれた人の真似するのは自然で不可抗力であると。左千夫云く、物真似すると云ふことは、人間の弱点であらう、であるから原来弱い人間が、好きな人の真似をするのは、不可抗力に屈するのであると云つてよからう。乍併（しかしながら）不可抗力であるからと云つて、人真似に価値を認めることは出来ない。人間の不可抗力に屈するのは、決して人間の希望ではない、向上的理想の上から考へて見れば、悲しむべき人生の弱点と云はねばならぬ。先天的に弱点を有する人に、不可抗力にも屈してはならぬと云つても、それは仕様のない事であらう、けれども人生はどこまでも其弱点を悲む処に、僅に光明の存するものなることを忘れてはならぬ」

左千夫はそう決めつけた上で、「人真似の上に新しい天地があるであらうか。人真似に自己の生命が保ち得られるであらうか」と迫り「○柿の村人君に少し考へて貰ひたい、否苟（いやしく）も人真似を恐れない人に大に考へて貰ひたい」と結んだ。

そして同じ三月号の「選歌評」で、左千夫は岡千里の「吾嬬と酒と」、浅野梨郷の「夕と昼」を取り上げ、またしても千里を大大的にほめ上げた。

「左千夫いふ。千里君は諸同人中唯一の多作家なり。如何なる事柄も歌にせざれば止まざるものに似たり。其口を突いて出る作歌は又悉く一種の気芬をおぶ。而して云ふところ世相の真核に触れざるもの少し、予は同君の天真を損ぜんことを恐れ従来同君の歌稿に対し予の意を加へざるを常とせり。近日同君書を寄せて、懇切に予の厳選を望み来る。予は同君の熱誠に感じ、今回の稿は予の満足し得るまでに選びたり云々」

左千夫がほめる岡千里の短歌というものは、つぎのような作品だった。

　をぐな吾常世の春を汝が袖によらむと思ひし時去りにけり
　天地の命抱き合ひ汝と吾が満足さみし酒酒よほしき
　世を挙げての敵と向へりかばひ思ひみぎりひだりの袖の下かも

千里のこういう作品をほめるということは、茂吉を認めないということだった。

「アララギ」における左千夫の選歌をめぐってくすぶっていた左千夫と茂吉ら門下生の間の対立が、はっきりした形でうかび上がったのは、前年の四十四年の「アララギ」新年号に載った、「短歌研究（十）」の左千夫の批評をめぐる論争あたりからである。

その小文で、左千夫は茂吉の「木のもとに梅はめば酸しをさな妻ひとにさにづらふ時たちにけり」と島木赤彦の「いさゝかの丘にかくろふ天の川のうすほの明りその丘の草」を取り上げて批評した。

茂吉の「梅はめば……」について左千夫は、この歌は面白いという人と、解らぬという人と二通りあったと言い、「僕の考へは面白いといふ人にも全然不同意ではない。解らぬという人にも同意せねばならぬ」と、一応はおだやかに筆をすすめるのだが、結局のところは、さにづらふという言葉の使い方といった部分的な点で、一首を全体として眺めれば種種な欠点がある歌というほかはなく「前二句の『梅はめば酸し』といふ意味と少女が人に恥らふやうになつたといふ事柄と、この二つの意味がどういふ点に於て交渉して居るかといふの不可解なる事は争ふ事の出来ぬ事実である」と、この一首の価値を否定したのである。

ところが、同じ「短歌研究（十）」の中で島木赤彦がした批評は左千夫とは異なって、「事件をその儘に執へて形体の描写を明瞭にしようと勉めたのは已に過去の仕事である。我々は今已に物や事柄から進んでその上に味はれるシミジミした情緒の影を追ひつゝあるのである」と茂吉の「木のもとに」の一首を肯定的に批評した。

では、茂吉自身はこの歌をどう考えていたかといえば、この歌が「アララギ」の四十三年九月号に発表されたあと間もない九月十四日に、古泉千樫あての手紙に、つぎのような解説を書き送っている。

「『梅はめば酸し』は一種の心持を現はさうとしたのである、が、梅を喰つて居た時、その味と周囲の関係から、観念の聯合作用によって一種不安（コンナ単純ではないが）の気分になつたと思つて呉れ給へ」というのが解説の要旨だが、ここにいう心持が、心でも心理でもなくある種の感覚的な不安定感を意味しているらしいことがこれでわかり、茂吉がその微妙な感覚のそよぎのごときものを梅の酸味とおさな妻の羞じらう姿のつながりに置き換えたのだということもわかる。

　しかしこの歌は、左千夫が「種々な欠点がある」歌だと評し、また茂吉自身もさきにあげた千樫あて書簡で、「それを表はすに便宜上あゝいふ表現法をとつたのに過ぎぬ、別に得意でも何でもない」と述べているように必ずしも成功した作品とは言えないものだった。梅の酸味と「さにづらふ幼な妻」は、左千夫が言うように連関を欠いているわけではなく、感覚としてつながってはいるのであるけれども、一首の短歌として読者に対する強い訴求力を持つまでには至っていないからである。

　だが、にもかかわらず茂吉には、この歌が持つ「不安の気分」のごときものにこだわり、それを作品として表出すべき技巧の模索に汗を流すべき理由があった。

六

　何事も露骨でなければならん、と田山花袋が「露骨なる描写」で叱呼したのは明治三十七年である。それから二年後の明治三十九年に、島崎藤村の「破戒」が登場し、第二次「早稲田文学」が発刊され、博文館から「文章世界」が創刊されるという文学状況が相つぐにしたがって、文学の世界は一変した。すなわち以後数年間にわたって、日本の文壇は自然主義の作品に覆われるという状況になるのである。

「文章世界」は、創刊の辞に「敢て論説と言はず、美文と言はず、書簡文と言はず、浮華を廃し、形式を廃し朦朧を排するは、今の文を学ぶもの丶、最も必要とする所なるべし」と謳った。この文章を書いたのは編集兼発行名義人である田山花袋で、「文章世界」はこうして、本来の実用文の作文投書雑誌としての目的をかかげながら、翌年になると小説欄を設けるなど、次第に自然主義文学の一拠点としての色彩を強めて行った。

一方の第二次「早稲田文学」の編集責任者は早稲田大学の文学科講師島村抱月で、わが国の文芸の自由および向上をはかることを方針として再出発したこの雑誌は、抱月、相馬御風、片上天弦らの評論、合評、正宗白鳥、徳田（近松）秋江、小川未明、中村星湖らの早稲田系作家の作品のみならず、藤村、花袋、岩野泡鳴、真山青果、徳田秋声ら、自然主義的な傾向を帯びる外部の作家の小説をどしどし掲載した。

主宰の抱月は、イギリス、ドイツの留学からもどって母校の講師に迎えられると、大学では自然主義のあとに来るべきネオ・ロマンチシズムを講義した。「早稲田文学」を再刊したのはその翌年だったが、その創刊号にのせた抱月の評論「囚はれたる文芸」は、神秘的、宗教的、象徴的文芸を待望する内容のもので、自然主義を論じたものではなかった。

ヨーロッパではすでに自然主義文学の時代が終りを告げ、文学は宗教的、象徴的な内容を特色とするネオ・ロマンチシズムの時代を迎えていたので、その経過を見て来た抱月はわが国の文壇も、同じ経過をたどりつつあると考えたのだが、事実は異なって、自然主義文学の記念碑ともいうべき藤村の「破戒」、花袋の「蒲団」は抱月がそう論じた直後に世に出たのである。

抱月は花袋の「蒲団」が出た明治四十年、あらためて自然主義文学を論ずることを決意し、翌四十一年には「早稲田文学」に自然主義の重要論文「文芸上の自然主義」、「自然主義の価値」、および「芸術と実生活の界に横たはる一線」を発表したので、「早稲田文学」は自然主義文学の牙城とみられるようになったのである。

しかし自然主義文学は、これまでの社会的因襲や家父長的モラルの虚妄、虚偽をあばいて、人間の内面と現実を偽りなく描き出すという目的は達したものの、現実に執着し過ぎて、たとえば想像力の飛翔とか、虚構のおもしろさとかいう、文学が本来持っている多彩な可能性を捨ててしまった。

現実をいくら描いても、そこにはペシミスティックな人生観とか、醜悪を厭わない自己告白とかの限定された文学世界が提示されるばかりで、自然主義文学はそういう意味で、生真面目で陰気くさい印象をあたえる文学形式でもあったのである。

当然そういう一面的で堅苦しい人生観や人間観にあきたらず、人間性の多面的な解放をもとめる文学、重苦しい自己暴露のかわりに人間の可能性を信用し、健康な自己主張を試みる向日的な文学などが生まれて来た。耽美主義をうたう「スバル」や、理想主義的な自我解放をかかげる「白樺」などである。

「スバル」は明治四十二年の発行で、創刊当時の発行名義人は石川啄木、「スバル」の誌名は、メーテルリンクが出した象徴主義の雑誌「La Pléiade」(スバル座)から取り、命名者は森鷗外である。

「スバル」は創刊号に予告して、外部執筆者に森鷗外、上田敏、平田禿木、馬場孤蝶、薄田泣菫、蒲原有明、与謝野寛、小山内薫、阿部次郎、北原白秋、太田正雄(木下杢太郎)らを、内部執筆者に高村光太郎、与謝野晶子、茅野蕭々、茅野雅子、大井蒼梧、江南文三、栗山茂、吉井勇、石川啄木、平野万里ほかの名前を掲げた。

この執筆者の顔触れにある程度この雑誌の性格が出ているように、「スバル」は、前年四十一年の十一月に百号を機会に廃刊した「明星」の関係者が中心になって発刊した雑誌で、戯曲や小説ものせたものの、やはり詩歌中心の雑誌だった。鷗外を中心に、杢太郎、白秋、勇などの活躍が目立ち、やがて四十四年ごろからは高村光太郎が頭角をあらわし、谷崎潤一郎、佐藤春夫の作品、和辻哲郎の評論も登場する。

雑誌「白樺」は、「スバル」に一年遅れて明治四十三年四月に発刊されたが、その前身は武者小路実篤、志賀直哉、木下利玄、正親町公和(おおぎまちきんかず)の回覧雑誌「暴矢」、里見弴、園池公致(きんゆき)、児島喜久雄らの回覧雑誌「麦」、柳宗悦、郡虎彦の回覧雑誌「桃園」という三つの回覧雑誌で、この三つの回覧雑誌が、四十三年に至って合同し、「暴矢」から「望野」に、さらに「白樺」と名前を改めていた武者小路らの「白樺」を合同雑誌の名前として出発したのである。

「白樺」は、文学と美術を同じ水準で扱ったり、創刊号の巻頭論文で、武者小路が漱石の「それから」の主人公に共感する「『それから』に就て」を書いたりしたことにも現われているように、西欧的な知性や教養に対する理解と親近感をベースに、自我拡充をテーマとする創作や評論の筆をふるったので、自然主義文学の陰鬱な文学風景にうんざりしていた読者に、明るい展望をあたえるものとなった。

ことに四十三年の五月に大逆事件が起き、翌年一月に幸徳秋水を含む十二名が死刑になり、社会主義を掲げる思想家、言論人、文筆家に対する弾圧が強まると、自然主義文学は既成のモラルに対する批判者、反逆者という、本来の姿勢から大きく後退することになった。

幸徳事件は、幸徳秋水や弾圧をうけた堺枯川、木下尚江、山川均らを同業の文筆家としてみていた文学者、作家、詩人たちに大きな衝撃をあたえたのだが、中でも自然主義文学の作家たちは、既成道徳の破壊をうたう危険分子とみられ、警察の尾行をうけるまでになった。その結果、自然主義文学はあたりさわりのない身辺の雑事に材をとる私小説に、あるいは傍観者的な立場を取る風俗小説に転身し、「スバル」の耽美的な傾向、「白樺」の人間主義的な作品傾向が文壇の主流を占めるようになったのである。

斎藤茂吉や島木赤彦、古泉千樫ら、「アララギ」の若い歌人たちは、文壇のそういう大きな変化に無関心ではいられなかった。そしてわが国の文学の潮流があきらかに変化した、その明治四十三年は、歌壇に注目すべき三冊の歌集が出た年でもあった。前田夕暮の「収穫」、若山牧水の第三歌集「別離」、そして石川啄木の「一握の砂」である。「収穫」は四十三年の三月、そして「別離」は同年四月、「一握の砂」は十二月の発行である。

牧水の「別離」は、自費出版の第一歌集「海の声」、第二歌集「独り歌へる」を合わせ、さらに新作を加えて東雲堂書店から出版したもので、体裁から言えば牧水のはじめての本格的な歌集というべきものだった。

幾山河こえさり行かば寂しさの終(は)てなむ国ぞ今日も旅ゆく
白鳥(しらとり)は哀(かな)しからずや空の青海のあをにも染まずただよふ

また「山奥にひとり獣の死ぬるよりさびしからずや恋の終りは」、「旅人は海の岸なる山かげのちひさき町をいま過(よ)ぎるなり」、「春真昼ここの港に寄りもせず岬を過ぎて行く船のあり」などと、瑞瑞しい感覚で青春の孤独と寂寥をうたった「別離」は、詩歌壇のみならず一般の読者の間にも大きな反響を呼び起こした。牧水はこの一冊で歌壇の花形的存在となったのだったが、茂吉たち「アララギ」の若い歌人たちの間でも、牧水の作品は話題になり、また「別離」は「アララギ」の合評の対象にもなったのである。

前田夕暮の「収穫」も、牧水の「別離」に劣らないすぐれた歌集だった。夕暮は、この歌集の自序に「自分は技巧が拙い、修飾することを知らぬ。芸がない。であるから、思つたこと感じたことは、思つたこと感じたこと以上に歌ふことを知らぬ。唯正直に歌へたらよいと思つてゐる。自分は無論芸術を尊重する。愛する。然し自分は何時も通例人であらんことを願ふ。唯一箇の人間であつたらそれでよいと思ふ。通例人の思つたこと、感じたことを修飾せず、誇張せず、正直に歌ひたいと思ふ」と述べた。

「収穫」は易風社から出たが、その年の九月に再版されたときは、「別離」と同じく東雲堂の出版となった。その再版本につけた「再版の折り」に、夕暮は、ちょっと感じたことを書き添えるとして、「私は、何はさて措いて自分の生活を根底にして歌ひたいと思ふ。極めて通例な、一凡人の生活が、少しでも私の歌を透して窺はれたら、私はそれで満足したいと思ふ」云云の文章をつけ加えた。

夕暮の「収穫」は、牧水が「『収穫』一巻は一面君が半生の恋愛史と見ることが出来る。そして君は日本の恋愛詩の上に一種独特の鮮かな色彩を投じた」と言い、「君の生れた海つづきの相模の平原、あの平原に迷ふて居る明るい寂しさ」と、その特色を指摘したように、「夫捨てて児を捨てて来よあはれこの心火に似て君恋ふ我れに」などの愛の激情を歌った歌集でもあったが、半面その愛と生活の倦怠をうたって、夕暮自身が言う凡人の生活を作品化し得た歌集でもあった。

襟垢のつきし袷と古帽子宿をいで行くさびしき男
垢づける蒲団の上におほひなる蟲の如くもまろびねにけり
空虚なるちからなき胃とつかれたる頭をはこび日の街をゆく
冬の朝まづしき宿の味噌汁のにほひとともにおきいでにけり

風暗き都会の冬は来りけり帰りて牛乳（ちち）のつめたきを飲む

「収穫」の中に歌われているこれらの作品は、ごくありふれた生活人の暮らしの断面を拾い上げたものでありながら、題材の感覚的な把え方と官能的ともいうべき手法の働きによって、一種上質の抒情歌たり得ているのだった。

その年の最後の月にやはり東雲堂書店から出た啄木の歌集「一握の砂」は、衝撃的という意味では一番の歌集ではあっても、その独特のスタイルのためにすぐには影響されようもないものだったが、牧水と夕暮の歌が示す世界は、近づくにしろ、反発するにしろ茂吉たちが目ざす短歌世界からごく近い場所にあるという意味で気になるものだった。

牧水は二十五歳、夕暮は二十七歳だった。二人は尾上柴舟門で、ともに柴舟を中心にする車前草社から世に出た歌人である。この二冊の歌集によって、「明星」の時代は遠く去り、牧水、夕暮の時代が来たことを予感した者は少なくなかったのだが、茂吉や赤彦たち「アララギ」の若い歌人たちも例外ではなかった。

牧水は二十五で、夕暮は二十七で歌壇の中に着実に一角を占めたことが明瞭だったが、茂吉は二十八で、赤彦は三十四で、まだ自分の歌を確立していなかった。そして彼らがひそかに恐れたのは、消え去った「明星」のあとを追って、「アララギ」もまた歌壇に忘れ去られる危険がありはしないかということだった。「アララギ」に、新しい血を導入する必要があった。

といっても、それは必ずしも牧水や夕暮を真似ることを意味するわけではなく、牧水、夕暮は、歌われている世界が近いだけにそれは同時代の歌人としての反発を呼び起こすものでもあったが、そういう反発を通しても影響されるものが文芸というものの性質でもあった。茂吉たち「アララギ」の若い歌人たちはそのころ、「しみじみとした情緒」とか、「しみじみと感じてつくる」とかいうことを歌作精進の合言葉のようにしていた。明治四十四年九月号の子規十年忌記念「アララギ」に、阿部次郎の寄稿を求めたのを皮切りに、阿部や木下杢太郎の文章を「アララギ」に載せるようになったのも、文壇の中に漂う西欧的な知性、文芸の香りといったものを求めたもので、ただの飾りではなかった。

「木のもとに梅はめば……」は、そういう状況の中で、茂吉が新しい時代の歌を手さぐりしながらつくった苦心の作だったが、左千夫は認めなかった。後に記す「強ひられたる歌論」の中で前年の作品「女中おくに」をほめたのは例外で、左千夫はいったいに、茂吉の歌も評論もあまり認めなかった。

明治四十五年の新年号で、左千夫が岡千里の歌をほめ、茂吉の技巧とそれを真似る人びとに警告を発したころ、茂吉は「アララギ」に、前年から引きつづいて「金槐集私鈔」を書きついでいた。それは金槐集のすぐれた評釈になっている文章だったが、四十五年九月号の「アララギ」に載せた最終回に、茂吉は「歌人実朝雑記」という一文を加え、その結末のところに、「最後に、左千夫氏がこの頃『君の私鈔には何等の新らしい処が無い。それから君が近頃詠む歌と君が撰ぶ実朝の歌との間に少しも交渉が無い』と云はれた。もつと勉強しなければならぬ」と書いた。

この頃というからには、左千夫がそう言ったのは「金槐集私鈔」の連載が終りに近づいたころのことであろう。私鈔の連載がはじまったのは前年四十四年の六月号からで、左千夫は一年あまりの間じっと茂吉の連載を眺めて来て、最後にそう言ったわけである。「何等の新らしい処が無い」というのも凄味のある否定だが、近ごろ詠む歌と選ぶ実朝の歌に少しも関連がない、という指摘も茂吉を認めていないという意味で、相当に痛烈な言い方だった。茂吉は左千夫が師であるゆえに「もつと勉強しなければならぬ」と結ぶのだが、その一句にはこらえかねた無念の気持がにじみ出たというべきだった。

その「金槐集私鈔」の批評はあとのことになるが、とにかく左千夫は、茂吉や赤彦がのた打ち回るほどに苦しみながら新しい時代の歌を模索していることには何の同情も理解も示さず、ただ、時代にふり回されて、歌の本道からはずれたところで末梢的な技巧を論じたりしているとみているのだった。

そういうつめたい見方は、「小生近来ひねくり歌かいやに相成貴君なとの作かこひしく候」（四十四年五月二十七日、篠原圓太あて）、「斎藤古泉それ〴〵円熟して参り候併し欲を云へは今少し腹の底から出る声を聞きたく候躰全体を動かしての運動てないやうな感致候如何貴詠に対しては……面白くうまいものよと云ふ感が先づ起るけれど味ふて見て規模の小さい感じ致候」（同年十一月七日、赤彦あて）、「実生活ニ苦労少き人達の歌にハ時々想を弄ふ歌有之」（同日、岡新次あて）、「感動かあつて技巧に及ふへきであらう感情の乏しいのに技巧で物にするといふが上手になつてからの弊らしい」(同年十一月十三日、赤彦あて)というように、若手同人の作品に対する辛辣な批判となり、その辛辣さは次第にはげしさを加えて行く。

赤彦あての葉書に、技巧の弊を非難した左千夫は五日後の十一月十八日にまた赤彦に手紙を書き、「それから歌の話なるかかう議論か拡かつては手紙話しには六かしくなつた先日斎藤宅にて中村古泉と四人にて歌の話をしたか僕たけでは極り切つてると思ふ事にも往々意外考の離れてる事を発見した概論ではいつても一致してゐるか実際問題となると概論の意義不徹底を発見するのである与謝野や鷗外なとゝ話しても概論てはそれほと離れては居ない我々同志の間に於ても最早空論の時代てはない平生の議論がどれたけ実行と近つき得たるかに注意せねはならぬ時機になつてると思ふ」云云と訴えた。

左千夫はその手紙のほぼ一年前の明治四十三年の十一月四日に、寺田憲あてに、「アラ、キも是れから少し振ふ積に候　斎藤君なども愈今年卒業すれは来年は編集を引受けると申居候」と書き、その少しあとの十一月十七日に赤彦に書いた葉書には、「水害雑録『感入り候』と許りては物足らぬ」と記した。もっとほめろというわけだろう。

「アララギ」の編集、左千夫の選歌をめぐるごたごたが出て来たといっても、この時期の左千夫と若い門下には、まだ右の葉書が示すような新しい「アララギ」の蜜月の気分が残っていたのである。しかし、その後若い同人たちにどことなく自分を敬遠する気配が見え、眼のとどかないところで「白樺」だとか、牧水だとかささやき合っているのを左千夫は少し遠くにしりぞいた形で眺めて来たのだが、気がつくといつの間にか若い彼らと言葉が通じなくなっていたのである。

四十五年の「アララギ」新年号に載った左千夫の「消息」は、そういう経過を経て書かれたものだった。左千夫は、それまで赤彦あての手紙などで言って来たことを、改めて「アララギ」誌上に発表して、若い同人たちの間にみえる技巧偏重の弊に対して警告を発したのである。

しかし、槍玉にあげられた茂吉は、左千夫が自分の歌のスタイルを攻撃していることにはさほどに驚かなかった。作歌は動機だと言う左千夫と、「楽しみにけり」、「楽しかるかも」の間には、すでにかなりの隔たりが生まれていることを承知していたからである。

茂吉から言えば、自分の歌は「楽しみにけり」、「楽しかるかも」という表現を得て、新しい文学状況、新しい詩歌の方向というものにいささか接近出来たかというようなものだったのだが、そこを左千夫に理解してもらうことは不可能なことに思われた。そしてまた茂吉自身にも、左千夫を説得出来るほどの自信があるわけでもなかった。茂吉も赤彦も、まだ手さぐりの混迷の中にいたのである。

ただ左千夫が、岡千里の歌をほめることだけは腹に据えかねた。茂吉は、まだ新しい歌を手にいれてはいなかったけれども、その片鱗のごときものを手に入れかけていて、もはや方向を見誤るようなことはないつもりだった。そして千里の歌は、歌そのものの当否はともかく、その作品に新しい時代の要請に堪え得る主題も方法も見あたらないことだけはたしかだったのである。その歌を左千夫が賞揚するということは、「アララギ」の歌の行方にかかわる問題でもあった。

改めて、左千夫の短歌観を聞くべきときが来ている、と茂吉は思った。四月は茂吉の編集当番である。茂吉は「アララギ」の内部で当面問題となっている歌をめぐる議論について、左千夫の見解をもとめることにした。左千夫は三月十二日から、「東京日日新聞」に新聞小説「分家」の後篇を書きはじめていていそがしかったが、茂吉は強引に掛け合って歌論執筆を引き受けさせた。

七

だが、「強ひられたる歌論」と題する左千夫の歌論が「アララギ」に掲載される前に、左千夫と茂吉の間に島木赤彦の作品をめぐって二度目の衝突が起きた。

二度目というのは、それより前、木村秀枝の家でひらかれた二月の歌会でも、左千夫と茂吉はやはり赤彦の煙草の吸殻の歌をめぐってはげしく言い争い、その夜茂吉は、家にもどってからも眠れない一夜を過ごしているのである。今度の衝突は、二月号の「アララギ」に発表された、赤彦のつぎの四首の歌の評価をめぐってまた議論が起きたのであった。

あるものは萩刈日和木瓜(ぼけ)の果(み)を二人つみつゝ相恋ひにけり

あるものは髪をなほすと嫁ぎゆきて春の蚕上げぬ別れ来にけり
あるものは草刈小屋の艸月夜ねぶりて妻をぬすまれにけり
あるものは金ある家にとつぎ得て蚕がひやつれぬ病みてかへらず

赤彦のこの作品は、前年の十二月には出来ていた歌で、発表が遅れたのは作者自身が言うように自信がないためだったらしいのだが、一首がそれぞれに異なる物語の世界を内包し、しかもその物語が、内容の深刻さを感じさせることなく、いずれもメルヘン風の一種おだやかな光に包まれているといった趣きの歌だった。

島木赤彦はやがて、「まかがやく夕焼空の下にして凍らむとする湖の静けさ」、「冬の木の林にとまるわが汽車の鑵音ひびく夜の林に」、「大き炉にわが焚きつけし火はもえて物の音せぬ昼の寂しさ」などの作品を経て、「風に向ふわが耳鳴りのたえまなし心けどほくただ歩みをり」、「赤松の幹より脂の沁みいづる暑き真昼となりにけるかも」、「この道や遠く寂しく照れれどもい行き至れる人かつてなし」といった歌境に達するのだが、「あるものは」四首は、そういう後年の赤彦の歌境を指し示すような作品ではなかった。むしろ混乱の中の試行錯誤の産物といった感じのものだったのだが、その四首を、左千夫は青山脳病院でひらかれた三月歌会で取り上げたのである。

「要するに、ただの題目の提供にすぎないんだな」

と左千夫が言った。

三月二十四日にひらかれたその歌会は、「アララギ」の同人で東北帝大理科大学教授でもある石原純の洋行をはげます送別会を兼ねてひらかれていて、出席者は主賓の石原のほかに、左千夫、千樫、茂吉、文明、憲吉、木村芳雨、蕨真、蕨桐軒、浅野梨郷、山田三子の十人だった。

席上純に贈る寄せ書きが済み、ビールと日本酒が出て、歌会の席はかなりにぎやかになっていたが、左千夫の言葉に、鎌首をもたげるようにむくりと顔を上げたのは茂吉だった。

「題目の提供というのは、どういうことですか」

「え？」

左千夫は反論が出るとは思わなかったらしく、二枚重ねの眼鏡を指で押し上げながら、怪訝そうに茂吉を見た。

「歌われているだけのことで、それ以上の、訴える中身が何もないということだよ。これだけのことを歌いながらだ、僕はこの歌から作者の歌われているものに対する同情を感じとれないんだ。結局つくりもの、こしらえものだからじゃないのか」

「………」

「君に頼まれた歌論の原稿にも書いたんだがね、久保田君の近ごろの作物は計らいが先に立つように思うよ。腹から出る歌がない。君はそうは思わんかね」

「………」

「それに、技巧のことは言いたくないんだが、髪をなほすと嫁ぎゆきてという二首目なんかは、一首の歌としてつづきぐあいが悪いな。かなり無理をしている」

「こしらえものというのは、そんなに悪いですか」

茂吉の声に、切端つまったような感じが現われたので、それまで漠然と耳を傾けていた者は、あらためて二人に顔をむけた。べつの話をしていた者も、話をやめた。

「いまごろ、何を言っているんだ」

と言った左千夫の声には、怒気が籠っていた。

「歌は生きのあらわれだ、と言ったのは君じゃないか」

「そうでしたね。いやそれはわかっています。しかし、久保田のこの歌は、僕はそんなふうには感じなかったんですがね」

「僕も、そうは思わなかったですな」

少しはなれた席から、古泉千樫が言った。

「近近にあったことでなくとも、その以前にあったこととか、むかしあったこととか、そういう中身の話のような気がしたんだけど」

「君、ほんとにそう感じたのかね」

左千夫は、顔にうす笑いをうかべた小馬鹿にした表情で千樫を見たが、茂吉は千樫の援護に力を得たように言った。

「先生のお言葉ですが、僕はこの歌に作者の同情が欠けているとは思いませんね。一首のうしろにはそれぞれに哀音が流れています」

「哀音だって？　ばかばかしい」

左千夫は吐き捨てるように言った。

「これしきのものに哀音があるんなら、蛙の声にだって哀音があることになりはしないか、君」

「……」

「いつだってそうなんだ、君たちは。僕が斎藤君を批評すると久保田君がかばう。今度は逆だ。僕の批評というものが素直に受け取られるということは、まずない」

左千夫がめずらしく苛立ちを露わにしたので、歌会の部屋は白けた空気のまま静まり返った。主賓の石原純だけが、微笑したままゆっくりとうなずいているのが目立った。

歌論にも書いたと、そのときの言い争いで左千夫が言ったように、月が替って発行された「アララギ」四月号にのった左千夫の「強ひられたる歌論」は、きびしく島木赤彦（久保田俊彦）の作品にみられる「計らひ」を攻撃したものだった。

左千夫はこの歌論の冒頭に、「僕は此数ケ月間どうしても、一度大に歌を論じて見たいと思ふ念が絶えないのである。新たな思ひつきが幾許づゝ次第に腹に溜つて来て、是非一度腹の中の掃除をやらねばならないやうな思ひに堪へられないのである」と書いた。新聞小説を書いている合間にまとめた歌論で、いそがしいところを茂吉に無理やりに書かされたと言っているけれども、左千夫自身にも書きたい気持があったのである。

何を書きたかったかと言えば、島木赤彦と手紙をやりとりしても、ついに埒があかなかった最近の「アララギ」の作歌傾向に対する批判、とくに赤彦の作品と作歌態度にみられる「計らひ」の指摘ということであったろう。

左千夫はまず、赤彦はアララギの最近の傾向は次第に進歩して今日まで来たというが、是認出来ない考えだと記す。

「久保田君は現在の諸作歌に満足してゐないが、順当の理想をたどつて来て居るやうに云はれて居るが、斎藤君の考もさうと見て差支ない。衝突の根本はそこにあるのである」

左千夫はそう言い、つづけて「僕の考では、前にも久保田君の作物及び作歌態度に就て云つたことのある如く、創作理想も批判態度も、先づ意識が先に立つて、かういふ風にやつて見ようとか、かういふ事を歌にしたいとか、かういふ径路になるのが進歩であるとか、情緒的から情操的に移り、感激的から瞑想的になつたとか、総て計らひが先に立つて、意識的行為に出ることが、僕にはどうしても、殊更に拵へるやうな感じがしてならないのである」と書く。

左千夫の若い同人たちに対する不満は、ここに露呈している。つまり歌は理屈ではないのに計算ばかりしているという不満である。では、作歌の要諦は何かということについて、左千夫はつぎのように言う。

「感激の強度如何瞑想の深度如何といふ事を吟味して始めて芸術的表現の価値を論ずべきである、……さうして詩の表現は何処までも感情自然の発作を尊重せねばならぬ。叫ばなければならなかつたら叫ぶべきである、沈吟的境遇にあつたら沈吟すべきである」、「計らひは虚仮(こけ)の表現を産む、虚仮の表現即ち拵物のいひである。僕がいつも、内に問題が無いといひ、浮表的動きであると云ひ、充実が乏しいと云ひ、力がないと云ひ、歌が小さく軽いと云ひ、題目的興味でいけない、形式的興味でいけないと云つて来たことは悉く、虚仮の表現に対する非難の説明であるのだ」、ではどうすればいいのかといえば、「自のづから極まるのを待てば何の事はないのである。結局いつも云ふ力の問題である、芸術能力の如何といふ事に重きを置き、他は一切自然の動きに任して創作に従ふべきである」

左千夫はそう述べ、最後に「近いアラヽギに現はれた、柿人(赤彦)茂吉千樫文明等の諸君にも、僕は強い感興を引くことが出来なかつた。内に強い深い感情の動きが無くして作られたと見ゆる歌許りである。意味の面白味はあつても情味の面白味はない。……自然を得ない言語と、無理な技巧とが目に立つて、感情自然の動きと響がない。言語を詩化すると云ふ理想とは余程離れてる感じがする。随所随時の発作的零砕(れいさい)なる感興を拾集して、小さく一つづゝ纏めて作るやうな歌に、力の籠りやうがない充実のありやうがない」と、若い同人の近作を論評し、「僕は謹で諸君に忠告する。決して無理に作るな。無理に多く作る位無意義な事はない。決して……無理に作るな」と書いた。

左千夫はその年の二月十一日の「読売新聞」紙上に、「新しい歌と歌の生命」という論文を掲載した。「新しい歌といふ美名は、歌の生命を閑却してまでも、今の世の中に悦ばれてゐやしまいか。歌は新しい為に価値があるのではない、生命があつて始めて芸術であるのである」と、いわゆる新しい歌に冷水を浴びせるような言い方で切り出した歌論の要点は、つぎのようなところにあった。

「作者が或境遇に於て、動いた、其生きた感情を其儘永久に伝へ得べく言語と句調とが成立してゐる作物でなければ、生命のある歌とは思へないのである。よし作者の考は面白くても、作者の見た事件、作者の取扱つた材料、それ等は皆詩的な事柄であつても、只それを巧に三十一文字に綴つて、提供されたゞけでは、理智上に詩味を認識し得る事はあるとも、生きた作者の詩情に触れることの出来ない以上は、其作物に生命のあることを感ずることは出来ないといふのである」、そして詩的生命が文字の上に宿るのは、「興奮した作者の感情が、遺憾なく言語句法の組織に伝（つたわ）つた時に、其言語句法は悉く声化」する、その時だと左千夫は述べたのである。

「強ひられたる歌論」で言っている、計らいを廃して感情自然の発作を尊重せよという言い方と同様のことを、ここでも言っているわけである。

　感情自然の動きの尊重と言い、言語句法の声化と言い、左千夫が言っていることは正論だった。歌はこしらえるものではなく、詩的感情がおのずから胸の中で熟した形で作品が生まれるべきだという言い方は、しかしあくまでも原則論を述べたに過ぎず、新しい文学状況に対する考察を示したものではなく、したがって茂吉以下の若い同人たちの悩みに答えたものでもないという意味では、不親切と言うほかないものだった。

当然、「強ひられたる歌論」を左千夫に書かせた茂吉は不満だった。茂吉は同じ四月号の「編輯所便」に、概論に対しては何の異存もなく、ただ実際の作品について、左千夫とわれわれの間に差違が生じて来ているのだとのべたあとで、左千夫の歌論は「要言すれば（茂吉たちの作品が）『拵物である若くは虚仮の表現に過ぎぬ』といふに尽きて居り候が、小生等は左程迄には思ひ居らず。従而その何故に虚仮の表現に過ぎざるかの積極的解明を聞かむ事を欲するものに候……師の説正しきか余の説正しきか分らざれども本居宣長も云はれし如く必ずしも師の説になづむべからざるを信じ、師の細論を俟つて猛然として一矢を酬ゆる覚悟に御座候」と、きわめて挑戦的な感想をのせた。

師の細論を俟つて、と言ったが、茂吉はやはり左千夫のそのときの歌論が気持にひっかかったとみえ、このあと「アララギ」六月号の「童馬漫筆三」でも「叫びの歌、その他に対する感想」と題して、左千夫が内的必然にしたがって歌えと言ったことにつぎのような反論を加えた。

「力に満ちた、内生命に直接な叫びの歌は尊い。……手ぢかな例でいへば、『吾はもや安見子得たり……』とか、『……焼きほろぼさん天の火もがも』とか、『火にも水にも吾なけなくに』とかは直接な叫びの歌であると思ふ」と叫びの歌の例をあげ、短歌は唱和からはじまったので、自らの思いを叫ぶのに、古人が比較的多くこの種の歌を残したのは偶然ではない、にもかかわらずこの種の歌は少ないと指摘したあとで、茂吉は言う。

「吾等はこの種の歌を尊く思ふ。けれども吾等はたやすくはこの種の歌を詠み得ない。

この種の歌を詠まねばならぬ程の衝迫に会し得ない凡下な淡い生活をしてゐるからである。吾等とても、嬉しさに堪へないことも泣きたいこともいきどほろしいこともある。しかし斯る際に歌詠む心持になり得ずに終るのは稀でない。叫喚の歌は尊い。さうして叫喚の歌を易々と詠み得る歌人は幸福である」

この最後の一句は、左千夫の持論に対する皮肉になっているが、左千夫の歌論の欠陥を鋭く衝いてもいる。一方、島木赤彦の「あるものは」に対する論議も、後あとまで尾を引いた。

八

「アララギ」の四月号に、左千夫が「強ひられたる歌論」を載せ、同じ号の「編輯所便」で、茂吉がはやくもその歌論に反撃したことはさきに述べたが、同じ四月号の「短歌小言」でも、茂吉は石原純の送別歌会で言い争いの種になった赤彦の「あるものは」を丁寧に批評し、ついでに左千夫のこれに対する言い分について、いちいち反駁した。

同情が足りない、あるいは題目の提供にすぎないといった左千夫の見解に、茂吉は浅薄な見方だ、あるいは評者の感じ方に「一種の障礙（しょうがい）がありはしまいかと不思議がるより致し方は無いのである」と思い切った反論を加える。そして、「常に接近談話して居る同人中にあつて甚だしく意見の相違があるのは、最早議論などすべき以外にあるのではあるまいか。全人格（肉体及精神）の相違から来るのではあるまいか。さうすれば黙すより外途は無いのである。吾人は未だお互の全人格に突入して論ずる程の勇者ではないからである」とその文章を結んだ。

茂吉のこの文章は、左千夫と門下の若い同人たちとの間に生じた喰い違いが、もはや短歌観の相違で片づけられず、人格的な問題から来る喰い違いとして論じなければおさまりがつかないところまで来たことを示している。

左千夫は、一結社をひきいるだけの指導力も洞察力もそなえていたが、周囲にいて自分とは異なりかつ目立つ才能に対して、執拗に自分の主張に従わせるか、それを聞かれない場合には徹底して攻撃するという性癖も合わせ持っていた。家父長的な性格と言ってしまえばそれまでだが、その性格の中に含まれている頑なで偏執的な攻撃性が、古くは森田義郎からはじまり、山田三子、三井甲之、長塚節と、有望な才能がつぎつぎと左千夫の周辺から去って行く原因をなしたことは疑えなかった。その自己中心的な攻撃性が、いまは自分が手塩にかけて育てた愛弟子にむけられているのである。茂吉の、両者の人格の相違に触れた文章には、そのことを察知して左千夫の攻撃を受けて立つ決心を述べたとも言えるものだった。

だが左千夫自身は、自分のそういう性格がひとを苦しめているとは夢にも思わず、強い自己主張も自己の信ずるところを述べるといった程度にしか考えていないのだった。そして自分の意見が同人間に容れられなくなって来ていることが不満で、またさびしくも思い、「アラ、ギも御覧の事と存候短歌に対する考が三四の人と益相離れゆく有様アラ、ギの前途が気になり参り候」（四月一日、寺田憲あて）と外部にもその気持を洩らしたりした。

そしてその直後の四月八日に、左千夫は今度は島木赤彦あてに「迚ても会つて話さなくては駄目だ失敬た（ママ）けれとも（ママ）君の議論は学問から出発してるやうだ」と切迫した調子ではじまる葉書を三枚も書きつらねて送る。四月号の「アララギ」に載った赤彦の「漫言」やそれまでの手紙のやりとりから、赤彦との間の考えの隔たりが、もはや放置出来ないところに来ていることに、いま愕然と気づいたというふうでもあった。

だが葉書三枚を費やしたにもかかわらず、その論旨はさきに発表した「新しい歌と歌の生命」、「強ひられたる歌論」の繰り返しに過ぎず、きわめて説得力に欠けるものだった。左千夫自身もそのことをわかっているかのように、「君は僕か（ママ）君の手紙及びアラ、キの評を読まないだらうと怒つてるが僕は読んで（ママ）ると答へるさうして僕は只君の論題と争はないと云つて置く」、あるいは「どうか君自身の詞に欠点の多いことを少し静に省みてほしい」と、めずらしく受身の、弱気な言葉をつらねるのである。

左千夫の会って話すという希望は、その月の三十日に、赤彦が上京して来て実現した。左千夫は、浅野梨郷と一緒に赤彦を上野に出迎え、そのあとで自分の家で落ち合った茂吉、千樫、憲吉らと同人の作品批評の会をひらいた。しかし、席上左千夫が作者に、取り上げた歌の作意をたずねると、ほかの者からさっそくに、批評をするのに作者に作意を問う必要はないと反論が出るというぐあいで、話は左千夫と同人たちの和解のきっかけになるような方向にはすすまず、かえって双方の考え方の違いを確認し合ったという、後味のわるい形で終った。

四時ごろに左千夫宅の集まりが終ったあと、赤彦、千樫はその足で今度は茂吉の家に行き、泊りがけで左千夫対同人の間に起きている作歌に対する考え方の喰い違いについて話し合った。結果はやはり、若い彼らと左千夫との間に横たわる距離の大きさを再確認したにとどまった。赤彦は中原志つ古あてに「私たちと左千夫先生とは趣味の距離意外に多きに驚き候東京同人も今ハ議ろんしても仕方ないと言ひ居候併し何だか寂しく候」と書き送った。

赤彦は同じことを、九州にいる長塚節にも書き送ったが、節からは「左千夫君と趣味上に非常の懸隔あるは当然と存申候　それ故頓着したのでは伸びる訳に不参候　自分の道を誤らず進むこと必要と存申候」と、いまごろ気づいたかと言わんばかりのそっけない返事が来た。節は前年の暮のうちに赤彦の「あるものは」を見せられ、ほめていた。

赤彦の上京は、左千夫にとって同人たちとわかり合う機会とはならなかった。のみならず、五月号の「アララギ」に載っている「漫言」の中で、赤彦は「計らひや注文で歌を作るのかどうかなど云ふ議論を今頃聞くのは困ることである」、「『アララギ』同人はズンズン変遷してくれたまへ」と、あからさまに左千夫を無視するような文章をのせていた。

左千夫は山梨の岡新次あての手紙に、「アラヽキも今の有様では少し厭になつた恐しく天狗になつてるから最う手はつけられない久保田君か来て四五日居つた謙虚の躰度がなくなつては人の話は頭に入らぬ僕はアラヽキの選歌は止める四月号のも僕か選んだのではない君の歌も大へん削つたさうだが。僕の留守へ来て歌稿を持去つたのだ」（五月十日）と書いた。

　茂吉や赤彦はとっくに左千夫の選を受けることをやめて、勝手に歌を発表していたが、「アララギ」にはまだ左千夫の選歌欄が残っていた。その選歌の権威まで、編集を担当する若い同人たちに無視されるようになって来たのである。左千夫は追いつめられて来た自分を感じないではいられなかった。左千夫は九州の節にも、「元気の良い君の手紙を見ると僕はいつも病人か羨しくなる種々百般の面倒臭い事をやつて五十年生きるよか一切の束縛から脱して十年我儘をしてくらせは其方かよつほとましだ太宰府へは行つて見たくなつた」と書いた。

　前年に上京していた愛人の岡村チカが、病気になって越後に帰ることになったので、左千夫は五月二十九日、チカの止宿先に手紙をやった。

「よんべはたいへ失礼しましたわたしももうひとばんわかれををしみたいとおもつたけれどもいくらまつてヽもきてくれなければよんどころありませんこれでをさらばにいたします　みやうにちうへのまでをくつてあけるつもりでしたがつがうかわくていかれませんからあしからずわかひます　それからけんさんのあにさんのうちへはあのしき金の弐円九十銭のうちてはらつてください　おまへもからだをたいせつにはやくたつしやに

おなんない　さよなら　かしく　ちか女さまへ」。その手紙を書き終ったとき、左千夫はこれまで親しかったすべての人間が、自分に背をむけて去って行くような気がした。

それでも左千夫は、気力を振り起こすようにして「アララギ」六月号に「どうも気になる」という一文をのせ、赤彦が上京したときの歌会で、同人たちが批評のために作者の作意を問うことはないと言ったことを批判した。また、四月号の「アララギ」で、茂吉が自分の「あるものは」の批評に強く反駁したことを取り上げ、「『見当違ひの批評に過ぎない』とまで痛罵されては、もう対論を試みる勇気も無くなつた。何物をも恐れざる其断定に敬意を表して『さうで御座いますか』と引下つて置くことゝしたのである」と書いた。

そしてその文章のあとに、「おことはり（ママ）」として、一、選歌を暫く休みます、二、是から重に歌の批評を致したいと思ひます、三、歌に対する自分の考へを自由に言つて見たいのです、四、それに就て選歌をして居ては都合の悪いことがあると思つて選歌を休むのです（以下略）というおことわり書を載せた。

左千夫の「どうも気になる」と「おことはり」が、一種の師弟断交の宣言だとすれば、同じ六月号に載った茂吉の「童馬漫筆」もまた、左千夫の選歌の権威を真向から否定した文章だった。

茂吉が左千夫の岡千里評を腹に据えかねていたことは先に述べたとおりだが、六月号に至って、茂吉は腹の中にあったことを憚りなくぶちまけたのである。「序に岡千里氏の歌の欠点を書く。済まないが読んで下さい(イ)氏の歌の語法は無茶苦茶のが多い(ロ)表現法は実に下手である。達者の様で居て実に下手である。其意味は率直に表せばよい処を妙にヒネクツて表はして居る為めに殆ど尽く(ことごと)虚偽の感じが先に立つ(ハ)上の空で大きな事をさも悟つた様に詠んで居る。概念的な伝習的上辷りの感じの歌が多い。根本から一転化しなければ到底駄目である。余り傲慢の様で工合が悪いが一度読んで見て下さい」というのが、その内容だった。激しく、感情的な批判である。

しかし、「童馬漫筆」のその千里評を、さすがに言い過ぎたと思ったか、茂吉はつぎの「アララギ」七月号の「編輯所便」で、「岡千里君の歌の欠点を指摘したるのは秀歌を思ふの念に外ならず」、左千夫がわれわれの歌を貶(けな)して、一方的にほめる千里の歌の欠点を、感じたままに言ったにすぎないので、「若し千里君にして腑に落ちざる点あらば幾重にも御教示の程願上候」と弁解した。

もっともその弁解は、千里に対してなされたもので、左千夫に対しては逆に不信の表明になっているというべきものである。茂吉は同じ「編輯所便」の中で、追い討ちをかけるようにつぎのように述べる。

「左千夫先生は都合上本号より選歌をお休みに相成り候へば、当分の内編輯当番のものが取捨仕るべく候」ということは、左千夫の「アララギ」六月号の「おことはり」を受けて、曲りなりにも「アララギ」の看板であった左千夫選歌を今後ははずすということで、さらにつづけて「次に謹みて申上げたきは同人でゐながら同人の二三人の作物が変化すれば直ぐと世人の歌の模倣であるといひ伝染であるといひ堕落であるといふ様なことを軽々と言ひ去る傾き有之候が、それは少しく言責を重んぜられん事を希望致し候」と記した。

ここに言う「同人でゐながら」の同人は、暗に左千夫本人にも向けられたニュアンスを持つ言葉だが、実際には、左千夫のほかにも、模倣だ堕落だと茂吉や赤彦を非難する者は「アララギ」内部にかなりいたのだろう。

茂吉や千樫の気持が、このあと「アララギ」廃刊に傾くのは、「アララギ」のそういう内部事情を反映するかのようである。茂吉は九月号を子規歿後十周年記念で飾り、それで「アララギ」を廃刊する気持を固めて、左千夫に相談する。すると、左千夫は茂吉が拍子抜けするほどあっさりと賛成してしまうのである。

茂吉が厭気がさしたのと同じくらいに、左千夫も「アララギ」をめぐる葛藤にうんざりしていたのかも知れなかった。「アララギ」廃刊はそれでほぼ決まったかに思われたのだが、遠くにいる赤彦の反対と粘りづよい説得で続刊と決まる。そして、その廃刊さわぎを境にして、左千夫対若手同人の間に交される論戦も急に下火になり、「アララギ」誌上をにぎわすことは稀になった。

しかし、それで師弟の仲がもとにもどったわけではなく、両者の冷えた関係は翌年の左千夫の死までつづいたのであった。

わがいのち芝居に似ると云はれたり云ひたるをとこ肥りゐるかも

というのちに「赤光」に載った茂吉の歌がある。左千夫と自作の歌のことで論争したときに、左千夫がいかにも憎憎しい、面倒くさいという顔をして、「斎藤君の歌には芝居気が多い。一体斎藤君は芝居気の多い人間だから」と言ったことに対する、茂吉のお返しの歌である。茂吉のこの歌も、かなり憎憎しい感情で色どられているというべきだろう。

　よろこびて歩(あり)きしこともありたりし肉太(ししぶと)の師のみぎりひだりに

茂吉のこういう歌もある。その歌は、いつごろのことを歌ったのかはわからないが、つぎのような光景を思い出させる。

大正二年の四月十三日に、左千夫は浅草区松清町の等光寺で行なわれた石川啄木の追悼会に、茂吉、千樫と一緒に出席した。

明治四十三年に起きた大逆事件をきっかけに、国家の思想家、言論人、文筆家に対する圧迫が強まる中で、啄木は強権としての国家こそ時代閉塞の根源であることを指摘した「時代閉塞の現状＝強権、純粋自然主義の最後及び明日の考察」を書き、幸徳らが死刑となった翌四十四年一月には、土岐哀果（善麿）と社会思想の啓蒙を目的とする雑誌「樹木と果実」の発刊を計画し、さらに大逆事件の真相を世に伝えるために、発熱に苦しみながら「V NAROD(ヴナロード)' SERIES(シリーズ)–A LETTER FROM PRISON」を書いた。そのころ、慢性腹膜炎で入院した啄木が、たずねてきた若山牧水に時勢観を話すと、牧水は独特のさびた声で、「今は実際みんなお先真暗でござんすよ」と二度繰り返して言った。

しかし、国家権力を相手に文筆で戦う果敢な姿勢を持ち続けた若い詩人は、四十五年四月十三日に痼疾の肺疾患に命を奪われる。

左千夫は、啄木とは鷗外が主宰した観潮楼歌会で二、三度顔を合わせた程度の知り合いだったが、一度だけひとつ傘で夜の町を歩いたことがあった。

四十二年一月九日に行なわれた歌会は、終ると十時で、鷗外の家を出ると外は雪が降っていた。左千夫はそのとき、啄木が傘を持たないうえに風邪をひいて咳をしているのを心配して自分の傘にいれ、一緒に歌会に出席した茂吉、千樫とは坂上で別れて、啄木を当時啄木が住んでいた本郷森川町の蓋平館別荘まで送って行ったのである。

雪は二センチほどは積り、東京の町は夜目にも白くなっていた。小説の話をしながら歩いて行くと、傘にあたる雪がさらさらと音を立てた。通りすぎる家家の窓の灯が曇って見えるのにふと眼をやった啄木が、田舎の冬を思い出すと言ったのを左千夫はおぼえている。

縁といってもそれだけのものだったが、左千夫は二十七歳の若さで死んだ啄木がかわいそうで、死後一年経って土岐哀果が呼びかけて追悼会がひらかれると、自分から申し出て出席したのである。その会で左千夫は、哀果に請われて金田一京助、与謝野寛、平出修といった人人にまじり、啄木の歌の話をした。

会が終って寺を出た前田夕暮は、自分の前を怒り肩の肉が盛り上がっているような後姿の左千夫を、洋服の茂吉、和服の千樫が両側からはさむようにして歩いて行くのを見た。「親子の温情、師弟のあたたかい心を思はせられた」というのがその時の夕暮の感想だったが、形は似ていても、茂吉や千樫からはもはや、「よろこびて歩きしこともありたりし」という気持は失われていたのである。二人にはさまれて、厚い眼鏡の下に不満げな眼を光らせて歩いている男は、かつて咳嗽の声にも喜んで耳を傾けた歌の師ではなく、新しい歌を模索する若い歌人たちの前に立ちふさがる、頑迷な批判者にすぎなかった。

九

左千夫と「アララギ」の若い歌人たちが、歌をめぐる論争から、きわめて人間くさいどろどろした言葉の投げ合いにまで踏みこんでいたころ、長塚節はまだ旅の途上にいた。

七月五日、福岡郊外の吉塚駅から汽車に乗ると間もなく、霧のような雨の中に、鮮やかに黄色い南瓜の花が咲いているのが見えた。そういう光景に気持を惹かれるのが、節の資質である。節は汽車の窓から、しばらくは沿線の田園風景を飽かず眺めた。

小倉で豊州線に乗り換え、中津に着くと、ひと休みしただけで耶馬渓の奥まで行く乗合馬車に乗った。途中、耶馬渓の景色を眺めながら、山国川に沿う八里もの道を馬車に揺られて終点の三郷村中摩に着くと、その夜はそこに一泊した。

翌日はそのあたりも雨になったが、節は宿を立って山国川の源流に沿う奥耶馬渓を見ながら、英彦山にむかった。歩きにくい山道を三里も歩き、英彦山の北麓槻木に着き、そこの木賃宿でひと休みしたあと薬師峠を越えた。耶馬渓の景色にはあまり心を惹かれなかったが、薬師峠の雲霧の中で見た大絶壁は、さすが修験の山を思わせる風景で、節は一種凄絶な感じに襲われたほどである。

翌日も雨だったが、節は小僧を案内人にして英彦山に登った。しかし雨は少しもやまないので、宿にしている天満屋にもどるとすることもなく二日もごろごろして過ごした。節の気持はつねに先へ先へと急かれて、そういうふうに無為の時を過ごすことがきわめて苦痛だったが、ちょうど山頂に閉じこめられた形になったのである。

しかし九日にはわずかに晴れ間も見えて来たようなので、翌日は下山にかかったがやはりこの日も雨に降られた。しかしその日は中摩まで降りて乗合馬車に乗り、柿坂までもどって一泊した。そして翌十一日、今度は山移川に沿う新耶馬渓を見物に出かけた。山国川沿いの本耶馬渓には失望した節も、その日たずねた新耶馬渓のうつくしさにはおどろいた。思いがけないところから幾つとも知れない滝が現われたりして、節は心を躍らせて風景を眺めたがその日も一日中強い雨が降った。節は雨に濡れ、これまでになく疲れているのを感じた。

だが旅をしているときの節は、旅の風物に対して貪欲な気分になっていて、見る予定を組んだ場所は見残すと後あとまで気持が悪かった。もちろんやるべきことをきちんとやることが好きな日ごろの性癖も、その傾向に拍車をかける。

節は翌日柿坂までもどり、そこから馬車で青(あお)まで下ると、今度は跡田川に沿う羅漢寺耶馬渓をたずね、全国羅漢寺の本山である曹洞宗の古刹羅漢寺を見た。その日は青に泊り、翌十三日は青の洞門などを見て、乗合馬車で中津に帰った。中津の自性寺は池大雅の書画を数多く所蔵している寺である。節はそこをたずねて大雅の作品を見、その日は中津に泊った。

中津から宇佐を経て別府に着いたのは十四日である。節は駅から少し離れた場所にある浜脇温泉に宿をとり、しばらくそこで疲れを休めることにした。疲れてもいたが、節はそのころ自分がひどく瘦せたことにも気づいたのである。

節が病んでいるのは結核性の疾患である。その病人が、英彦山にのぼったり、雨に打たれながら耶馬渓をうろついたりするのは、今日の医学の常識からすれば論外のことだったが、当時は肺結核も症状が出なければ発病とはせず、またぶらぶら歩いたり、日光浴をしたりすることが治療の一手段と考えられていた。だから久保博士も節の旅行をとめなかったのだし、節は節で、旅に出て歩くことは身体を丈夫にすると、これまでの経験からまだそう思いこんでいたのである。

だが英彦山と耶馬渓の旅を経て別府に落ち着いたとき、節はどことなくすっきりと取り切れない疲労が身体の奥深いところに隠れているような気がした。これまでになく身体が瘦せたのも気味悪く思われた。節はその温泉宿に閉じこもったまま、あまり外にも出ずに終日部屋に寝ころがって時を過ごした。

「私も思はず耶馬渓で無理をしたので身体が疲れるし大変瘦せたのに気がつきました、

これから決して無理はすまいと思ひます、暑いのに困ります」(七月十六日、久保より江あて絵葉書)、「耶馬渓は九日目で出て大に無理といふ無理をしたので自分ながら痩せたのには驚きました、これからは無理しません」(同日、岡麓あて絵葉書)と書いたように、節は自分が無理な旅をしたことに気づき、宿の一室で、息を殺すようにして身体の不調を見まもっていたのである。

だが、節をおびやかした底が深い感じがする疲れは、三日ほどじっとしているとうすれた。節はまた旅をつづける気力を取りもどし、茂吉や岡麓に、浜脇温泉の女湯を写した絵葉書を書き送った。

「明日は道後へ向け出発します、首が二つのぞいてるところはどうです、さうして此女はどんな種類だと思ひます」(七月十八日、斎藤茂吉あて)と書いたのは、そこに裸体の女たちが写っていたからだが、この絵葉書を受け取ったころ、茂吉はまだ、「アララギ」を廃刊にするかどうかと悩んでいた時期である。節の絵葉書を、自分たちからかけはなれた世界とも、のんきな内容とも思ったかも知れないが、節は節で心配したほどのこともなく体調が回復して、気持がはずんでいたのである。

元気を取りもどすと節は早速に欲が出て、茂吉に葉書を出した十八日は別府から大分に行き、そのあたりの名所を見物し、例によってまた絵葉書を買った。

別府から船で伊予高浜に出発したのが七月十九日で、節は高浜からまっすぐ道後温泉に行き、石手寺、宝厳寺を見物して二日ほど身体を休めたあと、虚子に頼んで紹介してもらった村上霽月をたずね、松山市内の子規旧宅や漱石の下宿先などを案内してもらった。村上霽月は子規に俳句の指導を受けた「ホトトギス」同人で、のちに愛媛銀行頭取、愛媛県信用組合連合会長などを歴任する経済人でもあり、そのころは伊予農業銀行の頭取をしていた。

霽月の案内で松山市内を見て回ったのは二十三日で、夕方には高浜に連れて行かれ霽月の饗応を受けたのだが、節は高浜が気に入って道後の鮒屋から引き揚げ、宿を高浜に移した。そして翌日は一人になって、高浜の背後の山を越えたところにある太山寺をたずねた。

山を越えるとき、振り返って海を見ると、高浜の桟橋へつく小さな汽船が立てる白波が、対岸の興居島の小富士の麓の方までとどくように見えた。青い海をわたる筋のような波が節の旅情を掻き立て、節は石手川の土手で野生の土用藤と犬山椒の花を見つけたときと同じように、しばらく立ちどまって海を眺めた。

だが建物や仏像を見るときには、節の気持は旅情よりは貪欲なほどの好奇心にそそられるのがつねである。太山寺で見たのは国宝になっている六躰の観世音像だったが、

「十一月十七日とかより外は決して見せないといふのを、私は執拗く請うて漸く許を得ました、それも参詣人の絶えた時といふので今夕六時頃から再び太山寺へ行く筈です」（七月二十四日、久保より江あて絵葉書）という有様だった。いくら日が長い七月末とはいえ、うす暗くなる六時過ぎから仏像を見に行く節の執念は常識の域を越えている。

節は道後の宝厳寺をたずねたときも、伊予にある木像の国宝はこれだけという一遍上人像を見たいと申し入れて住職に叱られ、翌日ふたたびたずねてやっと見せてもらっている。だが伊予の風土も彫刻物も、節にとっては満足すべきものだった。節は満ち足りた気持で安芸の宮島にわたった。七月二十五日である。

そこから節の瀬戸内彷徨ともいうべき旅がつづき、宮島から伊予大三島へ、大三島から尾道へ、尾道からふたたび船で四国の高松へと船旅がつづく。高松に行った三十日に、明治天皇が崩御、嘉仁親王が践祚して大正天皇となり、明治が終った。

「其時私は明治の精神が天皇にはじまつて天皇に終つたやうな気がしました。最も強く明治の影響を受けた私どもが、其後に生き残つてゐるのは畢竟時勢遅れだといふ感じが烈しく私の胸を打ちました」というのは、漱石の「こゝろ」に出て来る先生の感慨だが、節も明治の終り、大正のはじまりを旅先で経験し、大きな衝撃を受けた。

節は三十日の夜十二時ごろに高松に着き、宿引に連れられて夜の桟橋から宿まで歩いて、もう栓を抜くばかりの汚れたしまい湯を浴びたのだが、その宿で明治天皇の崩御を聞いたのである。

節は翌三十一日はどこにも行かず、八月一日にも栗林公園を見ただけで宿にもどった。久保より江あての三十一日の絵葉書には、大三島の大山祇神社の宝庫や尾道の浄土寺で見た多宝塔のことを書いたあとに、「明治はもう終つてしまつたことを私は情なく思ひます」と書き加えた。

節は二日からは志度寺から屋島に回り、善通寺や琴平に行ったりしたが、小豆島渡航は身体を考えて中止し、また高松赤十字病院で診察を受けた。旅先での疲労を避けたこともあったが、明治から大正への改元ということが心にひっかかり、やや帰心をそそられてもいたのである。高松滞在の最後の日である八月九日に、節は左千夫に絵葉書を書き、その中に改元のことを記して「何だか暫く御無沙汰をして居る内にかういふ大事件が起つたりして、遠く隔つてしまつた様な感じがしてならない」と書いた。

節は十日に高松から岡山、加古川を経て、翌日は和歌山に着き、三井寺、粉河寺などを見て十三日高野山に登った。加古川に泊ったのは書写山を見たあと、国宝の百済の鐘がある鶴林寺をたずねる予定があったからで、十一日は鶴林寺の鐘、高砂の尾上の鐘、紀三井寺の鐘と一日に三つも国宝の鐘を見たと、のちに漱石への手紙に書いた。

「天下の霊山に攀ぢて胸すく心地致申候」（寺田憲あて、高野山から）、「関西の山概ね皆浅し、此山独り霊気鬱積す」（岡麓あて、同）と節はふたたび元気を取りもどし、その後二十四日まで奈良から大和の寺寺を回り、二十四日にいったん京都に出たものの、その後も京都市内を中心に精力的に寺院や博物館などを見て回り、宿の亀利を引き払ったのが九月一日だった。

それでもそこからまっすぐに帰郷したわけではなく、石部や、百円の借金をした岐阜の塩谷華園の家に泊ったり、東京に着くのは九月十五日になるのである。そして「京へ二三日の積りで来て八日も居てしまひました、明日は愈々出立、湖畔を少しめぐつて石山寺や三井寺におどろいて見たいと思ひます、一昨日鳳凰堂へ行き今日また行きました、一昨日行つた時鐘がどうも珍らしい善いのだと思つたら国宝に成つて居るんです、私は嬉れしくてたまりません、一昨年の暮見たときとは違つて堂の前の石燈籠でも今度はよく見えるんですから堪りません、私の幸福を喜んで下さい」（八月三十一日、久保より江あて絵葉書）というような文章を読むと、節はほとんど旅の風物、ことに古い建築物や彫刻の美に淫しているというほかはない。

節は半年前の三月下旬、大和から京都に着くと翌朝すぐに三十三間堂と博物館を見、そのことを知らせた橋詰孝一郎にあてた絵葉書に、「京は寒くまだ花もなければ、淋しけれどこんな名作を頭の痛くなる程見ることが出来るのと、京もこれで五度目だと思ふとそれだけでも生涯に於て満足することが出来申候　死んでも悔がないというても妨ないと申すことに候」と書き、五月九日に福岡から斎藤隆三にあてた絵葉書には、「太宰府は実に日本の霊地と存申候　東北に中尊寺を見、奈良には三度、更に観世音寺に詣づるを得て自ら至幸の人とつく〴〵相感じ申候」と書いた。

そして京都から久保夫人にあてて出したさきの葉書の文面を、これらの文章に重ね合わせてみれば、節のそういう言い方が誇張でも何でもなく、本音そのものであることがあきらかになって来る。こんなにも旅の風物に打ちこむひとが、ほかにいるだろうか。

旅は身体にいいとか、家の重圧から解放されるとかいうことも、ここまで旅に淫してしまえばただの言訳に過ぎず、節はまさに、旅に魅せられて東から西へ、西から東へと彷徨に似た旅行をつづけるほかはないのである。病弱の節にとって、左千夫が心配し節自身も言う煙霞癖は、今度の旅に至って容易ならない相貌を垣間見せはじめたというべきだった。

節はそのあとも、旅を切り上げるのを惜しむようにふんぎり悪く東京に腰を落ちつけてしまい、左千夫に会ったり、ひさしぶりに根岸庵でひらかれた子規忌歌会に出席したりして二十五日には下妻までもどる。しかしそこでも横瀬夜雨をたずねたあと光明寺の三浦義晃宅に泊り、九月二十六日にようやく国生の家にもどった。三月十六日に家を出発してから、じつに半年余におよぶ大旅行が、ようやく終ったのである。

だがその旅から節が得たものはと言えば、社寺や仏像、旅の風景などから胸がふるえるほどの感動を受け取ったということに尽き、本来の目的であったはずの病気の治療の方では、さほど得るところのない長く無用の時を過ごしたというほかはなかった。

十

十月中旬のその日、青山の自宅で「アララギ」十一月号の編集をいそいでいた斎藤茂吉は、左千夫の歌稿を手にしたところで、不意に身動きをとめた。二度繰り返して読み、今度は立って晩秋の日射しが射しこんでいるガラス窓の下に行って、もう一度じっくりと左千夫の歌を読んだ。そこには「ほろびの光」と題されたつぎのような歌がならんでいた。

おり立ちて今朝の寒さを驚きぬ露しとしとと柿の落葉深く
鶏頭のやや立ち乱れ今朝や露のつめたきまでに園さびにけり
秋草のしどろが端にものものしく生を栄ゆるつはぶきの花
鶏頭の紅ふりて来し秋の末やわれ四十九の年行かんとす
今朝の朝の露ひやびやと秋草やすべて幽(かそ)けき寂滅(ほろび)の光

すべてかそけき寂滅の光、と茂吉は唇を動かして口の中でつぶやいてみた。それから、あわただしく着物をぬぎ、外出のための洋服に着換えはじめた。

赤彦の反対で、「アララギ」の廃刊は避けられたが、いったん罅(ひび)の入った師弟の関係は元にはもどらず、茂吉たち若い同人も敢て関係の修復をもとめなかった。「アララギ」八月号に、左千夫は「『悲しき玩具』を読む」を載せた。啄木の歌を論じたこの文章の最後を、左千夫は「吾輩は茲で、アラ、ギ諸同人に忠告を試みたい、我諸同人の歌は、概して形式を重じ過ぎた粉飾の過ぎた弊が多いやうであるから、石川君の歌などの、とんと形式に拘泥しない、粉飾の少しもないやうな歌風を見て、自己省察の料に供すべきである」と結んだ。

左千夫のこの文章は、なかなか鋭い批評眼で把えた啄木論だったが、それはそれとして、啄木を引き合いに出した結びの文章の若い同人に対するあてこすりなどは、もう誰も眼にとめなかった。古くさいおとうちゃんを相手にするなという雰囲気だったのである。赤彦などは、そのころもっとひややかな眼で左千夫を眺めていて、左千夫の死後に中村憲吉にあてた手紙に、「先生が今死なれるなら今つと早く九十九里の歌の出来た頃に去られた方がよかつたかも知れぬ。然し今少し生き延びて思想が新しく変つてから死なれたら嬉しかつたらうと思ふ」と書いた。

要するにそのころの左千夫は、誰からも相手にされず結社の中で孤立していたのである。「アララギ」の編集所も、九月号からは東京市赤坂区青山南町五丁目八十一番地斎藤茂吉方に変っていた。若い同人たちは、原稿だけはもらうものの左千夫を無視して「アララギ」を運営していた。

「ほろびの光」は、左千夫に対する彼らのふだんのそういう気持や扱いに、一撃を加えるような作品だった。茂吉はじっとしていられないような感動に気持をゆさぶられながら、いそぎ足に市電の停留所の方へ歩いて行った。

——いい歌だ。

先生は、やはり歌人だと茂吉は思った。歌の中で晩秋の風物と作者の心情は渾然と溶けあって、季節の嘆きを歌い上げていた。その季節の詠嘆が人生の詠嘆でもあるような重厚な作品だった。そのことを先生に言って上げたい、と思ったとき茂吉は突然に眼頭がうるむのを感じた。歌で結ばれた師弟という言葉が胸に溢れて来たのである。

日曜日の街は人影が少なく、午後の日射しが照りわたる青山の街路はがらんとして見えた。茂吉は巣鴨病院医局に勤めていて、「アララギ」の編集は、勤めを終えて帰宅したあとか、休日にしか出来なかった。たまの休日のその日は、外に出るのも惜しまれるほどに時間が貴重に思われる日だったが、茂吉はどうしても左千夫に会って、「ほろびの光」が傑作であることを告げなければ気持がおさまらない、という気分になっていた。

茂吉は、屋根の上の金属に鈍く秋の日を反射させながら近づいて来る市電の方に身体をむけた。電車は空いていた。茂吉が立っている停留所で、二、三人の乗客が降りたので、電車の中はいっそうがらんとしてしまった。茂吉は眼をつぶり、道ばたに枯葉色が目立つ街路をひどく揺れながら走る電車に身をまかせた。

市電を乗りついで終点の江東橋で降り、左千夫の家に着くと茂吉は家には上がらずにすぐ裏に回った。予想したとおりに、左千夫は茶室で蕨桐軒を相手に碁を打っていた。左千夫の家では、五月の末ごろに牛舎を亀戸に移してしまったので、家も茶室も荒地の中に建っているように見えた。

「やあ、どうした？」

左千夫は突然に庭に現われた茂吉を見て、碁石をつまんだ手をとめた。桐軒も茂吉を見た。

「『ほろびの光』を読みました」、
茂吉は窓の外から言った。

「先生、あれは傑作です。僕は感動しました。あの歌は十一月号の話題作になりますよ、きっと」

「そうかね」

「歌の中に何とも言えない悲傷が流れています。すばらしいです。何というか、非常に重厚で……」

「ありがとう。僕も君たちの悪口を言うだけじゃね。自分もちゃんとつくらんと……」

と言って、左千夫は茂吉を手まねぎした。

「上がらんかね、君。そんなとこに突っ立っていないで。いま、蕨君と賭けをやってるところなんだ」

「……」

「君もやらんか。なに、大したものを賭けてるわけじゃない。負けた方が表へ行って甘い物を買って来るという約束なんだ」

左千夫がそう言うと、桐軒が声を出して笑った。左千夫も二枚重ねの近眼鏡の奥から、小さな眼を茂吉にむけたままにやにや笑った。左千夫のその顔に、どことなく感じのいやしい、弛緩した表情があらわれているのを茂吉は見た。歌のことを考えている人間の顔ではなかった。茂吉は背筋のあたりに少し寒気に似たものが動き、感激がみるみるさめるのを感じた。茂吉は後じさりした。

「いえ、僕は失礼します。帰って編集の仕事をやらんといけないもので」

「何？　君、それだけのことを言いに来たの？　もっと話していかないのか」

桐軒が今度はしのび笑いをした。茂吉にむけた背中がふるえている。茂吉は無言で一礼すると茶室の軒下をはなれた。ひっそりとした母屋の角まで来たとき、茶室からまた碁石の音がひびいて来た。

　そのころ節は、たまに下妻に出るぐらいで大ていは家に閉じこもっていた。折りからの田畑の作物の収穫期で、家の者はいそがしく働いていたが、作業の手順はきまっていて、節が手を出すことはなかった。


　そういうこともあったが、節は帰郷してみてやはり旅の疲れが身体に残っているのを感じた。喉の病気が完治したわけでないことは、自分でもわかっている。その喉が、時おり思い出したように痛むと、節はやはり長旅が無理だったのではないかと不安になった。いったん気にし出すと、節はいつまでもくよくよと同じことを思い悩むのだった。

　柿の実が赤くなり、葉鶏頭の色がうつくしくなった。節は帰郷してからひと月余りは、家の近くを歩き回るぐらいで、慎重に身体の様子を見まもっていたが、十一月になってから、はじめて汽車に乗って東京に出た。

　文展を見るのが第一の目的だったが、寒さのせいか喉の痛みが前よりも増したように思われ、医者に見てもらう用も兼ねていた。節はもし、東京の医者に見てもらって病気が悪化していたら、また九州の久保博士をたずねようかと思いはじめていて、「文展を見に参り候へ共、平福君のがなくてもの足らず候　病気おもしろからず候故、復た福岡へまゐらうかと存じ居り候」（十一月七日、胡桃澤勘内あて）、「小生病気少しおもしろからず候に付、今一度福岡へ参り申度、内々其支度致居候」（十一月八日、平福百穂あて）と書き送った。いずれも東京に出て、定宿になった下谷の那須館に落ちついてからの便りである。

節は那須館を根城に、文展ほかの美術展、拓殖博覧会などを見て回る一方で、根岸養生院、橋本医院、さらに神尾医学士の診察を受けた。岡田式静坐法というものを習ったのもこの時である。

その合間に、十一月十一日には、左千夫と誘い合わせて茂吉の家をたずねたところ、折りよく茂吉、赤彦、千樫、憲吉が、牧水の歌集「死か芸術か」の合評をやっていて、節と左千夫は茂吉に頼まれて若い彼らの近作を取り上げ、即席の批評をした。それを茂吉と千樫が筆記したのが、「アララギ」の大正二年新年号と二月号に載った「文明茂吉柿乃村人（赤彦）評」と「古泉千樫中村憲吉評」である。ひさしぶりに若い同人たちの歌を縦横に批評したので気分がよかったのか、左千夫は批評の途中で「本日は大いに元老連が暴れまわるね」と言って、機嫌よく笑った。

翌日は菓子折を持って、早稲田南町の漱石をたずね、改めて「土」に序文をもらった礼を述べた。節はなぜか礼状が書きにくくて、九州から高野山にもどったときにやっと一通の礼状を出しただけだったので、漱石に会ってようやく責めを果したような気がした。

もっとも礼状が書きにくかったのは理由がなくもない。漱石の序文は、節にきわめて好意的でいわゆるほめ言葉で埋まっているのだが、節は漱石が「土」を評してつぎのようにのべているところが気持にひっかかった。「『土』の中に出て来る人物は、最も貧しい百姓である。教育もなければ品格もなければ、たゞ土の上に生み付けられて、土と共に成長した蛆同様に憐れな百姓の生活である。（中略）長塚君は、彼等の獣類に近き、恐るべき困憊を極めた生活状態を、一から十迄誠実に此『土』の中に収め尽したのである」

田圃から一、二丁しかはなれていない牛込喜久井町に住みながら、稲の苗をみてもそれが米の実がなる苗だと知らず、子規をおどろかした漱石である。農民の暮らしを知らないのは仕方ないが、蛆同様とか獣類に近い生活などと書かれると、節はとまどってしまう。少なくとも「土」には、国生の自然と村びとに対する節の共感が籠められているからである。

節は勘次やおつぎを蛆虫とか獣類とか思いながら書いたわけではない。ごく普通の人間として描いたのである。そのこだわりが、長く礼状を書くのをためらわせた理由だった。こだわりが消えるまでは、それだけの時間が必要だったのである。

十一

大正二年三月十四日、節はふたたび九州に出発した。途中、大阪で天王寺、住吉神社を見、岡山では西大寺、長岡観音、広島では牛田不動院、長府、田島（赤間駅下車）でも住吉神社、宗像神社を見るなど、少しずつ道草を喰ったが、十九日には福岡に着いた。

その夜は平野旅館に泊り、節は翌日、不安な気持を抱いて九大病院をたずね、久保博士の診察をうけた。
ところが意外にも、博士の診断は「全治している」というものだった。その日の外来日誌の節の項はつぎのようになっている。

外来日誌八九三（一九一三）
氏名　長塚　節　年齢三十五歳　職業　農（小説家）
出生地　茨城県結城郡岡田村
現住所　平野屋
当科初診　一九一三年（大正二年）三月二十日
診断　側壁咽頭炎及び会厭の瘢痕
主訴　嚥下障害
現病歴〈外来日誌一二八二（一九一二）＝第一回の治療時と重複する部分は省略〉
昨年、患者は喉頭結核として治療を受けた。しかし今日迄、増悪した事はないし、声が嗄れた事もない。現症　顔面やや蒼白　しかし栄養良好。鼻孔異常なし。右下甲介の後部　蒼白強度腫脹　両側声帯蒼白。会厭　遊離縁の中央部瘢痕性膨隆。右鼓膜、前下方瘢痕性萎縮　左異常なし。嚥下の際に側頸部に異常感覚があるという。この場所は咽頭側索の下部特にその左側に相当する。喀痰　結核菌検査　陰性　硝酸銀液塗布　火木土第一にくる。
去年治療を受けたあと、悪化したことはなく、喀痰検査でも結核菌は認められないというのである。この診断は、節を狂喜させた。その日さっそくに、市内長宮院の不動明王を見に行ったのも、気持のはずみをあらわすようである。

ふたたび、堰を切ったように節の古社寺めぐりがはじまった。観世音寺にも行き、志賀島、恵蘇宿の普門院、ふたたび観世音寺というぐあいである。その間二十二日、二十七日、二十九日と診察を受けたが、やはり格別の異常はなかった。節はそのころあちこちに病気が治癒したことを知らせる手紙を書いた。「久保博士は喉頭は結核の疑さへなしとのこと、喀痰の検査にも病菌を発見せずとのよし申され、心強く帰国可仕候」(三月二十八日、岡麓あて絵葉書)といった内容の便りである。

四月三日に、節は宿の払いを済まし、すっかり出発の支度をととのえてから、久保博士の家に別れの挨拶に行った。博士が京都の学会に出発したあとだったので、節はより江夫人と夫人の妹の三人で話しこんだのだったが、節は「日本で一番長い名前を教えて上げましょうか」と言って、その名前を何度となく繰り返して女たちを笑わせたり、京都の舞妓の話、耶馬渓の宿の娘の話などをしたあげく、子供のころに眼尻がさがっているために、すけべいとからかわれたのが気になって、それから女性に対して淡白になったというような打ち明け話までした。

その夜の節は、久保夫人がのちに「アララギ」の節追悼号に、「後にも先にもあの晩位陽気な長塚さんを見た事はありません」と書いたほど、よくしゃべりよく笑った。そして、「私は元来なかなかひょうきん者なんです。が、あまりひょうきんだと馬鹿にされると思って慎んでいるんです」などと言った。だが、そういう話や女のことを話題にしても、節には「何だか聖僧の俤(おもかげ)がありました」と、追悼号の「長塚さん」という文章の中に久保夫人は記している。

節は明るい気持で、四月四日に福岡を出発し、下関で国分寺をたずねたあと、瀬戸内をめぐる遊覧船で宮島まで行った。八日には門司にもどり、今度は瀬戸内第一と言われる大阪商船の汽船くれなゐ丸の一等船室の客となって、神戸まで直航した。はじめは大阪まで行くつもりだったが、大阪に着くのが夜遅くになりそうだったので神戸で汽船を降り、三ノ宮から京都行きの汽車に乗ったのである。それでも神戸着が午後七時二十分で、京都の烏丸通五条下ルの定宿亀利に着いたのは夜の十時半だった。四月九日である。

京都に落ちつくと、節は翌日から早速博物館に行ったり、大阪に行ったりしたが、十二日になって博多の宿から回送されて来た郷里からの手紙が意外なことを伝えた。父の源次郎の病気が重いという知らせである。源次郎はその冬病気になって、娘の嫁ぎ先である奥田医院で療養していた。病気は肺結核ではないかと疑われていたが、急に進行することはなかろうと思われていたのに、京都に回送されて来た手紙は、病状が楽観を許さないことを知らせていた。

節は考えた末に、父あてにつぎのような手紙を書いた。「御病気其後御宜しからず候由、案外のことに奉存候　扨て私即刻帰宅可仕筈に候へ共松田君等に面会一応の診察も請ひ申度、相成るべくは黒竹栽培の方法等に就ても相尋ね申度、此処一週日程滞在仕度

希望に有之候　如何に有之候や、電報にて御申送被下候はゞ即時帰宅可仕候」(四月十二日)

だが節は京都大学の附属病院にも行かず、黒竹の勉強もせず、奈良に行ったりして郷里からの便りを待ったあと、十五日になるといそいで山陰に旅立った。節は九州にいる間に従兄の渡辺剛三に頼んで、例のごとく出雲大社までの優待乗車券の手配をしていたのである。予定どおりの行動だった。出雲では大社のほかに雲樹寺、鰐淵寺などをたずね、そこでも朝鮮の鐘を見た。

剛三に頼んだ乗車券の期間は、四月十日からむこう一カ月で、節ははじめはもっとゆっくりとあちこちを見て帰るつもりだったのだが、父の病気に気持をせかされて、今度だけは早早に京都に引き返し、二十二日には京都を出発して帰途に着いた。

節が九州から京都にもどって来たころ、伊藤左千夫は茅場町の茶室で、相変らず蕨桐軒と碁を打っていた。左千夫が急に、あ、いたたと言って、つまんでいた碁石を碁笥に もどすと頭を押さえたので、桐軒はおどろいて顔を上げた。

「どうしました?」

「いやいや、大丈夫。君、ちょっと考えていてくれ」

左千夫は立ち上がると、少しふらつくような足どりで茶室を出て行った。そのままいつまでたってももどらないので、桐軒が心配になって腰を浮かせたとき、左千夫がやっともどって来た。そして表の豆腐屋に行って来た、と言った。

見ると、頭の上からあごの下まで手拭いを結び、その頭のてっぺんのところがかさ張っている。そして左千夫本人は、手拭いに縁取られた丸い顔の中から、二枚重ねの眼鏡の奥の眼をほそめてにたにた笑っていた。桐軒は吹き出した。

「大丈夫ですか。頭が痛いんなら、碁はやめますよ」

「なに、大丈夫」

「そこに入っているのは何ですか」

桐軒が頭の上の手拭いのふくらみを指さすと、左千夫は事もなげに答えた。

「蒟蒻（こんにゃく）だよ。あっためて乗せとくと、頭痛によく利くんだ」

「大丈夫ですかな、そんなもので」

「いいから打ちなさい。今度は君の番だろ」

左千夫は石をつまんだが、ふと気づいたように桐軒の顔をのぞきこんだ。

「何か賭けようか。ただじゃおもしろくないな」

「またですか」

「晩飯のおかずを賭けよう。どうせ泊って行くんだろ」

左千夫は母屋の方にあごをしゃくるようにした。借金がかさんだ左千夫は、先月の末に桐軒に母屋を売って、家族は亀戸の牛舎のそばに引越していた。

もっとも、左千夫自身は昼の間ほとんど茶室の唯真閣に来ていて、夜も泊ったりするので、時どき家族が迎えに来たりしていた。売買登記はまだ済んでいなかった。

「今月の末には、登記を済ませますよ」

不意に碁を打つ手をとめて、桐軒が言った。左千夫は盤面に眼を落としたまま、上の空の口調で答えた。

「ああ、いいですよ」

「そうしたら、家内と一緒にここに引越して来ます。先生のことも、少しはお世話出来ますよ」

桐軒は一度、石を鳴らして碁笥に突っこんだ指をまた膝にもどして、先生と言った。

「ほんとに抵当には入っていないんでしょうね」

「抵当？ ばか言っちゃいかんよ、君」

左千夫は顔を上げると、眼鏡の奥の眼をまっすぐ桐軒にむけた。唇にうす笑いがうかび、左千夫は相手に反論するときのしぶとい感じの顔になっている。

「窮したりといえども伊藤幸次郎、そんないかさまものを君に押しつけるほど堕落してはいないよ」

だが、碁が終って、疲れたような顔をした桐軒が今日は泊らずに帰ると言って茶室を出て行くと、左千夫は碁盤を片づけようともせず、畳の上にぱたりと仰向けに寝た。しばらくしてから、ひとりごとを言った。

「やっこさん、気がつきやがったかな」

左千夫は一、二年前から借金で首が回らなくなっていた。たび重なる水の被害、牛乳の値下がりなどが、いつの間にか多額の借金を生んで、重く左千夫の肩にぶらさがっているのである。体力の衰えが窮乏に拍車をかけた。牧夫の給料が高いが、気持は焦ってもむかしのように自分が働いて補うということが出来ない。

去年の暮に、左千夫は寺田憲を通して蕨真に茶室を売る相談をかけた。蕨は買い取ってもいいような意向を示していたのだが、寺田憲に保証を依頼した直後の一月三十日、蕨の弟の直次郎（橿堂）から、「過日御話の茶室の件は拙兄買受くると申たることに有之べく候が種々事情相生し拙兄に買はせることは出来なく相成候間小生御断り申候左様御承引被下度願上候」という、木で鼻をくくったような断り状が来て、話はこわれた。茶室はもともと、蕨真からもらった材木で建てたものである。その建物を買い取るなどという話は、左千夫に甘い蕨はともかく、まともな世間感覚を持つ蕨の家族が受けいれるはずがなかったのだ。

だが隣の母屋の方を蕨桐軒に買ってもらう話がついて、三月には金を受け取り、左千夫はほっとひと息ついたのである。無一塵庵と名づける母屋の方は、そのときすでに借金の抵当に入っていたのだが、左千夫は隠した。売買の手を打って金を受け渡しするときに、桐軒は「抵当はなしでしょうな」と聞いたが、左千夫はそのとき嘘をついたのである。

――ああして、また聞くところをみると……。

桐軒も、この話はどこかうさんくさいと思いはじめているのかも知れないな、と思いながら、左千夫はじっと天井の木目を見つめている。

抵当の一件は、いずれればれるだろう。登記の前にばれるかも知れないな、と思ったが、どうともなれという気もした。桐軒から受け取った金は、催促のきびしい借金先に支払われて、とうに手もとから消えている。

ばれる前にうまく死ねたらいいな、と左千夫はふっとそう思った。つい二、三日前の夜、そんな夢を見たことを思い出している。楽楽と死ぬことが出来て、しめたと思ったところで眼がさめたのだ。

——だが、家の者はどうする?

また身籠ったと言っている妻の姿が、頭の中をゆっくりと横切る。去年の一月に三男の究一郎が生まれ、わずか十三日生きただけで夭死したのに、妻はもうつぎの子を腹に抱いていた。その妻を囲んで、子供たちが左千夫を見ながら笑っている。八女の鈴子と一番小さい末子の文は、生意気に左千夫を指さしながら笑っていた。

左千夫の顔を泣き笑いのような表情が通り過ぎた。頭の上に蒟蒻をくりつけたまま、丸太のように横たわっている左千夫を、窓から入る四月の日射しが明るく照らしている。まぶし過ぎて、左千夫は眼をつむった。すると外から、様子を見に来たらしい三女の蒼生(たみ)の声が聞こえて来た。

「アララギ」六月号に、左千夫は「叫びと俳句」を書いた。そして六月二十七日に行なわれた「ホトトギス」二百号記念文芸家招待能に招かれて、節や木村芳雨と連れ立って出席した。しかしつぎの「アララギ」七月号には、歌も論文も発表しなかった。「アララギ」は七月号から会員組織に変り、編集兼発行者の名義が、「東京市本所区南二葉町二十三番地古泉幾太郎」に変った。千樫が編集に専念することになったのである。また、長い間柿の村人の筆名で作品を発表して来た久保田俊彦は、この号から筆名を島木赤彦と改めた。「アララギ」は次第に、確実に手もとからはなれて行くように左千夫には思われた。

七月二十五日の午後一時ごろ、左千夫は木村芳雨をたずねて行って長い間話しこんだ。左千夫は鼻のぐあいが悪いので賀古病院に行って来たと言い、はじめは根岸短歌会の同人の棚おろしなどをやっていたが、やがて八十三歳で死んだ父親のことや、夫思いの兄嫁のことなどを話し、夕方の五時ごろになって、ようやく腰を上げた。

そしてそのあと、神田和泉町の小川眼科病院にいる島木赤彦の前に現われた。赤彦は長男の政彦の眼病治療のために上京して、その病院で子供に附き添っていたのである。左千夫はその病室をおとずれると、前置きもなく赤彦の歌を批評しはじめた。

赤彦は子供の附き添いに疲れ、その日はまた激しい下痢に襲われて疲労し切っていたので、「先生、その話はあとにしてもらえませんか」と言った。すると左千夫は近眼鏡の下の眼をみはって、怒気をふくんだ声ではげしく言った。

「僕のいわんとするところを聞け。君、腹痛ぐらいは我慢すべきだ」

ちょうどそこに古泉千樫がたずねて来たので、赤彦は腹痛をこらえて千樫と一緒に左千夫の批評を最後まで聞いたが、それが赤彦の左千夫を見た最後となったのである。赤彦はのちに「アララギ」に、「あのときに先生の話されるだけを話して頂いて大変よかつた。夫れが私には永久の訣別になつた」と記した。

七月二十九日、左千夫は甥の芬の家で晩飯を馳走になってから茶を二十匁挽き、深夜の十一時ごろ大島の自宅に帰った。そして間もなく倒れ意識を回復しないまま三十日の午後六時に死去した。

左千夫の死を、節は国生の家で、斎藤茂吉は信州諏訪湖畔の温泉宿布半で聞いた。

ひた走るわが道暗ししんしんと堪へかねたるわが道くらし
すべなきか蛍をころす手のひらに光つぶれてせんすべはなし
氷室より氷をいだす幾人はわが走る時ものを云はざりしかも

と茂吉は「悲報来」で歌ったが、節は歌わなかった。ただ、節が唯真閣で行なわれた左千夫の通夜の席で、声高く話し、笑って一種の興奮状態にあったことは、木村芳雨の「その時は元気に話などして居られた。さうして僕より左翁が先に死ぬと云ふ事が頗る意外な出来事だと云つて笑つて居られた」(「アララギ」長塚節追悼号)といった文章などで知られる。ひと眼に、やや不謹慎に映るほど節の態度には軽躁なところがあったのかも知れない。

節はたしかに興奮していた。左千夫の急死は思いがけない出来事で、そのために悲しみよりおどろきが先に立ったのである。左千夫の死は、まだ実感から遠かった。だがそれだけではなかった。まさに不謹慎な感想に違いなかったが、節は左千夫の死というものが、長い間頭上にのしかかっていた、一種の重苦しい圧迫感を取りのぞいたのを感じたのである。

　左千夫は歌の上でも小説の上でも、節の手ごわいライバルだった。自分が病気になると、節は左千夫の疲れを知らない頑丈な体軀までも、生の上のライバルに変ったように、うとましく思うことさえあった。そのライバルが忽然と消え失せた感じが生生しかったのである。そのエゴイスティックで半ば無意識な解放感を、むろん節は人びとの眼から隠した。だが、自分でもその感想に狼狽しているために、隠し切れないものが高い声と笑いになって外に洩れて出るのだった。

　左千夫を失った実感がようやく静かに節の胸に入りこんで来たのは、八月二日に行なわれた葬儀のときだった。左千夫の遺骸は、真夏の日がぎらぎらと照りつける午後三時に、遺骸をはこんで来て通夜の席とした唯真閣を出て、亀戸の普門院にむかった。

　棺側には、千樫、茂吉、文明、胡桃澤勘内、蕨桐軒、村上成之、安藤貞亮などの門人が、袴だけで羽織をつけず、藁草履をはき藺の編笠をかぶるといういでたちで従ったが、このときちょっとした出来事があって、人びとの眼をみはらせた。誰かが平福百穂にも編笠を渡そうとしたところ、平福が色をなしてその笠を受け取るのを拒んだのである。その光景を見ながら、節はぼんやりと、長かった左千夫との交際を思い返していた。

だが騒ぎとも言えない小さなその騒ぎは、その場にいくらか気まずい空気を残しただけで、すぐに静まり、葬列は静かに動き出した。節は蕨真や木村芳雨、平福百穂、古い同人の結城素明らと、そのうしろから歩き出したが、そのときふと胸にうかんで来たのは、左千夫がいつか洩らした、「君、僕はひとりぼっちになってしまったよ」という言葉だった。

それはむろん、「アララギ」の中での左千夫の立場を言った言葉で、節がそれを聞いたのは、最初の九州旅行から帰った直後か、あるいはその年の秋に上京したときだったに違いない。その言葉が、ふと自分に帰って来たような、一瞬の寂寥を感じて、節はあたりを見回した。

八月の堪えがたいほど白く明るい日射しの中に喪服を着た大勢のひとが動いていたが、左千夫のように心を打ち明けて話せる友人は、その中にいないのを節は感じた。

歌人の死

一

左千夫の葬儀が済んでしばらくしてから、節は夏風邪をひいた。さほどのことはない軽い風邪のように思われたが、八月の半ばから村の盆踊りがはじまり、毎年の例で夜おそくまで風紀の取締りに精出したのが祟ったのか、風邪の症状は九月になっても消えなかった。

盆踊りの風紀取締りは、さほどひとに喜ばれることではなく、ことに夏の夜の解放感を心ゆくまでたのしみたい若い男女にとっては、迷惑この上もないものだった。

盆踊りは、ひと眼を気にすることなく若者は娘のそばにより、娘は若者のそばに寄ることが許される数少ない機会だった。さりげなく娘のそばに立つと、若者は短く意味ありげな言葉をさっと投げる。そして白い手拭いに半分顔をつつんだ娘が、低い声で、しかもすばやく言葉を返して来ると、若者はそれだけで、暑い夏の労働の辛さを忘れてしまうほどの喜びに満たされてしまうのである。踊りの灯を大きくつつんで静まり返っている、太古からの夜の暗さが、若者の喜びをさらに高める作用をする。

節の取締りは、若い男女のそういう期待や喜びを台なしにする無粋なものだったが、節には節の言い分があって、娘も二十歳になるともう処女はいないと言われるような村では困ると思っているのである。

だが、節は取締ることだけを考えているのではなかった。節は数年前から四反歩の梅林を育てていて、その梅林が収入を生むようになったら、家計とは別収入にしておいて貧しい村人のために使おうと考えていた。僕は性質が狷介(けんかい)で直言を好むから、と節は生前の左千夫にあてた手紙に書いたことがある。そういう性格は自然村びとに嫌われるだろうけれども、梅林はその緩和剤になるだろうと。

節と国生の村びとの間には、ひとかたでない考え方のへだたりがあったが、節はわりあい、その差違のありようというものを正確につかんでいたと言ってもよい。その上で、やはり言うべきことを言おうと心に決めているのだった。そういう点では、節もまたテコでも動かないほど頑固だった。

村のことは、ほっておけばそれまでのことである。もともと、村の中では孤立している節にはその方が似合っているだろう。それを承知で、あえて村のことにかかわり合って行くとき、節は胸の奥底に、むかし子規に言われた、君には大責任がある、一村の経営ぐらいには任じなくてはいかぬという言葉が、ちらと動くのを感じるのだった。

節が大和芋を送ったのに対して、子規がそういう言葉を記した礼状をよこしたことは前述しているが、子規はその手紙の中で、つぎのように具体的なこともものべていた。「君は自ら率先して村の地を開かねばならぬ。学校も立てるが善い。村民の子弟の少し俊秀ともいふべき者ならば君は学費を出して、(若しくは村費を出して)東京へでも水戸へでも出し、簡易農学校位を修業させてやるが善い。其外農談会とか幻燈会とかを開いて村民に智識を与へねばならぬ」、そしてつぎに、「一家の私事だけでも忙しいといふやうな能無しでは役に立たぬ。其傍で一村の経営位には任じなくては行かぬ」と節をはげましたのである。

いずれは村の役に立つことになる梅林の枝を剪定しているときなどにも、節は子規のその手紙を思い出すことがあった。そして子規の教訓どおりにはいかなくとも、あのときの叱咤激励はほそぼそと生き残っているなと思い、そのことを満足に思うのだった。盆踊りの風俗取締りも、節の気持の中では、子規の「此芋が君の村で今初めて植ゑたといふ程なら君の村は実に開けて居らぬ野蛮村に違ひない」という手紙の文句につながっている。手を抜くわけにはいかなかった。

しかし節の体調は、季節のいい秋になってもいっこうに回復しなかった。喉の痛みはあまり気にならなかったが、はじめは風邪と思っていた微熱がいつになってもとれず、節は物憂く不安な日日を過ごした。

福岡の久保博士から、全治の診断をうけて帰郷したのが四月末である。そのあと節は、しばらく遠ざかっていた農事の指揮に没頭し、夜は夜で耕作地別の大麦、陸稲、馬鈴薯、大豆、秋そば、にらなどの作付け計画、それに要する肥料の計算と堆肥造成計画などをつくり上げた。こまかくて骨の折れる仕事だった。

夏ごろからの身体の不調は、風邪ではなく、帰郷以来のそういう無理が引き金になった喉頭結核の再発ではないかというのが、節の不安の中身だった。

十月になっても、体調は回復するどころか、ますますわるくなるように思われた。節は、そのままの身体で寒い冬をむかえるのが不安で、一度上京して橋田医院か金沢医院で診察をうけ、診察の結果によっては、鎌倉あたりに転地療養したいと考えるようになった。父の源次郎が、やはり微熱がつづき、少し無理をすると高熱を発するというぐあいで、ひきつづき妹のとつぎ先である河間村の奥田医院に入院しているので、はたしてのんびりと転地療養などということが出来るかどうかはわからなかったが、再発の気配があれば遠慮はしていられないとも思うのだった。

十一月七日に、節は上京した。節はひさしぶりの上京なので博物館に行き、開催中の文展を見た。そして病院の診察をうけたが、こちらは意外にも格別の心配はないという診断だった。その診断に安心した節は、定宿にしている下谷上車坂の那須館に十日近くも滞在して東京の用を済まし、十五日に国生にもどった。村の木木は葉を落としはじめていた。

しかし異常は認められないという診断にもかかわらず、帰郷後も、節の体調はいっこうによくならなかった。それだけでなく、寒くなるにつれて、病状は少しずつ悪化する

ようにも思われた。息をひそめている節のまわりで、日は一日ずつ寒い冬にむかってい
そぎ、晴れの日も曇りの日も、台地特有の西風が吹くようになった。そういう日は、雑
木林の枯葉は、枝をはなれて小鳥の群のように天空に舞い上がった。
十二月に入ると間もなく、ついに高熱が現われて来た。節は連日三十八度以上の熱に
悩まされ、その上咳がはげしくなったので、午後は大てい寝てすごすようになってしま
った。しかし父が奥田医院に入院したまま退院のめどもつかないので、鎌倉か平塚か、
あたたかい土地に転地したいというのぞみもかなわなかった。節は岡麓に手紙を書き、
咳の特効薬を送ってくれるように頼んだ。彩雲閣書房の経営に失敗した岡は、その年の
三月には私立聖心女子学院の習字科教師となり、十月からは徳川達道伯爵家の文庫に勤
めていた。

節はそのころ、かねて習いおぼえていた岡田式静坐法とか、玄米食とか、身体にいい
と言われる医療外のさまざまな健康法も試みていたが、効果はあきらかではなかった。
熱は依然として高く、肋骨のあたりが痛み、十二月の半ば過ぎになると、今度は喉がは
げしく痛んできた。

たまりかねて、節は年の暮を目前にひかえた十二月二十三日に上京すると、神田金沢
町の金沢医院をたずねて神尾医学士の診察を受けた。

そして、その診察で喉の軟骨部分に米粒の半分ぐらいの潰瘍が発見されたのである。
喉頭結核の再発だった。十二月二十七日と三十日の二回の手術で、節は患部を切除して

もらった。

節はそのまま金沢医院に入院して回復を待ったが、高熱がとれ、食欲が出たせいか体重がふえたものの、三十七度台の微熱が依然としてつづき、血痰が出たりした。肋骨も相変らず痛んだ。

こういう症状は、あきらかに肺結核が進行中であることを示すものだったが、神尾医学士は節にそのことを告げなかった。しかし喉に潰瘍を発見した最初の診察のとき、神尾はいったん平塚の海岸あたりに転地療養することをしきりにすすめた。手術はあたたかい春になってからでいい、という意見だったが、あるいはそのすすめは肺結核を疑った上での勧告だったかも知れない。

しかし入院の目的である潰瘍の処置は終ったので、節は病院で新年を迎えると、外出して歩き回ったりつぎつぎとおとずれる見舞客と話しこんだり、茂吉に批評を頼まれている歌集「赤光」を夜おそくまで読んだりしながら退院の機会を窺った。「赤光」は前年の十月に東雲堂から発行された茂吉の処女歌集で、はやくも高い世評を得ていた。

節が退院をいそがなかったのは、手術を終えたにもかかわらず、体調がすっきりと回復しなかったことと、転地しようかどうしようかと、退院後の身の振り方に迷っていたためである。

手術を終えた当時は、節は退院したら、家にはちょっと寄るぐらいにしてすぐに転地先に出発するつもりでいた。そのために病院から、母に農事の手順と使用人の雇傭問題を指示する長文の手紙を書いたのだが、その後母のたかまで身体のぐあいがわるいことがわかって、計画どおりには行きそうもないと思いはじめていたのである。

そして結局は母のたかの病気が、節の退院を決めることになった。ぐあいがわるいと言っても、入院するほどではあるまいと思っていた母の病気が非常にわるいという知らせがとどき、節は一月二十三日、にわかに退院帰郷した。帰途神崎の寺田憲をたずねて一泊し、家に帰ったのは翌二十四日である。

しかし帰宅してからも節の体調は依然として不安定だった。喉に痛みがあり、鼻風邪が抜けなかった。二十六日の日記に、節は「夕刻散歩を試みて体温を験するに七・五に近し。寒気に触れたる故ならん」と記した。わずかの散歩にも熱が上がるのだった。

それでも家にいれば家の用があった。節は屋根替えの職人を指図したり、風の中を外に出て、林の中で作業している使用人を見に行ったりした。微熱は執拗につづき、肋骨の痛みも消えなかった。

二月の八日、九日には雪が降った。骨を刺して来る寒気が台地の村を包み、節は食欲がなかった。鏡を見ると、血色の衰えた青白い顔がうつった。節は日記に「早々転地せざるべからず」と書いた。十二日は下妻の親戚である中岫医院をたずね、光明寺に一泊して帰ったが、渡し場から家まで歩いて体温をはかってみると、三十八度三分の高熱が出ていた。

節は母を中岫医院に入院させる手配をしてから、栃木県足利町にいる妹のはなに手紙を書いた。「小生去月下旬帰宅後非常に工合宜しからず、在京中は廿日間位に一貫匁も体重を増し候処、帰宅後すつかり減少して上京前と容態少しの変りもなく相成申候　三四日中に伊豆の伊東へ転地の筈に候故、此度は少し気長に療養可致候　母は六十日来臥床（中略）中岫の病室に参り注射して貰ふことに相成居り候へば、暫の内家には誰も居らぬことに成可申候　下妻の祖母に留守を頼み、親子三人皆みじめに有之候」

父は河間村の奥田医院に、母は下妻の中岫医院にそれぞれ入院し、祖母と一緒に家に残る節もまた病人だった。節は客を迎えて対談しても、あとで悪寒に襲われ、三月一日にはまた三十八度六分という高熱に見舞われた。

それから半月ほどして一応の回復をみた母が退院して来ると、待ちかねたように節は上京した。金沢医院で診察をうけ、神尾医学士との話合いの結果今度は旧知の橋田内科医院に入院することになった。三月十四日である。節は転地の希望を捨てていなかったが、取りあえず入院して病状を落ちつかせる必要があったのである。

橋田医院の診断は、喉の方はあまり心配がなく、ただ左肺の気管支に加答児（カタル）を起こした形跡があるが、それもいまは消えかけているというものだった。予想外の診察結果に、節は安堵の息をつく思いだった。頬骨が出るほど身体が痩せ、顔色はわるく、高熱がつづいていたので、節はもっと病状が悪化しているものと思いこんでいたのである。

節のほっとした気分がよい方に影響したのか、上京、入院した当日には三十八度五分もあった熱が、翌日は七度台にさがり、四日後の十八日には六度台にまでさがった。

橋田医院は、節が二十歳のころにチフスで入院して以来の気心の知れた病院で、節が根岸養生院に入院していたころに、弟の順次郎も同じチフスで入院している。小井土ぬい子という附添看護婦を頼んで入院生活をととのえながら、節は一カ月ほども療養すれば伊豆に転地出来るだろうと、はじめてあかるい見通しを持つことが出来た。親子三人がばらばらに熱を出して病臥していた冬の間のことが、病室の硝子窓からさしこむ早春の日射しを眺めていると、まるで信じがたい悪夢のように思われて来るのだった。

暗いトンネルに似た冬の暮らしから抜け出して、むしろあかるいのぞみを抱いて新しい入院生活に入った節にとって、寺田憲からとどいた三月二十二日夜の手紙は、わずかながら暗い影を投げかけるものだった。

節は今度の入院費用を賄うために、手もとにあった柳里恭（りゅうりきょう）の孔雀の絵を寺田憲に買ってもらい、二日前に内金の百円を受けとったばかりだった。その絵は、節が左千夫から譲りうけたものだったが、表装を変えようと東京の業者に送ったところ贋作だと言われたと、寺田の手紙は言って来たのである。

ところが寺田は、つづけて同じ日附けで、たとえ贋物だとしても、売買の約束は約束でそのまま譲りうけるつもりだから、そのように承知してもらいたいという便りを送って来た。その便りは翌朝にとどいた。贋物と聞いてびっくりして節に通報したものの、寺田はすぐに、絵を売る気になった節の経済事情というものを思い返したに違いなかった。贋物だから約束はないことにする、内金も返してもらいたいと言われては、贋物を売りつけた恥ずかしさもさることながら、節はたちまち金に困ることになるだろう。

寺田の二通目の便りには、そういう心配りがありありと出ていた。

――まいったなあ。

節は昨夜の手紙で眠れぬ思いをしたために、寺田の追いかけての便りが有難かった。ただかぎりなく恥ずかしかった。恥ずかしかったが、当面は寺田の好意にすがるほかはないこともわかっていた。

――貧しいと……。

思わぬところで恥をかくものだな、とも思った。そして不意に、これは柳里恭だと太鼓判をおしたときの左千夫の顔を思い出していた。左千夫からその軸をもとめるために、節は秘蔵していた子規の遺墨を岡麓に売って金をつくり、それがまわりに洩れて河東碧梧桐に叱られたのである。

何が間違いないだ、ぺてん師め、と節はうかんで来た左千夫の面影にむかって、胸の中で罵りの声を投げたが、べつに正直に怒っているわけでもなかった。死なれてみると、故人の自信満満の断定癖も懐かしいものに思われた。

二

寺田憲に詫び状を書いた三月二十三日に、節は母にも手紙を書いた。絵を送ってもらう用件のほかに、農事のこと、庭の始末のことなどを記し、封筒に「錦町を綿町など丶書いては困り申候」と小言まで書き加えた手紙である。橋田医院は神田区錦町にあった。
同じ日、節は原宿に住む平福百穂に一枚のハガキを書いた。「(前略) 小生としては大変な事情のもとに是非欲しいのですから、あの毬(まり)を二つ程また筆執つていたゞきたいのです、事情はいつか判明しようと思ひますから聞かないで下さい、只お願ひ致します」という文面である。

節は、退院して発熱に苦しんでいた三月はじめのころに、福島の門間春雄にあてた手紙の中で、「私は自分の家が丁度霜枯の曠野の中に居る様な心持で、帰りさへすれば何時でも不快な心持にばかり成つて居ます」と書いたことがある。

普通のひととは逆に、家は節にとって絶え間ない緊張を強いられる場所だった。農事の管理、借財のやりくり、親戚づき合い、そして病身の父母、病身の自分。どの一カ所がバランスを失ってもがらがらと崩壊してしまいそうな長塚という家を支えるために、節の気持はいつも張りつめて身構えていなければならないのである。長い間節はそうして来たのだ。

節は奥田医院に入院している父の行動にさえ眼をくばって、県会がはじまると父は無理にも出席すると言い出すかも知れないが、決して水戸へはやらないようにと、妹夫婦に頼みこんだ。その手紙の中に、「久しき前明治廿九年には些細のことに出県して、弄(ろう)花(か)に時を費し今目前に斃るべき祖父のあるを知りつゝ荏苒(じんぜん)として死去の報の到るまで帰るの心もなかりし程の人なれば」云云と、二十年も前のことを持ち出して、必要以上に父に対する不信をむき出しにしたのも、長年にわたる家の管理に疲れて、ゆとりを失った心のなせるわざだったのである。

しかし神田錦町の橋田医院に入院してしばらくすると、節は借財、病気、寒さなど、外部から来る警戒すべきものに対して鋭く尖っていた気分が、徐徐に穏やかに静まって行くのを感じるのだった。

家のことが心配でないことはなかったが、はなれていればそれも一枚の薄紙をへだてたようで、現実感はやや稀薄だった。寒さはやわらぎ、日の光には日一日と力が加わり、あれほど嫌悪した冬は遠ざかりつつあった。病気を抱える身体さえ、ここでは他人まかせでよかった。二十年前に入院したときに、節の附添いについた安達看護婦が、いまは看護婦長で、行きとどいた看護と心配りをしてくれることも心強かった。

暮らしの現実から隔離されて、さまざまな自己抑制から解放された節が、もともと内部に存在する、やわらかい歌人の心を取りもどすのは早かった。そういうやわらかな解放された気分の中で、節がある日、かつての婚約者である黒田てる子を思い出し、平福百穂が手がきの絵を描いてくれる毬を送りたいと、いささかロマンチックな贈り物を考えたとしても、さほど不思議とは言えないだろう。

節はひとを通して、てる子がまだ独身で、依然として兄の家に寄寓していることを知っていた。そして、国生に閉じこもって暮らしと病気に追われているときは、いかにも遠いひとだった黒田てる子は、上京して病院の一室で思いうかべると、おどろくほど身近に感じられる女性でもあったのである。

　平福百穂が、注文の毬三個を持って来たのは、翌月の十八日である。節はその毬を一週間ほど手もとに置いて眺めた。ロマンチックな思いつきに駆られて毬を手に入れたものの、黒田てる子はいまは他人である。そんな品を送りつけていいものだろうかと、改めて迷ったのである。

「きれいな毬ですね」

　ある日とうとう、附添いの小井土看護婦が言った。色白で気性の素直な小井土は、最近ようやく節に馴れて来て用事以外の話もかわすようになっていた。

「とても大切そうにしていらっしゃいますけど、どうなさるんですか」

「ひとに送るんだ」

　と節は言った。小井土にどうするのかと聞かれて、やっと送る決心がついたようだった。

「小井土さん、あなた午後から外に出たら、このぐらいの箱とね……」

　節は手で箱の大きさを示した。

「それから小包みをつくる包装紙と紐を買って来てくれませんか」

「全部お送りになるんですか」

　小井土看護婦は残念そうに言った。

　毬を受け取った黒田てる子がどう思おうとかまわない、と節は思っていた。ただ自分が入院中であることぐらいは知らせても、罪にはなるまいと思ったのである。しかし、そう思う気持の下から、ひょっとして礼状ぐらいはくれないものだろうかと、はかないのぞみもかけないわけにはいかなかった。

それより前の四月五日に、節は約束を取りつけて、学会に出席するため上京した久保博士を上野の精養軒にたずね、診察を受けていた。博士は節の訴えを聞いたあと、丁寧に診察してから、やはり喉の患部を焼くのがよさそうだと言った。しかし東京には焼灼治療を行なう医師はいないので、五月になったら節がまた九大医学部附属病院をたずねることを約束したのである。

節の転地療養というものは、このようにしていつも計画だけで潰れてしまうのだが、寒い冬の間はひたすら別天地のように思われる湘南海岸なども、冬が去って季候がよくなると、さほどの魅力を感じなくなることも事実だった。ともあれ今度も、節は橋田医院である程度体調を回復したら転地するという計画をご破算にして、直接の治療に惹かれて九州に行くことになったのである。

久保博士とその約束をしたあと、節は四月いっぱいぐらいは橋田医院でそのまま養生をつづけ、最も季候のいい五月ごろに九州に行くつもりでいた。その計画を決めると、はやくも旅好きの本性がむくりと頭をもたげて、節は九州行きを知らせた平福あてのハガキに、「途中奈良の藤は見申度候」と書いた。

その五月が近づいて来ていたが、橋田医院の丁寧な看護にもかかわらず、節の体調は思ったほどに回復しなかった。気管支加答児は消えているという診断なのに、熱は依然として高めで、ともすれば三十七度を越え、体重はふえなかった。節は神経質になって不眠がちになり、また食欲もあまりなかった。

平福百穂に毬を頼んだころの、はずんだ気分は消えて、節はこんな身体で九州まで行けるだろうかと、不安に思うこともあった。黒田てる子に毬を送るときに、しばらく迷ったのもそういう事情が影を落としていなかったとは言えない。そして節は、毬を送ったものの その贈り物の見返りに、さほど大きなものを期待したわけではなかった。

ところが、黒田てる子の礼状は即座にとどいたのである。節が送った毬は四月二十六日夜にとどき、てる子は翌日すぐに、「御恵み下さいました御品たしかに拝受致しました。あまり思いの外でしたので不意の驚きもまぢつてどんなにうれしう御座いましたでせう」という手紙を書いて送って来たのだった。

のちに節が「アララギ」に発表する「鍼の如く」の中に、「病院の生活も既に久しく成りける程に四月廿七日、夜おそく手紙つきぬ、女の手なり」と前書して、

春雨にぬれてとゞけば見すまじき手紙の糊もはげて居にけり

と歌った手紙である。手紙によると、毬の小包みは、兄の昌恵が当直で不在、同居している弟も遊びに出かけていたというちょうどつごうのいい時間にとどいて、無事にてる子の手に入ったのである。

てる子は、その毬をしばらくは誰にも見せずに自分一人だけのものにしておくつもり

だと、いわゆる良家の子女らしく家族に秘密を持つ罪悪感をにおわせながらもそう書き、手紙の最後の方には、これも若い女性特有の用心深い筆づかいながら、ひょっとしたら病院をたずねるかもしれない、ともほのめかしていた。

てる子の手紙は、節を興奮させた。節は繰り返して手紙を読んだが、そのたびに胸の中に喜びが湧き上がるのを押さえられなかった。節を喜ばせたのは、てる子の手紙にある、一種の内輪なものの言い方だった。あのひとは、自分を忘れていなかったのだ、と節は思った。

だが、興奮がさめてみると、黒田てる子が病院をおとずれることはあり得ない、と思われて来るようだった。三年前のことを思い出したのである。三年前に、てる子は前触れもなく根岸養生院に見舞いに現われたのだが、不運なことに節はちょうどその日は外出していて二人は会えなかった。そして、そのあと再訪をねがって書き送った、一、二通にとどまらない節の手紙には何の返事もなく、てる子本人も現われず、節はいかにもみじめな気分を味わったのである。

その当時は半信半疑だったが、節はいまでは、そのとき二人をへだてたのは黒田の家族、正確には東京にいるてる子の保護者である兄の昌恵ではなかったかと推測しているのだった。そして昌恵が医師である以上、そういう措置をとるのは無理からぬことだったと認めてもいるのである。てる子が見舞いに来るのはむずかしかろう、と思い、礼状が来ただけでも満足すべきだと思った。しかし一抹のさびしさは消えなかった。

四月三十日に、節は斎藤茂吉を勤め先の巣鴨病院にたずねた。それから勤めを退けた茂吉と一緒に市電に乗り、小石川上富坂町のいろは館にいる島木赤彦をたずねて行った。赤彦はその年の三月、諏訪郡視学を退職して四月中旬に出京し、いろは館に下宿しながら私立淑徳高等女学校で国語、漢文を教え、かたわら「アララギ」の編集にあたっていた。節と茂吉が行ったとき、赤彦の部屋には太田水穂と中村憲吉がいた。

そして間もなく用事がある水穂が帰ると、残る四人は外に出て、伝通院前のそば屋に入って少し酒をのんでからそばを喰べた。病人の節は酒はのまずにそばだけを喰べたが、喰べおわると赤彦にむかって、だしぬけに僕は生涯さびしい人間なんだと、二度も言った。赤彦の眼には、節が非常に興奮しているように映った。

そば屋を出ると、外は暗く遠くにある街灯のあかりで辛うじて足もとの道が見えた。四人は縦一列にならぶ形で夜道を歩いて行ったが、広い通りに出たところで節が立ちどまった。うしろにいた赤彦が節に追いついてならび、茂吉と憲吉はぶらぶらと先に歩いて行った。

「久保田君、僕は生涯一人なんだ」

追いついた赤彦を見て、またしても節はそう言った。静かな言い方だったが、声音には切迫した感じがあって、赤彦は胸にその言葉が突きささるのを感じた。

三

ところが黒田てる子は、節が予想していたよりも、性格にもっと果敢なところがある女性だったのである。齢も二十五歳で、三年前にくらべればいささか大人になっていたとも言えるだろうが、ともあれてる子は節の危惧や、半ばあきらめに傾いた予想をあっさりと打ち破る形で、いきなり節の前に姿を現わしたのである。五月三日のことだった。

「お加減はいかがですか」

挨拶をかわし、あらためて絵入りの毬の礼を言ったあとで、黒田てる子はそう言った。眼尻が上がったやや勝気そうな顔をしていたが、声はうつくしくもの静かだった。

「ごらんのとおりです」

節は病気のあらましを話した。近く九州に行くことも隠さずに打ち明けた。てる子は顔を少し横に傾けるようにして、眼を伏せて聞いていたが、節が話し終ると顔を上げて大変でございますねと言った。

てる子は、まっすぐに節の顔を見つめながら言った。

「でも、すっかりなおしてしまうためには、九州行きも致し方ございますまいね」

「ええ、そう思っています」

と節は言った。節はてる子の言い方の中に、やはり手紙から感じたのと同じ、かすかに内輪な感じが籠っているような気がして、若い女性を前にした緊張がゆるやかにとけるのを感じた。

節が九州の風物のことを話し、てる子がいろいろと質問して、少し時が経ってから、てる子が不意に言った。

「お歌の方は、その後いかがですか。お出来になりますか」

「ええ、去年はまったく作れませんでしたがね。最近になって、また少しずつ出来るようになりました」

左千夫が死去してから、節と茂吉や千樫、赤彦ら「アララギ」同人とのつき合いは、以前より頻繁になった。

ひとつは昨年暮から今年にかけて、節が二度も上京して入院したために、「アララギ」同人が節を見舞う機会がふえ、見舞いに現われれば、話はおのずから「アララギ」のこと、あるいは短歌のことにおよんで交際が深まったということだったが、もうひとつ左千夫を失った茂吉や千樫が、残る先輩歌人として、つとめて節の意見を聞く態度を示しはじめたことも一因になっていた。

たとえば「アララギ」四月号に載った節の文章「茂吉に与ふ」、「千樫に与ふ」は、最近の「アララギ」の中に、茂吉の模倣が蔓延していることをきびしくいましめたハガキとか、歌の品位を論じた通信とかを編集して掲載したもので、そういうところにも、若い同人たちが積極的に節の言うことに耳を傾けようとする姿勢が現われているのだった。

彼らとのそういう交際が刺戟にならないはずはなく、節は四月に入ってから少しずつ歌が出来た。しかし、夜眠れないままに歌を考えるということもあり、歌は不眠症の産物とも言えるものだった。

節はそういう話をしてから、にが笑いしながら言った。

「一昨年は、あなたのことをずいぶんと歌に詠んだのです。あなたが根岸の病院に見舞いに来られたのをおぼえていますか」

「はい」

「あのあとです。僕はずいぶん手紙をさし上げたのですが、ご返事をもらえなかった。それで歌をつくったのです」

「……？」

てる子は怪訝な顔で節を見た。

「そのお手紙、わたくしは頂戴しておりませんことよ」

「そうですか」

節はそれで事情がのみこめたが、それ以上は言わなかった。それじゃ、何かの手違いでとどかなかったのでしょうと言った。

「そのときの歌は、『アララギ』という短歌雑誌に載っています」

「あらッ」

と、てる子は叫んだ。それまで落ちついて話していたひとが急に顔を赤くし、少女めいたしぐさで顔を両手で押さえた。

「ほんとですか。ちっとも存じませんでした」

「ほんとです。といっても、むろんあなたのお名前は出していませんから、ご心配なく。ただ、ずいぶんと山茶花の歌が出て来まして、その山茶花があなたなのです」

「まあ」

とてる子は言った。そして、思いがけなく軽くにらむような眼で節を見た。

「でも、そういうご事情でしたら、さぞかしわたくしを憎いと思って、歌をおつくりになったのでしょうね」

「そんなことはありません」

てる子の親しみをこめた眼に刺戟され、節は浮き浮きした気分で、自分でも軽薄だと思うような言葉を口にした。

「恋しい恋しいと思いながらつくったのです。読んでもらえばわかります」

「まあ」

とてる子は言い、黒い眼をみはって節を見た。二人は同時に笑い出した。笑いやむと、てる子はしんみりした顔いろになって言った。

「長塚さん、どうぞしっかりとご病気をなおしてくださいませ」

「ええ、そうします」

答えながら、節は眼の前にむっとあたたかい生身の身体を持ってる子がいて、笑ったり話したりしているのが信じがたいことのように思われて来るのだった。節は幸福感につつまれていた。

だがその幸福感は、帰るてる子を玄関まで見送って病室にもどると、間もなく消えた。てる子が昼前に来てそのまま話しこんだので、節は昼の食事をしていなかった。そのせいか、身体に力がないようで顔が熱く、節はベッドに腰かけてあわただしく体温をはかった。

心配した熱は上がっていなかったが、さっきまでの幸福感はもどっては来なかった。節は体温計を枕もとの箱にもどすと、硝子窓の外に見える小雨をじっと見つめた。雨は節の心の中までしめらせるように、小やみなく降っていた。時間は午後三時すぎだろうと思われた。

節がつよく感じているのは、黒田てる子が一点のシミもない健康人だということだった。そして自分の方はまぎれもない病人だということだった。てる子のそばにいると、そういうことがじつによく見えた。てる子を自分のそばに近づけたくない昌恵の気持もよくわかった。

てる子は病気をなおせと言い、回復を疑いもしない口ぶりだったが、もう何年も同じ病気に悩まされて来た節は、いささか自分の持病の手強さを知っていた。簡単にはなおる病気ではなかろうと思うのだ。そしててる子はもう二十五歳である。結婚の適齢期を過ぎようとしていた。

――釣り合う縁ではない。

と節は思っていた。世間知らずのてる子に、よけいなのぞみを抱かせるべきではなかった。うすうすそれがわかっていながらさっきは歯の浮くようなことを言ったりして、女たらしめと、節は自分を責めた。三十も半ばを過ぎた男のとるべき態度ではなかったと、痛切に反省したのである。

「検温、何度でしたか？」

部屋の入口に現われた小井土ぬい子がそう言ったが、振りむいた節の険しい表情におどろいたように、そこに立ち竦んだ。

四

てる子は翌日すぐに手紙をよこした。昂揚した気分をそのまま書き写したようなたわいもないおしゃべりが大部分の、長文の手紙だった。そしててる子はそのあとも六日、十日とつづけざまに病院をたずねて来た。

六日は、節は朝から微熱があって気分がすぐれない日だったが、てる子が菓子折と花を持っておとずれると、なるべく二人の間にへだてを置こうと決心したことも忘れて話しこんでしまった。てる子は夕方の四時ごろに現われ、帰ったのは夜の九時だった。

見舞いの花はきんせん、ひめじょおん、おだまき、立ふじ、牡丹などで、てる子が帰ったあと、ぽっかりと空虚になった部屋で、薬壜にいけたそれらの草花を眺めていると、疲れて微熱が出ている節の脳裏に、喜びと悲哀の感情がこもごもに浮かんで来るのだった。

てる子は十日にも、鉄砲百合とスイートピーを持って現われ、午後二時から夜の九時まで話して行った。てる子と話していると、彼女がいかに世間にうとい無垢の女性であるかがよくわかるのだった。節はその夜の日記に、「彼女の帰りし後はいつも心中に泣く」と書き記した。

てる子と話している時間は、たのしかった。半日ぐらいはあっという間に経ってしまうのである。しかし節は、いつまでも先にのぞみのないつき合いをつづけてもいられないだろうと思っていた。そのことを、病気は療養すればなおると無邪気に信じているてる子に、率直に話すべきだと思った。

――ただし……。

てる子が、世間並みのしあわせを得る道をえらぼうとしないで、あくまでもこちらの病気がなおるのを待つと言うのなら、話はべつだとも思った。そう思ったのは、てる子に対する未練ごころからだったろう。節も、いまこの時期にてる子を失うのは堪えがたかったのである。

それでも、残る理性が、先にのぞみのないいまの状況を残らず打ちあけて、その上で別れるにしろ待つにしろ、てる子の気持にまかせるべきだと節にささやきかけていた。そしてそれをやるのははやいほどいいと節は思った。ぐずぐずと結論を先にのばして、結果的にてる子の気持をもてあそぶようなことになるのを、節はもっとも嫌い、また恐れてもいた。

五月十三日は、昨夜よく眠れたためか朝から気分がよかった。熱もなかったので、節は不意に思い立って本郷東片町の家にてる子を訪問した。

しかしてる子の決心を聞くと言っても、話合いの結果は節がのぞんでいたような、すっきりした形の結論が出たわけではなかった。それとなく話を切り出したものの、まだ世間の波にもまれたことのないてる子に先行きの結論を出させようというのが、いかに無理な話かはすぐにわかったのである。ただはっきりしたのは、てる子がまったく純粋な気持から節を慕い、病気の回復をねがっているということだった。

——要するに……。

病気次第なのだ、と思いながら節は病院にもどった。病気がなおるかどうかが、すべての問題の鍵だった。その点がはっきりしないことには、誰も二人の将来に関して結論を出すことなどは出来ないのだった。

だが、節は一応てる子の気持をたしかめたことに満足し、十五日にはかつててる子との婚約をまとめてくれた父の政友松山貫道に手紙を書いた。

「(前略) 遂近頃に成つてからしみ〲と人の情もうれしく、人の為め自分のため、いろ〲と考へさせられることがあります。私は従来幾らか人の心理に就いて理解があるやうに思つて居たのでありましたが、それはまるで間違つて居たといふことを漸く知りました、実は一つもわかりはしなかつたのです (中略)、こんなことでは決して何をいふのかおわかりには成りますまいが、今はこれだけを申上げて置きます、是非お目にかゝりたいと思つて居ることがありますが、当分は望が叶ひますまい、事件というても、非常に小さなことですが、見やうによつては、決して軽々しい訳ではなく、困つて居るものがあります、私に関聯して居ますから、私も心を労します、それが直接あなたにお話しすれば、大変いゝ結果を生ずることゝ信ずるのですが、今は其機運が熟さないのだから、仕方がないのでせう」

このまわりくどい手紙で、節は松山貫道に、いずれ黒田てる子のことで相談したいと予告したのである。節は九州から帰ったら、松山をたずねるつもりでいた。前途にわずかな光をのぞむような気持だった。

そして五月二十二日になって、節に二通の便りがとどいた。一通は差出人の名前がない封緘(ふうかん)葉書だったが、あきらかに黒田てる子が出したもので、通話中で電話が通じないので郵便局でこの葉書を書いていると記し、兄の昌恵に、節の十三日の訪問のことを話したこと、万事は無事に許してもらえるだろうという楽観的な見通しなどを書き記していた。

もう一通は封書で、てる子の兄昌恵から来たものだった。封書の中身は短かかったが、読みくだした節の顔から血の気がひいた。そこにはてる子が葉書で言って来たことはむろん、節の気持の中にある一縷ののぞみまで粉粉に打ちくだくような文言が記されていたのである。

「年来久濶　多謝々」ではじまる手紙はいきなり、「小生の留守宅御訪問之儀ハ甚だ迷わくに存じ候条御遠慮被下度御賢察ヒ下度候」と述べていた。用件があれば直接に自分に言ってくれと言い、「古語に曰く　人生は意気に感ずとか一寸老婆心にて書添申候」、そして賢明なる長塚節殿と結んでいた。文面から迫って来るのは、痛烈な拒否の意志である。

十三日の訪問で、節はてる子に過大な負担をかけすぎたのだった。兄の留守中に節が来たこと、それとなく将来に対する考えをもとめられたこと、そのいずれもてる子には兄に秘密にしておくには重すぎる負担だったのだろう。そのことを告白した結果が、昌恵の一片の同情もない怒りの手紙になったのである。

その日の日記に、節は「黒田昌恵氏の手紙とゞく。熱湯を被りし感あり」と書いた。ロマンチックな夢は粉ごなにくだけ散ってしまったのであった。その夜、節は眠れなかった。

小夜ふけてあいろもわかず悶ゆれば明日は疲れて復た眠るらむ
すべもなく髪をさすればさら〳〵と響きて耳は冴えにけるかも
やはらかきくゝり枕の蕎麦殻も耳にはきしむ身じろぐたびに
ゆくりなく手もておもてを掩へればあな煩はし我が手なれども

のちに「鍼の如く」其の二の冒頭にならぶこれらの歌は、その夜のことを詠んだものである。翌日の朝、節はてる子に手紙を書いたものの、出す決心がつかずそのままになった。節はその日の日記に、「終日悲しみ去りやらず」と書いた。翌日の日記にも、「終日悲し」と書いた。

節がようやく立ち直って、てる子にあてた別れをつげる手紙と、これまでもらったてる子の手紙に扇をそえた小包みを発送したのが五月二十七日だった。同じ日、節は黒田昌恵あてに、昌恵の勤務する東大医学部附属小石川分院の方に手紙を出した。詫び状である。節は「多少の分別も可有之筈にて如此の仕儀、御挨拶申上候ことも汗顔の至りに有之候へども、只御詫仕り度、右申すすめ候」と書き、自分は一両日中に福岡に行くつもりだということを追記した。

てる子からは、折返し返事が来た。てる子は兄に、節から手紙をもらうのはいいが、返事を書くのは禁止されたと書いていた。そして、「でも全つ切り御音信がないといふ事は私にとつてどんなにつらい事か御察し下さい。長長とは勿論願ひません。もし或る時は一言でもと思ひます」と節の手紙をもとめ、もし自分の身の上に何かの変りがあるときは禁止を破っても消息を書くつもりだと言っていた。別れをつげた節の手紙をうべなってはいなかった。

長文の手紙はさらにつづいて、気を長く持って病気をなおしてくれと言い、「私はその間はいつまでも心に待つてます。私は誰にでも公言して憚りません。待つものがとう〳〵最後まで来たとてちつともさしつかへがありません。只待つてます。いつまで〳〵待つてます」とも書いていた。

そして、禁じられたために心はさらに燃え上がるのか、黒田てる子は内に秘めた勝気な気性もあらわに、はげしい筆づかいでつぎのように書き記していた。「あなたは是非どうあつても御体をおなほし下さい。何も御考へにならずに只それ丈を念頭にお置き下すつて、どうあつても幾年かゝらうとも丈夫におなり下さい。よござんすか、しかと御願致しますよ」

黒田てる子は火のようになっていたが、しかし節とてる子の兄昌恵との間では、この問題はもう決着がついていたのである。

節は「鍼の如く」其の二の中に、「手紙のはしには必ず癒えよと人のいひこすことのしみ〴〵とうれしけれど」と前書して、

ひたすらに病癒えなとおもへども悲しきときは飯減りにけり

と歌った。

そのころ、島木赤彦は「鍼の如く」と題する短歌作品の原稿をもらうために、ひんぱんに節に会っていた。そして四月末の夜、節の「生涯淋しい」という告白を聞いてなぐさめの手紙を出したことから、その後は直接に、節の口からてる子との交際の様子を聞かされていた。

そしてあるとき節は赤彦に、黒田てる子が病院訪問を家人に告白して叱られたこと、今後は見舞いには行けないが、きっと病気をなおしてください、いつまでも待っていると書いた手紙をくれたことを話して聞かせた。

節は不眠症と熱のせいか、身体が衰弱して目ばかり光っていたが、赤彦に話す態度は冷静で、聞いている赤彦の方がともすれば感傷に溺れそうになった。話し終ると、節は病院の窓のむこうに見える屋根の上に、苦菜(にがな)の花が白くほうけているのをぼんやり眺めながら、あれを歌につくれないかなとつぶやいたが、赤彦は歌どころではなかった。

赤彦はそのとき、節にむかってある提言をした。赤彦はのちに回顧して、それは節が、そんな切ない話をしながら、少しも取り乱さないことに対する反抗心も加わっていたと述べるのだが、その提言というものは、たとえば駆け落ちしたらどうですか、とかあるいはもっと露骨に、身体を奪うとかいうことであったらしい。

赤彦は長野県下で小学校長、郡視学を勤めた教育者だったが、節のような道徳家ではなく、もっと文人気質の強い人間だった。提言はかなり思い切ったもので、赤彦の回顧によれば、そのころは「頭がグレてゐた」せいだということになるが、しかし赤彦は道徳的な当否はべつとして提言のような方法が、男女の問題を解決するひとつの手段として存在することを、理解していたのである。

赤彦はかさねて、僕なら断然そうすると言った。赤彦は節より二つ年上である。節はうつむいてしばらく考えていた。しかし、顔を上げると「僕にはとても出来んな」ときっぱりとした口調で言った。そのころの節は、赤彦から見ると堪え得べきものをすべて堪えようとしているように見えたという。

節は五月二十九日、赤彦に附添われて橋田医院を退院し、神田金沢町にある三国旅館という旅館にとまった。そして翌日雨が降る中を帰郷した。のちに「鍼の如く」其の二として発表されるつぎの歌は、いずれもこのときの作品である。

病院の一室にこもりける程は心に悩むことおほくいできて自らもまなこの窪めるを覚ゆるまでに成りたれば、いまは只よそに紛らさむことを求むる外にせん術もなく、五月三十日といふに雨いたく降りてわびしかりけれどもおして帰郷す

垂乳根の母が釣りたる青蚊帳をすがしといねつたるみたれども
小さなる蚊帳もこそよきしめやかに雨を聴きつゝやがて眠らむ
蚊帳の外に蚊の声きかずなりし時けうとく我は眠りたるらむ

三十一日、こよひもはやくいねて

厨なるながしのもとに二つ居て蛙鳴く夜を蚊帳釣りにけり
鬼灯を口にふくみて鳴らすごと蛙はなくも夏の浅夜を
なきかはす二つの蛙ひとつ止みひとつまた止みぬ我も眠くなりぬ
短夜の浅きがほどになく蛙ちからなくしてやみにけらしも

夜半月冴えて杉の梢にあり

小夜ふけて厠に立てば懶げに蛙は遠し水足りぬらむ

これらの作品は、節が完全に歌作の勘を取りもどしただけでなく、その上さらに未踏の境地をひらこうとしていることを示すものだった。恋と病気の治療とそのどちらにもやぶれ、疲れ切って帰った節に、故郷のひとも風物もやさしかった。節はむさぼるよう

に、その風物を吸収しては歌にした。

しかしまた、節は九州に出発する前に黒田昌恵に手紙を書き、今後「アララギ」を黒田方に無料送附する手続きを取ったことを知らせるつもりでいた。昌恵がそれを受けいれれば、「アララギ」に掲載される歌は、必ずてる子の眼にふれるのである。歌はときには、節のてる子に対する呼びかけのごときものになるだろう。

「鍼の如く」其の二の最後の歌は、つぎの一首で終る。

暑きころになればいつとても痩せゆくが常ながら、ことしはまして胸のあたり骨あらはなれど、単衣の袂かぜにふくらみてけふは身の衰へをおぼえず、かゝることいくばくもえつゞくべきにあらざれど猶独り心に快からずしもあらず

単衣きてこゝろほがらかになりにけり夏は必ず我れ死なざらむ

五

六月三日に、節は松山貫道と約束した下妻の光明寺に出かけた。一度は貫道に再度仲だちを頼んで、てる子との話をまとめてもらおうかと考えた節だったが、そののぞみはぷっつりと絶えて、あとはてる子との東京でのいきさつを報告することが残っているだけだった。

節の親友三浦義晃によると、節と貫道が入った部屋からは、苦しそうな咳がまじる節の低い話し声と、むせび泣くような声がしばらくつづき、部屋を出て来たときは、節も

松山貫道もともに眼を真赤にしていたという。表向き、節と黒田てる子の関係は、ここでまったく途絶えたのである。

節は六月五日に上京して、神田金沢町の三国旅館に泊り、「アララギ」の人びとに会ったり、展覧会や博覧会を見たあと、七日に東京を出発して九州にむかった。その在京三日の間に、節は思いがけなく黒田てる子に会った。古泉千樫から宿に連絡があって、千樫の家をたずねるとそこにてる子がいたのである。千樫のはからいで二人きりにしてもらったが、出発の時間がせまっていて二人はあわただしく別れたのだった。節は今度の九州行きでは身体をかばい、弟の整四郎が住む静岡、さらに神戸、下関にそれぞれ一泊したので、博多に着いたのは十日の朝である。

節は九州大学前通りの平野旅館に宿をとり、駅止めでさきに送っておいた、平福百穂の秋海棠の絵をみやげにして久保夫人をたずねた。それは袱紗に描いてもらった絵を画幅に仕立てたもので、節はその絵が非常に気に入って、画讃の歌もつくっていた。

その画讃のことを、節はすでに五月のはじめに手紙で久保夫人に知らせていたのだが、絵をわたすと、一緒に持参した「アララギ」六月号に載っているその歌を示した。

「鍼の如く」其の一の冒頭に据えられた、つぎの歌である。

　秋海棠の画に

白埴の瓶こそよけれ霧ながら朝はつめたき水くみにけり

「これです」

と、節は言い、久保夫人に雑誌をわたした。

「すばらしいですわ、長塚さん」

節より五歳下であるが、若いころに落合直文に師事した歌人でもある夫人は、作品の出来、不出来を正しく評価出来る女性だった。

「絵もよろしゅうございますけれども、歌がまた……」

と久保夫人は言い、顔をあげて節を見た。

「すばらしい出来でございますね。これがお便りにあった歌ですね」

「そうです」

「画讃というものは、むつかしいのでございましょ」

「そう言いますね。正岡先生は、絵とつき過ぎずはなれ過ぎずと教えられました」

「あ、そうですか」

久保夫人はのちに清原枴童（かいどう）、高浜虚子に俳句を学ぶようになるが、それよりさき、子供のころに郷里松山で漱石や子規に手ほどきをうけたのが、俳句の道に入るきっかけになっている。

歩んだ道はそれぞれに違っても、もとをたどれば子規につながっているという意識が、節と久保夫人の親しみの核をなしていた。夫人は遠慮のない口調で言った。

「こういうお歌というのは、やはり眼の前にある景色をそのままお詠みになるんですか。俳句では、よくそういうことをいたしますけど」

「いえ、そうとは限りません」

節は秋海棠の画讃の歌が出来たあたりの事情をふり返りながら言った。

「見たままじゃありませんね。むしろ想像の、と言っていいくらいですが、その想像というものは以前に見て心に残っていたものがもとになっていたりして複雑です」

白埴の瓶こそよけれ、という歌が出来たのは今年になってからである。

上京した久保博士を上野の精養軒にたずねた日、節はひと晩中眠れず、明け方にわずかにとろとろとしただけだった。七度を越える熱があったせいでもあるが、ひとつは療養の計画を大きく変更して、三たび九州に行くことになったので、気持が興奮していたようでもあった。

その眠れない夜の間に、ふと気持が歌にむいて、一首の歌が出来た。久保夫人にも画讃の歌のこととはべつに知らせた、「楢の木の嫩葉は白し軟かに単衣の肌に日は透りけり」という歌である。その一首が引き金になって節は翌日の夜も歌が出来、それからは少しずつ歌をつくるようになったのだった。

画讃の白埴の歌はこの時期に出来たのだが、節にはこの歌が、長い間心のなかで歌の形をとるのを待っていて、出来たときはその待っていたものがようやく心の深部から出て来て日の目を見たような気がしたのである。「霧ながら」の措辞が、一首に生命をあたえたようにも思われた。

「家の北側を通って、台地から田圃に降りて行くと川があります」

と節は言った。

「川も岸辺も朝の霧に包まれている。川べに跪いて霧の底の澄んだ流れの水を汲む、それでもいいわけです。また、僕の家の庭には井戸がありまして、霧の朝、その井戸からつめたい水を汲む、それでもいいのです。でも、僕はどうも物足りませんでした」

「……」

「最後にうかんで来たのが、ある泉です。崖下の赤土がむき出しになっているようなところ、台地だか丘だかわかりませんが、上の斜面は雑木林に覆われている、そういう小高い場所の麓にある小さな泉。といっても、水はごぼごぼ湧いているわけではなく、溢れる水が静かにわきに落ちるような泉ですな。そこに霧が立ちこめているのです。霧は雑木林の傾斜にも、泉の上にも澱んでいて、少しずつ動いているのです。夜はやっと明けたばかりで水の上はまだ少し暗くて……」

「よくわかりますわ」

久保夫人は目鼻立ちのきれいな浅黒い顔に、興奮のいろをうかべた。

「その泉から、白い瓶でつめたい水を汲むのですね。すてきですよ、まあ何という……。そのときに歌が出来たのですね」

「そうです」

「それは想像の泉ですか」

「かも知れませんが、ひょっとしたらどこかで見た景色だということもあり得ますな」

節は首をひねった。わかっているのは、いずれにせよその泉の水が、つめたい秋の朝の水を象徴する形で、脳裏にうかんで来たことだった。

脳裏にうかんだといえば、この歌が出来たあとで、節の脳裏にまるでその歌に寄りそうように似合わしいひとつの花がうかび上がって来たのだった。節が好む秋海棠の花である。節が久保夫人に「秋海棠の画讃の歌が只一首あります」と知らせたのは五月一日附けのハガキの中であるが、その時には秋海棠の絵はまだ想像の中にあるだけで、節がその絵を具体的に平福百穂に依頼したのは、それから一週間後のことだった。

だが、その事実を節は夫人には話さなかった。

「こちらも画讃ですね」

久保夫人は、「アララギ」の節の歌が載っているページを押さえながら、「りんどうの画に」と題した一首を示した。

曳き入れて栗毛繋げどわかぬまで櫟林はいろづきにけり

という作品だった。節はこの一首が出来たとき、長く愛して来た紅葉する櫟林を、はじめて表現の手でつかみ取って形象化出来た気がしたのである。

「こちらもまたお見事な……」

夫人は言葉を切ってまた節を見た。

「とても僭越な申しようですけれども、長塚さんは写生から短歌にお入りになって、いまとても高いところまで到りつかれたのじゃございませんかしら」

「おほめにあずかって、恐れいります」

節は少しおどけて笑ったが、むつかしい作歌談義になって疲れを感じていた。

「『アララギ』も若いひとたちがどんどんいい歌をつくりはじめていましてね。斎藤茂吉君の『赤光』などは、あとでお見せしてもよござんすが、なかなかすばらしいものです。僕も負けちゃいられませんから、一所懸命つくっているところです」

「どうぞ、いい歌をお詠みになってくださいませ」

と言ったが、夫人はそこでしげしげと節の顔を見直すようにした。

「長塚さん、この前より少しお痩せになりましたかしら」

「みんなに、そう言われます」

と節は言った。「鍼の如く」其の二として来月の「アララギ」に発表されるはずの歌稿の中に、節は「頬の肉落ちぬと人の驚くに落ちけるかもとさすりても見し」という一首を記していた。

節は半ば癖になった手つきで、頬をなでながら言った。

「これから先生のご都合をうかがって、診ていただくつもりです」

「そうなさいませ。お歌もナニでございますけれども、お身体はもっと大切。入院なさってしっかりとおなおしになるとよろしゅうございますよ」

と久保夫人は言った。

そのあと夫人はすぐに病院にいる久保博士に連絡をとってくれたので、節は幸運にもその日の午後二時半ごろには、博士の診察を受けることが出来た。

その日と翌十一日の診察の所見は「鼻、耳、咽頭異常なし。喉頭　会厭部　瘢痕性治癒、声帯軽く発赤、披裂軟骨部　浅い潰瘍、体温　三十七度七分、喀痰染色　結核菌陽性」というものだった。全治と診断されたときは陰性だった結核菌が、今度は陽性と認められたのである。ただし、診断は慢性喉頭炎だった。

博士はすぐにも入院させたい様子だったが、そのころ九大医学部附属病院は満床で、節はしばらく平野旅館から治療に通って、空き部屋が出来るのを待つことになった。治療は、喉頭部に乳酸液を塗るものだった。

空き部屋待ちの間に、節は第二内科の武谷教授の診察も受けた。この診察は、「アラギ」の中村憲吉の友人である高崎義行助手の好意によるものである。

武谷教授の診察所見は、つぎのようなものだった。「小柄　骨骼菲弱　栄養不良、顔色蒼白、顔面　異常なし　自然、眼球　眼瞼結膜　異常なし、皮膚　正常湿潤　発疹浮腫なし、脈搏　やや頻数　規則的　緊張良　心臓　正常、肺臓　右肺上部及び中部打診音　短　聴診上　湿性ラッセル音を聞く、右肺上部　呼吸音全く微弱、腹部臓器　正常、膝蓋腱反射　やや亢進、喀痰　結核菌陽性、食欲　不良」

武谷教授の診察は、十六日、十八日の二日にわたって行なわれ、節はこのあと二十日になって入院するのだが、入院時のカルテに記された診断は、当初の慢性喉頭炎から「喉頭結核及び右側肺結核」に変更されたのであった。

六

福岡は十五日から雨になった。季節は梅雨に入るようだった。節は雨の中を病院に通い、喉に乳酸液を塗ってもらい、武谷教授の診察を受けたのだが、そのほかの時間は、平野旅館の一室でうつらうつらしながら過ごした。相変らず夜眠れず、そのためか昼に眠く、また絶えず微熱があった。

十九日の朝は気分がよかったので、久保夫人をたずねると、秋海棠の画幅に画讃の歌を書くように頼まれたので、筆をとって書いた。しかしそのあと病院に回って宿にもどると、夕方には三十八度の熱が出ていた。熱は夜になってもあまり下がらず、節はうつらうつらしながら不安でならなかった。

しかしその翌日、節はやっと入院許可を得て、旅館の払いを済ますと午後三時ごろ、雨の中を入院した。病院では節のために二人部屋を一人部屋に模様替えして、そこに節を収容した。喀痰に菌が出ている患者は、隔離病室に入る規定だったがそれも免除され、しかも病院では官費入院の措置をとってくれたので、入院料は無料だった。

節は今度の九州西下のために、寺田憲から金をつごうしてもらっていた。神田の橋田医院を退院するときの百円、九大入院のための費用五十円は、いずれも抵当物件ともいえない贋作の柳里恭を種に、寺田から借りた金である。あとの費用は弟の順次郎からの送金をあてにするしかなかった。そういう状態だったので、官費入院が叶ったことは、思いがけない朗報だった。そういうことはすべて久保博士が手をつくしてくれたのである。

入院した夜、節は不眠をおそれて睡眠剤をもらってのんだが、その薬はききすぎて、翌日久保夫人と妹がベゴニアの花と福島の桜桃を持って見舞いに現われたときも頭が朦朧として、応対するのに苦労するほどだった。それでも官費入院の礼を言うと、久保夫人は、ただで入ってご馳走をたべられればけっこうじゃありませんか、と冗談を言った。しかし病院の食事は粗悪なものだった。

もっとも附添いの費用はいらず、かかりといえば一日一円の食事代だけだったので、節はつとめて食事に金をかけ、栄養を取るようにした。そして冗談を言ったものの、久保夫人も病院食の粗末なことに気づいたらしく、その後時折りお菓子とか惣菜、つくだ煮の類などを差入れてくれたので、節はそういう周囲の人びとの好意につつまれ、恵まれた入院生活に入ったのである。

ただ、病院には蚊と蚤が沢山いて、蚤取りは節の日課になった。また蚊は、ベッドの上に蚊帳を吊るのだがその蚊帳の裾から入って来るのである。節は眠れぬままに、夜のベッドに起き上がって蚤を取り、その数を日記に記した。熱は依然として高めで、三十六度台にさがるのは朝のいっときだけだった。そして梅雨の晴れ間には、空気はおどろくほどに蒸し暑くなった。

二十八日に、節が最近声の調子が変ったことを訴えると、久保博士は右の声帯が赤くなっているせいだと言い、やはり明日は喉を焼いてみましょうと言った。その手術は前日行なうはずだったのが、注射がうまくいかずに取りやめたのである。その日、節は宮崎市に眼科医院を開業している武井準に手紙を書いた。節は青島の宿料はいくらか、汽車はどう行ったらいいかとたずね、「砂にくるまって日光浴をやつたら私の身体には格別宜しからうと思ひます」と書いた。

節は武井が結核を病み、宮崎県の青島に転地療養してなおったという話を忘れていなかったのである。節は九州到着を知らせた寺田憲あての手紙に、「私は今人事の限りを尽すことに成つて居ます、もうどうなつても悔はありません」と書いた。しかし現実に、夜は蚤と蚊に責められて不眠に苦しみ、熱は容易に三十七度台を割らないという心細い日日を送っていると、これまで不思議に果せなかった転地療養ということが、またも頭にうかんで来るのだった。

その翌日、六月二十九日に節は久保博士の手術を受けた。その日は下痢気味で、節は夜明け前に目ざめた。いくらも眠っていなかったが、目ざめると蛙が鳴いていた。節はなつかしくて、そのまま起き上がって病棟を出ると、蛙の声の出所をもとめて未明の松原を散歩した。

手術は成功したが、そのあとも下痢がつづき、夜は三十八度五分という高熱が出た。しかしちょうどその日の午後、待っていた弟の順次郎がたずねて来て、費用のことも当分は心配がなくなったので、節は安堵の息をついたのである。そして安心したせいか、翌日は暑さがひどかったにもかかわらず、熱は三十七度をわずかに越える程度にとどまった。下痢もやんだ。

小布施順次郎は、自分が考案した機械が二台とも今年の一月、二月に特許になり、それがまた二台とも鹿児島の串木野金山に売れたので、その運転結果を見るために招かれて九州に来たのだった。順次郎は父の源次郎に性格が似て、技師というよりも事業家肌のところがあり、節が官費で入院していることを話すと、妙な顔をして「そんなことはしなくとも、金なら僕が送るよ」と言った。

七月二日になって、「アララギ」七月号がとどいた。節は自分の「鍼の如く」其の二を読み返したが、おおよそは満足すべき出来ばえだと思った。その号には、六月号巻頭の「鍼の如く」其の一をほめた佐藤春夫の茂吉あてハガキも載っていた。

春夫のハガキは、「私などの常に望んでしかも到底駄目だと断念して居た境地を立派に韻律化されたのには転た三誦の心に」なったと「鍼の如く」其の一を賞讃し、「うつつなき眠り薬の利きごゝろ……」、「あかしやの花さく蔭の草むしろ……」の二首を挙げて、ことに後者には日常歌を口ずさむときの口調で読んで何とも言えないひびきがあるとほめていた。その批評と、この「アララギ」を黒田てる子も読んだだろうという思いにはげまされて、節はつぎに送る歌稿の整理をはじめた。「アララギ」八月号に掲載されるべき「鍼の如く」其の三である。

六月九日夜、下関の港にて

うつら〳〵髪を刈らせて眠り居る足をつれなく蚊の螫しにけり
十二日
蚊の螫しゝ足を足もてさすりつゝあらぬことなどおもひつゞけし
十四日
脱ぎすてゝ臀のあたりがふくだみしちゞみの単衣ひとり畳みぬ
寝台の下のくらきを払ふこともなく看護婦のよひごとに釣りければ蚊帳の中に蚊おほくなりて、此の夜もうつらうつらとしてありけるほどふけゆくまゝに一しきり交々襲ひきたれるに驚く
ひそやかに螫さむと止る蚊を打てば手の痺れ居る暫くは安し
声掛けて耳のあたりにとまる蚊を血を吸ふ故に打ち殺しけり
時には、眠れずに蚊帳の中のベッドに横たわっている節に、夜ふけてからおどろくほど明るい月が射しかけて来ることもあった。
四日深更、月すさまじく冴えたり
硝子戸を透して幮に月さしぬあはれといひて起きて見にけり
小夜ふけて竊に蚊帳にさす月を眠れる人は皆知らざらむ
さや〳〵に幮のそよげばゆるやかに月の光はゆれて涼しも
これらの歌は、おそらくは節本人が意識する以上に、病者のあわれを奥深いところで把えた作品だった。「眠れる人は皆知らざらむ」月を眺める喜びは、そのままひとり眠

れぬ病者のかなしみにつながっていよう。この七月四日の月にははやくも秋の気配がある。

しかし「鍼の如く」其の三となるこれらの作品数三十五首、ほかに「アララギ」七月号の茂吉の作品「折にふれて」、「アララギ」六月号の中村憲吉の作品「蒼き渚」を批評した文章「一つ二つ」を発送し終ると、節はがっくりと疲れを感じるのだった。机というものもないので、歌の原稿は蚊帳の中で書き、「一つ二つ」は床に立ったまま床頭台に原稿用紙をおいて書いたものである。

不眠がちで、依然として微熱がとれず、暑さに苦しみながら、節は歌をつくり、郷里の母に出す手紙には必ず農事の指示をあたえ、そして毎日蚤取りに追われていた。さすがに疲れてしまい、茂吉には立って原稿を書いたので腰が痛くなったと正直に書いた。また、憲吉からちょっとでもいいから「蒼き渚」の批評を書けというハガキが来たが、身体のぐあいがわるいときに書くのは大変いやなことなのだ、とも書きそえた。

斎藤茂吉にあてた七月十四日附けのその手紙の中で、節はその朝久保博士に、あまり暑いからどこかへ避暑に行こうと思っているが、あなたも涼しいところに行ってはどうかと言われたことも書き記した。

そのころ福岡は猛暑に襲われていた。節は手紙を書くだけで汗びっしょりになり、わずかに看護婦が牛乳の空き壜にいけてくれた白い桔梗とモントブレチアの花になぐさめられていた。モントブレチアは、亡くなった伊藤左千夫が、平福百穂に頼んで小さな戸の歌稿を「アララギ」に送ったあと、節はぷっつりと歌が出来なくなった。

白い桔梗と赤いモントブレチアはよく釣り合って見えた。しかし「鍼の如く」其の三棚の扉に描いてもらった思い出がある草花である。

七

そのころ、六月末に節あてに出した横瀬夜雨の手紙が、夜雨が節はまだ橋田医院にいるものと誤って発送したために、二十日余を経て、回りまわって九大医学部附属病院の節のもとにとどいた。

夜雨のその手紙は、武井準の弟俊夫から、黒田てる子が最近は節を病院に見舞っていてそれは兄の昌恵の公認であること、ただし黒田の父親の方はまだ反対していることなどを聞いたと記したあと、「君もたうとう幸福なるいこひに入ることを得て 習々たる春風、つねに心を吹きつゝあること〻存候」と書いていた。

そしてそのあとに、それを聞いた夜雨は「万感心にあつまつて暁まで眠」れなかったと、節への羨望を記し、一転して今度は自分の不幸を歎いて「小生はおそらくは発狂するなるべし」と述べていた。夜雨はのち四十歳にして那珂郡山方村の小森タキと結婚し、子供も得て幸福な家庭生活をいとなむのだが、そのころは詩人としての高い文名と佝僂病をわずらった身体とのギャップのために、幾度となく女性に裏切られたあとの、暗い気分を抱えて暮らしていたのである。

だが、最後に「二人でおこはをたべに参られるよう」と結ばれている夜雨の手紙は、見方によっては滑稽きわまるものだった。

節は黒田てる子に関するその話は事実と相違し、なるほど神田の病院にたずねて来たことはあるが、そのために本人は手紙を書くことも許されなくなったのが真相で、「君が私をうらやむ筋は少しもないのです」と書いた。「それだけです何がいゝことがあるもんですか、運命といふものがこれです」とも書いた。

しかしそれだけではあまりにそっけなかったと思い返し、節は翌日あらためて夜雨に手紙を書いて武井俊夫のもたらしたうわさ話をきっぱりと否定し、「小生は終始幸福の人間なりしに相違なかるべきも、遂に薄倖の生涯に過ぎずと存申候」と書いた。夜雨が節のことを、「求むれば与へられ　願へば許さるゝ境遇に居りて　且つ『荒涼たる生活』に独り居りし雄々しさを思ふ」などと書いていたからである。

節は七月二十日附けのその手紙に、「離れたるものゝ終に合ふべき機会なきを観念したる小生は、決して自ら求めず、冬枯の曠野にひとり取り残されたる如き境遇を甘受して、更に自暴自棄に陥り申間敷と存申候」と書き、夜雨にも「何事もぢつと御観念可然と存申候」と忠告して、手紙を結んだ。

同じ日、節は下妻の三浦義晃、東京の斎藤隆三に、そのうち日向の青島海岸に行こうと思っていると書き、また平福百穂にあてた手紙には、「まだかなりさきのことゝ思ひますが、私は別段の事故が生じない限り、まだ見たことのない北陸道を帰りたいと思ひます」と書き、北陸路の駅の附近で見るべき場所を調べてくれと依頼した。

節は六月末に、母のたかに参謀本部の地図の中から北陸道の分を送ってくれるようにたのみ、また七月十一日には、両親あてにそのうち青島に転居したいと思っていること、青島にしばらくいてから帰途また診察を受けるつもりだとも書いたが、前記の消息を出した七月二十日ごろには、節の頭の中に、久保博士の避暑に合わせて日向青島海岸に転地し、ある程度滞在してからいったん病院に帰って診察を受け、その後北陸経由で帰国するという旅程が描かれていたのである。青島は宮崎市から東南に四里、物価は安く暮らしよいところだという武井医師からの返事もとどいていた。

しかし節は依然として微熱がつづき、不眠症もなおらなかった。七月二十四日に、節が直接に久保博士に手術を頼み、翌日第三回目の電気分解治療、節の言う焼いてもらう手術を受けたのは、やはりそういう体調で日向の旅に出るには不安があったからだろう。節は久保博士の助手に、患者本人が手術をのぞむなどというのは前例のないことだと笑われた。

青島への転地、病院にもどって受診、帰国というスケジュールは、七月二十五日の手術のあと、主治医の曾田医学士、久保博士と相談した結果、最終的には青島から病院にもどったところでもう一度手術して、その後帰国するというより具体的な形に訂正された。

節はその間の事情を、「私も五十日になりますから三四日中に退院します、然し難渋な病気ですから自分にはよくも感じませんが大変よく成つて居る相です、一度日向の海辺へ行きたいと思つて居るのです、そしても一度久保博士に手術をしてもらつて帰国するのです」（八月六日、安塚千春あて）、「明後日退院ときまりました、まだ本当によく成らないのですが、一寸日向の海岸に行つて居て、もどりにまた何とか手術してもらふ積りで居升、（中略）いまのところは余りいぢつたから一寸手をつけまいといふことに成つて居るのです」（八月十二日、平福百穂あて）と知人へのハガキに記している。

安塚あてには大変よくなっているそうだと書き、平福あてにはまだ本当によくならないと、矛盾した書き方をしているが、実情はそのどちらも正しいのだった。

節は八月十四日に、いったん退院する形で六月二十日以来の入院生活を打ち切るのだが、その際に、入院日数五十六日間の治療経過を総括して、病院側は経過良好の総括診断をくだすのである。すなわち、節の喉頭結核及び肺結核という症状に対して、全身療法と、乳酸塗布、電気穿刺その他の局所療法をほどこした結果、喉頭結核による左披裂部の潰瘍は治癒した。あと喉頭後壁深部に腫脹が残っているが、そこは手術の手をつけにくい奥の方なので、しばらく放置して経過を見る。体力が回復すれば病変部分が好転するということもあり、あまり局所だけをつつき回すのは、かえって喉によくないだろうというのが、病院側の判断だった。

現在ならば喉頭結核および肺結核と診断が出されれば、両者に関係があることは素人にも歴然とわかることだが、当時の医学は、喉頭部局所の病変をもう一方の肺結核と関連させて考えるところまで発達しておらず、喉頭部の治療を行ないながら、眼に見えない肺結核の方はさほど重きをおいていないというのが実情だった。それが大正三年当時の結核治療のレベルだったのである。

その限りでは、節の退院時にくだした病院側の経過良好という診断は、間違いではなかった。そして、そういう病状を病院側は、可能なかぎり率直に節に説明したようである。八月三日の節の日記に、「久保博士にきく処あり」、また六日の項に「夜曾田氏の当直室をおどろかす」、八日の項に「博士と暫時語る」などの記載がある。

このときの話が、すべて節の病状についての質疑だったということではなかったにしても、こうした機会に、節が久保博士、曾田共助医学士に手術以後の、または退院を前にした、自分の病気の状況をたずね、また病院側が比較的正直に答えただろうことが、前記の安塚あて、平福あての便りから窺えるのである。

節の当時の病状は、まさに二通りの矛盾した文章が示すとおりに、一面では治癒しており、しかしながらまだ治癒のおよばない個所も残っていたのだった。そしてそれは喉頭結核の治療に関する話で、節の病気のそもそもの元凶であるはずの肺結核の方は、まだ手つかずのまま内部深いところで進行していたのである。そして、それは毎日の微熱や疲労感、あるいは食欲のなさなどとなってあらわれ、節の不安の核をなしていたのである。八月初旬というこの時期の病状の確認は、やはり節の拭えない不安のあらわれだったろう。それでも節は、やはり青島に行きたかったのである。

節は以前に宮崎の武井準あての手紙に、「砂にくるまつて日光浴をやつたら私の身体には格別宜しからうと思ひます」と書いた。現在の医学の常識からその光景を想像すると、肌寒くなるような話だが、当時は日光浴も、また散歩も適度のものなら結核治療に効果ありと考えられていたようである。ただ節は、入院前の内科の武谷教授の診察を受けた時期に、茂吉にあてたハガキの中に、「動いちやいけないといふのですが、入院が出来ないものですから、毎日雨の中をしよぼ〳〵と病院へ行かなければなりません」と書いている。

動いちゃいけないと言ったのは武谷教授だろうか。そうだとすれば、このころ結核は安静にしてなおすべきものだという考え方が、少しずつ出て来ていたものかも知れない。しかし節は、誰かが言った「動いちやいけない」という忠告を守らなかった。病院の裏手はその先に博多湾の海がひろがる松林で、千代の松原と呼ばれていたが、節はしばしば病棟を抜け出して松原に散歩に行き、林の中に腰をおろして海を眺めたり、海岸線を散歩したりした。ひとつは歌をつくるためでもあった。

「鍼の如く」其の三の歌稿を送ってから、節は歌が出来なくてしばらく苦しんだ。「どうも其後歌が出来相にして、いけません、頭が少し晴々しないと出来ません、（略）不安に堪へません」（七月十八日、赤彦あて）、「歌だけはどうにかつくりたいと思つてますが、此間の原稿以後にはさつぱり浮かびません。またアララギと離れなければ成らぬ星合かも知れないと思つていゝ心持でありません」（七月二十日、平福百穂あて）と嘆くような状態だったが、二十日過ぎになって、赤彦への手紙によれば二十二日の夜になって、急に十幾首の歌が出来、二十四日にも出来た。「鍼の如く」其の四となる、つぎのような作品である。

いづれの病棟にもみな看護婦どもの其詰所といふものゝ窓の北蔭にさゝやかなる箱庭の如きをつくりてくさ〴〵の草の花など植ゑおけるが、夕毎に三四人づゝおりたちて砂なれば爪こまかなる熊手もて掃き清めなどす、十九日のことなり

水打てば青鬼灯の袋にも滴りぬらむ黄昏(たそがれ)にけり

かゝる時女どもなればみな〳〵さゞめきあへるが、ひとり我がために撫子の手折りたるをくれたれば

牛の乳をのみてほしたる壜ならで挿すものもなき撫子の花

蚊帳釣草を折りて

暑き日はこちたき草をいとはしみ蚊帳釣草を活けてみにけり

夜になれば我がためにのみは必ず看護婦の来て蠨をつりてくるゝが例なり

蠨釣るとかやつり草を外に置くが務めなりける我は痩せにき

僅に凌ぎよきは朝まだきのみなり

蚤くひの趾(あと)などみつゝ水をもて肌拭くほどは涼しかりけり

廿四日の夕なり、たま〳〵柵をいでゝ浜辺に行く、群れ居る人々と草履ぬぎて浅き波にひたる、空の際には暗紫色の霧のごときがたなびきたるに大なる日落ちかゝれ

り、凝視すれども眩からず、近くは雨をみざる兆なり
抱かばやと没日(いりひ)のあけのゆゝしきに手圓(たなまど)さゝげ立ちにけるかも
構内にレールを敷きたるは浜へゆくみちなり、雑草あまたしげりて月見草ところ〴〵にむらがれり、一夜きり〴〵すをきく
石炭の屑捨つるみちの草村に秋はまだきの蟋蟀(きりぎりす)なく
きり〴〵すきこゆる夜の月見草おぼつかなくも只ほのかなり
白銀の鍼打つごとききり〴〵す幾夜はへなば涼しかるらむ
八月一日、病棟の蔭なる朝顔三日ばかりこのかた漸くに一つ二つとさきいづ
嗽(うが)ひしてすなはちみれば朝顔の藍また殖えて涼しかりけり

九大病院入院を目前にしていたころ、節はそれ以前の自分の歌には自信を持っていて、「病院へはひつたら又水のやうな歌が出来るかも知れません」と赤彦に書き送った。「鍼の如く」其の三の歌稿を送ったあとも、下妻の橋詰孝一郎に「三年以来中絶の歌は復活といふよりも、新生涯に入つたやうな気」がすると述べた。なみなみならぬ自信である。

だが、「鍼の如く」其の四の歌作には苦しんで、さきにあげた二十三日附けの赤彦あてのハガキには、「私の歌はもう麦湯程の味もなく成りました」と書いた。必ずしも謙遜ばかりではなく、前回までの作品にくらべれば、「鍼の如く」其の四には、むりやり歌にした作品も散見出来るのである。だが同じハガキの中に、節は「私の歌も段々いけなくなるのでありますが、今私自身のためには一転化を来して居るのですから、こゝの

処つゞけたいと思ってます」とも記す。

暑さと微熱、不眠に苦しみながら、節は歌に対する旺盛な創作意欲を失っていなかった。その気持は、七月二十四日の日記の中に、「歌成り手圓（たなまど）の造語あり」という短い喜びの言葉を記したことにも現われている。

手圓は熟しにくい言葉であるけれども、「抱かばやと没日（いりひ）のあけのゆゝしきに手圓さゝげ立ちにけるかも」の一首は、節を満足させる作品だったのであろう。そしてその作品の出来ばえとはべつに、この歌と前書には節の孤影がくっきりと見えている。ほとんど、半ば此岸を去りかけているかにも見える孤独な姿が。

節は青島に転地療養するつもりだった。だが歌をつくる意欲に燃えていた節は、青島に行ったら歌が出来るかも知れないとも思っていたのである。節は青島行きのために、自分から言い出して手術してもらい、その後の病状を確認し、着着と出発の準備をすすめていた。「アララギ」に送る「鍼の如く」其の四の歌稿も、十日には出来て発送した。

歌稿を発送した翌日には、便に血がまじったりして、遠くに旅する不安が消えたわけではなかったが、病院は帰省したり避暑に行く医師がふえ、看護婦長なども休暇をとるという話で、どことなく閑散とした空気がただよいはじめた。久保博士も雲仙に避暑に行くというので、節は次第に病院に居る場所がなくなるような気持になった。

節は八月十四日に一応退院の手つづきをとって平野旅館にもどり、翌日は病院に行ってから久保夫人をたずね、また洗濯をしたり荷物をまとめたりして身辺を整理し、十六日吉塚から日向へむけて出発した。出発の朝も、体温は三十七度九分もあった。

八

節は十六日の朝、八時四十三分の汽車で吉塚駅を出発し、宮崎県の小林にむかった。鹿児島本線で熊本県の八代まで南下し、そこから県南部を斜めに横切って県境を越え、吉松で日豊線に乗り換えて小林に至る長途の汽車旅行である。

しかし節は、身体の不調を考えて一日目は早めに人吉で下車、人力車で林温泉に行きそこに泊った。

十六日朝、博多を立つ、日まだ高きに人吉に下車し林の温泉といふにやどる、暑さのはげしくなりてより身はいたく疲れにたりけるを俄かに長途にのぼりたることなれば只管(ひたすら)に熱の出でんことをのみ恐れて

手を当てゝ心もとなき腋草(わきくさ)に冷たき汗はにじみ居にけり

「鍼の如く」其の五のはじめの方にある、長い前書をつけた歌に、節の不安がにじみ出ている。翌日は十時に人吉を出発し、吉松で吉都線に乗り換えて午後三時に小林に着いた。ようやく県境の山岳地帯を抜けて、遠く宮崎をのぞむ平地の一角に出たのである。

その日は小林に一泊、十八日は未明に起きて、五時出発の乗合馬車に乗った。宮崎まで十四里余の旅程である。そのあたりは火山灰地のために、日が暑くなるにつれて、馬車のあとにはもうもうと埃が立った。節はともすればわるくなりそうな気分をじっとこ

らえて、遠ざかる霧島連峰に眼をやって過ごした。

十八日、日向の小林より乗合馬車に身をすぼめて、まだ夜のほどに宮崎へこゝろざす

草深き垣根にけぶる烏瓜(たまずさ)にいさゝか眠き夜は明けにけり
霧島は馬の蹄(ひづめ)にたてゝゆく埃のなかに遠ぞきにけり

宮崎に着いたのは午後二時。九時間の馬車の旅だった。節は夜の武井医師訪問にそなえて、すぐに理髪店に入って整髪し、それから宿をとった。腰を落ちつけてすぐに熱をはかってみると、三十八度三分の高熱が出ていた。しかし汗と埃にまみれた身体でひとを訪問するわけにもいかず、夕方入浴したが、湯を使っている間節は悪寒を感じた。それでも入浴のあとはいくらか気分がさっぱりとし、熱も三十八度までさがったので武井医師を訪問した。

翌日十九日。朝検温してみると、熱は三十六度九分に下がっていた。節は十時に宮崎県庁をたずね、県内務部長をつとめていた同郷人稲葉健之助をたずね、午後は武井眼科に武井医師をたずね、午後四時武井につき添われて目ざす青島にむかった。汽車は宮崎軽便鉄道で、節は赤江駅から折生迫(おりゅうざこ)にむかったのである。

しかし、転地して病状の回復をはたすつもりでおとずれた青島海岸で節を待っていたのは、台風と結核病者に対する旅館のつめたい待遇だった。

十九日、宮崎から南の方折生迫といふにいたる、青島目睫(もくしょう)の間に横たはりてうるは

しけれど、此の日より驟雨いたりてやがて連日の時化に変りたれば、心落ち居る暇
もなきに漁村のならはし食糧の蓄もなければ

かくしつゝ我は痩せむと茶を掛けて硬き飯はむ豈うまからず
酢をかけて咽喉こそばゆき芋殻の乏しき皿に箸つけにけり

二十五日に入りて、雨は更に戸を打つこと劇しくして止むべきけしきもなし

痺れたる手枕解きて外をみれば雨打ち乱し潮の霧飛ぶ
嚙みさ嚙み疾風は潮をいぶく処に衣も畳もぬれにけるかも

節は青島に着いたその日、青島駅と折生迫駅のほぼ中間地点にある望洋館に宿を取った。夕食は武井医師と一緒にとり、夜になって武井医師の友人の平松というひともたずねて来たりして、節は微熱はあったが愉快な時を過ごし、二人が宮崎へ帰ったあとはじめて青島の一夜を過ごしたのである。

だが「鍼の如く」其の五の前記の歌に、「此の日より驟雨いたりてやがて連日の時化に変りたれば」と前書したように、その日から断続的に降り出した雨はやがてはげしい風雨に変り、海には大波が立つ時化となった。

節の九州旅行を精細に論考した伊藤昌治氏の「長塚節　謎めく九州の旅・追跡記」には、節は宮崎に着いた八月十八日から、宮崎を去る九月十五日までの二十八日間に、三度台風に遭い、その間晴天の日はわずかに六日、残る二十二日は日向はすべて雨天だったと記されている。青島に着いた節を迎えたのは、南国の日の光でも、木陰の涼しい浜

風でもなく、連日の雨と台風だったのである。季節とはいえ、節にとっては不運というほかはない。しかも望洋館に一泊した翌朝は、風雨よりもっと不愉快なことが待ちかまえていたのである。

朝食を済ませた節は、二階の硝子窓に顔をよせて外の景色を眺めていた。旅館のすぐ前を県道が横切り、その先は砂浜になって海につづいていた。相変らず断続的な強い雨がつづいていたが、風は昨日よりもっと強まったようで、海は荒れて濁っていた。大きな波がつぎつぎと海中に立ち上がり、その先端が風に吹きちぎられると、海には霧のようなしぶきが散った。濁った大波は眼の前の砂浜にはげしい音を立てて崩れ落ちると、県道の近くまでするすると這い上がって来た。

だが、雨はずっと降りつづけるというのでもなく、急にぱたりとやむと、雲の間からまぶしい夏の光が落ちて来て、荒れる海とそのむこうに泡立つ白い波に囲まれている青島のあたりまでを照らし出すこともあった。だが空を埋める白い雲黒い雲は、見える限り風に流されてはげしく動いていて、日射しはその雲に隠れて空も海もまたたちまちに暗い光に包まれるのだった。

――この分では……。

今日も島には渡れないかな、と節は思った。節が泊っている望洋館があるあたりは青島村大字折生迫と呼ばれる場所で、折生迫の北に字青島がつづいている。終点の内海駅まで行く軽便鉄道をはさんで、うしろは小高い丘になっている青島村は、そのころは日向灘にのぞんで南北に細長くつづく漁村だった。

　その青島村から三百メートルほどの東の海上に、砂洲と板橋で陸地とつながれている小さな島、青島があった。節がいま、窓から眺めているのがその小島である。

　周囲一・五キロメートルに過ぎない青島は、ビロー樹、蘇鉄、ハマユウなどの亜熱帯植物がはえていることと、砂洲の両側にひろがる鬼の洗濯板と呼ばれる岩石の奇観で知られていた。島の中央には海幸彦、山幸彦を祭る神社がある。また砂洲の北側には海水浴に適した砂浜と松原が長くつづいていて、この青島見物と海水浴に来る客を収容するために、青島村には当時も二、三の旅館と民宿の家があったのである。

　ひっそりとした漁村ではあるが、天気さえよければ空気は澄んで風景はうつくしく、そのうえ海から直接に上がる魚がうまい、保養地としては絶好の土地ともいえる場所だった。青島村に転地を考えた節の選択は、そんなに間違っていたわけではない。ただし転地療養をはかるには、節の病気は少し進みすぎていたかも知れず、また天候は折悪しく悪化して、そのころは節が日向滞在中に遭遇した三つの台風のうち最大の台風が、南方海上から沖縄に接近しつつあったのである。

　節が外の景色を眺めていると、階段に足音がしてやがて望洋館の女主人が姿を現わした。お盆にお茶と菓子をのせていた。

「生憎のお天気ですなあ、お客さん」

　節が部屋の中にもどると、女主人は節にお茶をすすめてからそう言った。

「折角の景色が、台無しですね」

と節も言った。その朝は、節は熱が三十六度八分ほどで、気分はわるくなかった。

「あの、お客さまはいつごろまでお泊りの予定ですか」

「ええと、当分部屋をお借りすると、昨日そう言ったはずですが……」

節が不審な眼をむけると、女主人はうつむいた。

「ええ、それはうかがいましたけれども……」

「……」

「あの、病人さんは困るんです」

女主人は節を見た。血色のいい顔に、そのときどっと大粒の汗が吹き出した。だが女主人は眼をそらさずに言った。

「うちも、ナニでございます。なにせ、客商売なものですから、ほかのお客さんに嫌われても困りますもので……」

節はそこでやっと、相手が肺病やみは泊められないと言っているのだと気づいた。全身がかっと熱くなった。反射的に外を見た。雨はいまのところ小降りに変っている。

「わたしは、お客さんにとてもそんなことは言えないと言ったんですがね。なにせ、亭主が頑固者でして……」

「わかりました、おかみさん」

節は屈辱に顔が引き攣るのを感じながら、どうにか平静な声で言った。

「すぐに出ますから、お勘定をねがいます」

「雨の様子を見てからにしてちょうだいよ」

さすがに女主人は、気の毒そうな顔をしたが、節の返事を聞いて安堵も隠せない様子で、打って変った晴れやかな声で言った。

「うちも、病人さんを雨の中に追い出したなどと言われたくありませんからね」

わずかな晴れ間を見て、節は荷物を持って望洋館を出た。とどろく波の音が節の耳を打ち、行方を見失った不安が胸に溢れて来た。しかし節は、県道を北に歩いて行ったところで、戊申館という宿があるのを見つけ、どうにかそこに泊ることが出来た。

だが折角移ったその宿も、節は翌日の午後になって宿替えを要求されたのである。せまい村のうちのことで、肺病患者らしい男が来ているということは、じきに同業の間に洩れ伝わったらしかった。

しかし今度は節も抵抗した。実際に、戊申館を出たら、今度こそ行く場所がないという気がしたのである。時刻もおそかった。

「わかりました。しかし今日はもうおそいし、つぎの宿が見つかるまで待ってもらえませんか」

「いいですよ」

小柄な年配の主人は、思ったよりおだやかな口調で言った。

「いますぐ出てくれと言っているわけじゃありません。だが、ずるずるべったりは困りますからね。なるべく早く、移り先をさがしてくださいよ」

「いまから、さがしに出ます」

節は傘を借りて宿を出た。だがすぐにかわりの宿をさがす気はなかった。あとは民宿のような家をさがすしかないだろうと思ったが、どこへ行っても同じ結果になるのはわかり切っていた。

行きどころのない心細い気持で、節は県道を南にくだり、自分を最初に追い出した望洋館の前を通りすぎて、折生迫の駅の方に歩いて行った。海は相変らず猛り狂い、空からは時おりしぐれめいたはげしい雨が落ちて来た。

そんな天気の日にも、外で働いている男たちがいた。折生迫の駅の方から漁港に流れこむ突浪川に架かる、県道の橋梁工事の男たちだった。日は暮れかけて、男たちのその日の仕事も終りに近づいているようだった。

節は近くに立ちどまって、しばらく工事の様子を眺めた。声を合わせて重い木材を渡したり、石を埋め込んだりして、きびきびと働いている男たちがうらやましかった。節はやがて工事中の橋を渡って港の方に折れ、そこから停泊している漁船や、泡立つ海を眺めたり、仕事をしている男たちを振りむいて眺めたりした。追い立てを喰った宿には帰りたくなかった。節は長い時間そうしていた。

「ちょっと、そのひと」

不意に呼びかけられて節が振りむくと、道の上に一人の男が立って節を見ていた。道は節が立っている場所よりかなり高くなっていて、その上丘の陰のあたりから思いがけなく黄ばんだ日射しがさしこんでいるので、男の姿は黒いシルエットに見えた。顔も逆光ではっきりとは見えなかったが、身体つきで、男はさっきの橋工事の男たちを指図していた監督だとわかった。

歌うようなかけ声は消えて、工事の男たちはもうつるはしや太いロープを肩にかけたうしろ姿が小さく見えるほど、遠ざかっていた。男たちが工事を終って帰るのにも気づかなかったのだ。節の放心はかなり長かったようである。

節が顔をむけると、監督は言った。

「さっきからちっとも動かないもんでね。どうかしたかと思って」

「いや、どうも。ご心配をおかけして」

節は言いながら、道に上がったがふと気がついて言った。男の言葉には聞きなれた訛(なまり)があった。

「失礼ですが、関東のひとですか」

「いや、東北です」

と男は言った。その監督が、宮崎土木派出所の首席工手佐々木友衛だった。節が自分は茨城だと言ったことから、話がほぐれて、二人は県道を連れ立って話しながら青島の方にもどった。

そばで見ると、佐々木は日焼けして肌の真黒な男だった。二人が道をもどる間に、日のいろはたちまち消えて、また小雨がぱらつき街道は急に暗くなって来た。節は傘をさしかけようとしたが、佐々木はことわった。少少の雨に降られるぐらいは平気そうに見えた。

「肺病と間違われたらしいのです」

節は佐々木のざっくばらんな話しっぷりに誘われて、宿から追い立てを喰っていることを話した。話しながら、さっきの心細さがまた胸にもどって来るのを感じた。

「無理もないのです。このところ風邪がなおらないもので、顔いろはわるいし熱が出ていて、まるで半病人ですから」

「戊申館ですか。そんなことを言う宿にいることはないですよ」

と佐々木は無造作に言った。

「私がいい宿を見つけてあげます」

佐々木の言葉は、気持が滅入っていた節の胸に頼もしくひびいた。健康そのもののような佐々木が、いかにも病人くさい節をみても、少しも肺病患者の疑いを持たないらしいのも気持がよかった。

佐々木技手は、実際に言葉どおり翌日には移るべき宿を見つけて来た。戊申館からほんの少し北に行って、青島神社の参道に折れこんだところにある松琴亭という家の二階だった。松琴亭は土地の名物を売るみやげ物屋である。節は二十三日の夕食を戊申館で済ましてから、宿料を精算して松琴亭に移った。

風はこの日から南に変った。そして二十四日は風の勢いがいっそう強まり、二十五日は朝から締め切った戸に風雨がはげしく打ちつける吹き降りとなった。天も地も、荒れ狂う風雨にもみくしゃにされた。海は白濁して沸きかえり、絶えずごうごうと鳴りひびいていた。奄美大島と沖縄本島の間を北上してきた台風は、この日九州の北部をかすめて日本海に進んだのである。風雨は三時ごろにはいくらか衰え、時には日も洩れるようになったが、そのあとも時どき小雨が降った。節は気分がわるく食もすすまず、そして午後からやはり三十七度台の熱が出た。

台風が去って、翌日はひさしぶりの晴天になったが、節はその日、またもや松琴亭から宿替えを要求された。せまい村のうちのことで、予想したようにどこに移っても肺病やみのうわさからのがれることは出来なかったのである。佐々木技手は、さらにべつの宿を見つけてくれたが、節はいたたまれなくなって、宿替えを要求された翌八月二十七日、松琴亭をひき払って宮崎にもどった。

宿をとったのは、武井眼科から近い広瀬旅館で、節はそこでやっと落ちついた気分になったが、朝は三十六度二分しかなかった体温が、夜の八時には三十八度に上がっていた。夜武井準が来て話しこんで帰ったあと、節は急に眠くなった。疲労しきっていた。

眠くなる頭の中で、節は青島への転地療養が計画のようにはこばず失敗に終ったことを繰り返し無念に思っていた。そのあとぼんやりとした頭で、これからどうしたらいいのだろうかとも思った。旅行を打ち切ってすぐに福岡にもどるという方法がないわけではなかったが、それでは病気の回復を転地療養に賭けようとしたはじめの計画が、まったくのご破算になるのである。それだけでなく、節は旅に出てから病気がかなり悪化したのではないかと疑っていたが、いま帰ればただそういう病状が悪化した身体を持ち帰るだけのことになる。

節は計画が齟齬(そご)したことで失ったものを、どこかで取り返したかった。せっかく目ざす日向まで来ているのに、このまま帰る手はない、と思った。それに久保博士のいない病院にもどっても仕方ないし、歌も出来ないとも思った。

そう思う節の頭に、また青島の風景がうかんで来た。きちんとした割烹旅館の一室に横たわっていると、石もて追われるようにして宮崎にもどったことも、夢のように現実感がうすれてしまって、節は未練たっぷりに、天気のいい青島で静養が出来たら、きっと身体にいいに違いないのにと思うのだった。

何の結論も出ないままに、高い熱が出ている節は、やがてこんこんと眠った。

九

八月三十日に、節はふたたび赤江駅から宮崎軽便鉄道に乗った。今度は折生迫のひとつ先、終点の内海駅まで行くのである。節は内海から出ている汽船を利用して、鵜戸、飫肥(おび)などの日南地方に行く計画をたてたのである。気分はよくなかった。夜の七時に内海に着き、宿で入浴してから熱をはかってみると、三十八度一分の高熱が出ていた。

しかし、節はそれでもどこかに出かけるしかなかったのである。宮崎の広瀬旅館には三日いた。そこには肺病やみらしいから出てくれというひともなく、いくら横になっていようと勝手だったが、宮崎市内にじっとうずくまっているだけでは、病気がなおるわけでも、歌が出来るわけでもなかった。

節は次第に、じっとしていられない苛立ちに襲われて、青島がだめなら、せめて景色のうつくしい日南海岸を旅して、おいしい魚でもたべて来ようかと思い立ったのである。青島は時化で、魚もたべられなかったのである。どこかに安住の地、節を迎えいれてその病いを癒すのに手を貸してくれるような土地がありそうなものだと思いながら、節は内海まで来たのであった。

いずれにしても、節にはこのころ、じっと安静にしているのが身体にいいという観念はなかったのである。誰かがただ一度、動いちゃいけないと忠告したのだが、その記憶はもう節から抜け落ちていた。そして、安静とは逆の一カ所にとどまっていられない焦燥、旅は身体にいいという若いころからの旅の効能に対する素朴な信仰、日本中を股にかけて歩き回った大旅行家の血、さらに歌に対する情熱などが、旅に出ろと節をそそのかすのである。

鵜戸は岩窟の中にある鵜戸神宮、社前の雄大な海景で知られ、また節は、「飫肥の殿さま清武泊り　乱れ桶かよ帯こひし」という俗謡に興味を持っていた。

それで思い切って宮崎を出て来たのだが、内海の宿のほの暗い灯火の下で熱をはかっていると、旅の不安が胸をしめつけて来るのも事実だった。熱は三十八度を越えている。やはり宮崎に引返すべきだろうか。

節は迷ったが、眠る前にはその不安に打ち勝った。

――ここまで来たのだから……。

歩けるだけ歩いてみようと、気持を固めたのである。歩けなくなって途中で野たれ死にしても、それはそれで仕方ない。

わずかに虚無的な色あいを帯びるその考えは、かえって節の気持を落ちつかせて、節は宿の者が敷いてくれた夜具に横たわると、ひさしぶりに夢も見ずに深く眠った。

節は翌日の八月三十一日、午前中にちょっと青島まで行き、それから内海を小蒸気船で出発して海岸線を南下し鵜戸に着いた。内海発二時十五分、鵜戸着三時十五分。一時間の海の旅だったが、節はそれだけでさっそくに気分がわるくなった。

鵜戸から馬車で油津へ、軽便鉄道で飫肥まで行ったのが九月二日、三日にはまた油津にもどった。「草臥(くたび)れる」(二日)、「絵葉書三十枚を書く。其ためか夕気分悪し」(三日)、「夜明に冷えたり。朝気分悪し。(中略)気分悪しく昼食もうまからず」(三日)と、節は日記に連日そう記した。旅行が身体に無理になってきているのが、自分でもわかった。しかし旅を打ち切るつもりはなかった。

節は四日には油津を船で出発して、さらに南の外の浦に行った。そして帰ろうとしたが今日は汽船が出ないと言われ、節は馬車の便をたしかめに行く。「馬車を尋ねて往復約十町以上半里位歩きしならむ。疲る」と、その日の日記に記すのだが、さきの伊藤昌治氏の精細な調査によれば、半里どころか一里近くも歩いたことになるという。

節は、九月三日の斎藤隆三あて絵ハガキに、「けしきがいゝので遂こんな南の方まで来てしまひました、も少し南へ行かうと思つてます、然し病体ですから不自由でいけません」と書き、また九月四日の斎藤茂吉あて絵ハガキには、「日向の南の方まで来てしまひました、此処から日和の都合でいますこし南へ行きます、心の落つく暇がないので仕方なしに歩いてます」と書いた。

日向の海岸を、病気で痩せおとろえた節は南へ南へとたどり、まさに幽鬼のようにさまよい歩くのだが、外の浦まで行って、その先には生死いずれにしてももはや求めるものが何もないのを感じたかのように、ようやくそこから帰路に就くのである。

幸いに外の浦から目井津港に行く馬車が出ていたので、節はその馬車で目井津まで行って一泊し、翌日は汽船で内海にもどった。しかし帰りの船は海が荒れて揺れがひどく、「浪高く油津以北暫時困憊す」(六日、日記)と記したように、日南の旅は節に最後まで疲れを強いるばかりだったのである。

節は内海の停車場で汽車を待っているうちに腹がすいて来たので、休憩所で昼飯をたべた。そして二時二十分発の汽車でふたたび青島に着くと、宿をとった。

だが、青島は節にとって、どこまでもつれない土地だった。船で内海へ帰る途中、海が荒れていたのはこの地方に二度目の台風が接近していたせいだったのである。節が宿に落ちついた六日ごろから風は次第に強まり、八日にははげしい風雨が宿の障子を打つ悪天候となった。そして翌日九日には、風はいっそう強くなり、台風の様相があきらかになったので、節は風雨の中を宮崎までもどった。この前の台風のときのように、喰いものもなくなることを恐れたのである。その無理がたたったのか、その日の夜九時の検温では、熱は三十八度三分まで上がっていた。節は日記に、「午後稲葉氏を訪ふ。私邸に同道饗応を受け九時過ぎ帰る。発熱の原因ならむ。寝てからの気分たとふるものなし。然れども眠れり」と記した。

節はそのころ、久保夫人にハガキを書いた。「私の咽喉も一度何とか手術をしていたゞかねば諦めがつきません、だがもう博多へもどるにしても先生がお留守ならつまらないしどうせ其時はあなたも御一緒なんでせうからさうしたら私は何処かでも少し遊んで行きます、海で帰るなら別府へよります、陸なら鹿児島へまはりますから」云云という文面である。節自身の心のどこかで、かすかに破滅的なものが揺れうごいた日南の放浪が終って、節はまた現実の中にもどって来たのであった。

台風が去った九月十三日に、節は三たび青島にもどった。福岡に帰るために宿あてに来ているかも知れない手紙を取りにもどったのである。宮崎のあたりはもう風は静かになっていたが、青島の海はまだ荒れていて、小島のあたりには濛濛と飛沫がとぶのが見えた。

節は、その夜は青島に泊った。時化のせいで、宿の食事はやはり粗末だった。夜食をたべ終ると、節は一度眼を通してしまった手紙や葉書を、またとり出してひらいてみた。くり返して読んだ。

いつまでそうしていただろう。節は顔を上げた。夜ふけてもまだごうごうと鳴りつづけている海の音が聞こえた。その波音を縫うようにして、暗い庭で鳴いているこおろぎの声が聞こえる。耳を澄まして、嵐の名残りの音と虫の声を聞いているうちに、節は底知れない孤独感に身体をつかまれるのを感じた。「飫肥の殿さま清武泊り……」と、節はつぶやくような声で歌った。乱れ桶かよ、帯こひし。

その孤独感は、灯を消して暗い床に横たわったあともまだつづいていた。さまざまのことが思い出されて、節は仰むけに閉じている眼が熱くなるのを感じたが、どうにか堪えた。

十三日、漸く折生迫にもどれば同人の手紙などとどきて居たるを一つ〳〵と披きみてはくりかへしつゝ

とこしへに慰もる人もあらなくに枕に潮のをらぶ夜は憂し
むらぎもの心はもとな遮莫（さもあらばあれ）をとめのことは暫し語らず

夜は苦しき眠りに落つるまで、虫の声々あはれに懐しく

こほろぎのしめらに鳴けば鬼灯の庭のくまみをおもひつゝ聴く
こほろぎはひたすら物に怖れどもおのれ健かに草に居て鳴く

翌十四日に海ははじめて凪（な）ぎ、青島海岸には初秋の日が照りわたった。海は青く、村

の背後の丘の上には芒の穂が白く咲きつづいていた。節は海辺を散歩しながら、あたりの景色が一度に眼をひらいたのを見たような気がした。青島は、節が去るというその日になって、はじめて本来のうつくしい風景を見せたのである。

節は船で別府にわたるために、その日のうちに内海へ行った。そして一泊して船を待つことにしたが、夜何気なく宿で検温してみると、熱は三十八度四分まで上がっていた。節はおどろいて熱をはかり直してみたが、同じだった。節は日向の旅がまったく徒労に終ったのを感じ、暗然とする思いで汚れた硝子窓の外にひろがる夜の海を眺めつづけた。

十

節は九月二十二日に福岡の平野旅館にもどった。八月十六日に日向にむかって出発してから、四十日ほどの旅だった。終始熱のある身体で、しかも乗物に頼るだけでなくよく歩き回った旅だったが、途中で倒れることもなくともかく福岡に帰りついたのは、節にまだそれだけの体力と気力が残っていたからである。

そして節はまだ、久保博士に喉の焼灼手術をしてもらって帰国するのぞみを捨てておらず、歌に対する意欲も失っていなかった。しかし翌日久保博士の診察を受けるために病院に行くと、会うひとごとに痩せたと言われた。診察の結果は左披裂部の発赤と、旅行前にも認められていた喉頭後壁凸凹に腫脹を指摘されただけで、とくに目立った変化はないというものだった。むろん喉頭部に限っての所見である。

節は予定どおりに喉頭部の手術をしてもらいたくて、久保夫人の方から博士の方に話してもらったが、二十八日になって、熱が出る恐れがあるので、焼灼は見合わせましょうと言われた。そのころ節は三十八度ぐらいの熱がめずらしくなくなっていたからである。博士にそう言われた日の朝も、三十八度二分の熱が出ていた。

しかし節は病変部分を焼いてもらいさえすれば熱もさがると思っているので、そう言われるとよけい焼灼手術にこだわった。執拗に久保博士から手術の承諾を取りつける機会をねらっていた。

節は九月二十二日附けの門間春雄あてのハガキに「『鍼の如く』のやり方は間違って居るので、私はいま後悔して居ます。濫作したからなのです。もう暫くアララギへも歌は出しません、(中略)『鍼の如く』もせめてあの半分三分の一ならまだどうか成ります、これからは作つたものを、二三カ月はふつて置いてからでなければ出したくないと思つてゐます」と書いた。

また翌二十三日附けの赤彦あてのハガキには、「当分アララギへの御無沙汰を仕方がないものと思つて下さい、アララギの前号評には大変私等と考の違つたものが出て来ます、お目にかゝつたらお話して見たい様に思ひます、尊いとか、佳作だとか、厭味がないとかいふ言語の意味が、私等の思つて居た処と大変違つて居るのです」と書いたが、節はそれ以前に茂吉にも同じようなことを書き送り、また「凡ての芸術は『冴え』があつて活きる」とも言っていた。

節は自分の考える短歌と「アララギ」の行き方に隙間が生じていることや、尊いという言い方が流行語のように使われていることなどに対して、少し不機嫌になっているのだった。だが歌をつくるのをやめたわけではなく、熱のある身体で平野旅館と病院を行き来しながら、つぎのような佳作を生み出していた。

二十二日、博多なる千代の松原にもどりて、また日ごとに病院にかよふ
此のごろは浅蜊々々と呼ぶ声もすゞしく朝の嗽ひせりけり
病院の門を入りて懐しきは、只鶏頭の花のみなり
鶏頭は冷たき秋の日にはえていよ〳〵赤く冴えにけるかも
小さき蚊帳のうちに独りさびしく身を横たふるは常のならはしにして、また我が好むところなるに、ましてこゝは藪蚊のおほきところなれば只いつまでも吊らせてありけるが
幾夜さを蚊帳に別れてながき夜のほのかに愁し雨のふる夜は

こういう歌をつくりながら、節は九月号の「アララギ」に鈴木三重吉の「鍼の如く」をほめた批評が出たことがうれしくて、国生の父母にその号を送って知らせ、「然し私のことは他人へは余り御吹聴被下らぬ様願上候」と書いたりした。
また「気に入らなくなつたので少しやすみました、さうすると雑誌の方から大苦情です、私のが有るとないでは大変な相違なんだ相です、妙なものだと思ひます」（十月一日、橋詰孝一郎あて）で、「鍼の如くの三などは非常にいけないのですから、あれは飛んだ

間違をしたものと思つて見て下さい、そんなこんなで厭に成つたから歌を作るのを止めたら、斎藤君から困るといつて来ました」（同日、寺田憲あて）とも書き送った。「鍼の如く」の好評にやはり気持がはずんでいるのである。

十月三十日に、順次郎から三弟の整四郎が出征するという知らせが来た。それより前、日本は八月二十三日にドイツに宣戦を布告し、七月二十八日に、オーストリアのセルビアに対する宣戦布告ではじまった第一次世界大戦に正式に参戦した。歩兵大尉である整四郎がいる静岡の第三十四連隊は、十三師団に属してドイツ軍の要塞がある中国山東省の青島攻略にむかったのである。

節は十年ほども前に、日露戦争に出征する整四郎を小山の駅で見送り、そのときは整四郎は任官して間もない少尉で軍装がかわいらしかったことなどを思い出しながら、しきりに弟の身を心配した。しかし青島の要塞は十一月七日に陥落し、整四郎は鉄道の守備隊の方に回されて帰国はおくれるものの、無事が確認出来てほっとしたのだった。

こういうことがあった間にも、節の病状は少しずつ悪化して行くようだった。十月のはじめごろに、知人の中島松次郎が子供の鼻の病気をなおしに来て、節は以後、ひんぱんに中島を訪問するのだが、この時期から熱は連日三十八度を越えるようになるのである。十月三日の夜に三十八度二分の高熱が出たのがはじまりだった。節は不安の中に、多分食欲がないのに無理に腹いっぱい喰べたのが原因ではないかと高熱の理由を推測し、日記に「愚なり〳〵愚なり〳〵。明日必ず減食」と記した。しかし熱は七日の夜にも三十八度を越え、翌日は一日寝ていたが、正午三十八度一分、午後八時には三十八度四分の高熱が出た。以下九日夜、三十八度二分、十日午後七時三十七度九分、十二日正午に三十八度、十四日三時三十八度、十五日三時三十八度。そして十七日には、中島松次郎をたずねて帰ったあと、三十八度七分の熱が出た。翌日も夜は三十八度四分の高熱だった。

節はひんぱんに中島松次郎をたずねた。何が話題かというと岡田式静坐法とか、藤田霊斎というひとの民間療法のことだったようである。中島というひとは岡田式で健康体となった人物で、節はそういう話を聞き、十月十三日の順次郎あての手紙には、病気が医薬だけではなかなかなおり辛いようだから、帰国したら高輪の藤田霊斎をたずねるつもりだと書いた。病院の治療に限界を感じはじめたというよりも、いっこうに好転しない病状に不安が募って、節はいまは藁をもつかみたい心境になっているのだった。

十月二十三日に、節は喉頭の電気焼灼手術を受けた。その喜びを、節は「夫人さん喜んで下さい、今日は焼いていたゞきました、（中略）入院の時からの宿願が漸く叶ったのですからこんな嬉しいことはありません」（二十三日、久保より江あて）、「昨日宿願を果して焼いてもらひ候　自分にも苦しさを感ぜず大分前回よりは工合よろしく候　小生の如く押強くねだれる患者は嘗て有之間敷其旨昨日早速博士夫人へも申送り候」（二十四日、小布施順次郎あて）と、書き送った。節は依然として、電気焼灼を治療の決め手と思いこんでいるのである。

しかしその後も依然として三十八度台の高熱が頻出し、二十六日には病院で久保博士の診察を待っている間に、異常に疲れて身体が熱く汗ばんで来る有様だった。喉も痛く、咳も出た。

十一月に入ると季節はにわかに寒くなった。手術をしたにもかかわらず、夜になると熱は連日三十八度を越え、いったんおさまった咳もまた出て来た。しかし節は年内の帰郷をあきらめておらず、安塚千春にあてた便りには、「兎に角今月中には帰りたいと思つてます。さうして家へついたら只寝て居たいと思つてます」（十一月八日）と書いた。焼灼手術に対する信頼も強く、「咽喉はまだいけないので、も一度手術しなければ成りますまい、帰国が一寸遅れます、博士は忙しい上に大事をとつてますから、なか〳〵してくれません」（十一月十一日、平福百穂あて）という便りも出した。

この便りを百穂あてに書いたころ、節はひさしぶりに数日熱が三十七度前後に下がっていた。それでもう一度の手術で、帰郷も可能だろうと考えていたのだが、その間にも節の病気の真の原因である肺疾患は、急速にすすんでいたのである。

十一

節は読みかけの茂吉の歌集「赤光」を机に置くと、身体を倒してうしろに敷いてある夜具の枕もとから紙を取り、鼻をかんだ。

今朝は昨夜来の風が吹き荒れて、こごえるように寒い朝だったが、昨日再入院後二度目の焼灼手術を受けたばかりなので、節はいつものように病院に行った。そして患部に塗布薬を塗り、吸入をかける治療をうけて帰って来たのだが、寒い風の中を往復したせいか、宿にもどって来ると鼻がつまっていて寒けがした。

節は用心して帰るとすぐに夜具を敷いて眠り、午後も母に手紙を書いて出したあとはずっと寝て過ごしたのだが、そのときの寒けと鼻づまりは夜がふけたいまも消えずにつづいていた。綿入れを重ね着し、火鉢に小机をぴったりとくっつけて、火にしがみつくようにしているのに、節は着物の下の裸がどこからか入りこんで来る隙間風にさらされている感じから遁れられないでいる。

——風邪をひいたかな。

と節は思っていた。しかし寒けはしても悪寒というようなものではなかった。朝、昼、夕方と測っていずれも三十六度台だった熱が、夜になって急に三十七度四分まで上がったのが気にならないわけではないが、しかしまた三十七度台の熱がそんなにめずらしいわけではない。一概に風邪のせいとは言えないだろう。気にしないことだと節は思った。

節は鼻をかんだ紙を屑籠に投げこむと、手を箱火鉢の炭火にかざし、顔を上げて戸外を吹きすぎる風の音を聞いた。

風は、節が昼に目ざめて飯を喰ったころはいったんおさまっていたのに、夕方の六時に午睡から目ざめたときはまた吹いていた。平野旅館の節の部屋は、大学前通りに面した二階にある。位置は九大病院敷地の西端とむかい合う場所になるので、海から吹きつけて来る冬の西北風がまともにあたった。風が吹きつけるたびに、窓の障子がぎしぎしと鳴る。

そしてじっと耳を澄ましていると、障子を鳴らし、近くの木木や電線を鳴らして吹きすぎる風の音のずっと奥の方に、絶えずこうこうと鳴りつづけるべつの物音が聞こえた。それは病院の北側にひろがる海の音なのか、宿屋のうしろにひろがる公園の木木を鳴らす風の音なのかはっきりとは知れなかったが、節は夜の闇のむこうから聞こえて来るその物音から、国生の台地を吹き抜ける冬の風の音を思い出している。

——いつ、帰れるだろうか。

と節は思った。

今日の午後、母あてに出した手紙は返事である。その手紙の中に、節は昨日手術を終ったことを記し、来月に入ったら早早に帰郷したいので二十円ほど金を送ってもらいたいと書いた。

母のたかの手紙は、例によって借財の処置のことを筆頭に、竹の植付とか大根の不作とかいった農作業の相談ごとをこまごまと記して、節の指示をもとめて来たものだった。そばにいる夫が、そのたぐいの相談ごとでは何の役にも立たないからそうするのだとわかっていても、節ははるばると九州まで療養に来ていながら、なおその種の日常の悩みごとからのがれられないのがつらかった。

来月早早には帰郷したいと書いたとき、節の気持の中には母の手紙によってひき起こされた苛立ちと焦りがなかったとは言えない。しかし一方、待望の手術を受けて、あと、これで経過がよければ帰れるのではないかという気持のはずみがあったのも事実である。全治して帰るわけではないから、帰郷したら中島松次郎から聞いた民間療法の藤田霊斎をたずねてみるのがいいだろう。

だが節はいま、そのときの楽観的な気分が跡かたもなく消え失せ、かわって何とも言いようのない不安感に身をつつまれるのを感じている。

そしてその不安感は、単純な風邪の気配や、夜になっていつもと変りなく上がって来た熱によってひき起こされたものではなく、もっと漠然としたもの、強いて言えば身体の奥深いところにじっと居据わっている異様に重苦しい疲労感がもたらすもののように思われるのだった。その疲労感は、ここ二、三日の間ににわかに募って来て、節はひまさえあれば布団にもぐってうつらうつらしているのだが、疲れの主たる原因はわかっていた。不眠症である。

不眠の徴候があらわれたのは、十一月のはじめごろである。そのころに、一睡も出来なかった夜があった。その状態は、その後出たりひっこんだりしていたのだが、ここ数日に至って不眠はついに鉄の延板をのべたように節の上にのしかかって来て、夜眠れないために昼に眠く、昼にうとうとするために夜になってまったく眠れないという、完全な不眠症状を呈しはじめているのだった。

昼に眠るといっても、その眠りは浅く切れぎれで、節は大ていは不快な夢を見た。夢のために、かえって疲れることがあった。それならば夜は眠れそうなものなのに、ひとが眠る夜になると節の頭は鋭く冴えて、一切眠りを受けつけなくなる。そして明け方、わずかな睡気がおとずれるころには、疲れに疲れが重なった節の身体は、自分の身体とも思えない心もとなく浮遊するような感覚につつまれながら、つかの間の眠りに沈みこんで行くのであった。

不眠がいまの疲労の元凶だと、節は思っていた。不眠症さえなおれば、疲労感はうすらぎ体力もだんだんに回復にむかうだろう。節はそう考えて、眠りの正しいリズムを取りもどすために、日中はひとを訪ねて身体に眠るひまをあたえないようにし、夜の十時過ぎになって宿にもどるということまでやっているのだが、効果はまだ現われていなかった。そして節のほんとうの不安は、不眠はたしかに大問題だが、しかし不眠がいまの疲労の原因のすべてではあるまいと思うところにあったのである。

三年前に発病して以来、喉頭結核の症状である発熱と咳、喉の痛みといったものは、途中多少の小康状態があったにしても、ずっと節について回って来たものである。長い年月の間に繰り返して現われ、いまもつづいているそれらの症状が、身体の中に回復不可能な疲労を蓄積するということもあるのではなかろうかと、節は時どき考える。

それは医学的には何の根拠もなく、一種の妄想にすぎない考えだと承知しながら、節にはその考えが、いつも身体の芯のあたりにたまったままじっと動かずにいる、執拗な疲労感を説明するのにいちばんぴったりする理屈のように思われるのである。主原因だと思われている不眠は、じつはそういう本質的な疲労に単純に拍車をかけているだけのものにすぎないのではなかろうか。

その考えは、いつも節に逃げ道のない、ほんのわずか恐怖がまじる不安感をはこんで来る。風の音を聞きながら、節はいまもはたして家に帰れる日が来るのだろうかと思っているのだった。久保博士はひとことも言わないけれども、いまの尋常でない身体の疲れは、もう家には帰れない身体になっていることを示しているのではないだろうか。

また強い風が吹きつけて来て、頭の上の電灯が二、三度明滅した。節はようやくぼんやりした物思いから立ちもどって、机にむき直ったが、「赤光」の批評をまとめてみようかと思ったさっきの意気込みはもう消えていた。

熱が落ちついた十一月十日ごろから、節はまた歌をつくりはじめていた。九月一日発行の「アララギ」第七巻第八号に、「鍼の如く」其の四を発表したあと、節は「アララギ」に歌を送っていなかった。しかしその後に出来た日向旅行の作品と、福岡にもどってからの歌が合わせて四十首ほどたまっていたので、節は「アララギ」新年号には歌を載せようと思っていた。

ただ新年号の原稿は十二月十日前後に送れば間に合う勘定で、節が送稿を思い立ったときは、締切りまでまだひと月ほどの余裕があった。

どうせ載せるなら……。

と、熱がひいて創作の意欲を取りもどした節はそのときに思ったのである。締切りまでに出来るだけ歌をつくって、最近作をつけ加えて送ろう。夜はどうせ眠れないのだから、歌をつくれば気もまぎれるのではないか。

そう思って再開した歌だったが、はじめてみると予想以上に疲れた。一首の歌がなかなかまとまらず、その苛立ちから節は興奮して身体が発熱したように熱くなることがあった。やはり、外に出て材料をさがさなければ無理だと節は思い、今夜は歌の方をやめて茂吉の「赤光」に眼を通しているのである。

「赤光」がアララギ叢書第二編として東雲堂から発行されたのは、さきにも書いたようにほぼ一年前の大正二年十月のことである。その翌月の「アララギ」十一月号は伊藤左千夫追悼号になったが、その号に、「赤光」と自分の歌について語る茂吉の千樫あて消息が載った。そのなかに、「……それならばあれ以外によい所があるかどうか其を言つて呉れたまへ。而して、其を賞めて見て呉れたまへ。実際ぼくは賞められると嬉しい性分だから、是非君が内証でもよいから、僕の歌のよい所を見つけて呉れたまへ。そしたら僕は其方へ向つてぐんぐん進むから。世の先輩諸氏へも教えて頂く考でゐる。……僕は賞められると益々勉強するよ」というくだりがある。

その年、「赤光」のなかの代表作ともいうべき「おひろ」、「死にたまふ母」の連作を完成し、さらに師左千夫の死がもたらした衝撃を「悲報来」に作品化することが出来た茂吉は、処女歌集「赤光」に少なからぬ自信を抱いたはずで、千樫あての消息にはその時期の気持の弾みが出ていると言ってもいいだろう。

「赤光」には、ほめられたい茂吉がのぞんだように北原白秋の「兄は万葉以来の人、赤光は礼拝仕るべき歌集なり」といった賛辞を筆頭に、あまたの賞賛の声があつまった。しかし茂吉はむろん、「赤光」に賞賛だけを期待したわけではなく、より以上にきびしく正確な批評が現われることを待ちのぞんでもいたのである。消息に歌を賞めてくれと記したのは、批評をたのんだついでに親友でありライバルでもある千樫に内輪の言葉で甘えてみただけのことだった。

そしてなかでも、「赤光」を世に問うにあたって茂吉がまっさきに批評をもらいたいとねがったのは、「赤光」の後記に記したように、師の左千夫そのひとであったことは言うまでもない。そのころ左千夫と茂吉たちの間は冷え切って、赤の他人同様の間柄になっていたが、茂吉の処女歌集が世に出たとなれば話は別である。そういうことは茂吉もわかっていたし、左千夫もわかっていたはずなのだが、その左千夫は「赤光」の完成を目前にして急死してしまった。

そこで茂吉は、「赤光」の批評を節に頼んだのである。もちろん左千夫が生きていたとしても、節は茂吉にとって当然批評を乞わねばならない人間であるのだが、左千夫死後の節の存在は、茂吉たち「アララギ」育ちの人間の気持の上で微妙に変質し、以前よりもずっと重味を増して来ていた。

このときも、左千夫がいなくなればそのひとに代って、たとえば子規の直弟子といった権威と見識で「赤光」の批評にあたるべき人間は、長塚節をおいてほかにはいないということであったろう。そして最近のそういう雰囲気は節も承知していたので、茂吉が節に批評を頼み、節が快諾したとき、二人の胸のうちには暗黙の間に右のような諒解が取りかわされただろう、というのは推測にしてもそう大きく的をはずれているわけではあるまい。そしてそのときの暗黙の諒解がもたらした義務感が、その後長く節を苦しめることになったのである。

茂吉に「赤光」の批評を頼まれたころ、節は喉頭結核が再発して体調を崩し、暮の十二月二十三日には東京・神田の金沢医院に入院して喉の潰瘍の手術をしたことはさきにも記したことだが、当時の節にはまだ体力があった。そういう状況のなかでもひととおりは「赤光」に眼を通して、意欲的に批評に取り組んでいたのである。

年が大正三年と改まった今年の一月二日、節は茂吉を病院に呼んだ。それも批評の参考までに「赤光」のなかの恋歌の事実関係を茂吉に問いただすためで、茂吉は「おひろ」などの作品のもとになった女性関係を節に告白させられる羽目になったのだが、そのときに節が、一首ごとにぎっしりと批評の心おぼえを書きこんだ「赤光」を見せると、茂吉は涙を落とさんばかりに感激したのだった。

のちに茂吉は、そのときのことを「当時殆ど読書を絶つてゐて『もう読書は出来ないから』と云つて本居全集賀茂全集万葉代匠記など尽く私に譲つた程の長塚さんが、八百数十首の短歌を一々精読したといふことは、一とほりの同情ではない」（「アララギ」大正四年三月号＝赤光批評集に就いて）と回想している。「赤光」におさめられている歌は、明治三十八年から大正二年まで足かけ九年間にわたる作品八百三十四首である。

それから半年ほどたって、節は病院から島木赤彦に手紙を書き、そのなかにも「斎藤君の歌に就いては同君からのたつての頼みで、只今批評の準備にとりかゝり居り申候　再読三読する間に長所も短所もいさゝか明瞭に成りて愉快に有之候　小生は忌憚なく書く積りに有之候　暫く遠ざかり居り候小生のいふことには、間違ばかり多かるべくと存候へども、成るべく精読し此事業成就致可申候　実際小生には容易のことに非ず候」と書いた。

その節が茂吉あてに、「赤光」の批評は出来そうもないからあきらめてくれというハガキを書いたのは三月八日のことである。節は病気になった母を下妻の中岫医院に入院させるために、一月二十三日に退院して国生の家にもどった。当時も三十七度台の熱がつづいて、退院していい体調を取りもどしたわけではなかったが、父の源次郎も入院中で、母を入院させるためには節が帰郷するほかはなかったのである。

無理な退院だった。その無理のために節は退院後も微熱がとれず、肋骨の痛みと疲労感に悩まされた。そして三月になると三十八度台の高熱が現われ、食欲がなくなって節は痩せた。茂吉への批評をことわるハガキはそういう状況のなかで書かれたのである。三月六日の三十八度七分という発熱は、発病以来の高熱だった。「赤光」の批評どころではなかった。そしてむろん、体力がなければ十分な批評は書けないのである。

しかし茂吉は節から批評をもらうことをあきらめなかった。さきにひいた「赤光批評集に就いて」という小文に、茂吉は「歌評は長塚さんに会ふ度毎に催促した。那須館に滞在中も私の家で一処に寝た時も橋田病院に居た時も執念ふかく催促した。郷里に帰つたり福岡に行つてからも必ず催促した。長塚さんは、評の事を思ふと負債を有つてゐるやうで非常に苦痛だと言越した。それでゐて福岡にも日向の旅にも必ず赤光を持つて歩いてゐて何時か工合のいゝ時書かうとして居た。私は済まないといふ気が時々湧いた。けれどもどうしても諦める事が出来ない。その次には、何時までも待つてゐますと書いてやつた。しまひには文房堂の原稿紙を二度送つて箇条書きでよいから下さいと云つた。諦められないからである」とつづけている。

このおそるべきしつこさは、ひとつは茂吉というひとの気質から来ているだろう。また茂吉は本質的に田舎者である。しつこさは都会人的な淡白さとは反対の側にある、田舎者的ねばっこさの現われとみることも出来る。

しかしもっと根本的には、さきにのべたように歌の父左千夫にかわる代父としての節、そして根岸短歌会の正統をつぐ実力者歌人である節の批評を得ないかぎりは、ほかからいくらりっぱな批評をもらっても、「赤光」の批評は完結しないと茂吉は感じつづけていたに違いなく、執拗な催促はあきらめ切れないその気持の現われだったとみるべきだろう。

このあとの十二月、八丈島から帰って来た島木赤彦が、節にあてた手紙のなかで歌集「切火」発行の計画を打ち明けたのに対し、これについての節の返事がなかったのを後あとまで気にしたのも理由は同じとみてよい。赤彦はそのときの節の黙殺からうけた衝撃を忘れ得なくて、ついにほぼ一年後の大正五年「アララギ」一月号の編輯所便に、「昨年赤彦の歌集『切火』を出さんとして、予め福岡なる長塚氏の病牀に報ずるや、返事一言の之れに及ぶなし」と怨みがましく記した。実際には、赤彦がその手紙を書いた十二月二十一日ごろは、節は高熱と不眠のために疲労困憊していたのだが、節の黙殺がこれほどに赤彦に衝撃をあたえたところに、当時の「アララギ」における節の重味というものをみることも出来るだろう。

しかし、たとえそうだとしても、茂吉の絶え間ない批評の催促は、黒田てる子に対する失恋、借財をかかえる家庭事情とともに、病身の節を悩ませる最大のもののひとつとなったのである。つい十日前の十一月十一日に、節は平福百穂あてに手紙を書いた。そしてその手紙の中にも「それから斎藤君への赤光評なのですが、どの位私を苦しめたか知れないのです、八度以上の熱が出る様に成つてから、しひてその事を念頭から去る様にしたら、何程心が休まつたか知れません」と記したのである。

その「赤光」批評は、歌集の一首ごとに万年筆で心おぼえを書きつけただけの、未完の形でいまも机の上に乗っていた。

十二

節が茂吉の歌に注目したのは、左千夫の選ではじめて「日本」に載ったつぎの一首あたりからだろう。

大きな聖世に出づ待つとみちのくの蔵王高根に石は眠れり

それは「石」という課題の応募作だったが、節はつぎに、ずっと後の「アララギ」に載った「田螺の歌」に注目した。

とほき世の　かりようびんがの　わたくし児　田螺はぬるき　みづ恋ひにけり
赤いろの　はちすまろ葉の　うけるとき　田螺はのどに　みごもりぬらし
味噌うづの　田螺たうべて　酒のめば　我が咽喉ぼとけ　うれしがり鳴る
南蛮の　男かなしと　恋ひ生みし　田螺に仏の　性ともしかり

こういう奇抜とも異様とも言うべき茂吉の空想歌を、「アカネ」の三井甲之は明星流、晶子流という言い方で非難しているようだったが、節はそうは思わなかった。節はまず、茂吉のスケールの大きい想像力に注目したが、また茂吉のこうした空想歌が、いわゆる奔放な空想歌と言われるものの底の浅い思いつきとは無縁のものであることを理解していた。茂吉の空想歌は、歌の背後に描き出された別世界がたしかに存在することを感じさせる奥行きを持っていた。そしてその別世界なるものが、誰の真似をしたのでもなくあきらかに茂吉という個性そのものが抱え持つ世界にほかならないことを感じ取ったときに、節はあらためてこれらの歌に瞠目したのである。

左千夫は当時の茂吉を自慢の種にしていて、節に会うと「斎藤君はね、君、天才だよ」と言ったが、左千夫の関心は節とは違って茂吉のつぎのような歌にむいていた。

生きて来し丈夫がおも赤くなりをどるを見ればうれしくて泣かゆ
凱旋り来て今日のうたげに酒をのむ海のますらをに髯あらずけり
くわんざうの稚き萌を見て居れば胸のあたりがうれしくなりぬ

一首目と二首目は「馬酔木」第三巻第三号に載った初期の歌で、三首目の歌は「アララギ」第一巻第三号に載って、三井甲之に肉感的だと悪口を言われた作品である。

左千夫はそれらの歌を、こういう境地をうたった歌はあまりないという見方から推奨していた。いかにも短歌らしくつくった観念的な表現をあたえることなく、人間の肉体そのものを直接に歌にしているのがよいという意味らしかったが、節はそんなものかと思っただけである。左千夫の言うところは大体理解出来、またそういう歌を詠むことが出来る茂吉の才能の奇妙さに興味は持ったものの、節はそうした歌を読むとどうしても母親ゆずりだという茂吉の大柄な身体が眼にうかんで来て、表現されたものはそういう茂吉が身体の中に一杯につまっている自己矛盾を扱いかねて身もだえしたときに出来たような滑稽な感じしか受けとれなかったのである。ただし甲之の肉感的などという批評は、まったく的はずれだということはわかっていた。

茂吉はしかし、「田螺の歌」を発表したあとの同じ明治四十三年の「アララギ」九月号に、つぎのような歌を発表し、節が注目していた空想的な歌の世界からはなれるつもりであることを、作品の上でも考えの上でも次第にはっきりさせて行く。

墓はらのとほき森よりほろほろとのぼるけむりに行かむとおもふ

木のもとに梅はめば酸しをさな妻ひとにさにづらふ時たちにけり
眼閉づればすなはち見ゆる淡々し光にこふるもさみしかるかな
ほこり風立ちてしづまるさみしみを市路ゆきつつかへりみるかも
このゆふべ塀にかわけるさび紅のべにがらの垂りをうれしみにけり

このなかの「木のもとに梅はめば酸し」の一首が、のちに左千夫と茂吉、赤彦らの師弟論争の種子になったことはさきにも触れたが、このころから茂吉は、自分の歌にある奇抜さとか空想的な面を否定して、自己の実感に即して、しみじみと感じたことを歌にして行くための努力を傾けるのである。

その成果が、歌集「赤光」となって節の机の上に乗っていた。節は茂吉の奥深い才能と短歌ひとすじの精進ぶりにずっと好感を持ちつづけて来たが、一方で茂吉の歌は出来、不出来の差がはなはだしく、ことに叙景のつたなさはどうしようもないと思っていた。その欠陥は「赤光」にもそのまま現われていて、歌集の中身は玉石混淆（こんこう）の感じがあった。しかしその玉の部分には、異様なまでの光芒をはなつ作品があることも、節にはわかっていた。

節は今年の六月、「アララギ」第七巻第五号に「斎藤君と古泉君」という文章を載せた。東京の橋田医院に入院しているときに、島木赤彦が来て節の談話を書き取り、文章にしたものである。節はそのなかで、茂吉の郷里最上、千樫の郷里安房の風土と二人の作品を関連させて論じ、「斎藤君のは強い力の芸術である。さうしてうまく成功して横行潤歩してゐるものである。古泉君のは一体に優しい芸術である。只遺憾乍らうまく成功してゐるものに逢着することが少ない」と規定した。節は茂吉をはじめ千樫、赤彦、中村憲吉ら「アララギ」の若手歌人の成長に強い期待と関心をよせていたが、いまのところは茂吉が一頭地を抜き、ほかはまだ茂吉の水準に達していないことは、「赤光」を読めばあきらかだった。

そこには茂吉の選んだ言葉があり、いかにも茂吉的な言い回しがあり、茂吉が把握している詩観が顔をのぞかせていて、結果として、よかれ悪しかれ茂吉のものであるほかはない短歌世界がくりひろげられているのだった。「赤光」のなかの秀作が、異様なと思われるほどの光芒をはなって見えるのも、そこにこれまでどんな歌人もうたっていない、茂吉という個性によってはじめてとらえられた世界が提示されているからにほかならない、と節は思う。

左千夫がかつて注目し、節が滑稽な感じしか受けなかった肉体をうたう特異な傾向さえも、茂吉は自分の方法で消化して、「赤光」のなかに「このやうに何に顴骨（ほおぼね）たかきかや触（さや）りて見ればをんななれども」といった成功作を採録していた。

それでは茂吉の言葉の選び方や言い回しはそれほどに十全なものかと言えば、節は読んでいてときにはその癖の強さに閉口することがあった。そして茂吉だからそういう言い回しや言葉をらくらくと使いこなしているので、茂吉とは文学観も詩観も異なるほかのひとが、同じ方法で歌をつくってもだめだと、節は思っていた。

左千夫も「アララギ」の若い歌人たちが、茂吉の「楽しみにけり」とか「楽しかるかも」あるいは「いとほしみけり」、「嘆かひにけり」といった語法を真似るのを嫌ったが、節も「赤光」が世に出たあと「アララギ」に茂吉調が流行するのを見て、千樫あての手紙に「今アララギには斎藤君の模倣が充満して居て殆んど鼻持もならぬ。しんしんといふ言葉でも実に驚くほど多く使用されて居る。悪口をいへば三月号はしんしん号と改めてもいい位です」と書いた。

その手紙は、これよりさきに茂吉にあてて書いた「赤光は……品位を理解していない」という「赤光」評などと一緒に、それぞれ「茂吉に与ふ」、「千樫に与ふ」として今年の「アララギ」第七巻第四号に掲載されたのだが、そのあとの号に載った「斎藤君と古泉君」も、風土と関連させて二人の歌の特質を論じる一方で、つぎの二首を挙げて千樫の作品にみられる模倣をきびしく咎めたものだった。

あかあかと一本の道とほりたり玉きはる我が命なりけり（茂吉・大正三年一月号「詩歌」）

山の上に朝あけの光りひらめけりよみがへり来る命なりけり（千樫・同年「アララギ」三月号）

節は、茂吉は茂吉の風土を背負って「あかあかと……」の歌をつくった。千樫は千樫の風土から発して自分の歌をつくるべきなのだと、模倣をいましめながら千樫の個性の在りようを、懇切に示したのである。

節はさきに挙げた手紙「千樫に与ふ」にも、他人の美をたたえるのはいいが、それに巻きこまれてはだめだ。「人間といふものは、自分の天分を発揮する外に何もありやしません。だから個性のことは八釜敷いふのです」とも書いた。たとえ真似る気がなくとも、茂吉が得意としている語彙とか方法とかに安易によりかかって歌をつくっているかぎり、作品は茂吉を越えられず、個性も発揮出来ず、本人は二流、三流の歌人で終るしかない。それぐらいのことが見えないのかと、節はこのところ千樫や赤彦、憲吉らに苛立ちを深めているのだった。

――だが……。

はたしてそうかと、いま福岡の平野旅館の二階に、ただ一人目ざめながら節は思っている。

彼らのただごとでない模倣ぶりは、ひょっとしたら子規がはじめた根岸短歌会が、誕生以来はじめて、茂吉という天才的な歌人を持ったということではないのか。茂吉こそは待たれたメシア（救世主）なのだろうか。

千樫は最近の「赤光」調の流行を、世間が茂吉にかぶれたのだという。その言葉は、節にひとむかしほど前の過熱した「明星」調の流行を思い出させた。そのころの節は、世間的なことにはごくうといままに、子規や左千夫の尻馬に乗ってしきりに新詩社と「明星」の悪口を言っていたのだが、実際には「明星」は公称七千とも五千ともいう、当時としては空前の読者を持つ文芸誌で、まだ拠るべき同人誌も持たない根岸短歌会は、新詩社の隆盛の前には眇たる一結社でしかなかったのである。

——あのころの「明星」のように……。

あるいはこれからは茂吉調といったものが「アララギ」の基調となり、そういう形でやがて「アララギ」が一世を風靡するということになるのだろうか。妄想に似ているが、可能性がなくはないと、節はちらりと思う。「赤光」にはそういう想念を強いて来るものがあった。

——「赤光」評は……。

と節は思っている。とどのつまりはそこまでの予見をふくめて論じないと、おさまりがつかないスケールの大きいものになる。ただし、それはおれの任ではない。そこまで論じることになれば、確実に命取りになるだろう。

節は机の上の「赤光」を閉じた。そしてその本を持って立ち上がると、深夜の部屋を静かに横切って押入れの前に行った。押入れの下段にある行李をひき出すと、「赤光」をなかにしまってかわりに坪井伊助の竹林経営の本を出し、机の前にもどった。

節は坪井の本をひらいて読みはじめた。その本には心を労するものは何もなかった。節がもとめている知識と若干の記憶を必要とする数字があるだけである。節は熱心に読みふけった。風はさっきよりいくらか弱まって来たようだったが、睡気はまだ来なかった。

十三

翌翌日の十一月二十三日。節は急に観世音寺をたずねる気になって、宿を出ると汽車に乗った。

気持よく晴れた日だった。汽車の窓から外を見ると、筑紫野は枯れはてて空にはわずかな巻雲が散らばっているばかりだった。雲は吹き荒れた風の名残りだろう。黄色い野と黒ずんだ農家の屋根が、冬の日に照らされて汽車の後方に飛んで行くのを、節は飽きずに眺めつづけた。汽車に乗ると間もなく痩せた尻が痛んで来て、身体全体がどことなく宙に浮いているような心もとない感覚がつづいたが、ひさしぶりの小旅行に気持の方ははずんでいた。

二日市駅で汽車を降りた節は、自分が予想以上の疲れに襲われているのに気づいた。多少の疲労は覚悟していたのだが、身体中がだるくて立っていられないほどである。長く外出しなかったせいで、歩いているうちには身体が馴れるだろうと思ったが、これまでのように駅から観世音寺まで歩き通すのは無理だと思われた。節はそこから太宰府まで、さらに私電の切符を買った。

太宰府駅から近道を歩いて、観世音寺についたのは午後二時ごろだった。樟の巨木の間から日射しが流れこんでいる境内は、節のほかには人影も見えずひっそりとしていた。節は金堂から講堂に回り、例の丈六の仏像群を満足するまで眺めたあと、庫裡に回った。

折りよく顔なじみになってしまった住職が在宅していたので、そこで少し話しこんでから、もう一度講堂前の広場にもどり、鐘楼にのぼった。

――帰郷したら……。

はたしてもう一度ここへ来られるだろうか、と思いながら、節は手をのばして鐘にさわった。耳を近づけて、爪で鐘を叩いてみた。鐘は、かすかな金属音を節の耳に伝えた。節は近ぢかの帰郷を危ぶみながら、その準備だけはととのえようと思い直していた。二、三日の間には去年利用した大阪商船に手紙を出して優待券を取りよせようとも思っていた。節はその音色を記憶に刻みつけるように、もう一度小さく爪で鐘を鳴らした。観世音寺と太宰府をむすぶ帰りの道は、小さな村を通りすぎるとつぎの集落までは田圃しかない野を横切る。節は疲れて、時どき道ばたの枯草の上に腰をおろした。日の光が赤らみ、野の四方から寒気が押し寄せて来るのを感じて振りむくと、短い冬の日ははやくも、観世音寺、都府楼趾の背後につらなる丘の端に落ちるところだった。心ぼそくなって、節は腰を上げた。そのとき、さっきから胸のなかで練っていた歌が、ふっとまとまった。

手を当てゝ鐘はたふとき冷たさに爪叩き聴く其のかそけきを

「彼の、蒼然たる古鐘をあふぐ、か」

節は前書を案じながら、ひとりごとを言った。疲れてはいたが、歌が出来た気持のはずみが節を鼓舞していた。やはり外に出なければだめだと思っていた。異常な疲れが節をおびやかしていたが、節は強いて、長い間汽車に乗ることなどなかったせいだと思おうとした。馴れれば大丈夫だろうとも思ってみた。事実、日が落ちた野道を歩きながら手で額をさわってみたが、いくらか寒けがするものの高熱が出ている気配はなかった。

しかし、つぎの二十九日の松崎行きは失敗した。観世音寺をたずねたあと、節は軽い風邪をひいたらしく咳やくしゃみが出た。喉が痛く、二階の階段をのぼり降りするときに息切れがした。

しかし熱は三十七度前後を上下していて、さほどの変化はなかったので、節は二十七日になると、これまで作った歌の推敲をはじめた。それでも風邪がなおったせいか、翌日になると熱はかえって三十六度台にさがった。その状況を見て、節は二十九日に松崎行きを決行したのである。

松崎は鹿児島本線鳥栖駅のひとつ手前の田代駅で降り、松崎街道を東に一里半ほども行ったところにある集落である。節はそこにある三原家をたずねて行ったのだが、締切りがせまった「アララギ」の歌のことも頭にあって、用事のかたわら汽車旅行の途中で歌の材料が見つかればとも思っていたのである。

だがその朝は、この冬になって一番という厚い霜が降りた日で福岡近辺、ことにたずねる松崎のあたりは終日寒かったのである。節は行きの汽車のなか、田代から松崎まで人力車の上でこごえ、帰りは田代駅で二時間も汽車を待ってまたこごえた。途中で、持参した体温計で測ってみると、三十八度の熱が出ていた。

節は疲れ切って午後七時にようやく吉塚駅にもどったのだが、さいわいに持続的な発熱だけはまぬがれることが出来た。しかし相変らず息切れがなおらず、不眠もつづいていたが、歌の締切りがせまったので、節は松崎から帰ったあとは歌の推敲と整理に没頭した。

「鍼の如く」其の五としてまとまった歌は、結局七十首に達した。日向旅行の作品に福岡に帰ってからの歌を加え、最後に手帖を繰って、前年の出雲旅行のときの古い歌若干をさがし出して七十首にしたのである。送るべき原稿の整理が、すべて終ったのが十二月七日の深夜だった。

——何時だろう。

ペンを置いて、節はそう思ったが、そのときはじめて胸のあたりが熱っぽくなっているのを感じた。熱っぽいのは胸だけではなかった。気がつくと、身体全体が異常に熱くなっていた。手も足もじっとしていられないほどに熱く、その熱いものは頭蓋のなかまで入りこんで、疲れ切った頭は白熱し、いまにも光を発するかと思われるほどだった。

——熱が出ているのだ。

とっさに節はそう思った。顫える手で体温計を取ると、いそいで腋の下にはさんでみた。だが発熱ではなかった。体温計は三十七度三分を指し、夜の七時に測ったときと変りなかった。それなのに、身体中が燃え立つような感覚はますます強くなって行くようだ。

「………」

また、あれがやって来たのだ、と節は思った。疲れ切った身体が、病的な神経の興奮をひきおこしたのである。その証拠に、白熱した頭のなかで神経だけはぱっちりと眼をあけ、冴えに冴えてナイフのように鋭くなっているのがわかった。不快な興奮は、このまま夜明けまでつづくのだろうか。これでは身体がもたない。

節は一瞬恐怖に駆られて立つと、部屋を横切って窓の障子をあけた。まだ夜明けの気配すらない深夜の寒気が、あけた窓からどっと流れこんで来た。

翌日はまた寒くなった。しぐれめいた雨が降ったかと思うと、その雨はいつの間にかやんで薄日が町を照らしているという定まらない天気のなかを、節は九大病院正門前の郵便局まで、「アララギ」に送る原稿を出しに行った。ほとんど眠っていないのと病的な神経興奮が残した疲れのために、頭は朦朧として足もとがふらつくほどだったが、節は歌が出来たことに満足し、今夜からはゆっくり眠れるだろうと思っていた。

節が、もっとも恐れていた高熱に襲われたのは、十二月十五日だった。悪寒がして熱は三十八度八分まで上がった。翌日になっても三十八度台の熱は下がらなかったので節は病院に手紙を持たせて人をやり、内科の高崎医学士に来てもらった。一方久保博士の方も、来院しない節を心配して西巻医学士を見によこした。

発熱の原因を、節は前日の十四日、夜になってひどく寒くなったのに無理に理髪したせいかと思っていたが、事実は悪化していた肺疾患が、不眠や「アララギ」の歌の推敲に幾夜か精魂をかたむけた無理が引きがねになって、高熱を発せしめたとみるべきだった。節は入院をのぞみ、病院でも入院の手続きをはじめたが、空きベッドがなくてすぐには入院出来ず、しばらくは平野旅館で静養しながらベッドが空くのを待つことになった。

そして発熱してから三日目に、ようやく悪寒がとれて、夜の熱も三十七度台にさがったので、節は十九日からは前のように通院することにした。しかしそのころには不眠はいっそう強まり、眠れない苦しみをまぎらわせるために歌を考えると、今度は例の神経の興奮が現われて、夜が明ける時刻には節は朦朧とした頭をかかえて部屋にうずくまっているような有様だった。

二十一日に、節は大阪商船に優待券を返送した。優待券は、六日には手もとにとどいていたのだが、節はその日弟の順次郎にあてた手紙にも書くように、あと一、二カ月はとても旅行は出来ないと考えていたのである。

いったんおさまったかと思われた熱が、ふたたび三十八度台に上がって来たのが十二月二十七日である。それからは連日、高熱が出るようになった。そしてその熱は二十九日からは病状の悪化を示す夜より朝の方が熱が高い転倒型に変るのだが、むろん節は気づかない。病院から毎日のように様子を見に来ている高崎医学士はその事実を把握していたが、ベッドはまだ空かなかった。そして十二月三十日に東京の順次郎から小包みがとどいた。シャツ二組と佃煮の小包みである。古いおさがりでいいからあたたかい毛のシャツを送ってくれと頼んでおいたのに、新品の毛のシャツが二組も入っていたので節はおどろいた。ほのかな幸福感が節をつつんだ。

しかしその間にも節の病状は少しずつ悪化して、年を越えた一月二日の夜は三十九度一分という高熱が出た。節はまた高崎医学士に使いをやって解熱剤をもらったが、熱は翌日も下がらなかったので、四日の夕刻、病院では隔離病棟南六号室に緊急入院させる措置をとった。

そして翌日から耳鼻科の久保博士と内科の武谷教授が、かわるがわる節を診察したが、久保博士の診察結果は「喉頭後壁以前よりひどく腫脹す。左披裂部潰瘍あり」というものだった。病状が悪化しているのである。

武谷教授の内科では、はじめての患者を扱うように丁寧な記録を取った。それによると「体格中等度、骨骼菲弱、筋肉及び皮下脂肪著しく減少、栄養不良、顔面異常なく自然、眼球及び眼瞼結膜、異常なし、眼球運動、各方向に障碍なし、瞳孔左右同大、対光反射迅速、皮膚正常より熱く、発汗あり、高度の貧血がある。浮腫、褥瘡、発疹等はなし」というのが、そのときの節に対する一般的所見だった。

さらに内臓その他の診察結果は、「脈搏　規則的で緊張正常、呼吸肋骨腹式　頻度正常。肺臓右上中部、打診部短縮、湿性ラ音、呼吸音粗裂。左上部、打診部短縮、ラ音なし、呼気音粗裂。右上部及左上部、打診上鼓音の部あり。心臓　異常なし　腹部　やや陥凹、抵抗なし、厭痛なし、肝、脾　両側腎ふれず。神経系　頭痛なし、意識明瞭、睡眠高度に障碍さる、運動、知覚障碍なし、反射、膝蓋腱反射正常。尿　レモン黄色、蛋白、糖なし」というものだった。病院ではこの診察結果にもとづいて、ただちに薬を処方して投薬を開始したが、高熱は依然としてつづき、節はやがて手洗いに立つのにも足がふらつくほどに身体が弱った。

　節の病気は一方的にかつ急速に悪化した。一月三十一日に、節は久保博士にあてて「熱のある時に一番楽しいのは、素湯を心ゆくばかり飲むことですけれど、それがいまは咽（む）せて咳が出て〳〵止まらな（一字脱）程のことがあります、（中略）どうか先生素湯を十分のめる様に願ひます」という手紙を書いた。節は自分が手紙を書くのもひとから手紙をもらうのも好きで、暮れにも郷里の橋詰孝一郎に「恐れ入りますが何かおたよりを下さい」と書いたほどだったが、久保博士に書いたこの手紙が最後の手紙になった。翌月二月八日午前五時に節は昏睡状態に陥り、駆けつけた父の源次郎、弟の順次郎、久保博士、主治医の曾田共助をはじめとする医局員が見まもるなかで、午前十時死去した。三十七歳だった。節の最後のカルテは、次のように記している。「診断　喉頭結核。合併症　急性両側性播種性肺結核症。治療　対症療法。経過　一方的に悪化。転帰　一九一五年二月八日死亡」。カルテは、このときの主治医西巻医学士が書いた。

　大正四年一月発行の「アララギ」新年号には、節の最後の発表作品「鍼の如く」其の五が掲載された。「鍼の如く」其の五の創作と推敲、整理は節の命をちぢめる一因となった。高熱に苦しみながら、節は不屈の気力をふりしぼって歌作に取り組んだのだが、結局は病身の節に、旅と歌がとどめを刺したのである。だが節から旅と歌をとり去ったら、あとに何が残っただろうか。

むろん節は「土」というすぐれた長篇小説と、数篇の短篇小説を残したが、それだけではさびしかろう。節はやはり、最後に「鍼の如く」というたぐいまれな到達点を示す歌集を持つ歌人として、生涯を終ったことで光っている。

節は、「アララギ」に「鍼の如く」其の五を送ったあとも、高熱と不眠の間を縫うようにしてさらに十首あまりの歌をつくった。十二月二十三日は、終日風が吹いて時どきあられが降った。

二十三日、日ねもす北風吹きやまず

明るけど障子は楮(かぞ)の紙うすみ透りて寒し霰ふる日は

我は巷のうちにありて朝はおそくまで起きいづることもなきに、けさは霜のいたくおりけりなど人のいふをきくごとに、いまは離れて久しき林間のこみち憶ひいづることしばしばなり

枯芒やがて刈るべき鎌打ちに遠くへやりぬ夜は帰り来ん

あられまじりの寒い風が吹く音に耳をかたむけながら、節は国生の台地の櫟林と、葉が落ちつくした林のなかを、奥へ奥へと走る小道を、まぼろしのように思いうかべているのである。鎌打ちのために野道を行くのは「土」の勘次だろうか、それともおつぎだろうか。そして、そのまぼろしをうたわずにいられなかった節は、最後まで歌人だった

のである。旅と歌に命をちぢめたのは、宿命としか言いようのないことだった。

大正四年三月一日発行の「アララギ」三月号は、巻頭に「大正四年二月八日午前十時長塚節氏逝く。謹みて哀悼の意を表す。アララギ同人」の弔辞を掲げ、編輯兼発行者の島木赤彦は、「編輯所便」に「長塚さんは逝かれました。三十七歳の短生涯に妻子も無くして逝かれました。人間の世の中に清痩鶴の如く住んで孤り長く逝かれました」と書いた。

師の左千夫が死去したとき、冷静に「今死なれるなら、今つと早く九十九里の歌の出来た頃に去られた方がよかつたかも知れぬ」と書いた赤彦が、節の死には慟哭をささげたのである。その短い文章を書く間、赤彦の胸には節と自身の長い交際もさることながら、ついに悲恋に終った節と黒田てる子のことが、消しがたく去来したに違いない。「アララギ」のこの号は「赤光」批評号の㈠で、この中で茂吉が節に批評をたのんだいきさつを記していることはさきに述べた。

三十七歳で世を去った歌人は童貞だったという説がある。聖僧のおもかげがあるといわれた清潔な風貌とこわれやすい身体を持っていたという意味で、この歌人はみずから好んでうたった白埴の瓶に似ていたかも知れないのである。

主な参考文献

つぎの単行本および各種文献を参考とさせて頂きました。厚くお礼申し上げます。また久保田正文氏、文藝春秋鈴木文彦氏の格別の御配慮に感謝いたします。

平輪光三著「長塚節　生活と作品」、大戸三千枝著「歌人長塚節の研究」、若杉慧著「長塚節素描」、伊藤昌治著「長塚節　謎めく九州の旅・追跡記」、斎藤茂吉編「長塚節研究」上、下、長塚節研究会編「共同研究　長塚節の人間と芸術」、平輪光三著「人間　長塚節」、橋田東声著「子規と節と左千夫」、中山省三郎編著「長塚節遺稿」、春陽堂書店「長塚節全集」、筑摩書房「明治文学全集・伊藤左千夫、長塚節集」、永瀬純一著「長塚節とその時代」、永瀬純一、青木昭著「長塚節文学の風土」、佐藤佐太郎「長塚　節」、北住敏夫「長塚　節」、梶木剛著「長塚節」、長塚節研究会編「節と茂吉」、長塚節研究会・島木赤彦研究会編「節と赤彦」、秋山繁久著「長塚節への覚え書」、土屋文明著「伊藤左千夫」、斎藤茂吉著「伊藤左千夫」、永塚功著「伊藤左千夫研究」、柴生田稔著「斎藤茂吉伝」、「続斎藤茂吉伝」、角川書店「日本近代文学大系・斎藤茂吉集」、筑摩書房「明治文学全集・與謝野鉄幹、與謝野晶子集」、矢野峰人著「鉄幹・晶子とその時代」、斎藤茂吉著「明治大正短歌史」、藤岡武夫著「生命の叫び　伊藤左千夫」、粟津則雄著「正岡子規」、真壁仁著「定本斎藤茂吉」、久保田正文著「近代短歌の構造」、岩波書店「左千夫全集」、岩波書店「啄木全集」、岩波書店「赤彦全集」、「アララギ」第一巻第一号〜第八巻第六号、「アカネ」第一巻第一号～第二巻第六号。

右田俊介「長塚節の病床日誌」（日本医学新報 No.1717～No.1721）、九州帝国大学医学部事務所発行「九大医学部二十五年史」、九大医報 vol.27,No.6「長塚節の歌碑」、横瀬隆雄「長塚節についての一考察」（茨城工業高専研究彙報・第七号）、古泉千樫「長塚節氏の歌」（短歌雑誌第三巻第五号、第三巻第六号）、岡麓「正岡先生と長塚君」（アララギ第十八巻第十二号）、飯野農夫也「ききがき二つ」（新日本文学第十巻第二号）、橋本佳「『土』の世界の秩序」（文学昭和四十五年二月号）、橋本佳「『土』論その後」（文学昭和四十九年四月号）、浅野晃「『土』とその作者」（立正大学文学部論叢十七）、中山省三郎「長塚節遺稿について」（アララギ昭和十二年～十三年）、佐藤佐太郎「『初秋の歌』の成立」（アララギ昭和二十三年七月号）、斎藤茂吉「伊藤左千夫と長塚節」、富澤牧歌「歌人長塚節」（水甕第十八巻第一号）、松田睦代「福岡における長塚節・倉田百三」（香椎潟第十二号）、伊藤永之介「農民文学の発生」（新小説第五巻第四号）、玉城徹「長塚節の方法」（短歌第二巻第十号）、久保田正文「長塚節の文学」（新日本文学第十巻第二号）、岩上順一「長塚節」（人間別冊三）、佐藤佐太郎「長塚節晩年の歌」（短歌第二巻第十号）、塩谷滋「長塚節の歌論」（日本文芸研究第十五巻第一号、第四号）、佐藤佐太郎「長塚節の悲恋」（婦人公論第三十七巻第十二号）、藤咲豊「長塚節挿話」（茨城歌人昭和五十七年一月～十二月）、寺神戸誠一「長塚節と女性」（書物展望第六巻第二号）、湯本喜作「長塚節の妹さんに会った話」（短歌研究第一巻第一号）、高浜虚子「写生文と自然派」（趣味第二巻第九号）、伊藤信吉「三人の作家」（俳句研究第八巻第十一号）

解説

清水房雄

著者藤沢周平氏には、「小説『白き瓶』の周囲」というエッセイがある。この大作の主人公長塚節に関わり深い、言わば節のホームグラウンドであった短歌雑誌『アララギ』の後年の号、即ち昭和六十一年新年号に寄稿したものであるが、その年末に刊行された氏のエッセイ集『小説の周辺』（潮出版社）の中に収められているので、読んだ人も多いと思う。それには、『白き瓶』執筆の動機なり、作中人物への関心のことなりが、要を得て語られており、およそこの作品の解説として、これ以上のものは、他にあり得ないような気がする。

そこで、私が今敢えてそれらしいものを書くとすれば、藤沢文学のファンとして、また長塚節の文学――特にその短歌――に関心深い歌詠みの一人としての思いつきのあれこれを、このエッセイを頼りに記す外ないわけである。

さて、私自身の藤沢文学との出会いのことを思い出してみた。実に偶然に支配されてのことだが、『用心棒日月抄』が私にとっての初対面であったろうか。

とにかく、読みはじめていきなり引きこまれた。そこには無敵の英雄・豪傑などは登場しない。ごく普通の人間であり、他よりは少々剣技に長じた下級武士で浪人中の青年青江又八郎が、必要に応じて腕をふるうわけだが、それが、主君のため、正義のため、社会民衆のため、等々のりっぱな理由によるのではなくして、明日の米代をかせぐためである、というその着想のすばらしさに、私はまず引きつけられた。

食うために、という人間本然のモチーフが、どうやら、作者藤沢氏の青年時代の飢餓体験に由来するものらしいことを、後になって、氏のエッセイを読んで推察したのだが、以来私は病みつきになり、次々と手をのばすうちに『一茶』につき当たった。

食うための烈しい生き方をする小林一茶が、そこには鮮烈な姿で書きこまれていたが、その一茶をとりまく江戸期という時代や、俳諧師という生活者たちの世界が、眼前の事実としていきいきと展開している。そしてその背後にある、作者藤沢氏のねばり強い資料調査と、眼光するどい人間洞察に、今度は畏怖と言っていいような思いに、激しく気持をゆさぶられた。

藤沢氏の作品を素材的に、ごく大まかに分類すると、武家物、市井物、芸道物ということになるかと思うが、『一茶』は北斎や歌麿を扱ったもの——『溟い海』『喜多川歌麿女絵草紙』——と同じく、芸道物に属するわけである。この『白き瓶』もやはり分類上は芸道物のうちに入ることとなるが、注意すべきは、これは、従来舞台設定に江戸期を主として来た氏には珍しい、恐らくは最初のものであろう、近代に舞台を据えてのものであることである。氏の作品系列上の一転機と言ってよいであろうし、氏としても相当思いきったものがあったはずである。それに、私の知るかぎり、これは長塚節を小説化した最初のものとして、注意して置いていい。

この作品が昭和五十八年から五十九年にかけて雑誌『別冊文藝春秋』一六二〜一六九号に発表されたその頃、実は私も長塚節について調べ事をしていた。或る短歌鑑賞シリーズの一冊として、節の作品の中から秀歌とおぼしき相当数を選出し、鑑賞することになり、当然それらの歌の成立事情・背景にも触れなければならなかったためである。

そして、いよいよ執筆開始直前の私の目の前に『白き瓶　小説　長塚節』の雑誌連載が登場したのである。早速にも読みたいという思いを、私は必死になっておさえ、とうとう自分のものを書きあげるまで我慢した。理由は簡単である。それを読んだら最後、私は恐らく節について何を書く意欲も失ってしまうであろう、という予感に脅かされたからである。

ようやく開いて見た『白き瓶』は、予感の通り、私にとって怖ろしい作品であった。私が骨を折って調べまわり、なお且つ見落していた幾つもの事実が、そこには、とっくに書き収められていた。早く言えば、節に関するくさぐさの事が、私に先行して、片端から調べあげられていたのであった。

『白き瓶』が第二十回（昭和六十一年度）吉川英治文学賞を受賞した時、選考委員の言葉は一様に、この作品が節に関する事実問題の追究において、怖るべき執着をもって詳密を極めていることに触れていた。「厖大な資料を綿密に検証」（伊藤桂一氏）、「丹念で同時に執拗な態度」（尾崎秀樹氏）とか、或いは、井上靖氏が、長塚節について知りたいことは、すべてこの作品の中にあると評し、吉村昭氏が、資料の豊かさと検証のきびしさ正しさが力余って、小説としては問題が生じてもいよう、という由の評をしていたのも、印象的だったが、この作品『白き瓶』について誰もが最初に強く感ずるのは、そのことであろう。私がじだんだ踏んでくやしがっても駄目なのは、当然のことなのであった。

そして、藤沢氏自身においても、事実調査の参考文献の数は、『一茶』の場合が二十八部、『雲奔る　小説・雲井龍雄』では二十二部であるのに対して、この『白き瓶』においては、『長塚節全集』は勿論のこと、『啄木全集』『左千夫全集』『赤彦全集』など、幾つかの大きな全集を含んで六十三部にものぼる。

藤沢氏自身はそれについて、前述のエッセイの中で、「節は地味な歌人で、その種の参考文献、資料類はそう多くはないのではないか、などという私の予想は完全にくつがえされて、汗牛充棟ともいうべきたくさんな資料の前に、私は呆然とするばかりだった。」と言っているが、とにかく氏は、その厖大な資料を綿密に検討し尽くしたのである。

人の生涯というものは、些末なエピソードの集積である、という意味の言葉が、中唐の詞人韓愈について、中国文学者故吉川幸次郎博士の記したものの中にあったが、この

『白き瓶』でも、藤沢氏は節の書簡その他に見られる些事・エピソードを、ぬかりなくこまごまと書きこんで、節の生活像を鮮明なものにしている。

しかし、そのように徹底的に事実を追究していって書いた中に、ただ一点、節が最も頼りとして治療を乞うた久保猪之吉博士の存在を、節がいかにして知ったかという経緯については、事実不明のままに、或る推測によって押しきったと、同じ疑問につき当っての私の質問に対して、氏は嘗て答えられたのであった。存在した事実を証明する資料の欠けている時、それを埋めて、事実の必然を復元するのが、作家の行為なのであろう。が、この文庫本においては、その後判明した事実によって、単行本の記載を書き改めている。書き改めた箇処は、他にも二、三点あるが、おどろくべきはそのねばり強さと、良心とである。

さて、私がこの作品を読みつつ、膝を叩いて嗟歎した幾つかの内、特に心ひかれた一つ二つに触れてみよう。その一つは、節の旅のことである。節が当時としては珍しいくらいの大旅行家であり、その旅によって得た佳吟の数々はよく知られているが、殊に晩年、死を間近にした時期の物狂おしいまでの九州の旅は、誰もがふしぎに思うことである。

藤沢氏はそれにつき、従来人々の思いつかなかった見方をしている。即ち、節の旅のそもそもは、節自身では人に健康増進のためなどと言っているが、その実は違う。家計を顧みない地方政客の父によって生じた多額の借財と、そのことによって起るさまざまの問題、更には複雑な家系から来る重苦しさに満ちた家からの離脱願望として始まった旅であり、また、晩年、病軀を駆っての日向の地彷徨のことは、病についての絶望裡の無謀なふるまいなどではなく、保養地としてあこがれた暖地四国や九州、殊にその焦点としての青島に、烈しい希求を抱いての極めて常識的な行動であったとする。

この青島のくだりは、作中における最も凄烈な輝きを以て描出されている。私はそこに、嘗て節と同じく胸部を病み、生死の境をさまよったことのある藤沢氏のなまなましい追体験を覗かせられる思いがして、読みつつしばしば息をつまらせた。終章「歌人の死」の八・九の二節がそれであるが、保養地を希求して訪れたその地は時化のさ中であり、肺患の疑いにより、旅館を次から次と追立てられるあたりには、悽愴の気がみなぎっている。

この二節は、節の『病牀日記』の（大正三年）八月二十日・二十一日・二十六日の断片的記載と、それから、青島発八月十七日付斎藤茂吉宛、二十四日付久保より江宛書簡に見える、一見さりげなく淡々と記した短い言葉を骨子として造型されたものである。対比して読めば、小説というもの、小説家の筆力というものが歴然としているが、それには作者藤沢氏の暗く重かった闘病生活の記憶が大きく作用して、筆の力が加わっているに違いない。

エッセイ「小説『白き瓶』の周囲」に、節の青島行が、氏にとって「やはりこの歌人の最大の謎の部分だった」として、その謎ときのため、青島へだけはどうしても行ってみなければならないだろう、と言っているのは、この問題についての氏の執念と眼光とを顕示している。

　さて、エッセイはまた、左千夫に触れて、氏の関心の大きさを知らしめている。「節と左千夫の親交なるものが、ひとかたならず複雑かつ重要なものであること」を知り、「左千夫というひとの個性のおもしろさにひきつけられて、しまいにはこの稀有な人間味を正確に伝えるためには、小説の形を少少損なっても誤字・脱字まじりの手紙をそのまま引用するしかない」という、強い思い入れが述べられているが、この『白き瓶』における歌人伊藤左千夫の存在は無類に面白い。

　それは近代短歌史上の巨大な輝きといったふうのありきたりのものではなく、生ぐさく意地悪くいかがわしい人間、つまりは食うためと歌うためとの二股かけての正味の人間像が、まざまざと描出されており、その左千夫のひき起すトラブルにまきこまれて困りぬく主人公節が、強い同情を呼ぶことになる。左千夫と三井甲之との泥仕合的対立の間にはさまれた節、左千夫の意地悪い作品評を浴びて、歌離れをする時期の節の姿などがそれである。（私は思うのだが、左千夫がなお存命だったとしたら、節の掉尾の大作「鍼の如く」は果して生まれていたかどうか、わかったものではない。）

　八章から成るこの『白き瓶』の内、半分に当たる四つの章の中を、左千夫は大きな体軀を振り振り、動きまわっている。その左千夫が、やがては日本最大の歌人となる若き日の斎藤茂吉を先鋒とする『アララギ』新世代の烈しい攻撃――手塩にかけて育てた若者たちの成長の必然の動き――の前に、正面きって立ちはだかった悲劇的状況のさ中に、卒然として急逝するくだりは印象的である。

さて、またまたエッセイに立戻るが、それには、藤沢氏がこの大作に手をつけたきっかけは、氏の青年期初頭に、節の郷土土着の研究家平輪光三の『長塚節・生活と作品』に触れたことによる、とある。が、思うに、氏の中にもともと節を受入れる素地がなければ、結局は無縁に終ったはずである。藤沢氏の節への関心の理由は多々あるに違いないが、その第一のものとして、文学者としての同質性といったことを、私は強く感ずる。

例えば、藤沢氏の諸作品においてよく見られる、筋に入る直前の情景描写の姿や働きの、節の小説作品におけるそれと、何と似ていることか。これは、氏が節の作品から摂取したなどというものではなくて、両者の同質性に由来するに違いない。

それからまた、この作品中、節短歌そのものを取りあげている際の、味解・鑑賞の行き届いてねんごろなさまにも注目すべきである。俳句の場合は、氏には嘗て作句経験もあるわけだが、短歌については言わば素人のはずである。それなのにこれは、と思う時、私はどうしても、文学者としての両者の同質性の事実に行きあたらざるを得ない。思うに、氏が闘病の時期にあった時、或る場合、運命の同質性を意識したこともあったのではなかろうか。その結実が、前述の青島のくだりであるに違いない。

つまりは、氏が節を小説化することは、氏における必然だったわけである。前に触れた吉村昭氏選評の小説としては問題云々のことも、藤沢氏はとっくに承知の上だったろう。巧者な小説作りとしての定評ある氏が、敢えてその巧者をふりきって、無骨なまでに事実（資料）の重みに心を置いたのも、その必然の帰結であろう。

さて、小説は何よりも面白さが第一に大切だと言われる。面白さにもいろいろあるが、この『白き瓶』の小説としての面白さは何であるか、と問われれば、私はただちに答えよう、それは骨の折れる面白さである、と。

こういう世の中だからこそ、そのような面白さがあってもよかろうではないか。そして、現に、この作品の雑誌連載中の好評のことや、単行本になってからの売れ行きのよさ、などのことを思えば、世には私と同じように、骨の折れる面白さを待望する人々が数多くいることを知り、いささか心安んずるわけである。

（歌人）

往復書簡――清水房雄・藤沢周平

（編集部注）　藤沢周平・清水房雄両氏の間では、昭和五十九年十月から平成七年十一月にかけて、数多くの手紙が交わされました。新装版の刊行にあたり、この内、「白き瓶」の内容について触れられた手紙を一部掲載することにしました。

清水房雄　藤沢周平あてはがき　昭和六十年十二月一日

「白き瓶」、今、読み終りました。読み始めたら止らなくなり、一気になりました。そのあと疲れた様にぐったりして居ります。「一茶」も好きな作品ですが、この方がぐんと胸に入って来ます。雑誌連載中、読みたいのを我慢していて助かりました。もし読んでいたら、「鑑賞」の拙著（編集部注・以下同様。「鑑賞　長塚節の秀歌――覚書」昭和五十九年、短歌新聞社）は、たぶん書けなかったと思います。

清水房雄　藤沢周平あて封書　昭和六十一年四月五日

やっと春らしくなって参りました、御宅のあたり広々とした風景ですので、楽しく散歩もなさって居られる事と存じます。

尤も、先日の御受賞以来、忙しさを加えて居られるかと存じますが、何卒御健康には十分御留意のよう、御願い致します。

さて、御多忙のところ誠に申訳有りませんが、御教示仰ぎたき事御座いますので、宜しく御願い申上げます。

○御高著「白き瓶」三二〇頁一五行〜三二一頁二行（注・本文庫版三六九頁にあたる）のところ、小此木医師、久保博士の関係のこと、順次郎の話のこと、等の所拠文献は何でありましょうか、私ははじめて知ったわけで、調査不足がはずかしく思い居りますが、今一寸書いて居ること有りまして、その事是非とも御教え戴きたく、一筆仕りました、宜しく御願い致します。

（中略）

たわごと記しました、万々御海容のほど願いあげます。

藤沢周平　清水房雄あて封書　昭和六十一年四月九日

冠省　お手紙を頂戴しました。おたずねの個所は、じつを申しますと「白き瓶」の事実関係ではいちばん弱いところで、困りました。

小此木医師と久保博士の関係は、同封の中島博士の文章にあるとおりですが、久保博士が喉頭結核の権威であることを、節（たかし）が誰から聞いたかという点は、手もとにある資料をなめるようにしてさがしましたが見つかりませんでした。

それを弟の順次郎から聞いた、というのは事実ではなく推測にすぎません。

さて、その推測の根拠ということになりますが、中島氏の文章の中には、根岸養生院の岡田院長が久保博士の恩師だという一項がありまして、これも先の疑問と照らしあわせると無視出来ない事実です。久保博士の恩師である岡田院長ルートと、久保博士のオジである小此木医師。節が久保博士のことを知るに至る伝聞ルートは、さしあたってこの二つのルートがもっとも有力と思われるところですが、私は最終的には岡田院長ルートは捨てました。

岡田院長はなかなかの自信家のようで、東大教授でもあります。自分の弟子である久保博士が、同じ分野でより優秀な医師であることをほのめかす可能性は少ないように思えたのです。また岡田院長から聞いたのであれば、節はそのことを手紙に書きそうにも思えるのに、その点には一行も触れていません。久保博士の名前は唐突に出て来て、どうも外部から持ちこまれた知識のように感じられます。

すると小此木ルートかということになるのですが、こちらの方は小此木医師——節、小此木医師——順次郎——節、小此木医師——アララギ関係者——節（中島博士はこのルートを重視しているようです）という三つのルートが考えられるようです。いずれにしても、久保博士が小此木医師の甥であるという事実は、これらのルートによる伝聞の可能性を高めるように思われました。

まず小此木医師――節のルート。これは節が一度小此木医師の診察をうけたときに、久保博士の名前を聞いた可能性はないかということですが、節は暖地への転地療養をすすめられたことはたしかですが、この転地療養は、久保博士がいる九州とは結びつかず、また小此木博士はこの診察のときに、喉頭結核という病名は言わなかったのですから、久保博士の名前が出た可能性はまずない、と考えていいようです。

つぎに小此木医師――順次郎――節というルートですが、節が順次郎の手配で小此木博士の診察をうけた（ここは事実があったように思いますが、ちょっと自信がなくなりました。あとでもう一度調べます。ここも推測だとすると、かなりいい加減な小説ですね）とすると、節が小此木医師につきはなされた形で木村医師にかわったあと、順次郎は挨拶と節の病状をたしかめるために、一度は小此木医師のところに顔を出したのではないか。そのときに久保博士の名前が出た可能性はあると考えたわけです。これが推測の根拠ですが、これには順次郎が、のちに長与又郎の紹介で節に岡田博士の診察をうけさせたように、小此木医師の診察をうけるように手配したことが前提になります。どうもその事実関係をたしかめるのが焦眉の急のようになって来ました。

しかしそうは言っても、以上の考えは要するに推測の域を出るものではなく、節が久保博士の一件を誰に聞いたかということは依然として謎のままです。

ところが小説の方から言いますと、この個所が不明のままでは先にすすむことがきわめて困難になるのでした。流れがそこで切れてしまうのです。唐突に久保博士の名前を出すわけにはいきません。そこで前述のような大胆な推測というか粗雑な断定というか、事実と事実の間に推測といういかがわしい橋をかけて、とにかく強引に通ってみたというのが、清水さんが指摘されるまさにその部分なのです。

そのときの私の考えの中には、一応こういう書き方をしてみて、これについて異論もしくはたしかな文献でも出て来れば、それを参考にさせてもらって定本をつくればいいという横着な考えもあったわけです。つまり小説という名前の中に逃げこむずるい方法をとったわけですが、しかしここのところを書くのにはかなりのためらいがあったことも事実です。それがご炯眼に見破られたわけで、赤面いたしました。

さて、最後の小此木——アララギ関係者——節というケースのことですが、中島博士の文章の中には土屋文明先生の小此木博士の死を悼んだ歌が入っています。私の方では、じつはこれはまったく初耳で、どこから手をつけていいかわからぬままに見送ったのですが、これはアララギと小此木医師が親密な関係にあったという意味なのでしょうか。なにか清水さんがご存じのことがあればお聞かせください。小此木博士とアララギに関係があるとすれば、それはいつごろからか、その関係の内容はいかなるものだったのでしょうか。これがわかると、案外に私の小此木——順次郎——節というへたな推測よりも有力になる可能性もあり得るという気もするのです。

ざっと以上のようなことです。この手紙が十日中にとどけば、授賞式（注・吉川英治文学賞）のときにお話しいたしましょう。先ずは取りいそぎ。

匆匆

清水房雄　藤沢周平あて封書　昭和六十一年四月十九日（二十日消印）

前便にて資料少しお目にかけたあと、思いたちまして、土屋先生（注・土屋文明。文化勲章受章のアララギ派歌人。明治二十三～平成二年）を訪ね、いろいろと御聞きして参りました。まだ頭の中で、それが整理できて居りませんが、取りあえず、聞いたことだけを、メモの形でお目にかけます。まだ文章にするほどまとまりません。

◎青山の土屋邸での話。

○久保は大学時代に、小此木方から通学。
○久保の母が小此木の妹か何か。
○小此木は外来患者として節を診たので、紹介は不要。
○小此木は本郷の真砂町の開業医。
○小此木は節を診療して久保のことをすすめたのだろう。理由は、久保の居る九州は暖地であり、久保は若手の、新しい治療をする医師として知られており、且つ、大学病院の医師である。——節の書簡に暖地のことのみを小此木が言ったとあるのは、小此木の言ったことを、節がすべてをば書かなかったのだろう。
○小此木は病室の設備が無いので、節は病室のある岡田の方に行き、養生院に入ったのだろう。
○小此木と久保は親子ほど年が違う。
○節が久保を知ったのは、「小此木↓久保」の線だろう。
○節が小此木を知ったのは、左千夫を通してではないと思う。（土屋でもない）——左千夫は小此木を知らないだろう。
◎右のあと、「アララギ」発行所へ行ったら、電話せよとの、先生の指示が来ていて、電話したところが大変。前説を全くひっくり返しての話。
○節は小此木と久保の関係を知るまい。
○節は東京で有名な医師を歴訪している。
○「土」前後の頃だから、漱石から久保のことを聞いたのではないか。
以上の如くですが、一寸参りました。

△私は節が小此木を知ったのは、茨城で最初に節を診た友人の中島医師の話を聞いてのことかと思って居りました。
△節が久保を知ったのは、やはり小此木を経てのことと思って居りました。
△節の書簡・日記による限りでは、久保のことがはじめて見えるのは、明治四五・一・二「寺田憲宛」、漱石訪問は四五・二・二三と四五・三・一七。
それだけで考えると、漱石経由説（土屋説）は具合よくないのですが、今見るを得ない節や漱石の書簡があったのかも知れないと思うと、土屋説も一概に否定し得ません。それにしても、小此木や久保を節が知ったわけを、あれほど詳しく手紙を書いた節の（現存の）手紙に全く見出し得ないのはふしぎな気がします。どうも現存の書簡・日記資料だけを手掛りにしての追究には限界があるのかも知れません。

結局スタートへ戻って了ったようなものですが、もう一度考えを進めてみるつもりです。

土屋先生が面白い話をされました。一寸書きます。

小此木が九州の久保方へ行って泊った時のこと、近くに住む白蓮女史（伊藤伝右衛門妻）が、久保夫人より江に「あなたのところには堅い布団しか無いでしょう。」と言って、チリメンの布団を貸してくれた。それがフワフワであったことを、小此木が土屋青年に語ったことがあった。「フワフワなんだ、フワフワだ。」と言って。

以上、まとまらぬまま。

藤沢周平　清水房雄あてはがき　昭和六十一年五月十日

前略　岐阜の銘菓、大層おいしく頂戴しました。有難うございました。また土屋先生とのお話合いを記された前便、「覚書」の追補訂正をふくむ後便を確かに頂戴しまして、興味深く拝見しました。ことにメモ風に列記された土屋先生のお話がおもしろく、またお電話で前説をひっくり返されたというくだりでは少少興奮いたしました。事実の究明は、かく厳密であるべきなのでしょうね。それにしても、節のこの部分の謎はいよいよおもしろくなりました。謎として成立したことがすでにおもしろい感じです。お礼のみ。

匆匆

清水房雄　藤沢周平あてはがき　昭和六十一年七月二十二日

その後は御無沙汰申上げて居ります。御健祥にて御執筆のことと存じ上げます。

（中略）

話変えます。一寸気づいた事ありますので。

「白き瓶」四三九頁一六行（注・本文庫版五〇六頁）「色白で」とありますが、安倍能成

の「我が生ひ立ち」（昭四一・一一・二八、岩波）に、宮本（後の久保）より江のことにつき、

色が黒くて印度美人の名があつたが、今いふ八等身であらう、姿態はよかつた。後に東京の竹柏園で久保猪之吉博士と相知つたとかで、猪之吉夫人になつたが、小学時代から艶名があつたといふから、早熟の少女ではあつたのであらう。

と、あります。（一三七〜一三八頁）

なお、柳原極堂の「友人子規」（昭一八・二・一五、博文堂書房）には

色の小黒いキッと引締って見るからに利発さうな顔だ。云々（一三一頁）

とより江少女を書いて居ります。

成長してから色白になることもありそうですので、今回の十九・二十日のアララギ夏期歌会（全国から集まります）に、大分の日田市から来た藤原哲夫（茂吉門下。九大医卒。耳鼻咽喉開業医。九大で久保門下。中島恒雄と同級）に聞いてみましたところ、「白い方ではなかったなあ。」という話でした。久保家へ出入りしての印象とのことでした。因みに「久保先生はやさしかったか？」と尋ねましたら、「いや、どうしてどうして。きびしかった。」という話でした。より江夫人の顔は整っていたとのことです。

右、一寸したことですが、気づきましたので。

じめじめとした毎日です。何卒御自愛下さい。

藤沢周平　清水房雄あてはがき　昭和六十一年八月二日

御芳書ならびにアララギ七、八月号を拝受いたしました。私もこのところ、仕事が山積しているところにこの暑さで諸事はかどらず、四苦八苦しておりますので、清水さんがお出になるのが遅くなるのはむしろ好都合です。どうぞお気になさらずまたご連絡ください。久保夫人「色黒」の事実はびっくり仰天。いずれ定本をつくるときに頂戴し、訂正いたしたいと思います。まずはご連絡のみ。

匆匆

清水房雄　藤沢周平あて封書　昭和六十三年七月二十七日

前略仕ります。

御高著『白き瓶』の文庫本解説を御引きうけしましてから、構想といったようなもの——大した事は出来ないかも知れませんが——を考え考え、参考の為に文庫本数種の解説に目を通したり、『白き瓶』を改めてまた、そのつもりで読んだりして居ります。

それで、一寸気づいた事ありますので、御報告申し上げますが、勿論修正の要云々を考えての事ではなく、御参考までという程の次第です。

㈠『白き瓶』九一頁（注・本文庫版一〇六頁）、末尾のあたり。

「大堀の渡し」——これは寺田憲宛節書簡（全集第六巻一二八頁）に拠ったものと存じ

ますが、「大」は節の誤記で、実は「小堀」と書いて「オオホリ」と発音して居る地名です。私は嘗て湖北村（今、我孫子市に編入）に十年程住みましたし、最初の妻が湖北村の地主の娘でしたので、その事記憶して居り、念の為、その妻の妹の友人がその小堀の人（アララギ会員）に嫁に行って居りますから、電話して確かめました。昔も今も、附近にも「大堀」の名は無く、昔から「小堀（オオホリ）」の由ですが、その読み方にひかれてか「大堀」と書いての手紙が来る事ある由です。節の場合もそれと思われます。従って、節書簡引用の形ならばよいとして、事実を書くとすると「小」が正しいわけです。

㈡湖北から取手へ行くには昔も今も二途あります。

① 成田から（昔は汽車、今は電車）成田線（私鉄京成成田線とは別。正確には何と言いますか、国鉄の成田線です。）で湖北にて下車。約三十分歩いて、小堀で小舟に乗り茨城県に渡り、約二十分歩いて取手駅着。

② 湖北で下車せず、次の我孫子で下車し、常磐線に乗換えると、次が取手駅。（例の「一本刀土俵入り」の我孫子・取手です。）

この②の場合が「乗車賃十二銭」だったのでしょう。節書簡の「湖北より取手まで汽車ならば十二銭」とある「ならば」には、我孫子経由が含みとしてありましょう。その点、地元の人間には一ぺんで判りますが、その含みが判らぬと、『白き瓶』九一頁の終りのあたりは、一寸疑問起るかも知れません。

［清水手書き地図 便箋一枚］

○現在、小堀は取手市に入って居りますが、これは利根川が今のように流れて居るための珍事（？）で、昔は今の「古利根」が流れだったので、小堀は地続きの茨城県だった由です。小堀には税金の出せるような産業無く、狭い土地で農家だけですので、地続きの千葉県に入れてもらえないとのことで、子供達は地続きの湖北の学校へ通えず、渡舟で利根川を渡って、取手の学校へ通って居りました。妙な所です。

小堀のその知人の家の土間には、天井に黒い小舟がつるしてあり、昔それは、利根川が増水すると、一家の者がそれに乗ってふらふらして居ったもので、その頃は、川の土手はあったのかどうかよく知らぬ由です。

今、常磐線で我孫子から取手へ向いますと、利根川の鉄橋にさしかかる頃、田圃の中に小丘の断片めいたものが幾つかあり、それが旧堤防だったとか聞いた事あります。左千夫が大水で苦しんだ頃は小堀あたりも水害があったのでしょうか。よく調べて居りませんが、関係つけて調べると面白いかと思って居ります。

○（余談記します。）

茨城県議会で、長塚源次郎の最大の政敵は同県北相馬郡寺原村桑原四六番地、蛯原勝三郎（この名は節書簡集のどこかで見ましたが、メモしそこないました。）で、交互に県議会の議長をした由。その勝三郎に二男二女あり。次男は千葉県松戸市の梨本家へ養子となり（梨本太兵衛）、川島正次郎系の地方政治家となりました。長男は八十才過ぎても、一山当てようと飛んで歩く野心家でしたが、これが長塚節と同年齢で、お互いの父の関係もあってか、しきりと節の悪口――というよりは、節はとばっちり――を言って居りました。（その長子が今、土浦市に在住。）長女は北相馬郡小文間村（？）の旧家に嫁ぎ、次女（ゆき）は千葉県湖北村の地主、阿曾文雄に嫁ぎました。（今、皆世にありませんが。）阿曾家は長塚家と同じく、維新後、質屋で財を得、村で二番目位の、かなりの地主になった家ですが、文雄は生物学を学び、後に宮内省の陛下の研究室に勤務し、戦争が烈しくなって通勤困難で退職しました。文雄とゆきに三男二女あり、長女のひで子が、私の最初の妻でした。これは昭和三十七年に乳癌から肺・脳へと転移し、四十四才で死去しました。（それからの私はすべてがメチャクチャになりました。）

長塚さんへの私の執念（？）は、アララギから来ているものと、右の妻の方から来るものと、二系統あるわけです。（もう一つありました。「土」を拠点としますが、郷里の「野田」とのかかわりです。）

利根川を打ち越え来れば鳥網張る湖北村に鶯鳴くも（全集第三巻五四頁）――（明治三五）の「湖北村」はは（ママ）、今、我孫子市の一部で、歌ではウミキタムラと読ませるつもりかも知れません。

くだくだ一杯書きました。御許し下さい。

（『白き瓶』文庫の為の、御直しになられた部分のコピーを「文春」から送ってもらいました。）

藤沢周平　清水房雄あて封書　昭和六十三年七月三十一日

前略　再三のお手紙有難く拝受いたしました。文春に提出した訂正部分は、こちらからコピーを差し上げるつもりでしたが、野暮用山積してなかなかその時間がなく、もたついておりました。文春から取り寄せられたとのことで、申しわけなく存じます。

さて、訂正の部分は、コピーでご承知のごとく、三個所ですが、若干補足説明を申し上げます。

①二九一頁〜二九七頁（注・本文庫版三三五〜三四二頁）、木村医師から喉頭結核の宣告を受けた時の状況の訂正は「時刻」です。

「白き瓶」は、この診察の時刻をその日の午後のこととし、診察が終って外に出たときは「まだ二時ごろだろうと思われる時刻の日射し＝二九五頁（注・本文庫版三四〇頁）」と書いていますが、十一月二十二日の岡麓あての手紙や平輪さんの「長塚節　生活と作品」二一五頁によれば、診察は二十一日の夜です。

なぜ午後の早い時間と思ったのかはいま思い出せませんが、右に従って「時刻」を訂正したものです。

ただし全体を夜に変更すると、これは全面的な改稿になっておおごとになります。またこのときのことをうたった十首の中の第三首目の調子からみても、夜といってもそんなにおそい時刻ではなかろうと推測されますので、診察を終ったのが夕刻、宿泊先の小布施家に帰ったのが宵の口ぐらいの感じに訂正するにとどめました。

②三二〇頁〜三二一頁（注・本文庫版三六九〜三七〇頁）、ここは問題の久保博士の部分ですが、堤靖夫氏の文章に従って、節が久保博士の名前を知ったのは堤父子が上京したとき、それも四十五年一月一日のことと限定して訂正しました。

堤氏の文章は、上京したときに見舞ったが逢えなかった、「其後も病気がよくならないとかいふので、父が親交ある久保博士の診察を受けたらよいだらうといふので」云云と、上京の時期と紹介の時期に少なからず間隔があったような書き方をしています。曖昧な文章です。

しかしこの場合の「其後」は、実務的な紹介の手続きに関連した言葉か、あるいは時期について堤氏が単純な記憶違いをしているかだろうと思われ、その場で紹介状を書いたかどうかはべつにして、元日の面談の席で久保博士の名前が出たのはたしかのように思われます。

そうでなければ、清水さんも「長塚節　覚書」（注・前出の「鑑賞　長塚節の秀歌——

覚書」）の中で指摘しておられるように、翌一月二日付けの寺田憲あての手紙に、突然久保博士の名前が出て来る理由がわかりません。

もっとも、ここのところは疑えばまだ疑えるところで、節は日誌一月一日に黒門町の中島宅に堤父子をたずねたと記しているだけで、そこで面談したのか、堤父子が不在だったのかもはっきりしていません。また堤氏の文章の「其後」云云が、文字どおり節に久保博士の名前を知らせた時期もふくんでいるということも、文脈から言って考えられないことでもない。

そういう疑いは残りますが、そうなるとまたしてもそれでは寺田あて書簡以前に、節に久保博士の名前を知らせたのは誰かということになって、問題は振り出しにもどります。

これではたまりませんので、比較的信憑性が高いと思われる一月一日に堤定次郎氏から聞いたことにしたわけです。

さて、この訂正部分に、三つの不確定部分が入っています。久保猪之吉がいかづち会の歌人であること、久保夫人が松山出身で子規、漱石と面識があること、以上二点を堤定次郎から聞いたように書いてありますが、これはむろん、何の証拠もないことです。

節が漱石と久保夫人のつながりを知るのは、四五・三・一七の漱石宅訪問のときではないか、という清水さんのご文章は非常に説得力があり、多分そのへんが真相ではないかと思われますが、決定的な資料はないとおっしゃる。

となると、不確定部分こそ小説の働き場というわけで、堤氏との雑談の中にそういう話が出て来たことにしたわけです。

そう信じたわけでもないのに、そういう扱いをするのは無節操のようですが、私にとって重要なのは、久保博士が歌人であり、久保夫人が子規と面識があるという事実で、節がそのことをいつ、誰に聞いたかということは、不確定な事実である以上、堤定次郎との話の中で扱おうと、漱石訪問のところで扱おうと大差はないのです。要するに小説では確定的な要素と同じ比重で、不確定要素も重視するわけで、このへんが学術書と違うところかも知れません。もっともこれを学問的見地から言えば、要するにだらしないということになりましょう。以上のような理由で、久保博士と久保夫人についての記述は、さほど良心に咎めないのですが、第三の不確定部分、堤定次郎を香川県庁の内務部長としたことについては、若干忸怩とした気分があります。

内務部長は平輪さんの「長塚節　生活と作品」に拠るわけですが、これは四十五年七月末〜八月ごろのことです。上京して節を見舞った当時（四十四年十二月末）も部長だったかどうかはわからず、清水さんのご文章のように、良心的に書けば県高級官僚が正しいと思われます。しかし高級官僚では小説の読者は納得しないでしょうから、わかりやすく内務部長としました。

しかし、あるいは堤氏は当時課長だったかも知れず、また手をつくせばそれを知る手段はあるかも知れないのにやらなかったというのが忸怩の中身です。

以上が②の補足説明で、訂正部分の第三点は電話でも申し上げましたように、顔のことです。しかし顔が黒かったというのは、貴重な証言でした。小説で欲しいのは意外にこういう点の証言です。これとか声とか。

ほか「大堀の渡し」の件、後便の誤植の件、いずれも有難く承りました。ご指摘のとおりに訂正させてもらいます。「大堀の渡し」のところは、書きながら首をひねったところでしたが、これですっきりと腑に落ちました。いかにも「ならば」の含みが重要です。なお誤りがありましたらご教示ください。

なお前便で、清水さんのさきの奥様のご家系と長塚家との関係にはおどろきました。清水さんが節に執着なさるのはもっともと思われます。また亡き奥さまに対するご心情は御作品からうすうす感じておりました。清水さんはそのときに、人生の底をのぞいてしまわれたのだと思います。しかし残された者は残された命を全うしなければなりません。清水さんは、亡き奥さまの思い出が宿る器です。命をいつくしみ全うするのが、生き残った者の義務と思われます。

大先輩に忠告めいたことを申し上げるつもりはありませんが、歌集「天南」は清水さんの生活記録どころか、生活破壊につながるあやうさが見える歌集でした。元気を奮い起こして頂きたいと思います。なお、「白き瓶」の解説は、気楽に清水さんの節に対する思いをのべる場所に使ってもらっていいのです。気楽にご自由に書いてください。

藤沢周平　清水房雄あてはがき　昭和六十三年八月九日

冠省　御労作の「解説」を拝見しましたが、拙作についてのやや過褒気味の評価をのぞけば、お申し越しの件のほかは格別手入れ必要の個所もなく、非常によくまとまった名解説と思われます。有難うございました。

（以下略）

往復書簡解説

菊地　香

世田谷文学館では、平成十七（二〇〇五）年秋に「藤沢周平の世界展」を開催した。その準備をする中で、『白き瓶』をめぐる膨大な往復書簡に出会うことができた。

これらの書簡からは、小説家が歴史を書くということ、とりわけ、藤沢さんにとっては特別な存在であった長塚節を書くということの責任の重さがずっしりと伝わってくる。分量的にも内容的にも、ただため息が出るばかりだった。

さわやかな読後感を得られる作品が多い藤沢さんの時代小説に対し、歴史小説は史実を追究した成果の重厚な読後感が特徴で、その最たる作品が『白き瓶』と言えるだろう。文庫巻末に、清水房雄さんが『白き瓶』の見事な解説を書かれており、この作品を「骨の折れる面白さ」と称しているが、まさに的を射ている。

執筆のために藤沢さんが膨大なエネルギーを費やしたことは、本編のみならず、巻末に列挙された多数の参考文献や、『藤沢周平全集』第二十五巻に収録されている清水房雄さんにあてた書簡からもうかがうことができる。ただ、逆に清水さんが藤沢さんにあてた方の書簡は収録されていなかったため、何をめぐって話されていたのかについては推測の域を出なかった。

藤沢さんの没後、家族が遺品を整理されていることを知った清水さんは、大切に保管されていた藤沢さんからの書簡を、藤沢さんの家族の元へ快く納められた。こうして、藤沢さんと清水さんの書簡が一つのところに集まり、企画展を機に往復書簡として内容を読み込むことができるようになった。それは、藤沢さんと清水さんの「対話」を再現することであり、『白き瓶』という一編の小説を作る途方もない苦労と執念を、改めて第三者に明らかにすることでもあった。

まずは、藤沢さんと長塚節の出会いについて触れておきたい。それは藤沢さんがまだ十六、七歳の多感な少年のころ、故郷の鶴岡の小さな書店で偶然手にした、平輪光三著『長塚節　生活と作品』という一冊の本だったという。藤沢作品といえば、郷愁を誘う風景描写の美しさが魅力だが、その眼を開くきっかけとなったのが節の「初秋の歌」であり、節は藤沢文学の原点と呼ぶべき重要な存在と言えるだろう。そして、胸を患い、故郷から旅立ち、数え三十七歳で夭折した歌人に、若いころに同じ病で生死をさまよった自身の闘病時代の記憶を、藤沢さんが重ねていたことも垣間見える。

しかし、藤沢さんが節を描くまでには長い歳月を要した。節を題材にした『白き瓶』

に取り掛かるようになったのは、昭和五十七年、五十五歳ごろからだった。用心棒日月抄シリーズ、隠し剣シリーズなどの人気作を手がけ、作家として最も脂の乗っていた時期に当たる。昭和五十八年一月から「別冊文藝春秋」で『白き瓶』を二年近く連載した。

一方、このように事細かに、節に関して藤沢さんにアドバイスをしていた清水さんと節との関係も、今回掲載した書簡で明らかになった。清水さんは現役のアララギ系歌人であり、歌人としての出発点は節だった。そして、昭和六十三年七月二十七日付の藤沢さんあての書簡で明かしているように、節の家と清水さんの前の夫人の家とはある因縁があった。また、節の小説『土』の原風景となった野田が清水さんの郷里という縁もあった。清水さんにとってもやはり、節は特別な存在であったのだ。

清水さんは『白き瓶』連載終了後の昭和五十九年、藤沢さんに初めて手紙を出す。それから二人の間で『白き瓶』のディテールをめぐり、書簡での交流が始まった。

藤沢さんが亡くなる一年余前、平成七年末までの十一年間に交わされた書簡は、平成二十二（二〇一〇）年の時点で百十五通見つかっているが（藤沢さん発・五十六通、清水さん発・五十九通）、散逸したものを含めると実際はさらに多い。また、手紙だけではなく、電話で何度も話し合った。完成度を究めて長塚節の真実を描き出すため、文庫化のとき、全集刊行のときと、そのたびごとに細部に至る質疑が繰り返されて『白き瓶』は手を加えられた。

例を挙げると、節が久保博士のことを誰から聞いたかについては、初出誌では「聞きこんでいた」とぼかしている。単行本化（一九八五年初版）では「順次郎から」としていたが、清水さんの指摘により「堤定次郎」と改めた。また、久保夫人の容貌について、単行本から最初の文庫化に際しては（一九八八年初版）、「色白」としていたのを「浅黒い顔」と改めた。

一見、ほんの些細なことかもしれないが、記録や論文と違い、小説で読ませる場合、不明なことは「不明」と書いて穴を空けるわけにはいかない。物語の構成や流れ、人物の造形（容姿、性格付け）など、作品の軸に及びかねないからだ。

昭和六十三年七月三十一日付の藤沢さんの手紙にはこうある。「（久保夫人の）顔が黒かったというのは、貴重な証言でした。小説で欲しいのは意外にこういう点の証言です。これとか声とか。」実在した登場人物に、小説で命を吹き込むことの難しさがうかがえる。

より江夫人は当時俳人ではなく歌人だったということは、文庫刊行後に判明し、全集で改められた。この書簡は「新清水書簡関係　全集版校正」と記した封筒に入れ、ほかの書簡とは分けて大事に保管されていた。

手紙を交わすにつれ、徐々に二人は『白き瓶』校訂の仕事上のつきあいだけではなく、心を通わせた様子で、折に触れてお土産を贈り、時には、清水さんが郷里野田のせんべいを贈るなどしていた。互いの著書についての感想などを細かにしたためた書簡も多い。とてもシャイで、文壇づきあいもあまりしなかったという藤沢さんにとって、清水さんは誰よりも心強い先達であり、気の置けない友人でもあったのだろう。

企画展準備中、私は清水さんと電話や手紙で何度も連絡を取り、お力添えいただいたが、ご本人にようやくお目にかかれたのは、企画展が始まってからだった。展示室の「白き瓶」コーナーに、凜(りん)とした姿で佇む老紳士が清水さんであることを、私は一目見てすぐにわかった。実際にお話しすると、清水さんの温和で真摯な人柄にも、藤沢さんが信頼を置いていたのであろうことは容易に想像ができた。

驚いたのは、これだけ書簡や電話で密な親交がありながら、実際に対面したのはわずか二回しかなかったことだった。一度目は清水さんが「アララギ」への寄稿依頼に行ったとき、二度目は『白き瓶』で吉川英治文学賞を受賞した祝賀会のときだったという。親交の証である膨大な往復書簡の山を目の当たりにし、清水さんは藤沢さんと静かに邂逅しているようだった。

企画展では、『白き瓶』という作品の特異性を、展示という性質上、往復書簡と藤沢さん自筆の長さ八メートルに及ぶ手書きの節年譜などの資料のボリュームの迫力で伝えたが、往復書簡の中身については、大変な分量のため、来場者に十分伝えられなかったことが、ずっと心残りだった。

そこで今回、文庫新装版で、往復書簡のうち重要と思われる内容の一部を収録することになった。藤沢周平が作家として精魂を傾けた大作の執筆過程や、書簡の随所に垣間見える「人となり」を読者が知ることで、『白き瓶』を読み直し、新たな読後感を味わっていただければ幸いに思う。

ところで、藤沢さんの遺品の中には、あの『長塚節 生活と作品』もあった。表紙は黒く煤け、中身も経年劣化によりページを繰る度にポロポロと紙片が零れ落ちるが、きちんと冊子の状態になっていた。藤沢さんの手により何度もテープや糸で補修された痕跡が見られることから、決して手放すことは考えていなかったのだろう。この本は、文字通り生涯を共にした一冊であり、節は生涯を共にした人物だったのだ……。

往復書簡掲載に際し、ご高配いただいた藤沢周平さんのご家族の皆さん、清水房雄さん、書簡翻刻にご助力いただいた利根川真澄さんに心から感謝いたします。

（世田谷文学館主任学芸員）

初出　「別冊文藝春秋」一六二号〜一六九号
単行本　一九八五年　文藝春秋刊

この本は一九八八年に小社より刊行された文庫の新装版です。
内容は小社刊「藤沢周平全集」第八巻（一九九三年）を底本としています。

なお、新装版刊行にあたり、『白き瓶』の作品成立にかかわる藤沢周平、清水房雄両氏の往復書簡の一部を抜粋し、巻末に掲載しました。

文春文庫

白(しろ)き瓶(かめ)　小説(しょうせつ)長塚節(ながつかたかし)

定価はカバーに表示してあります

2010年5月10日　新装版第1刷
2022年1月15日　第3刷

著　者　藤沢周平(ふじさわしゅうへい)
発行者　花田朋子
発行所　株式会社　文藝春秋

東京都千代田区紀尾井町3-23　〒102-8008
TEL　03・3265・1211㈹
文藝春秋ホームページ　http://www.bunshun.co.jp

落丁、乱丁本は、お手数ですが小社製作部宛お送り下さい。送料小社負担でお取替致します。

印刷製本・凸版印刷

Printed in Japan
ISBN978-4-16-719246-4

（　）内は解説者。品切の節はご容赦下さい。

藤沢周平　花のあと

娘盛りを剣の道に生きたお以登にも、ひそかに想う相手がいた。手合せしてあえなく打ち負かされた孫四郎という部屋住みの剣士である。表題作のほか時代小説の佳品を精選。（桶谷秀昭）

ふ-1-23

藤沢周平　小説の周辺

小説の第一人者である著者が、取材のこぼれ話から自作の背景、転機となった作品について吐露した滋味溢れる随筆集。郷里の風景や人情、教え子との交流などを端正につづる。

ふ-1-24

藤沢周平　麦屋町昼下がり

藩中一、二を競い合う剣の遣い手同士が、奇しき運命の縁に結ばれて対峙する。男の闘いを緊密な構成と乾いた抒情で描きだす表題作など全四篇。この作家、円熟期えりぬきの秀作集。

ふ-1-26

藤沢周平　三屋清左衛門残日録

家督をゆずり隠居の身となった清左衛門の日記「残日録」。悔いと寂寥感にさいなまれつつ、なお命をいとおしみ、力尽くす男の残された日々の輝きを描き共感をよぶ連作長篇。（丸元淑生）

ふ-1-27

藤沢周平　玄鳥

武家の妻の淡い恋心をかえらぬ燕に託してえがく「玄鳥」をはじめ、円熟期の最上の果実と称賛された名品集である。他に「浦島」「三月の鮠（はや）」「闇討ち」「鷦鷯（みそさざい）」を収める。（中野孝次）

ふ-1-28

藤沢周平　夜消える

酒びたりの父をかかえる娘と母、市井のどこにでもある小さな不幸と厄介ごと。表題作の他「にがい再会」「永代橋」「踊る手」「消息」「初つばめ」「遠ざかる声」など市井短篇小説集。（駒田信二）

ふ-1-29

藤沢周平　秘太刀馬の骨

北国の藩、筆頭家老暗殺につかわれた幻の剣「馬の骨」。下手人不明のまま六年過ぎ、密命をおびた藩士と剣士は連れだって謎の秘剣をさがし歩く。オムニバスによる異色作。（出久根達郎）

ふ-1-30

（　）内は解説者。品切の節はご容赦下さい。

藤沢周平
半生の記
自身を語ること稀だった含羞の作家が、初めて筆をとった来しかたの記。郷里山形、生家と家族、学校と恩師、戦中戦後、そして闘病。詳細な年譜も付した藤沢文学の源泉を語る一冊。
ふ-1-31

藤沢周平
漆(うるし)の実のみのる国（上下）
貧窮のどん底にあえぐ米沢藩。鷹山は自ら一汁一菜をもちい、藩政改革に心血をそそぐ。無私に殉じた人々の類なくうつくしいこの物語は、作者が最後の命をもやした名篇。（関川夏央）
ふ-1-32

藤沢周平
日暮れ竹河岸
作者秘愛の浮世絵から発想を得てつむぎだされた短篇名品集。市井のひとびとの、陰翳ゆたかな人生絵図を掌の小品に仕上げた極上品、全十九篇を収録。生前最後の作品集。（杉本章子）
ふ-1-34

藤沢周平
早春　その他
初老の勤め人の孤独と寂寥を描いた唯一の現代小説「早春」。加えて時代小説の名品二篇に、随想・エッセイを四篇収める。作家晩年の心境をうつしだす静謐にして透明な文章！（桶谷秀昭）
ふ-1-35

藤沢周平
よろずや平四郎活人剣（上下）
喧嘩、口論、探し物その他、よろず仲裁つかまつり候。旗本の家を出奔し、裏店にすみついた神名平四郎の風がわりな商売。長屋暮しの哀歓あふれる人生をえがく剣客小説。（村上博基）
ふ-1-36

藤沢周平
隠し剣孤影抄
剣客小説に新境地を開いた名品集〝隠し剣〟シリーズ。剣鬼と化し破牢した夫のため捨て身の行動に出る人妻、これに翻弄される男を描く「隠し剣鬼ノ爪」など八篇を収める。（阿部達二）
ふ-1-38

（　）内は解説者。品切の節はご容赦下さい。

藤沢周平
隠し剣秋風抄
ロングセラー〝隠し剣〟シリーズ第二弾。凶々しいばかりに研ぎ澄まされた剣技と人としての弱さをあわせ持つ主人公たち。粋な筆致の中に深い余韻を残す九篇。剣客小説の金字塔。
ふ-1-39

藤沢周平
又蔵の火
〈負のロマン〉と賛された初期の名品集。叔父と甥の凄絶な果たし合いの描写の迫力が語り継がれる表題作のほか、「帰郷」「賽子無宿」「割れた月」「恐喝」の全五篇を収める。（常盤新平）
ふ-1-40

藤沢周平
暁のひかり
足の悪い娘の姿にふと正道を思い出す博奕打ち――表題作の他「馬五郎焼身」「おふく」「穴熊」「しぶとい連中」「冬の潮」を収録。市井の人々の哀切な息づかいを描く名品集。（あさのあつこ）
ふ-1-41

藤沢周平
一茶
俳聖か、風狂か、俗人か。稀代の俳諧師、小林一茶。その素朴な作風とは裏腹に、貧しさの中をしたたかに生き抜いた男。底辺を生きた俳人の複雑な貌を描き出す。（藤田昌司）
ふ-1-42

藤沢周平
長門守の陰謀
荘内藩主世継ぎをめぐる暗闘として史実に残る長門守事件。その空前の危機を描いた表題作ほか、初期短篇の秀作「夢ぞ見し」「春の雪」「夕べの光」「遠い少女」の全五篇を収録。（磯田道史）
ふ-1-43

藤沢周平
無用の隠密
未刊行初期短篇

命令権者に忘れられた男の悲哀を描く表題作ほか、歴史短篇「上意討」、悪女もの「佐賀屋喜七」など、作家デビュー前に雑誌掲載された十五篇を収録。文庫版には「浮世絵師」を追加。（阿部達二）
ふ-1-44

（　）内は解説者。品切の節はご容赦下さい。

藤沢周平
夜の橋
半年前に別れた女房が再婚話の相談で訪ねてくる——雪降る深川の夜の橋を舞台にすれ違う男女の心の機微を描いた表題作、「一夢の敗北」「冬の足音」等全九篇を収録。（宇江佐真理）
ふ-1-52

藤沢周平
周平独言
「私のエッセーは炉辺の談話のごときものにすぎない」と記す著者による初のエッセイ集。惹かれてやまない歴史上の人物、創作への意欲、故郷への思いが凝縮された一冊。（鈴木文彦）
ふ-1-53

藤沢周平
喜多川歌麿女絵草紙
生涯美人絵を描き「歌まくら」など枕絵の名作を残した歌麿は、好色漢の代名詞とされるが、愛妻家の一面もあった。独自の構成と手法で浮き彫りにされる人間・歌麿。（蓬田やすひろ）
ふ-1-54

藤沢周平
風の果て（上下）
首席家老・又左衛門の許にある日、果たし状が届く。かつて同門の徒であり、今は厄介叔父と呼ばれる市之丞からであった。運命の非情な饗宴を隈なく描いた武家小説の傑作。（葉室　麟）
ふ-1-55

藤沢周平
海鳴り（上下）
心が通わない妻と放蕩息子の間で人生の空しさと焦りを感じる紙屋新兵衛は、薄幸の人妻おこうに想いを寄せ、闇に落ちていく。人生の陰影を描いた世話物の名品。（後藤正治）
ふ-1-57

藤沢周平
逆軍の旗
坐して滅ぶか、あるいは叛くか—戦国武将で一際異彩を放ち、今なお謎に包まれた明智光秀を描く表題作他、郷里の歴史に材をとった「上意改まる」「幻にあらず」等全四篇。（湯川　豊）
ふ-1-59

（　）内は解説者。品切の節はご容赦下さい。

藤沢周平
雲奔る
小説・雲井龍雄
薩摩討つべし――奥羽列藩を襲った幕末狂乱の嵐のなかを、討薩ひとすじに奔走し倒れた悲劇の志士・雲井龍雄。その短く激しい生涯を、熱気のこもった筆で描く歴史小説。（関川夏央）
ふ-1-60

藤沢周平
回天の門
（上下）
山師、策士と呼ばれ、いまなお誤解のなかにある清河八郎は、官途へ一片の野心ももたない草莽の志士でありつづけた。維新回天の夢を一途に追った清冽な男の生涯を描く。（関川夏央）
ふ-1-61

藤沢周平
蝉しぐれ
（上下）
清流と木立にかこまれた城下組屋敷。淡い恋、友情、そして忍苦―苛烈な運命に翻弄されながら成長してゆく少年藩士・牧文四郎の姿を、ゆたかな光の中に描いた傑作長篇。（湯川　豊）
ふ-1-63

藤沢周平
春秋の檻
獄医立花登手控え（一）
居候先の叔父宅でこき使われながら、小伝馬町牢医者の仕事を黙々とこなす立花登。ある時、島流しの船を待つ囚人に思わぬ頼まれ事をする。青年医師の成長を描く連作集。（末國善己）
ふ-1-65

藤沢周平
風雪の檻
獄医立花登手控え（二）
重い病におかされる老囚人に「娘と孫を探してくれ」と頼まれ、登が長屋を訪ねてみると、薄気味悪い男の影が――。青年獄医が数々の難事件に挑む連作集第二弾！（あさのあつこ）
ふ-1-66

藤沢周平
愛憎の檻
獄医立花登手控え（三）
新しい女囚人おきぬは、顔も身体つきもどこか垢抜けていた。そのしたたかさに、登は事件の背景を探るが、どこか腑に落ちない。テレビドラマ化もされた連作集第三弾。（佐生哲雄）
ふ-1-67

文春文庫　藤沢周平の本

（　）内は解説者。品切の節はご容赦下さい。

藤沢周平
人間の檻
獄医立花登手控え（四）

死病に憑かれた下駄職人が過去の「子供さらい」の罪を告白。その時の相棒に似た男を、登は牢で知っていた。医師としての理想を探りつつ、難事に挑む登。胸を打つ完結篇！（新見正則）

ふ-1-68

藤沢周平
藤沢周平句集

青年期の入院生活で、藤沢周平は俳句と出会う。俳誌「海坂」に投句をし、俳句への強い関心は後に小説『一茶』に結実。文庫化に際し新たに発見された百余りの句を追加。（湯川　豊）

ふ-1-69

藤沢周平
闇の歯車

馴染みの飲み屋で各々盃を傾ける四人の男。そんな彼らを〝押し込み強盗〟に誘う、謎の人物が現れる。決行は逢魔が刻――。ハードボイルド犯罪時代小説の傑作！（湯川　豊）

ふ-1-70

遠藤展子
藤沢周平　父の周辺

「オバQ音頭」に誘われていった夏の盆踊り、公園でブランコを押してもらった思い出……「この父の娘に生まれてよかった」という愛娘が、作家・藤沢周平と暮した日々を綴る。（杉本章子）

ふ-1-91

文藝春秋　編
藤沢周平のすべて

惜しんであまりあるこの作家。その生涯と作品、魅力のすべてを語り尽くす愛読者必携の藤沢周平文芸読本。弔辞から全作品リスト、年譜、未公開写真までを収録した完全編集版。

ふ-1-94

文藝春秋　編
藤沢周平のこころ

没後二十年を機に編まれたムックに「オール讀物」掲載のインタビュー記事・座談会等を追加。佐伯泰英・あさのあつこ・江夏豊・北大路欣也らが、藤沢作品の魅力を語りつくす。

ふ-1-96

安部龍太郎
等伯（上下）

武士に生まれながら、天下一の絵師をめざして京に上り、戦国の世でたび重なる悲劇に見舞われつつも、己の道を信じた長谷川等伯の一代記を描く傑作長編。直木賞受賞。（島内景二）

あ-32-4

安部龍太郎
姫神

争いが続く朝鮮半島と倭国の平和を願う聖徳太子の遣隋使計画。海の民・宗像の一族に密命が下る。国内外の妨害工作に悩まされながら、若き巫女が起こした奇跡とは――。（島内景二）

あ-32-6

安部龍太郎
おんなの城

結婚が政略であり、嫁入りが高度な外交だった戦国時代。各々の方法で城を守ろうと闘った女たちがいた――井伊直虎、立花誾千代など四人の過酷な運命を描く中編集。（島内景二）

あ-32-7

安部龍太郎
宗麟の海

信長より早く海外貿易を行い、硝石、鉛を輸入、鉄砲をいち早く整備。宣教師たちの助力で知力と軍事力を駆使して瞬く間に九州を制覇した大友宗麟の姿を描く歴史叙事詩。（鹿毛敏夫）

あ-32-8

安能　務
始皇帝
中華帝国の開祖

始皇帝は〝暴君〟ではなく〝名君〟だった!?　世界で初めて政治力学を意識し中華帝国を創り上げた男。その人物像に迫りつつ、現代にも通じる政治学を解きあかす一冊。（冨谷　至）

あ-33-4

浅田次郎
壬生義士伝（上下）

「死にたぐねえから、人を斬るのす」――生活苦から南部藩を脱藩し、壬生浪と呼ばれた新選組で人の道を見失わず生きた吉村貫一郎の運命。第十三回柴田錬三郎賞受賞。（久世光彦）

あ-39-2

浅田次郎
輪違屋糸里（上下）

土方歳三を慕う京都・島原の芸妓・糸里は、芹沢鴨暗殺という、新選組の内部抗争に巻き込まれていく。大ベストセラー『壬生義士伝』に続き、女の〝義〟を描いた傑作長篇。（末國善己）

あ-39-6